U0474060

哈佛百年经典

英国与美国名家随笔

[英]威廉·梅克比斯·萨克雷 / [英]约翰·亨利·纽曼 /
[英]马修·阿诺德 等◎著
[美]查尔斯·艾略特◎主编
高朝阳 / 彭 勇 等◎译

北京理工大学出版社
BEIJING INSTITUTE OF TECHNOLOGY PRESS

版权专有 侵权必究

图书在版编目（CIP）数据

英国与美国名家随笔 /（英）萨克雷等著；高黎平，彭勇等译.—北京：北京理工大学出版社，2014.7（2019.9重印）

（哈佛百年经典）

ISBN 978-7-5640-8647-3

Ⅰ.①英… Ⅱ.①萨… ②高… ③彭… Ⅲ.①随笔—作品集—英国 ②随笔—作品集—美国 Ⅳ.①I561.6②I712.6

中国版本图书馆CIP数据核字（2014）第089329号

出版发行 /	北京理工大学出版社有限责任公司
社　　址 /	北京市海淀区中关村南大街5号
邮　　编 /	100081
电　　话 /	（010）68914775（总编室）
	82562903（教材售后服务热线）
	68948351（其他图书服务热线）
网　　址 /	http://www.bitpress.com.cn
经　　销 /	全国各地新华书店
印　　刷 /	三河市金元印装有限公司
开　　本 /	700毫米×1000毫米　1/16
印　　张 /	27.25
字　　数 /	360千字
版　　次 /	2014年7月第1版　2019年9月第2次印刷
定　　价 /	74.00元

责任编辑／高　芳
文案编辑／胡　莹
责任校对／周瑞红
责任印制／边心超

图书出现印装质量问题，请拨打售后服务热线，本社负责调换

出版前言

  人类对知识的追求是永无止境的，从苏格拉底到亚里士多德，从孔子到释迦摩尼，人类先哲的思想闪烁着智慧的光芒。将这些优秀的文明汇编成书奉献给大家，是一件多么功德无量、造福人类的事情！1901年，哈佛大学第二任校长查尔斯·艾略特，联合哈佛大学及美国其他名校一百多位享誉全球的教授，历时四年整理推出了一系列这样的书——《Harvard Classics》。这套丛书一经推出即引起了西方教育界、文化界的广泛关注和热烈赞扬，并因其庞大的规模，被文化界人士称为The Five-foot Shelf of Books——五尺丛书。

  关于这套丛书的出版，我们不得不谈一下与哈佛的渊源。当然，《Harvard Classics》与哈佛的渊源并不仅仅限于主编是哈佛大学的校长，《Harvard Classics》其实是哈佛精神传承的载体，是哈佛学子之所以优秀的底层基因。

  哈佛，早已成为一个璀璨夺目的文化名词。就像两千多年前的雅典学院，或者山东曲阜的"杏坛"，哈佛大学已经取得了人类文化史上的"经典"地位。哈佛人以"先有哈佛，后有美国"而自豪。在1775—1783年美国独立战争中，几乎所有著名的革命者都是哈佛大学的毕业生。从1636年建校至今，哈佛大学已培养出了7位美国总统、40位诺贝尔奖得主和30位普利策奖获奖者。这是一个高不可攀的记录。它还培养了数不清的社会精英，其中包括政治家、科学家、企业家、作家、学者和卓有成就的新闻记者。哈佛是美国精神的代表，同时也是世界人文的奇迹。

而将哈佛的魅力承载起来的，正是这套《Harvard Classics》。在本丛书里，你会看到精英文化的本质：崇尚真理。正如哈佛大学的校训："与柏拉图为友，与亚里士多德为友，更与真理为友。"这种求真、求实的精神，正代表了现代文明的本质和方向。

哈佛人相信以柏拉图、亚里士多德为代表的希腊人文传统，相信在伟大的传统中有永恒的智慧，所以哈佛人从来不全盘反传统、反历史。哈佛人强调，追求真理是最高的原则，无论是世俗的权贵，还是神圣的权威都不能代替真理，都不能阻碍人对真理的追求。

对于这套承载着哈佛精神的丛书，丛书主编查尔斯·艾略特说："我选编《Harvard Classics》，旨在为认真、执著的读者提供文学养分，他们将可以从中大致了解人类从古代直至19世纪末观察、记录、发明以及想象的进程。"

"在这50卷书、约22000页的篇幅内，我试图为一个20世纪的文化人提供获取古代和现代知识的手段。"

"作为一个20世纪的文化人，他不仅理所当然的要有开明的理念或思维方法，而且还必须拥有一座人类从蛮荒发展到文明的进程中所积累起来的、有文字记载的关于发现、经历以及思索的宝藏。"

可以说，50卷的《Harvard Classics》忠实记录了人类文明的发展历程，传承了人类探索和发现的精神和勇气。而对于这类书籍的阅读，是每一个时代的人都不可错过的。

这套丛书内容极其丰富。从学科领域来看，涵盖了历史、传记、哲学、宗教、游记、自然科学、政府与政治、教育、评论、戏剧、叙事和抒情诗、散文等各大学科领域。从文化的代表性来看，既展现了希腊、罗马、法国、意大利、西班牙、英国、德国、美国等西方国家古代和近代文明的最优秀成果，也撷取了中国、印度、希伯来、阿拉伯、斯堪的纳维亚、爱尔兰文明最有代表性的作品。从年代来看，从最古老的宗教经典和作为西方文明起源的古希腊和罗马文化，到东方、意大利、法国、斯堪的纳维亚、爱尔兰、英国、德国、拉丁美洲的中世纪文化，其中包括意大利、法国、德国、英国、西班牙等国文艺复兴时期的思想，再到意大利、法国三个世纪、德国两个世纪、英格兰三个世纪和美国两个多世纪的现代文明。从特色来看，纳入了17、18、19世纪科学发展的最权威文献，收集了近代以来最有影响的随笔、历史文献、前言、后记，可为读者进入某一学科领域起到引导的作用。

这套丛书自1901年开始推出至今，已经影响西方百余年。然而，遗憾的是中文版本却因为各种各样的原因，始终未能面市。

2006年，万卷出版公司推出了《Harvard Classics》全套英文版本，这套经典著作才得以和国人见面。但是能够阅读英文著作的中国读者毕竟有限，于是2010年，我社开始酝酿推出这套经典著作的中文版本。

在确定这套丛书的中文出版系列名时，我们考虑到这套丛书已经诞生并畅销百余年，故选用了"哈佛百年经典"这个系列名，以向国内读者传达这套丛书的不朽地位。

同时，根据国情以及国人的阅读习惯，本次出版的中文版做了如下变动：

第一，因这套丛书的工程浩大，考虑到翻译、制作、印刷等各种环节的不可掌控因素，中文版的序号没有按照英文原书的序号排列。

第二，这套丛书原有50卷，由于种种原因，以下几卷暂不能出版：

英文原书第4卷：《弥尔顿诗集》

英文原书第6卷：《彭斯诗集》

英文原书第7卷：《圣奥古斯丁忏悔录 效法基督》

英文原书第27卷：《英国名家随笔》

英文原书第40卷：《英文诗集1：从乔叟到格雷》

英文原书第41卷：《英文诗集2：从科林斯到费兹杰拉德》

英文原书第42卷：《英文诗集3：从丁尼生到惠特曼》

英文原书第44卷：《圣书（卷Ⅰ）：孔子；希伯来书；基督圣经（Ⅰ）》

英文原书第45卷：《圣书（卷Ⅱ）：基督圣经（Ⅱ）；佛陀；印度教；穆罕默德》

英文原书第48卷：《帕斯卡尔文集》

这套丛书的出版，耗费了我社众多工作人员的心血。首先，翻译的工作就非常困难。为了保证译文的质量，我们向全国各大院校的数百位教授发出翻译邀请，从中择优选出了最能体现原书风范的译文。之后，我们又对译文进行了大量的勘校，以确保译文的准确和精炼。

由于这套丛书所使用的英语年代相对比较早，丛书中收录的作品很多还是由其他文字翻译成英文的，翻译的难度非常大。所以，我们的译文还可能存在艰涩、不准确等问题。感谢读者的谅解，同时也欢迎各界人士批评和指正。

我们期待这套丛书能为读者提供一个相对完善的中文读本，也期待这套承载着哈佛精神、影响西方百年的经典图书，可以拨动中国读者的心灵，影响人们的情感、性格、精神与灵魂。

目录 Contents

乔纳森·斯威夫特　　001
　　[英]　威廉·梅克比斯·萨克雷

大学的理想　　025
　　[英]　约翰·亨利·纽曼

　　第一篇　大学是什么　　028
　　第二篇　大学的选址　　036
　　第三篇　雅典的大学生活　　047

诗歌研究　　057
　　[英]　马修·阿诺德

芝麻与百合　　083
　　[英]　约翰·罗斯金

　　芝麻：打开国王的宝藏　　086
　　百合：装饰王后的花园　　121

约翰·弥尔顿　　149
　　[英]　沃尔特·白芝浩

目 录 Contents

科学与文化 187
　　［英］托马斯·亨利·赫胥黎

种族与语言 203
　　［英］爱德华·奥古斯都·弗里曼

交流的实质 241
　　［英］罗伯特·路易斯·史蒂文森

塞缪尔·佩皮斯 253
　　［英］罗伯特·路易斯·史蒂文森
　　　　《佩皮斯日记》 256
　　　　一个自由的天才 263
　　　　名　望 269

劳动阶级地位的提升 275
　　［美］威廉·埃勒里·钱宁
　　　　（一） 279
　　　　（二） 300

目 录 Contents

诗歌原理 323
　　［美］ 埃德加·爱伦·坡

漫步 355
　　［美］ 亨利·大卫·梭罗

亚伯拉罕·林肯 385
　　［美］ 詹姆斯·罗塞尔·洛威尔

论民主 405
　　［美］ 詹姆斯·罗塞尔·洛威尔

译后记 424

乔纳森·斯威夫特
Jonathan Swift

[英] 威廉·梅克比斯·萨克雷

主编序言

威廉·梅克比斯·萨克雷是英国最伟大的文学家之一，1811年7月18日出生在印度的加尔各答，其父亲是东印度公司的行政官兼税务员。萨克雷6岁时就被送往英格兰接受教育，先后在查特豪斯学校和剑桥大学学习，后来学习法律，可他最终放弃了律师职业。辞去律师一职后，萨克雷便得为自己的生计四处奔波。萨克雷向来就在绘画方面有天赋，后来决定到巴黎学绘画。虽然给很多名人的作品配过生动丰富的插图，但他并未因此名声显赫。

不久，萨克雷转向文学。起初供职于巴黎一家思想激进的报社[1]，但很快这家报社的报纸就停刊了。他在做报社记者期间结婚[2]。该报停刊后，他回英国从事新闻工作，同时开始小说的创作。他的主要作品几乎都

---

[1] 1836年，萨克雷任伦敦《立宪报》驻巴黎记者。但不久《立宪报》破产，刊物停刊。——译者注（本书脚注不另作说明的皆为"译者注"）

[2] 萨克雷的妻子是一位爱尔兰人，1840年生下第三个女儿后，他的妻子开始出现精神失常，1842年精神完全失常，不得不被隔离起来。她比萨克雷多活了30年，但精神再也没有恢复正常过。妻子活着，他没有条件再娶，因此他的家庭生活孤独凄惨，非常不幸。

发表在《弗雷泽》杂志和《势利人》杂志上[①]。

随着作品的发表，萨克雷的文学才华逐渐得到公众的认可。1848年，他把在《势利人》杂志上发表的一系列评论文章集结成册，取名为《势利集》。这部书的出版为他赢得了社会讽刺作家的头衔，从此声名大振。1849年1月，萨克雷最重要的作品《名利场》开始以每月连载的形式发表，这部作品完成时，萨克雷便跻身英国最杰出的文学家行列。1850年，《潘丹尼斯的历史》问世，巩固了他在英国文坛的地位。

为了让女儿们在经济上有更大的保障，萨克雷开始四处讲学。他先在英国发表了关于"18世纪英国幽默作家"的6场演讲，大获成功。受此鼓励，他又去美国继续演讲，同样取得了不错的反响。去美国讲学之前，萨克雷出版了历史小说《亨利·艾斯芒德》，此小说完美地展示了萨克雷作品的全部风格。如果说《名利场》尖锐有力的话，那么《亨利·艾斯芒德》这部作品则温婉柔美。1855年，《纽卡姆一家》开始连载，这部作品是萨克雷自己年轻时生活的写照。同年，萨克雷再次去美国，这次是为了自己已经出版的作品《四个乔治》做宣传演讲。

1857年，他尝试竞选议会议员，但以失败告终[②]。此后，萨克雷继续他的文学事业，并发表了《弗吉尼亚人》，在该作品中他继续讲述英国人亨利·艾斯芒德的双胞胎孙子的命运。小说通过两条主线展开，一条以生活节奏快且追求时尚的英国为背景，另一条则以正在进行的美国内战为背景。在后者中，他充分利用自己在美国的经历。《弗吉尼亚人》是萨克雷最后一部著名的作品。

1860年1月，萨克雷开始担任新刊《康希尔》杂志的首任主编，这份工作他做起来得心应手。他后期的大部分作品都发表在此杂志上[③]，其中

---

① 萨克雷接连给《弗雷泽》《反击》《势利人》等杂志供稿。他的第一部成名作《尝试记者》（1837—1838），以及引起公众广泛注意的《凯瑟琳》《霍家蒂钻石》等都相继发表在《弗雷泽》杂志上。

② 1857年，萨克雷作为自由党候选人参与了同年7月在牛津举行的议会大选，但并未获得成功。

③ 萨克雷最后的三部小说都发表在《康希尔》杂志上，即1860年《鳏夫洛弗尔》，1861—1862年的《菲利普历险记》，1864年的《丹尼斯·杜瓦尔》。

《鳏夫洛弗尔》和《菲利普历险记》还不能算优秀作品。

在《康希尔》杂志上刊登的还有他晚年最好的作品——趣闻闲谈系列的随笔集《拐弯抹角的随笔》，该随笔中的散文彰显了他简洁生动、充满魅力的文风。两年后，他辞去主编一职，于1863年12月23日去世。

尽管萨克雷最著名的作品都是小说，可作为评论家的他也成绩斐然。他的评论性演讲收录在《英国的幽默作家》（1853年）和《四个乔治》（1860年）两部文集中。《英国的幽默作家》讲的是安妮女王统治时期的政治事件与社会生活，是那个时期作家私人信件仅存的硕果。萨克雷的评论充分表现了其对幽默精神的青睐和赞赏。下文的《乔纳森·斯威夫特》正是此部文集中的首篇。萨克雷是舒缓、柔韧风格的大师，在英国当时的文坛上，他的影响力无人可及。

查尔斯·艾略特

请允许我这样说：探讨过去的英国幽默作家就是探讨作家本人及其生活，而不是探讨其作品——当我这样做时，你会发现，我不能指望通过讲纯粹幽默或滑稽的故事来取悦你。大家都知道，舞台上的丑角摘下面具时，呈现在广大观众面前的是一副非常清醒的面容，那就是他真实的自己。虽然故事中医生常建议忧郁患者去观看丑角表演，可是丑角与我们大家一样充满忧虑和困惑，无论在什么样的面具伪装之下，丑角自身始终是严肃的。如果各位思考自己的过去和未来时严肃起来，那么你们将发现我接下来要讲述的作家生活经历及其情感故事，也会显得严肃甚至十分悲伤。假如幽默仅仅意味着欢笑，你不会感受到幽默作家比刚刚提到的丑角面具下的生活有趣多少，虽然他们同样都拥有让你发笑的才能。你出现在这里则体现了你对这些作家的好奇和同情，因为他们的生活经历及其情感故事吸引我们的不只是幽默讽刺，更多的是发人深省的东西。
　　幽默作家他要的是能唤醒和引导你的爱心、你的怜悯和你的仁慈——你对谎言、欺骗和虚伪的蔑视，对弱者、穷人、受压迫者和悲伤者的柔情。他以最佳方式尽可能多地谈论普遍的行为和生活的激情。可以说，他把自己看作传教士。因此，我们认为他能最好地发现、谈论和感悟真理，我们尊重他，有时甚至热爱他。就像他的职责是讲述人们的生活一样，我们的职责是在他去世后讲述他的生平，昨天的传教士变成了今天我们所讲述的内容。

1667年，乔纳森·斯威夫特出生在爱尔兰都柏林一个牧师家庭，其父母都是英国人。父亲是一名律师，但早在他出生前7个月就去世了。斯威夫特在基尔坎尼学院学习，之后就读于都柏林三一学院。在那里，他艰难地获得了学士学位①。那时的他狂野、诙谐和贫穷。

1688年，经母亲介绍，斯威夫特认识了摩尔庄园的主人威廉·坦普尔爵士，他后来成为爵士的私人秘书。威廉爵士是在爱尔兰认识斯威夫特的母亲的。1694年，斯威夫特离开其监护人②，1695年接任都柏林圣职③。后来他放弃在爱尔兰的职位④，回到威廉爵士身边，为爵士撰写回忆录，直到1699年爵士去世。斯威夫特在英格兰施展抱负的梦想破灭了，于是，他回到爱尔兰，在一个叫拉腊科尔的地方谋生⑤。在那儿，他遇见爵士的私生女海丝特·约翰逊⑥，两人建立起亲密的情谊，后来海丝特·约翰逊成为斯威夫特的妻子。除了一次偶然去英格兰之外，斯威夫特在爱尔兰整整待了9年。

1709年，斯威夫特前往英格兰接管圣帕特里克教区，并在那儿待了5年。期间，他参与英格兰最重要的政治事务，直到安妮女王逝世。女王去世之后，斯威夫特所在的政党垮台⑦，他的梦想再次破灭。于是，他回到

---

① 据说斯威夫特除了对历史和诗歌感兴趣外，别的科目一概不喜欢，还是学校"特别通融"才拿到学位。
② 指威廉·坦普尔。
③ 当时国教在爱尔兰的都柏林新建了一座教堂。
④ 当时斯威夫特是北爱尔兰基尔如特教区的负责人。
⑤ 1699年夏，斯威夫特原打算改任当时的爱尔兰大法官伯克利伯爵二世的秘书，但未能如愿，于是，改为在都柏林附近的一个教区担任牧师。
⑥ 关于她的身世还有很多不明确的地方，有人认为她只是一个女佣的女儿。斯威夫特教她读书，并昵称她为"斯特拉"。
⑦ 当时英格兰有两大政党，辉格党与托利党。斯威夫特因受到托利党首领的器重，担任过该党《考察报》主编。1714年托利党失势。

都柏林，并在那儿待了12年。在这12年中，他撰写了著名的《德拉皮耶信札》和《格列佛游记》。

1726年到1727年，斯威夫特最后一次去英格兰。得知妻子重病的消息后，他立刻回到都柏林。1728年1月，他的妻子过世。不久，斯威夫特智力严重受损①，在看护人的照顾下，度过了他78年人生生涯中的最后5年②。

许多传记作家认为斯威夫特是一个非常善良温和的人。斯考特③欣赏斯威夫特，但不喜欢他。约翰逊④不得不承认斯威夫特是个诗人，甚至还礼貌地接待过这位爱尔兰名人。约翰逊在斯威夫特面前脱下帽子，恭恭敬敬地行礼，这件事曾经传得沸沸扬扬。

关于斯威夫特的晚年，都柏林作家王尔德⑤曾经写过一篇非常有趣的杂文，他称约翰逊是"最恶劣的传记作家"，并且说："作为一名英国评论家，得到爱尔兰人的认同并不容易，但他仍尝试着获得他们的认同。约翰逊是真正欣赏斯威夫特的。约翰逊对斯威夫特在政治上的立场改变并没有任何非议，也没有怀疑他对宗教的忠诚，甚至在著名的斯特拉和瓦内萨之间的争论中也没过多责怪斯威夫特。但是，他并不能给斯威夫特带来实实在在的帮助，这个健壮的老人把这一切深深地藏在心里，离斯威夫特而去。"

我们愿意和作家一起生活吗？在探讨作家的作品，思考他们的人生和怪癖的时候，每一个传记读者都会问自己这个问题。你希望成为大主教的朋友吗？我希望曾经是莎士比亚身边的一位擦鞋匠，和他住在一起，崇拜他，听他差遣，看他那宁静安详的脸。我希望曾经住在亨利·菲尔丁的楼梯边的房间，伺候他更衣起床，用他的弹簧锁钥匙帮他开门，清晨和他握

---

① 斯威夫特年轻时就患脑病，到晚年耳聋头痛日益加剧，最后几年精神失常，时常昏睡。
② 1745年10月19日，斯威夫特辞世，终年78岁，葬于圣帕特里克大教堂。
③ 沃尔特·斯科特（Walter Scott，1771—1832），闻名世界的英国作家，是历史小说的首创者。是一个有伟大文学成就、生活经验丰富、声名远播的苏格兰人。
④ 塞缪尔·约翰逊（Samuel Johnson，1709—1784），英国文学评论家、诗人。
⑤ 奥斯卡·王尔德（Oscar Wilde，1854—1900），英国唯美主义艺术运动的倡导者，英国著名的作家、戏剧家、艺术家。

手,早餐时看着他一边喝着一大杯的啤酒一边谈笑风生。

谁会不愿意放下手边的事,与约翰逊、哥尔德史密斯、鲍斯韦尔、艾迪生在奥金莱克俱乐部共度良宵呢?可谁会愿意与斯威夫特一起这样做呢?如果想象自己在某方面逊于斯威夫特(非常尊重我的读者,但我想完全可能做这种假设),或者只是与他社会地位相等的人士,那么他可能会欺负、蔑视和辱骂你。

如果你没有被斯威夫特的声望吓坏,而是在某个时间遇到他本人,那么他在你面前可能会畏缩,没有勇气回答你的问题,然后回家,多年后写一首邪恶的短诗讽刺你,好像是在下水道里埋伏你,用懦夫的拳头和肮脏的棍棒来恐吓攻击你。

如果你是一个佩有蓝色缎带的勋爵,你奉承他,满足他的虚荣心,或在仕途升迁方面帮助他,他将会是这个世界上最愉快的伙伴。他会表现得很有男子气概,非常滑稽,很有远见,以至于你可能会认为他的谈话毫无实质性内容,只是随意的幽默,他只是这个世界上最鲁莽最简单的人。

且看他是如何帮你把你的敌人打得粉身碎骨,如何帮你愚弄嘲笑你的反对派吧!他的奴性行为如此张扬,就像独自爆发出来一样;他会做你吩咐的事,却面带一副对你屈尊俯就的神情;当他在大街上或在报纸上装腔作势为你打完口水仗,他会骄傲得连帽子都不脱掉就出现在你的客厅、你的妻子和你的女儿面前,很满足地以此作为他获得优厚待遇的回报。

斯威夫特曾在写给博林布鲁克子爵[①]的一封信中袒露这一点:"我竭尽全力使自己卓尔不群,只是为了获取高官厚禄般的待遇。那些知道我能耐的人可以视我为勋爵为他们说话,我说得对或错根本没关系。所以,我的机智和学识抵得上象征勋爵身份的蓝色绸缎或六匹黑马拉的马车,让我赢得贵族的地位。"

这不是再公平不过了吗?他宣扬这样的法外之则:"用我的大脑和我

---

① 博林布鲁克子爵亨利·圣约翰(Henry St.John,1678—1751),英国政治家、政治作家。他在英国成为文学圈内的中心人物,并在1726—1735年间担任反辉格党期刊《工匠》(*The Craftsman*)的编辑。

的智慧，我会赢得头衔和财富；还会赢得我的子弹。有了它们，我可以变出金子。"他听到六匹黑马拉四轮马车的声音，就像麦哥希那样散布消息以引人驻足。人们都跪倒在他面前，就像跪倒在大主教的教服下或蓝丝带前，就像拜倒在主教夫人拖在泥泞中的织锦衬裙边。他给追随者许诺要解决他们的生计，为他们谋得政府要职和法庭的美差。但是，这一切没有到来。他想从大主教那儿得到奖赏，但是他的马车在从圣·詹姆斯来的路上耽搁了。他一直等到天黑，直到他的送信人来告诉他大主教的马车已走另一条道，避他而去了。于是，他咒骂着向天空开了几枪，转身赶回家。

斯威夫特之于我，和以往英雄人物的名字一样，是一个象征道德的名字。但是，我们需要记住的是，人们的道德观念曾经十分淡薄——那个时代除他以外，也有其他人走同样的路——公共社会处在一个混乱不堪的状况，国家被他国的雇佣兵劫掠。博伊恩战役爆发，战争由胜利转而失败。人们在政治上感到失望，只好另谋生路。他们及其过去的信仰方式就像未停泊的船只一样在暴风雨中漂泊；就像南海里的泡沫一样人人都为其赌博；就像几百年前的铁路狂潮一样几乎每人都在遭遇不幸：那个时代，拥有和斯威夫特一样才华和野心的人必然会为自己争权夺利，抓住机会出人头地。他的怨恨、蔑视、愤怒及其随后的厌世被他的歌颂者当作人类一无是处的确凿证据。他的少年生活十分辛酸，他和其他出身卑微的伟人一样过着卑微的生活；他的成长道路十分艰难，他就像伟大的天才一样在硝烟弥漫的战火中战斗，在几乎要取得胜利时却一败涂地，最终在孤独的流浪道路上黯然神伤。人们可以将自己愤怒、失望和任性的后果完全归因于上帝，只要他们愿意。试问，哪个公众人物不会为自己的过失行为找借口？政治家发动一场政变，国王发兵入侵邻国，讽刺作家抨击社会或个人。一位法国将军不久前提出进攻我国，洗劫城池，掠夺财宝，用以报复我们在哥本哈根的非人道行为。人们总能为自己的侵略行为找到借口。他们天性好战，掠夺成性，渴望通过战争掠夺他人的财富及其土地，并获得统治权。

斯威夫特拥有锋利的喙爪，拥有战斗力强大的羽翼。但是，命运之神护佑猎物，逃脱他的爪子，切断他的翅膀，并且擒住他。你也许会带着敬畏和怜悯的心凝视这只锁入笼中孤独的鹰。

斯威夫特1667年11月30日生于都柏林的第七号宫廷，这是事实，没有人会否认这位爱尔兰人的荣耀。但是，在我看来，斯威夫特并不能说是爱尔兰人，也不能说是一对英国夫妇在加尔各答所生的印度人。哥尔德史密斯永远是爱尔兰人；斯蒂尔也永远是爱尔兰人。斯威夫特心系英国，他的生活习惯和逻辑思维完全是英国式的，他的陈述精妙简洁，不用明喻和暗喻，智慧地用简明扼要的方式表达他的思想和言语，这就如同他花钱一样：在需要的重要场合他慷慨大方，在不需要的时候他省吃俭用。斯威夫特从不沉溺于华而不实的辞藻、奢华浮夸的绰号和华丽丰富的画面。他在你面前陈述理由时总是简单明了，干脆利落。作为一个幽默的人，他害怕荒诞无稽，幽默的英国人尤为如此。他害怕使用有诗情画意的语言，虽然他在这方面比较拿手。人们读他的书时，总觉得他本可以写得更磅礴大气一些，但他却不愿意那样做。他不会过度修饰自己的言语，虽然其他人会这么做。

斯威夫特熟悉政治和经济，了解上层生活，特别是有深厚的文学修养，所有这些是他在都柏林所得不到的，可在威廉爵士麾下都得到了。斯威夫特后来很喜欢谈论他在威廉爵士那儿博览群书的情形，讲述威廉国王教他怎样切芦笋。正是在森恩和摩尔沼泽公园，斯威夫特领着20英镑的工资，与上层仆人同桌进餐，穿与侍从制服稍有区别的法衣，当了10年学徒——或卑躬屈膝地乞求夫人青睐，或受主人差遣四处奔波。就是在这儿，当坐在威廉·坦普尔爵士的办公桌旁做记录时，或跟随爵士的赞助人散步时，斯威夫特亲眼见过曾经叱咤风云的政坛大人物。他常在寂静的角落里琢磨他们的思想，衡量其中的智慧，并将其转化成自己的思想。在他这个皮肤稍黑、沉默却笨拙的爱尔兰秘书眼里，那些头戴硕大假发的人看起来一定是无比渺小。我甚至在想，威廉爵士本人的脑海中是否闪过这样的念头：那个爱尔兰人其实是我的主人？我想这种可怕的念头并没在那顶高贵的法官帽下闪现过，否则爵士决不会让斯威夫特侍奉左右。斯威夫特厌倦了这里的生活，离开了爵士，可在外面饱受屈辱之后又回到这里。在接下来的10年里，他继续学习，搜集整理资料，忍受他人的嘲笑，隐藏内心的愤怒，为仕途忍辱负重。

威廉爵士有绅士的风度、从容的性格和良好的教养。如果对某一课题的研究不够深入，爵士会立即承认自己知之甚少；如果炫耀他的拉丁语，爵士会显得毫不惊慌，这是他那个时代的习俗，就像绅士戴假发、手放在蕾丝褶裥花边里的习俗一样；如果穿一双带扣方头皮鞋，爵士总是迈着完美优雅的步子，你永远听不到鞋子发出咯吱咯吱的声音，绝对看不到他踩到任何女士的裙摆或在人群中踩到别人的脚后跟。当周围的气氛太激烈或太躁动时，爵士会礼貌地离开。他会待在森恩和摩尔沼泽公园宁静的地方，任凭国王党羽和奥兰治王子党一较高下。他尊崇君主（或许从未有人像他那样鞠躬以表达对国王的忠诚），他也敬仰奥兰治王子，可爵士对闲适安逸生活的热爱超过这个基督教国度的任何王子。你会看到退休之后的他往返于书桌和开满郁金香的花园之间，修剪杏树，修改散文。他不再是政治家，也不是大使，而是一位哲学家、享乐主义者、圣·詹姆斯大名鼎鼎的绅士和朝臣，这就如同他在森恩时一样，在有国王和淑女们在的场合，或殷勤地侍奉君主，或和艾匹克缪斯一起散步，或与花园里美若天仙的女子说笑。

威廉爵士深受家人的尊敬，他身边的人哄着他、温暖他、拥抱他，就像他们宠爱自己的植物一样细致入微。1693年，威廉爵士病倒的时候，他的病情吓坏了家人。他温和的妻子多萝西娅——这个最棒男人的最佳伴侣——

"温和的多萝西娅宁静、智慧、伟大，
颤抖地注视着命运不公的安排。"

他的妹妹，多琳达——

"那些悲伤可能来到，
多琳达脸上的泪痕。
看她哭泣，
悲伤写满了每个仆人的面庞。

谦卑的人们在悼念生动的灵魂，

每个人都有高贵的精神和行为。"

　　诗句把悲伤描述成穿上哀悼服的奴仆，这难道不是一幅精妙绝伦的画面？这首诗是一个奴仆写的，他既不喜欢在爵士家穿的工作服，也不稀罕那20英镑的工资。你能想象出那样的场景吗？一个年轻的仆人低垂着眼睛，手里拿着书籍和论文，紧跟在花园里散步的爵士身后；或在爵士患痛风、脚底起满水泡麻木酸痛时，他就站在爵士的椅子旁听候吩咐。当爵士患痛风或责骂奴仆时，这个爱尔兰秘书就把这些责骂统统转嫁给别人：他每次吃晚饭时就嘲笑、蔑视、痛击爵士的家仆！对于爱尔兰学者们的骄傲，管家会说些什么呢？一打听就知道这个爱尔兰人即使在爱尔兰大学也没博得什么好声誉。公爵家的侍从对这个来自都柏林的爱尔兰牧师该多么鄙视啊！（牧师和男仆们总是处于剑拔弩张的状态，很难说哪个更卑劣。）管家的小女儿海丝特有着一头黑色的卷曲长发和甜美的笑容，每当斯威夫特教她读书写字时，她对他的喜爱、崇敬之情无与言表，胜过对自己母亲的爱，胜过对温和的多萝西娅的爱，也胜过对高大正直、头戴假发、脚穿方头皮鞋的爵士的爱。但是，斯威夫特每次满腔怒火地从爵士那儿出来对小海丝特·约翰逊也没说一句好话时，可以想象她是多么悲伤、多么恐惧。

　　也许，对这个爱尔兰秘书来说，威廉爵士的谦虚比皱眉更加冷酷。爵士一直引用拉丁和古代经典描述爵士的花园、荷兰式雕像和绿化带，总是提到伊壁鸠鲁①，提奥奇尼斯的犬儒派哲学②、尤利乌斯·凯撒③、塞米勒米斯④、赫斯帕里得斯的花园、马赛尼斯和斯特拉博德这些人和事，评

---

① 伊壁鸠鲁，古希腊哲学家、无神论者，伊壁鸠鲁学派的创始人。
② 犬儒派哲学，提奥奇尼斯是公元前四世纪一位著名的希腊哲学家，就是他创立了犬儒派哲学。该学说提倡回归自然，清心寡欲，鄙弃俗世的荣华富贵；要求人克己无求，独善其身。
③ 盖乌斯·尤利乌斯·凯撒，即凯撒大帝。罗马共和国（今地中海沿岸等地区）末期杰出的军事统帅、政治家。
④ 塞米勒米斯（Semiramis），传说中的亚述女王。她是女神之女，以美貌、智慧和淫荡著称。

论耶利哥和亚述王的事迹。即使说到豆子问题,威廉爵士也会马上提到毕达哥拉斯曾经提出禁止食用豆子的戒律,这条戒律的大概意思是聪明人应该远离公共事务。按这条戒律推理的话,威廉爵士是一个平静的享乐主义者、毕达哥拉斯派哲学家、聪明人。斯威夫特难道不这么认为吗?我们可以想象他低垂的眼睛睁开一会儿,双眼放出嘲笑的目光一闪而过。斯威夫特的眼睛和晴空一样蔚蓝,蒲伯[①]曾说(蒲伯所说所思的有关他朋友的一切都是友好而高贵的):"他的眼睛和晴空一样蔚蓝,透露着一股迷人的狡黠。"人们也只有在华丽、庄严、友好的摩尔庄园里,才能见到那样的天空。

但是,庄园的设施和庄严的气氛与斯威夫特不相配。他因为食用过量的苹果点心差点丢了性命,后来在摩尔庄园的花园里给自己设计了一张长椅,在那儿如饥似渴地读书,以至于一生都遭受眩晕和耳聋的折磨。他无法忍受这个地方和这种奴役。甚至在之前引用的那几行忧郁苦闷的悼念诗里,他疯狂的尖叫声扰乱了葬礼,然后他冲出来哭诉自己的悲伤、坎坷的命运,以及被财富、希望抛弃的悲哀。

我不知道有什么东西能比给威廉爵士的这封信更令斯威夫特忧郁了。在这封信里,斯威夫特挣脱束缚之后,可怜起束缚他的牢笼,反抗主人的愤怒,向主人索要被奴役的荣耀。"我所要的东西与道德和学习有关,这也是我离开您庄园的理由。无论是否因其他无理的行为,您的怜悯定能包容一切,我认为除了软弱,其他东西都不足以责备自己。这是目前我敢乞求于您的,处在这样一个不值得您关心的境地;我所希望的是(这希望只在您和您家人健康之后)上帝终有一天会给我一个机会,让我匍匐在您脚下感谢你。我请求能为我的女士们、您的太太和妹妹卑微地效劳。"——还有人比他跪得更低吗?还有人比他鞠躬鞠得更低吗?

二十年后,肯尼特主教在描述斯威夫特时说:"斯威夫特博士走进咖啡店时,除了我,其他所有的人都向他鞠躬致敬。当我来到法院的前厅,在祷告者面前等候时,斯威夫特又成了主角。他请求阿伦伯爵托弟弟奥蒙

[①] 亚历山大·蒲柏(Alexander Pope,1688—1744),18世纪英国最伟大的诗人。

德公爵给他谋一个牧师的职位。公爵同财务大臣一起，承诺萨拉德先生作为鹿特丹英国教会的成员，应该得到两百英镑的年薪。公爵拦住夹着红包走向女王的弗·格温先生，大声传达从财政大臣那儿捎来的几句话。他拿出金色手表看了一下时间，抱怨时间已经很晚了，而一个绅士说他的表走得太快了。'如果朝臣送我的表是坏的，我有什么办法呢？'斯威夫特说。他跟一个年轻的贵族讲英格兰最好的诗人是蒲伯，蒲伯已开始将荷马的作品翻译成英语，他要把这些全部订阅，'没有我给他的一千几尼①，他可没法开始印刷'，他说。财政大臣见过女王之后，穿过房间，示意斯威夫特跟他走，两个人就从祷告者面前离开了。"在教堂里，就在祷告者面前这样做有一点不妥。

主持牧师的这一描述是真实的，令人注目，尽管不太令人愉快。斯威夫特的工作做得不错，也为他人服务，可又游走于交易和谋划之间。他的日记和无数个趣闻轶事讲述的都是他善良的行为和粗鲁的举止。他不断救济那些可怜而诚实的人，花钱虽小心谨慎，却愿意救济他人。如果你正陷入困境，你希望有一个像他这样的恩人来帮助你吗？我想，与其束缚于牧师的钱币和晚餐，倒不如向哥尔德史密斯要一粒土豆或一句温暖友善的话语。牧师在帮助人时又侮辱人，惹妇女哭泣，愚弄客人，欺辱不幸的朋友，把他的施舍扔到可怜人的脸上。不，他不是爱尔兰人——施舍时没说一句友好的话，也不怀一颗善良的心。

据说，圣帕特里克主持牧师每天清晨都会按常规做家庭晨祷，但非常隐秘，以至于他家里的客人都不知道有这样的仪式。作为教堂权贵的他显然没必要把家人召集到地下室做祷告，因为害怕遭到异教徒的伤害。可我认为世人的想法是对的，主教们劝安妮女王不要将主教职位让给《浴缸的故事》作者，他们所提的建议也完全在理。斯威夫特应该清楚这本狂妄的书所写的论点和例证会招致什么后果。而且他信任蒲伯和博林布鲁克子

---

① 几尼，旧时英国的一种金币，最早用从西非进口的黄金于1663年铸成，后定值为21先令，1817年起被沙弗林取代。1几尼等于1.05英镑，在十进币制前等于21先令，现多用于确定专业服务费用和拍卖价格。

爵，并与他们成为志趣相投的终身朋友。可以想象，斯威夫特喝着蒲柏的波特酒和圣约翰的勃艮第，一定听到那些不为人接受的极端言论，并参与将其发表。

我知道，最能证明斯威夫特忠诚宗教的事莫过于让约翰·盖伊①去做牧师，然后设法谋个法官职位。《乞丐歌剧》的作者盖伊是一个信口开河乱发言论的城里人，而斯威夫特建议这个人去做牧师，就像他建议盖伊节约开支的同时放贷几千英镑赚利息一样。女王、主教以及世人认为斯威夫特并不忠诚于自己的宗教信仰。

当然，我并不是要在这里谈论谁的宗教观点，除非它已经影响了一个人的作品、生活以及幽默感。在此，我要特别讨论的典型就是哈里·菲尔丁和迪克·斯蒂尔，我坚信他们对信仰的忠诚。他们责骂自由思想家，无论在什么场合矛头都指向那些虚幻的无神论者，四处宣扬自己的信条，迫害邻居。就算他们欠债、酗酒等种种不良行为是犯了罪，他们还会以正义者的姿态跪下哭喊"忏悔"。是的，可怜的哈里·菲尔丁和迪克·斯蒂尔是可以信任，毫无疑问，他们是英国教会的笃信者。他们憎恶天主教、无神论和所有的邪神崇拜。虽然有时他们对教会的忠诚有些摇摆不定，但是他们却对国家充满了热情。

然而，斯威夫特呢？斯威夫特受过不同的教育，具备出众的逻辑思维能力。他不是在醉醺醺的警卫室长大，也不是在科文特花园的小酒馆学会辩论。他可以从头到尾滔滔不绝地辩论。他可以透彻地分析自己的思路。晚年的他看着《浴缸的故事》说："上帝啊，我写这本书的时候是怎样一位天才啊！"我想他所崇拜的不是什么天才，而是天赋带给他的力量——巨大的力量和伟大的天赋明亮而耀眼，令人头晕目眩；无与伦比的才能令他可以洞察到一念间的虚伪，并且将其彻底毁灭；他的心中隐藏着不为人知的动机；他揭露人类黑暗的思想——邪恶可怕的灵魂。

---

① 约翰·盖伊（Gay John，1685—1732）英国诗人兼剧作家。诗集有《乡村游戏》（1713）、《琐事》（1716）。最有名的叙事歌剧是《乞丐歌剧》（1728），前后共演出六十二场，是当时演出最久的剧目。

斯威夫特在伊壁鸠鲁神庙图书馆中接受教育，选择蒲伯和圣约翰做朋友。是什么使他发下如此的毒誓，在如此真切讶异、谦卑和敬慕的天堂面前将自己与伪善捆绑一生？斯威夫特是一个虔诚的信徒，拥有虔诚的灵魂——他可以去爱、去祷告。即使他被生命中涌动的黑云和飓风所隐蔽，他也会冲破精神上的狂风暴雨，他的信仰以及他的爱仍如繁星点点出现在蓝色天空，静静地闪耀着光芒。

在我看来，意识到自己对宗教的怀疑使斯威夫特遭到许多磨难，以至于他为摆脱自己的叛教卑躬屈膝。斯威夫特题为"宗教的思考"的论文不过是一堆"我不再怀疑"的借口。他的布道小册子没有基督教的特点，它们可能散发在犹太教教堂的楼梯上，也可能在清真寺的楼梯上进行宣传，甚至还有可能出现在一个咖啡屋的小包厢里。小册子中几乎没有或很少有虚伪的言辞，斯威夫特是那么的伟大、骄傲而不屑于那样做。如果说他的教义有什么不好的话，那就是他的言语很诚实。但是，他身上穿的长袍却害了他：他在自己的衣带中挣扎，就像一个被恶魔缠身的人；他在生命的道路上痛苦地前行，就像一个罪人，好比阿拉伯故事中的阿布达。他一直在寻找复仇女神，并且知道黑夜必将伴随女巫来临。这是一个怎样的夜晚？我的上帝！这是个孤独愤怒、痛苦难熬的夜晚！这是怎样一只秃鹫？它在撕裂巨人的心脏啊！回想巨人遭受苦难是多么可怕。不知何故，他一生看起来总是十分孤独。歌德也是如此。另外，我不能去想象莎士比亚。巨人们一定与世隔绝。国王不会有朋友，这个巨人也没有朋友，他们是自食其果。我们没在什么地方听说过比这更痛苦的事了。

斯威夫特一提到"极大的愤慨"，就像划破他的心一样，他要把它铭刻在自己的墓碑上，就像躺在墓碑下等待上帝审判可怜人拥有令人愤怒的权利——他在一千多页的写作中爆发，愤怒得撕肝裂肺。与当权者对抗，斯威夫特败倒了；与英格兰人对抗，他失去了晋升的机会，且无休无止的流亡总是伴随着他，让他愤怒和诅咒。我们可以把名著《布商的信》称作是爱国主义的公平之作吗？书中的信件都是十分幽默、不乏谩骂的杰作，它们的论述也足够合乎逻辑，可他的建议像小人国中的小人一样怪异，令人难以置信。小人并不是说有多么的伟大，可面对他的敌人，却带着强烈的愤怒，他会绝地反击。就像参孙手里拿着一根骨头冲向敌人，打倒敌人：比起使命，人们更赞赏战士的力量、愤怒。某些事使得斯威夫特就像疯子一样，激起他的愤怒。他的婚姻就是其中一件。比如，在斯威夫特写的一百多页文字里，他强烈反对婚姻，反对孩子，婚姻是他经常讽刺的对象。在他眼里，比起君王的专职牧师，养一大家子人的穷牧师更不幸。这种为父不幸的想法从未逃过他的嘲笑和粗话。

斯威夫特不只是用讽刺的手法揭露爱孩子和养孩子的无理性，他在《格列佛游记》中，以入木三分的论证法将爱情和婚姻的愚蠢加以呈现。斯威夫特赞同，在小人国里让孩子远离家庭，由国家来教育；在他最喜欢的马匹中，有一对相当听话的小马驹。事实上，我们讽刺大家认为夫妻间的爱是不适宜的，他拿自己的实践行动和有过的例子来阐明，上帝帮助男人，使男人成为天堂里最不幸的人。

斯威夫特对荒谬的说法进行富有逻辑的论证，例如刚才提到的食人建议，这样的论证是作者所有幽默作品中不变的方法。假定一个国家的人只有六英寸或六十英尺高，通过纯粹的逻辑推理，多步骤的计算，那么无数神奇的谬论便演绎出来。大人国国王转向他身后等待的首相，首相旁边有一个白人员工，那个员工和"君权号"里的主桅杆一样高，大人国国王观察到伟大人类究竟有多卑劣，其代表人物就是卑劣弱小的生物格列佛。"小人国国王的特点是强壮和有男子气概"（这个描述是个多么出人意料的幽默！），"国王的特点，"格列佛说，"是强壮和具有男子气概，有一张奥地利人的嘴唇，拱形的鼻子，橄榄色皮肤，直直的面盘，身体和手脚比例匀称，举止庄重。国王只有我手指甲宽度那么高，比小人国府上的所有人都高，国王一人就足以将周围的人镇住"。

这一描述可真是一个令人惊叹的幽默！多么高明的讽刺！多么真诚得恰如其分！多么完美的想象！麦考利先生曾引用斯威夫特迷人的诗句，诗句以同样的口吻描述小人国的国王。我们在弥尔顿作品中读到的矛就像"一些高大旗舰的桅杆"，但是，这些形象让人觉得最先在这首充满喜剧色彩的诗歌里出现，一点也不奇怪。一个话题摆在斯威夫特面前，他会说出一千种花样，他的脑海中充满了意象。故事人物自然会在斯威夫特心中浮现，活灵活现地从故事中走出来。如在那部著名的小说中，当格列佛的箱子被鹰叼入海里，格列佛被邀请进入轮船客舱，他请求船员帮他把箱子从海里捞上来放在桌子上。然而，事实上，这间船舱只有箱子的四分之一大。这个假想出现明显错误，却让人倍感真实，令人钦佩。如果人物是来自大人国，斯威夫特就会换个方式假想。

《格列佛游记》中，内容讲述最幽默的地方，如果非要说最好的话，就是格列佛在那个不能发音的国家——慧骃国，描述格列佛告别马主人的那段。格列佛说："正当我要伏下身吻马蹄时，马却很赏脸地将蹄子轻轻地举到我嘴边。我不是不知道因为提到刚才这件事曾受到了不少责难。诋毁我的人都认为，那么卓越的'慧骃'国不大可能将如此无比的荣耀赐予我这样一个卑微的下等人。我也没忘记，有些旅行家喜欢夸耀自己经历过的特别事件。但是，如果这些诽谤者深刻了解了'慧骃'人彬彬有礼的高贵性格，他们马上就会改变自己的看法。"

令人惊讶的是这些冠冕堂皇的间接证据，叙述人以如此郑重其事的口吻，说什么不是不知道自己多大程度上遭到指责，什么所受的恩惠还不及恩惠心中的狂喜。这一系列的描述颠倒了真相，似乎完全合乎逻辑，却又荒唐无稽。

这本著名寓言中的幽默情节，我想没人读了会不加以佩服；至于道德，我认为它可怕、可耻、怯懦，甚至亵渎神明；因为斯威夫特如此坚强、如此伟岸，所以我认为我们嘲笑他对他没有丝毫的影响。有些读者可能还没读过《格列佛游记》的最后一部分，对于他们，我要重复尊敬的庞奇先生给准备结婚的新人提出的建议，那就是"不要这么做"。当格列佛第一次在野胡（人形兽）中落脚，赤身裸体的可怜人号叫着爬上树攻击他时，他这样形容自己"被落在身上的污物弄得几乎窒息"。在这种情况下，读者阅读《格列佛游记》第四部分时应该感觉自己跟主人公一样。这是野胡语：一个怪物喋喋不休地尖叫，对人类切齿诅咒，撕下谦虚的所有碎片，毫无男子气概，恬不知耻；话语肮脏，思想肮脏。

然而，斯威夫特认为自己的信仰很可怕。《格列佛游记》的最后一章只是前面故事的总结：人类的一无是处、残忍、骄傲、虚荣、可笑的自负、虚假的伟大、傲慢的愚蠢、卑微的目标和卑鄙的成功，所有这一切展现在斯威夫特面前。就是因为世界上这些诅咒的喧嚣以及亵渎天堂的叫声充斥斯威夫特的双耳，他才开始写那些可怕的寓言。寓言的主题是：人是如此邪恶、绝望、愚蠢，人的激情是如此怪异，人类吹嘘的力量是如此卑劣，以至于人是野兽的奴隶，而且应该是野兽的奴隶，无知胜过人类自负的理性。这个人都写了些什么？刺痛他内心的秘密是什么？是什么在他心中沸腾，以至于他鼓着血红的双眼注视着这个世界？我们每个人用自己的双眼看世界，根据自己的内心塑造所看到的世界。一颗疲惫的心无法从阳光那儿得到快乐；一个自私的人会怀疑他人的友情，就像一个没有耳朵的人不关心音乐一样。肯定是一种可怕的自我意识通过斯威夫特敏锐的双眼，让他把人类看得如此黑暗。

斯科特讲过一个德莱尼不平凡的故事，德莱尼打断大主教和斯威夫特的谈话，主教以泪洗面，也使得斯威夫特带着满脸的惊恐烦乱中匆忙离去。大主教对德莱尼说："你刚刚见到地球上最不幸的人，但是至于他为什么不幸，你永远也别问。"

地球上最不幸的人米塞尔尼姆究竟是怎样的一个人？当时英国所有伟大的智者都不及他。所有爱尔兰人大声呼唤他，把他当作为解放者、救世主、伟大的爱尔兰爱国者和公民来崇拜。教长德雷皮尔·比克斯塔夫·格列佛是当时最有名望的政治家、最伟大的诗人，也为他喝彩，向他致敬；他在从爱尔兰寄给博林布鲁克子爵的信中写道："该是我与这个世界了结的时候了，在没有人最好之列前，我宁愿入较好之列，我不要像鼠洞里中毒的老鼠一样愤怒地死在这儿。"

我们已经讲述了斯威夫特及其行为。现在，我们别忘了与伟大的斯威夫特有着亲密关系的人。我想每一位读者都熟知被斯威夫特爱慕过也伤害过的两个女性。如果不曾见过她们或不是她们的亲戚，我们一定对她们知之甚少。谁的脑海中会没有斯特拉的形象？又有谁会不爱她？她是美丽温柔的女性：有一颗纯粹深情的心！你要知道，既然你已安息了一百二十年，那么死亡就没把你和那颗冰冷的心分开，在那颗心跳动时给你带来多么痛彻心扉的爱和忧伤。你可知道世人都喜欢你、怜惜你？到了那座坟茔，我相信没有人不会先上一束爱恋的花，不会在上面写上甜蜜的墓志铭。温柔的女士，如此可爱，如此钟情，如此抑郁！你已有无数的拥护者；数以百万的坚毅的心为你哀悼。我们一代又一代会把对你的爱传承下去；我们会读到你的忧伤、你的真爱、你的纯洁，你的忠诚和你无所畏惧的牺牲。我们铭记你的传奇。你是英国故事中的一位圣灵。

如果斯特拉纯洁的爱引人沉思，那么我要说，尽管有虐待、有苛刻、有缺点、有离合、有心酸——但在与瓦内萨的纠葛中，短暂的出轨使斯威夫特陷入悲伤的陷阱和困惑的泥潭。据我的经验和对此事的了解，尽管多数女性曾对瓦内萨议论纷纷，尽管斯威夫特使得斯特拉伤心流泪，尽管命运形成的礁石和障碍阻碍了真爱的平稳发展，可是它们却成为斯威夫特故事中最引人入胜的情节，斯威夫特黑暗生活中最亮洁的明星——是他对海丝特·约翰逊的爱。由于从事这一职业的原因，我阅读过大量的言情故事，通过性爱了解不同语言和不同时期人们对爱的描述，我知道，比起作家称为"悄悄话"的日记中写给斯特拉的那些简短留言，这些都不显得温柔动人了。

斯威夫特经常给斯特拉写信，可从未寄出一封信，有时同一天写完一封又开始写另一封。可以说，斯威夫特不舍得离开斯特拉。斯威夫特知道斯特拉想他，在遥远的都柏林渴望他的到来。他从枕头下拿出她的信，对着信说话，亲密地喊她的小名，温柔地抚摸她的信，就像对着甜蜜单纯的爱人一样。"留下来吧，"有天（1710年12月14日）上午他写道："留下来吧，今天上午我会在床上给你回信。让我看看，快出现吧，可爱的信！我就在这里，在这个我要守斋的清晨，你有什么要跟斯特拉说的吗？斯特拉，读了这封信能不流下泪水吗？"他继续一通柔声细语、窃窃私语。顿时，斯特拉可爱的双眼在他面前发光——他生命中善良的天使伴随着他，保佑着他。啊，那是多么坎坷的命运，以至于流了那么多的眼泪，无情刺伤了她那纯洁、温柔的心房。她是否已经改变坎坷的命运？我曾听到一个女士说：她将忍受斯威夫特的虐待以博得他的柔情。斯威夫特爱慕斯特拉的同时却又伤害了她。她离开后，斯威夫特说到她，说她机智、善良、优雅、美丽，带着一种难以名状、触人心扉的爱和崇敬。一想到她的善良，他就痛苦悲伤，然后把伤感写成诗。他跪下，可以这么说，跪在他曾经伤害过的天使面前，坦白自己的不幸，带着悔恨的哭声和对她的爱慕：

"我躺在一张吱吱作响的床上，
无论白天还是黑夜都急躁不安，
用毫无男子气概的语气呻吟着，
呼唤着各种力量减轻我的痛苦，
这时，斯特拉跑过来了，
带着开朗的面容和内心的悲伤。
虽然天堂的法令严厉，
可她时刻遭受着比我更多苦难，
比那些拥有残酷的主人的奴隶，
遭受的苦难还要多。
斯特拉，她的温情温暖了我，
让我充满活力和喜悦。
现在，伴着轻柔无声的脚步，
她静悄悄地走到我的床前。
我堕落的灵魂，
得到她精心的呵护。
这就是亲密朋友的最佳模式！
你为了呵护我付出了沉重的代价。
当你的温柔呵护着我的生命，
它必然危及你的生命：
我从未见过世上有这样的傻瓜，
虽把整座宫殿夷为平地，
却只留下一片废墟，
遍地都是瓦砾。"

坦白地说，我得感谢命运和主教斯威夫特。斯特拉一生中有过一次小小的胜利，有人以为斯特拉牺牲了——那个年轻女子的住所与斯威夫特在柏利街的住所相隔五户人家，她奉承斯威夫特，如此露骨地向他求爱——结果，瓦内萨被遗忘而遭到抛弃。斯威夫特没有保存斯特拉写给他的信，可他却保存博林布鲁克子爵、哈雷和彼得伯勒给他的信。但是，李维斯家人说，斯特拉"非常仔细地"保存斯威夫特写给她的信。当然，世界本来就是这样，况且我们也说不出她究竟属于什么风格，也说不出斯威夫特枕头底下从晚上放到早上的信件是怎样回事。不过，斯威夫特在其书信集的第四封信中描述了他在柏利街的住所，他在那儿住一楼，有一间饭厅和一间卧室，每星期付八先令租金。他在第六封信中说："他已经访问了一位刚来到镇上的女士。"女士的姓名不知何故没在信中提到。他在第八封信中对斯特拉的信产生疑问——"你说'委员们在我身边，我和他们常在一起进餐'是什么意思？活见鬼！你知道，我自从离开你后每天跟谁一起吃饭，你比我更了解。"斯特拉当然知道自己跟谁一起吃饭。可是，斯威夫特全然不知她信中指的是什么。但是，在很多信中，我们发现斯威夫特曾经"很严肃地"与凡鹤利小姐一起吃饭，然后同"他的邻居"一起吃饭。那时的他已不适应偶尔与邻居一起吃饭，而打算一整周都与邻居一起吃饭！斯特拉的预感完全正确。她从最初预见会发生什么事到在空气中嗅到了瓦内萨。情敌瓦内萨就在斯威夫特身边。他们师生一起阅读，一起喝茶，一起祈祷，一起学拉丁语，一起列举"amo、amas、amavi"的词形变化。而斯威夫特只要说一两句话就可以把可怜的斯特拉打发。比如他曾对她说，根据语法准则和词形变位，"amavi"不是在"amo"和"amas"之后吗？

关于斯威夫特对卡德纳斯和瓦内萨的爱，你可以在卡德纳斯以此为题的诗歌中读到，也能在可怜的瓦内萨写给斯威夫特的热烈的忠告诗信中读到。瓦内萨爱慕斯威夫特，恳求他，欣赏他，认为他很神圣，只祈祷允许她躺在他脚下。当他们从教堂带卡德纳斯回家时，人们发现斯威夫特神圣的脚经常在瓦内萨的客厅里。斯威夫特喜欢别人崇拜他，爱慕他。他发现凡鹤利小姐是一个很有品位、很有追求的女人，小姐美丽、智慧、富贵。

他每天与她相见,却没把这件事告诉斯特拉,直到浮躁的瓦内萨很喜欢他,斯威夫特才被小姐的热情吓坏,开始对她的温暖感到困惑。斯威夫特谁也不想娶,我相信这是事实。但是,如果他没跟斯特拉结婚,瓦内萨肯定愿意嫁给他,不管他乐不乐意。当他回到爱尔兰,他的阿里阿德涅不满足留在小岛追求难以捉摸的主教。斯威夫特提出抗议,安慰她,发现徒劳后就恐吓她。最后,她得知主教与斯特拉结婚的消息,这条消息断送了她的命——她死于那份感情。

阿里阿德涅去世时,斯特拉听说斯威夫特为她写了精美的文句。"对此我并不感到吃惊,"斯特拉说道:"因为我们都知道,主教可以把一把扫帚都描写得很美。"一个男人一生只能有一个女人,一个真正的女人!你会让一个女人原谅另一个女人吗?

在斯威夫特传记的一则笔记中,斯科特说他都柏林的朋友图克博士有斯特拉的一绺头发,斯威夫特将其包在纸里放在手中,纸上写着:"只是一个女人的头发。"斯科特说,这是主教想用愤世嫉俗的冷漠面具来掩盖自己感情的实例。

瞧,这就是批评家的不同角度!那些文字表明漠不关心或试图隐藏感情吗?你有没有听到或读到过更可怜的几个字?"只是一个女人的头发";只有爱,只有忠诚,只有纯洁、纯真和美丽;只有世界上最温柔的心受到打击和伤害,离开人世,不再希望有缠绵的痛苦,爱受到侮辱和无情的抛弃,只留下那一绺头发。孤独不幸的罪人带着记忆和悔恨在受伤者的坟茔上战栗。

尚若有如此多的爱,斯威夫特本应该给予斯科特一些。机灵与智慧,亲切与温和同样也被锁在他忧郁的心房里,不时流露给他心里的那一两个人。窥视人的内心并不容易,因为人们无法长期触及别人的内心深处,那会让人遭受痛苦。斯威夫特迟早会在一切的爱慕中退缩。斯特拉和瓦内萨都在他的身边死心,然后远离他。他不忍心看着她们死心。他好不容易离开最好的朋友谢里登,从最爱的红颜知己身边溜走。一百四十年后,他的笑声依然在我们耳边回荡。他总是独自一人在黑暗中孤单地发怒,除了斯特拉那甜美的笑容浮现在他的脑海里。当她的笑容不在时,笼罩他的是沉寂的黑夜。一个伟大的天才：可怕的陨落和毁灭。在我看来，他是那么伟大的一个人，以至于想到他就像是想到一个帝国的衰败。我们有时会提到其他伟大的名字，可我认为，世上没有如此伟大、如此忧郁的人。

大学的理想
The Idea Of A University

[英] 约翰·亨利·纽曼

主编序言

约翰·亨利·纽曼1801年2月21日出生于伦敦。他16岁考入牛津大学，获三一学院学士学位，毕业后任牛津大学奥瑞尔学院的特别研究员和导师，成为该大学最活跃的一员。1828年，他被委任为牛津大学圣玛丽教区牧师。1832年，由于与院长存在意见分歧，他便辞去了导师职位。

1833年，英国圣公会内牛津运动[①]兴起后，纽曼和与牛津大学的其他教士一起发表了《时代书册》（也称发起了"书册运动"）。书册运动旨在捍卫"教徒承继说以及祷告书的完整性"。几年后，"书册运动"在英国主教的禁令下结束。为此，纽曼离开牛津大学。1845年10月，他加入罗马天主教。

1846年，纽曼前往罗马，回国后在英国开办讲演学校。1854年，他去都柏林，在天主教大学里担任了四年校长。也就在那时，他开始撰写演讲论文集《大学的理想》。在这本书里，他以清晰的思路和优美的文字表达了他对教育的看法。1879年，纽曼因对英国宗教事业的贡献被封为红衣主

[①] 牛津运动，19世纪中期由英国牛津大学部分教授发动的宗教复兴运动。又称"书册运动"。该运动主张恢复教会昔日的权威和早期的传统，保留罗马天主教的礼仪。

教。他于1890年逝世。关于纽曼的宗教观点及其影响的记录很少，我们找不到太多的线索。下面的文字真正揭示了他信仰体系中最重要也是最基本的元素。但是，一些大学名师和评论大家却把这些元素片面地理解成自然生物观点和文化价值。

查尔斯·艾略特

第一篇 大学是什么

  如果让我简明扼要、通俗易懂地描述大学一词的含义，我会在其过往的称谓——"普遍性的学术机关"——中寻找答案。这一称谓意指："一群互不相识的人来自不同的地域，聚集在一起。"一方面，这群人"来自不同的地域"，要不然，我们怎么为每一学院寻找教授和学生？另一方面，他们"聚集在一起"，要不然，学校如何生存？由此，从大学最初的简单形式来看，它是一个涵盖一切知识的场所，由来自各地的师生组成。想要完整充实这一描述所体现的内容，有很多东西必不可少；本质上说，大学是一个借助人与人之间的交往，在国内使得思想得以交流和传播的场所。

  在我们所提出的这一理念中，没有任何牵强附会或不切实际的东西。如果我们所说的是大学，那么大学不过是满足我们自身的需求，不过是为该需求提供许多特定媒介的一个实例罢了。相互之间的教育，从广义上讲，是人类社会伟大的、永无止境的一项事业，有时有计划而为之，有时却并非如此。一代人影响另一代人，每个个体都参与其中。在这个过程中，书籍文字就成为一种特殊的工具，在现在这个时代尤为如此。考虑到出版传播的强大力量及其如何在期刊、短文、宣传小册、系列作品和通俗文艺中发展起来，我们必须得承认出版物将取代其他一切知识的传播。

人们会认为，对于全人类，甚至对于每个人的智育来说，已经有了丰富多样的知识，在这种情况下，我们还想获得什么呢？你可能会问：既然知识会自己呈现在我们眼前，我们又何必"渴求"知识呢？古代预言家把预言写在树叶上，这些树叶一旦被摧毁——通常树叶难以保存，人们便再也无法知道这些预言了。然而，时至今日，每个人都能奢侈地享用信息大餐。因为工业文明时代发明了许多工具，今天的我们拥有的词汇大而杂，各类书籍汗牛充栋。我们可以在这些书籍中学到比古人更为广泛的知识。这些书籍也更加便于传播，以日行千里的速度发行到世界各地。各种书单堆满我们的座位，分发在街道两侧。城市的每一面墙都在传递智慧和信息，告诉我们什么地方可以买到物美价廉的东西。

我赞同所有这一切，这就是最大众化的教育，这种教育对我们的影响非同凡响。然而，即使是现在这个时代，借用贸易术语来表达：如果想买一件"好商品"，尤其想买一件"货真价实的精品"，人们只能选择另外一个更专业的市场。人们可以以任何方式、利用各种方法来获得教育，比如竞争、读古文、口授、人际的交流、老师的教学、大师的影响、学生之间的虚心勉励、人们的集中朝拜等。所有这些受教育的方式很有必要，有时是不可替代的。我认为，各种学习方法都适用于社会不同层次的人，社会拥有足够的利益将人们联系在一起，组建成一个所谓的"世界"。这些学习方法存在于政治领域和宗教领域，同时也存在于文学领域和科学领域。

假如我们的一言一行能成为检验其信念的途径，那么我们有理由这样说：书面文字所涉及的范围及其不可估量的益处在于，书籍是对真理的记录，是对权威的渴求，是教师施教的工具；假如我们想要更准确详细地了解各领域中纷繁复杂的知识，那么我们就必须向周边的人请教，听取他们的意见。我可能不会去研究造成这一现象的原因，可我很清楚，我所说的一切都远比不上对该现象的分析。也许人们会认为，没有一本书能解释各门科目中所提出的各种细微问题，或者说，没有一本书能解决每个读者所遇到的一切问题；或者说，在迅速准确表达主旨及其细微特征方面，没有一本书能比得上通过眼睛、面部、声音等器官不经意间流露出的表情，也比不上随意谈话中不经意转换话题所产生的共鸣。

我已花了很长一段时间详述我的主要观点中的附加部分。这一部分不论由什么原因造成，其事实是不可否认的。任何一项研究的主要原则，我们都可以在家里通过书本学到，但是其细节，如生活中常见的词语褒贬、语调等，我们必须从已掌握这些知识的人身上才能学到，我们必须模仿那些不满自己的语法而去巴黎或德累斯顿求学的人，我们还必须以那些渴望亲自拜访佛罗伦萨和罗马大师的年轻美术家为榜样，除非我们发明了智慧的银版照相技术[①]，这种技术能把思维的过程、真理的形式、真理的本色及其特征拍摄下来。正如光学仪器完整详细地形成超感官的影像那样，我们必须到拥有智慧的老师那儿学习智慧，我们还必须找到智慧的源头，然后从那儿开始学习。一部分智慧可以通过书籍从一个源头流向世界各地，但是，智慧本身却集中在另一源头：各种书籍和天才的鸿篇巨制正是在知识分子的聚居地汇集产生的，或者说至少从此起源。

我所坚持的原则是显而易见的，也有许多相关的现成实例。但是，如果在这个话题上滔滔不绝，我觉得就会令人生厌。还不如多举一两个实例把观点解释清楚，因为我可能还没有把我想要阐述的道理完全讲明白。

例如，社会上一些为人所推崇的文雅的举止与高雅的风度难以做到，而一旦做到又完全属于个人。这种举止和风度在社会上备受尊崇，而却又是在社会中通过修养得到的。一个人要成为绅士，就必须在行为举止、服饰着装、说话语气、交际能力、崇高原则、严谨思维等方面具备良好的品质。这些品质有些是与生俱来的，有些是在不同层次的人身上才有的，有些是直接从基督教的警句格言中体会到的。但是，如果有能力把所有这些品质融汇在一起，使其在我们身上得到有机体现，那么我们能在书本上学到这种能力吗？如果不是在特定的环境下，你甚至无法确定这些品质是否

[①] 银版照相术是将一块镀上一层银的铜盘，用碘处理之后，将此铜盘置于黑盒子里曝光。然后将曝光之后的盘子用汞蒸汽还原出黑色的银，而显现出在黑盒子里捕捉到的影像。这种照相法是法国画家达盖尔发明的，盖达尔把这种摄影技术称为银版照相术。

有必要获得，那么你也无法确定这些品质会如何得以体现。

很明显，在没有对手时，你无法做出防御；辩论中在没有支撑论点的材料时，你无法挑战对手。在行为举止方面，也有同样的道理。在没有交谈对象时，你无法练习会话；到礼仪学校学习之前，你无法克服与生俱来的羞怯、笨拙、软弱或其他礼仪道德方面的缺点。现实生活也是如此。大家都在特定的时间去参观大城市、法院以及高大建筑物，随后返回家乡。由于这些地方具有高雅的品位，犹如圣地一般，人们可从中获得一些社会成就。此外，我们无法想象绅士风度如何保持——事实上就是这样保持的。

现在来说第二个例子。同样，在此我会撇开对所说话题的个人观点来叙述。我承认，我没参加过国会，在上流社会也没什么成就，可我不禁想到，政治家的才能正如高贵的血统一样，不是从书本上直接学到的，而是从某些特定的教育机构学到的。如果这不是一种假设，那么国会把一个聪明人变成一个熟悉国家政务的人，这样的事就连这样的聪明人自己都觉得不可思议。一个立法机构的成员如果相当敏锐的话，那么他会用新眼光看待事物，即使其观点并没有什么新意。他现在所听到的话赋有意义，其理想就要成为现实，这是前所未有的。在公众演讲和私人谈话中，他听到大量的信息，而这些信息从来都不会印刷成册，出版发行。各种事件所采取的各项措施及其意义、各个政党的行动，以及各种面孔都出现在他眼前，这些东西是熟读新闻的人也无法领悟到的。他之所以敏锐，是因为他接近政治智慧和经验的源头，是因为他与政治家们朝夕相处，是因为他对工作的熟悉，是因为他听取不同见证人所陈述的观点和事实。不用说，国会两院及其机构就是一所政治大学。

关于科学领域，我不妨举出一个显著的例子。过去二十年兴起的为发展科学而定期举行的集会，例如英国科学协会，在许多人看来是荒谬的。在所有学习科目之中，科学是凭借书籍或教师讲授来传达或传播的；实验和研究是默默进行的；发明是在孤独中产生的。哲学家与欢聚一堂的名人有什么关系？表彰典礼与数学或物理中的真理又有什么关系？然而，仔细研究这个话题，我们会发现，连科学的思维也不能缺少这些集会所提出的建议、指导、鼓励、同情以及大量的人际交往。

于是，人们选择一年中白昼最长、天空最亮的好时光——整个地球都在微笑，世界万物充满活力——依次选择城市举行集会。选择的标准依据城市古老的知名度或现代的富裕度，中选城市的建筑要奇特，城里人要好客爽朗。在新地方和新环境，人们会因为陌生感而产生兴奋。对方和自己在重新认识熟悉的面孔中，其地位或才华得以彰显。人们自身或相互之间都会为满意的友善、高尚的精神、思想的流通以及好奇心而感到激动，热情高涨。清晨的聚会，优雅的户外活动，丰盛的膳食，狂欢，晚会，出色的演讲，伟人之间的对话、冲突和质疑，他们对科学进程的叙述，他们对希望、失望、矛盾和成功的记录，他们辉煌且值得歌颂的演讲……所有这一切以及年度庆典中类似的事件都起到增长知识的作用。当然，这样的集会并非时时都有。它们和大学年度活动、毕业典礼或周年纪念一样，平时是不会举行的。就性质而言，这样的集会虽与大学有别，可我对它们的实用价值却深信不疑。

这样的集会促进了人与人之间的知识交流，推动了一般意见的彼此交换、学科之间的互相比较与调整，开阔了人们在精神、智力和社交方面的眼界，增进了每个人对所选的特定研究领域的挚爱，提高了个人的兴趣爱好并做出了无私的奉献。在此我要说的是，这种集会只定期举行，仅仅是部分大学理念的体现。集会惯有的喧嚣有别于学术教育的规律性及其严肃性。我们所渴望的是不干扰日常生活习惯的教育方式，对这一点我们无需长期苦苦思索，因为在我们深思熟虑的过程中，事物的发展规律便会自然显现出来。

每个国家的首都本身就是一所大学，不管我们是否有意如此。正如首都是法院、上流社会、政治界和法律界的中心一样，首都理所当然也必须是文艺的中心。在我们今天看来，多年以来，伦敦和巴黎事实上都是在扮演大学的角色。虽然巴黎的著名大学已不像过去那样在世界上首屈一指，伦敦的大学也仅是一种行政机构，可是，各类评论、报刊、出版业、图书馆、博物馆、院校以及各类学术和科学协会，却都赋予了巴黎、伦敦这两座城市以大学的职能。那曾经弥漫在牛津①、博洛尼亚②或萨拉曼卡③的学术氛围，早已随着时代的变迁转至政府的所在地。来自全国各地的青少年、法学生、医学生、美术生、文学工作者与从业人员聚居于两座城市。他们因某种机遇在此寄居下来，并且对他们的临时家乡深感满意，因为他们在这里找到了他们所向往的一切。就来此地的目的而言，他们并没有白费工夫。他们也许不懂得什么特别的宗教信仰，却对他们自己的专业了如指掌。而且，他们开始熟悉居住地的习惯、礼仪和舆论，并努力维系着地方传统。这样看来，我们当然无法离开大学，因为一座首都就是一所这样的虚拟大学。可问题是，人们所追求和受到的教育应该基于原则、依据规范、趋向终极目标，还是应该交给因循守旧的大师和学校，而置废除思想和损害真理的极端危险于不顾呢？

在某种程度上，宗教教育本身对我们所研究的课题也提供相当多的佐证。宗教教育绝不可能只盛行于世界的中心城市，这一点从宗教教育的本质上讲是不可能的。宗教教育意在针对大众而非小众，其主旨是我们必须知晓的普遍真理，而非罕见难懂的深奥真理。但是，其主要教学目的与大学的教学目的在本质上是一致的。宗教教育需要世上一切教育所规定的方法，即教师现身说法或神学上所谓的"口头传授"。教师让自己生动的声音、呼吸的方式、丰富的表情在其说教和传习中体现得淋漓尽致；以丰富的情感、丰富的想象和丰富的推理感染学生；将真理中各种各样微妙无形的精神灌输给学生；阐明并重申自己的观点；再三提出问题，不断纠正和解释；步步深入，而后归纳基本原则。以上这些教学方式都蕴涵于"传

---

① 牛津大学创建于1167年，为英语世界中最古老的大学。牛津大学具有世界声誉，它在英国社会和高等教育系统中具有极其重要的地位，有着世界性的影响，英国和世界很多的学子们都以进牛津大学深造作为理想。

② 博洛尼亚大学，欧洲四大文化中心之首，被誉为欧洲"大学之母"，是全世界第一所大学。建立于1088年，坐落于意大利艾米利亚—罗马涅大区的首府博洛尼亚。但丁、彼特拉克、伊拉斯谟、伽利略、哥白尼等都曾在这里学习或执教。

③ 萨拉曼卡大学，建校于1218年，是西班牙最古老的大学，也是世界上历史最悠久的几所高等学府之一。从建校起到16世纪末，一直是欧洲最重要的学术中心。

习"一词。教师通过这些方式向学生灌输思想，并让这种思想在学生头脑里扎根。

在基督教初期，传习乃是一项历时长久的工作，往往需要花费数月甚至数年，才能破除刚刚入教的教徒在心灵上保持异教的错误思想。用基督信仰塑造新教徒的心灵，这可是一项艰巨的任务。《圣经》可供那些自发研究者参考。但是圣依勒内毫不犹豫地承认，某些民族皈依了基督教，却又读不懂《圣经》。在那个年代，不会读写并非没有学问，可荒漠中的隐者按照字义上说就是目不识丁。然而，伟大的圣安东尼虽然不会舞文弄墨，但是与那些前来发难的哲学大家辩论时，却无人可及。古希腊所谓的"神秘宗教"①也有着同样的原则，比如神圣"启示"的教理并不是在经传中见到，而是由传统保存下来。关于三位一体以及圣餐的道理，大概已流传了百年。它们见诸文字时尽管已经连篇累牍，但仍然不算翔实。

我想我已经解释得够透彻了。我现在的结论和开始的一样，大学是一个各类文艺荟萃的中心，各地的学生都到大学求学。既然你无法随处找到每种理想之物，那么你就得到大城市或商业中心去寻找。在那里，你可以找到堆积在一起的天然物品与人造精品，而在其他地方，却只能找到当地的特产。要知道，全国乃至全球的丰富物产都被送往大城市或商业中心。在那里有最好的市场，有最好的工匠，也有珍稀物品的衡量标准。那里是交易的中心，是时尚的风向标，是人才的聚集地。那里是参观一流画展的地方，是聆听美妙音乐和优秀演奏的地方，也是伟大的传道者、演说家、贵族与政治家的用武之地。当然，伟大与单一往往融为一体；精华往往蕴涵中心之所在。这样的地方便是大学——我差不多说了三四遍，但希望我这样的重复没让你们生厌。

这就是千百所学校都对其做出贡献的地方，也是学者可以放心地进行广泛探索、预知在真理的法庭中遇到其审判官的地方。就是在这个地方，心灵与心灵相互碰撞，学术与学术进行交锋，研究工作得以推进，各

---

① 神秘宗教（Mystery Religion），一译"秘传宗教"。系希腊罗马时期普遍流行于地中海沿岸地区的各种秘密传授的宗教的统称。

种发明得以印证和完善，错误得以纠正。就是在这个地方，教授口若悬河；教授既是传教士，也是布道者，他们以最为完善的流行方式展示其所学，以最大的热情讲授其所知，将自己对某一门学科的热情在听者心中点燃。就是在这个地方，教授以问答的形式充实其所教授的理论，每日用真理浇灌学生的心田，使真理渗透在学生与日俱增的理智之中。这个地方非常有名，从而让年轻人为之仰慕；这个地方也很漂亮，足以让中年人为之爱慕；这个地方有着其庞大的脉络，可以让老年人为之倾心。这个地方是智慧的摇篮，也是世界的明灯；是信仰的传教者，也是青年的母亲。实际上，大学的意义还远不仅如此，其他的意义有待头脑比我聪明、文笔比我生动之人加以描绘。

这就是大学的理想与目标。大致上说，过去的理想与目标如今已成事实。这种理想与目标是否永不改变，我不得而知。不过，我将借助基督的力量，在圣母玛利亚的眷顾下，以圣帕特里克的名义继续探索之。

第二篇 大学的选址

如果知道什么是本质意义上的大学，我们必将前往最负盛名的欧洲文学之乡和欧洲文明发源地——美丽多姿的雅典。数千年来，坐落在雅典的大学将世界各地的青年拥入怀中，而后又送回生活。由于雅典这座城市位于欧洲大陆边缘，所以它看起来似乎很难承担起学术中心这一重任。虽然其交通不便，可它却毗邻神秘的传统东方，而且所处地区宁静美丽，这便又是其优势所在。作为一个理想的胜地，雅典实际上具有一切伟大与正义的原型。在这里，真理得以探索，知识力量得以展示。在这里，审美观与人生观如在宫廷一般得以郑重加冕。在这里，没有主权，只有思想；没有贵族，只有天才。在这里，教授是统治者，王子亦须向其表示敬意。在这里，正在成长或已长大成人的善辩一代，从全世界各个角落不断聚集于此，其目的在于增长智慧。

僭主庇西特拉图[①]早就开始发现和培养富有天赋的儿童；军事领袖西

[①] 庇西特拉图，古希腊雅典僭主。被驱逐出雅典一次，自己主动出逃一次。制定过一系列奖励农工商的政策，大规模海外贸易、建设雅典、文化支持。他是雅典政治、经济、宗教和文化生活中的重要人物。

蒙①则在希波战争②之后给这些天才打造了一个家园。那场战争确立了雅典的海上霸权，雅典自此成为帝国；爱奥尼亚人因血统和隶属双重纽带③而进入雅典居住，随之带来的还有他们的商业和文明。亚细亚沿岸的艺术与哲学漂洋过海来到雅典，西蒙以其丰厚的财富张开臂膀热烈欢迎它们。由于不愿意让教授们居尊俯就，西蒙为他们修建了高贵的住所——关于这一点，我们在雅典常有耳闻。他还栽花种树以美化环境。如今，这些花木环抱的建筑已变成著名的学院。在雅典，种植花木成为最体面的职业之一，也是慈善的职业之一。设想一下，西蒙手拿幼苗，精心修剪，然后将其种植在道路旁与喷泉边，这是多么雅致的一幕。在热情回馈对城市文明做出贡献的文人与哲人的同时，西蒙将军也没忘记感激让雅典繁荣昌盛的商人，西蒙就像参天大树一样庇护着在阿果拉④世代劳作的商人。当然，那些商人理应获得奖励，因为正是他们的船只一直肩负着将雅典的学术成果运向西方世界的使命。

随后，大学便在这里兴办。这还要从伯里克利⑤说起。伯里克利在政治与文学赞助方面打败了西蒙，据普鲁塔克称，伯里克利曾想过把雅典打

---

① 西蒙，"雅典帝国"时期的将军，普鲁塔克为他立传，流芳百世。
② 公元前478年底至公元前477年初，雅典组织中的希腊、小亚细亚地区内爱奥尼亚城邦以及爱琴海岛屿上大部分城邦组成了"提洛同盟"，与波斯作战。提洛同盟的军事领袖是雅典将军西蒙。公元前469年，西蒙的舰队取得陆上和海上的重要胜利，在尤里米顿河口大败庞大的波斯军，解除了波斯对爱奥尼亚城邦造成的威胁。雅典也由此确立海上霸权。
③ 据说，爱奥尼亚人是在约公元前1 000年前后自阿提卡和希腊中部其他地区迁到安纳托利亚的。这里的"血统和隶属的这个双重纽带"是指此传说。
④ 阿果拉（Agora），意思是集中、汇集，是公共生活的中心。雅典的阿果拉广场是雅典城邦政治、社会和宗教生活的中心，是所有政治的、公民的和司法活动之所。戏剧、体育比赛以及宗教崇拜活动等经常在这里举行，是多数人进行商业活动、聚会和讨论哲学的理想处所。如今常见于大都市的大空间或大广场，皆源于此。
⑤ 伯里克利，古代雅典政治家。公元前5世纪60年代，为扩大雅典民主机构公民大会和民众法庭的权力，积极反对贵族派首领西蒙，成为民主派的领袖。公元前443年起当选将军，任职15年，在雅典内政、外交等方面起了决定性作用。当政期间，雅典民主政治达到鼎盛，经济、文化高度繁荣。

造成希腊联邦的首都，却以失败告终。但是，他对菲迪亚斯①和阿那克萨戈拉②等人的鼓励却导致雅典取得更大帝国的持久统治权。然而，雅典因缺乏对自身优势的了解而卷入战争——虽然对一个商业和文学中心而言和平才是有利的，可是对雅典而言，是和平还是战争其实都不重要。雅典的政治力量开始衰退消亡；王国几起几落；数百年就这样过去了——这段时期确实给雅典这个诗人和哲人之城带来了新胜利。最后，在这里，黑皮肤的摩尔人和西班牙人与蓝眼睛的高卢人交往；米特拉达梯晚期的国民卡帕多西亚人，在见到傲慢且有征服欲的罗马人时可以毫无警惕地目视对方。整个欧洲不断改革，希腊也是如此，但是雅典这个智慧之城依旧容光焕发、辉煌灿烂、年轻雅致。

爱琴海畔有一颗明珠——阿提卡③。其众多富饶的海岸或岛屿接受着蓝色爱琴海的洗礼，许多景致比阿提卡更加美丽，许多地区比阿提卡更加富饶，但是阿提卡有一种魅力是任何地方都无法企及的。阿卡迪亚茂盛的牧草、阿哥斯的平原遗迹、塞萨利的河谷都无法与阿提卡的魅力相提并论。而在北部与阿提卡接壤的贝奥提亚在这方面的不足众所周知。贝奥提亚的空气湿润，本来很适合农作物种植，但是贝奥提亚人却未能有效将其加以利用。阿提卡的空气十分纯净明朗、有益健康，这便是此处智者的结晶与象征。虽然阿提卡未曾获得大地给予她的一切，但是她却把每一抹明亮的色彩以及柔和的色调延伸至她的所有领地，她可以照亮比她更贫瘠、更崎岖的国家。

"阿提卡地似一个封闭的三角形，最长处达五十英里④，最宽处达

---

① 菲迪亚斯（约公元前480年—公元前430年），古希腊的雕刻家、画家和建筑师，被公认为最伟大的古典雕刻家。其著名作品为世界七大奇迹之一的宙斯巨像和巴特农神殿的雅典娜巨像。重建雅典卫城时，被委任为艺术装饰的总设计。
② 阿那克萨戈拉（约公元前500年—公元前428年）古希腊哲学家，是第一个把哲学介绍给雅典人的人。
③ 阿提卡，希腊中东部区名，南和东濒爱琴海。雅典是阿提卡地区历史最悠久的城市。在雅典帝国时期，阿提卡方言成为使用最多的古希腊方言，后来逐渐演变成希腊化时期的通用希腊语。
④ 1英里=1.6093公里。

三十英里。两道高高的岩石屏障在其一个角相汇。帕尼斯山、彭忒利科斯山和海美塔斯山三座大山俯瞰着阿提卡这块平原。这里土壤贫瘠,虽有若干条溪流,但并不是时时都有充足的水。"这段话源于一个伦敦公司的代表关于阿提卡的报道。他应该报道这里气候温和;其山脉以石灰岩为特征;有大量上等的大理石;其牧场可能比初次调查统计的还要多,足够山羊和绵羊之需;其渔业多产;曾有银矿,但很久以前就已采空;有美丽的无花果树;上等的石油。这里还盛产橄榄,可他没想过记录这里的橄榄树属于什么上品,其形状怎么高雅,如何激起人们的宗教信仰;也没记录这种橄榄树是如何种入土壤,然后在空旷平原上蔓延,延伸至森林,沿着高山攀岩而上,存活于悬崖峭壁上。他没想过向雇主报告这里空气清新(我在上文已提及),天空碧蓝如洗,空气与天空互相交融。因此,天色变得更加柔和,映射在大理石上,其色彩变得如此和谐。这些缤纷的色彩从图片上看是如此的夸张,但确实属于自然的景色。他没有报告这里优雅灿烂的环境是如何使橄榄树焕然一新,让橄榄忘了它们千篇一律的颜色,橄榄的表皮变得通红,犹如翁布里亚山区的野草莓或山毛榉。他没有报告这里有百里香与上千种芳香的草本植物,在海美塔斯山上蔓延开来;他没听到这里嗡嗡的蜜蜂声,也没注意到这里蜂蜜的独特味道,因为戈佐岛与米诺卡岛上的蜂蜜足以满足英国人的需求。

  他应该站在高处俯瞰爱琴海,观看这里连绵不绝的岛屿,因为这些岛屿始于斯尼旺海岬,似乎为传说中的阿提卡之神架起一座跨海高架桥,带着传说中的众神圣拜访居住在爱奥尼亚的表兄妹。但是,他缺乏这样的想象力,也不懂得欣赏那带着白花边的深紫色波浪,更不懂得赞赏那岩石上优雅的银白色扇形涌流——这些涌流缓缓向上腾起,就像来自大地深处的水精灵,打着哆嗦,分散并蔓延开来,最后把自己藏起,消失在泡沫的雾霭中。他不懂得赞美那片流线般的平原的温和与时起时伏的脉动,亦不懂得赞美那汹涌的波浪就像一支军队冲向茫茫的海滩,发出阵阵的回声。除了祝福无法居住的星球外,他根本不懂得屈尊注意到那躁动的生命元素。他没注意到那与众不同的细节、那微妙的色彩、那凸出峭壁的优美轮廓与玫瑰般金色的色调、那落日在波俄托斯或拉夫里翁投下的巨大阴影。我们那位来自商业公司的代表绝对不会关注这些东西。

然而，我们得在从远方来到地球这个小角落朝圣的信徒身上找到共鸣，他可能会享受这些无形的、非原始美的象征物与闪光点。这位来自远方的陌生人，或来自英国或来自毛里塔尼亚，身处如此不同于他那冷清凄凉的树林沼泽或令人窒息的炽热沙漠，逐渐开始明白什么国家才适合成为大学摇篮，第一次了解到什么才是一所真正的大学。

这不是一所大学所需要的全部，也不是在雅典所能找到的全部。没有人可以靠诗歌为生，即使在雅典亦是如此。如果这座著名城市的学生除了能绘出明亮的色彩、唱出舒缓的声音外就一无所有，那么他们不可能也不打算在这里过得充实。当然，如果雅典曾经是他们的母校，或之后成为他们记忆中的美好时光的话，那么他们一定得有维持生计的手段，在某种意义上说，得有享受生活的方式。他们确实有维持生计的手段：雅典曾是港口、贸易中心，或许是希腊领军的城市。这样的描述非常贴切。这里曾有大量的陌生人涌入，声称要挑战学术上的难题，而非物质上的困难。他们宣称物质需求已经得到满足，也许可以开始丰富自己的思想。现在，阿提卡的土壤仍然像以前一样贫瘠，但是这里拥有丰富的资源，足以提供高雅乃至奢华的住所。这里进口大量的商品，当时流传着这样一句话：全世界的产品都聚集到雅典——它们有来自爱琴海群岛的玉米和葡萄酒（在这样的气候条件下是生活必需品），有来自小亚细亚的细羊毛与毛毯，有来自黑海的奴隶与木材，也有来自地中海海岸的铁和铜。雅典人不屑于自己生产产品，却鼓励其他人生产；许多外地人都想涉足这个赚钱的行当，这样，产品既可供国内消费，也可供出口。他们所生产的布料及其制作衣服和家具的织物，诸如盔甲的五金用品都为大众所喜爱。这里有廉价的劳动力、丰富的石材、高品位的大理石，高品位、高超的技艺。最初他们致力于修建公共设施，如寺庙和门廊。随着时间的推移，他们开始修建名人大厦。如果说大自然赋予雅典多少，那么艺术也给予雅典多少。

可能有人会打断我说："顺便问一下，我们谈到哪儿了？我们谈论的目的是什么？——所谈论的这些与大学有什么关系呢？至少说与教育有什么关系呢？你说的这些都有教育意义，这一点毋庸置疑，可我还是想问，这与你谈论的主题有什么关系？"在此我向读者保证，我在一丝不苟地谈论我的主题；我原以为你们都能看出。但是，既然有人提出反对意见，那么请允许我暂停一下，清楚地梳理一下思路，然后再继续阐述。这与我的主题有什么关系？为什么这么问。当我们想到大学时，我们首先想到的是它办学的所在地，因为办学地点必须是一个自由高尚的地方。谁又能否认这一点呢？权威人士在这个问题上大多持相同的意见，只要稍微想一想就清楚明了了。

我曾经就这个问题与一位名人讨论过。当时我才十八岁，正值大学放暑假，我在车上遇到一位中年人，那时我不认识他。他是一位学术界的名人，后来我对他非常了解。可以肯定的是，我很幸运。同样幸运的是，他有一个与人交谈的嗜好，尤其是与公共马车上遇到的同伴交谈。因此，由于我的冒昧与他的屈尊，我从他那儿听到了许多新鲜事。他坚持强调一点：一所知名大学在排场上应该显得隆重——很明显，他热衷于在这一点上说服别人。他认为，政府是否需要考虑，牛津大学应该坐落在一个属于自己的领地，应该腾出一块宽敞的土地，比如直径四英里的土地，改建为树林和草地。这所大学应该被一座宏伟的公园环抱。这座公园应该拥有大量的优良树种、大片的树林和林荫大道。游客走近它，可以从中看到这座美丽城市的缩影。他的这个想法没有什么荒谬之处，虽然需要一笔巨款才能得以实现。除大学之外，还有什么地方能更好地体现这最纯洁无瑕、最美丽无比的自然财富呢？这就是我这位马车上的同伴所持的观点，而且他还讲述了历来的传统以及人类的本性。

就拿著名的巴黎大学[①]来说，它位于塞纳河南岸，占据整个巴黎城市的一半，也是景色最宜人的一半。路易斯国王视巴黎大学这座小岛如己出，认为它就相当于一座城堡。塞纳河北面有大量的沼泽地，这里贵族和市民各尽其能。塞纳河南面拥有宽广的草地、葡萄园及花园，与圣米歇尔山遥遥相望。同时，一条溪流蜿蜒在整个大学，一直流向圣日内韦弗集

[①] 巴黎大学是欧洲最古老的大学之一，前身是建于1257年的索邦大学。在1968年法国学生运动发动之后，巴黎大学被拆分成13座独立的大学。

市，所有这些都成了巴黎大学的遗产。那儿有令人心旷神怡的草坪，这片草坪沿着河岸延伸，几个世纪来，学生们在那里消遣娱乐；阿尔昆[①]似曾在他告别巴黎的诗中提到此处，圣日耳曼德普瑞教堂也因此而得名。这所大学历经沧桑，竭尽所能找寻纯正而健康的快乐，但事与愿违。因为周边地区秩序持续混乱，昔日美丽的草坪如今成为党派争论的焦点，异端邪说蔓延整个欧洲。巴黎大学不再有学生慕名而来，学校债务重重。这块地成为了巴黎人的资源：云集的高楼沿整片绿色草坪蔓延，最后形成了一座城镇。这一灾难发生时，学者们义愤填膺，陷入深深的悲痛。德国学监说道："无论缪斯是因退位还是因兴奋而漫游，这一悲哀景象见证了拍卖古代庄园的情况。现在，既然快乐的源泉被切断，青年学生怎样专心学习？阅读疲劳后，怎样放松？"这种状况已经持续了两百多年，时间证明：外部的灾难是道德大革命的象征。即便是上级机构为这一地区修建了绿地草坪，但是终究不是原来的样子。

  与此类似，几百年前，当人们最先考虑比利时大学时，普修曾说："许多人都建议选梅西林，因为那里作为住所非常清爽洁净，但是，后来却选择了卢万城，之所以如此是因为，无论从地理位置还是人的角度考虑，似乎都没有别的城市更适合做学术。谁会不赞同这个决定呢？还有什么城市更益健康、更加宜人？这里的空气非常纯净、沁人心脾；其空间宽敞、令人愉快；草地、牧场、葡萄园和灌木丛郁郁葱葱，甚至我可以说，还带有俄国学校的风情。你要爬上围墙，绕着围墙走一圈，往下看，看到了什么？各种美丽的风景难道没能抚慰你的心灵？这里有玉米、苹果和葡萄，有绵羊和牛群，还有鸟儿在啁啾吟唱。现在迈开你的脚步，放眼看看围墙外面吧。那里有蜿蜒的河流，有村屋、修道院和宏伟的城堡。放眼望去，四处都是树木以及供人休闲享受的绿地。"

  我在马车上遇到的这位博学多才的同伴，竟然以诺曼底人的思维方式

[①] 阿尔昆（Alcuin or Albinus，约公元前736—公元前804）英国学者。生于约克郡，是一位僧侣。曾被法兰克王国的查理大帝请到宫廷中，委以帝国的教育改组事宜。他劝导查理大帝在宫廷中设置学校，这就是巴黎大学的前身。他亲自编写数学课本，在学校里授课。他写的许多初等数学教科书在中世纪广泛流传。

想将某些村庄变成公园或游乐园，这在十九世纪也许是很特别也很随意的想法。不过，由于他为人处世公正，所以其想象的随意可以原谅。当然，他会让大学成为它应该成为的样子。在他之前，老安东尼提到对大学的要求时，表达了同样的观点。古时，霍勒斯说起在学术界寻求真相时提到过雅典。老安东尼在本该针对牛津大学的演讲中也提到雅典。关于"成立一所大学所必备的条件"，他提出："首先，大学是一个令人愉悦的好场所，这一场所必须充满有益健康的新鲜空气，还要有海域、温泉或水井、树木和令人赏心悦目的田野。如果拥有这些东西，大学就足以吸引学生逗留居住。古代雅典人非常满意这里的便利条件，一些被希腊人请到这里的英国人对此也十分满意。这些英国人或他们的继承人在英国也挑选了像这样的一块地办学，而这样一个令人愉悦的环境后来被称为贝罗斯图姆或贝罗塞特，也就是现在的牛津大学，这里拥有之前所提到的所有特征和便利条件。"

大家已从哲学的角度对这所大学的地域优势进行分析：例如，牛津大学位于英格兰南部中心，坐落在一个开阔平原的几座岛屿上，岛上有许多小溪流淌，周围布满沼泽，必要时可保护城市免受入侵。作为一个军事要地，它拥有自身的优势，可经过泰晤士河通往伦敦，甚至整个海域轻松往来。然而，伦敦的防御工事阻碍了海盗沿河而上，而这些海盗可随时轻易地沿流而下。几百年过去了，这个城市失去了其作为真理的仆人、军人的至高荣誉及其引以为荣的东西。牛津大学曾被称作教会的第二学校——仅次于巴黎大学——是圣·埃德蒙、圣·理查德和圣·托马斯的母校。它也是许多伟大智者的聚集地，比如生性敏感的医生司各脱、能言善辩的海尔斯、性格另类的奥卡姆、声名显赫的培根、意志坚强的米德尔顿、知识渊博的布雷德沃丁无不出自牛津大学。可是，牛津现在已沦落到只剩下人性可爱这一点了，而这正是我们所钦佩的雅典的完美之处。牛津大学在这篇文章中——不论在本篇还是在下篇——已无足轻重，我也不想提及它。然而，即使牛津大学处在令人悲伤的衰退中仍然有着这么多外在的光彩，可就像先知脸上显现智慧一样，它应该由内而外放射出光辉。牛津大学为我的论题提供了一条例证，也就是说，什么才是一所名校应该拥有的实质、住所、外观、周边环境及其世俗的东西。伟大的罗马教皇格里高利就把那些金发碧眼、血气方刚的撒克逊青年直接唤作天使,而不以盎格鲁人相称,这绝非传说。罗马教堂耶稣基督忠诚的女儿,在她荣光不再的今天将这一魔语赠予来访的众生,仍然称撒克逊青年为天使。这是在向我们昭示天堂般大学的出现,这种大学充满了用言语无法形容的魔力、感召力和影响力。其影响力因真理凿凿而有力,因跨越国界而无边,并因其吸引力,这种大学发挥的空间愈来愈广阔,愈来愈深远。

那么,让读者听听谈论牛津大学的那位博学的德国人的说法,然后自己判断(如果他们不愿向我求证的话)我说的大学对于大学生而言所拥有的迷人面容与微笑。

胡贝尔说过:"现在像牛津大学这样承载着如此深厚和多元历史标志的大学实属罕见;这里有如此多不朽的宏伟记录和重要力量合作的荣耀成就突然呈现在眼前。如果一个人能不受该大学整个氛围和精神所激发的强烈情绪的影响,那么他一定是一个迟钝、粗心、持反对意见的文盲。除此之外,其他人将成为我们的见证人,见证即使是与永恒的罗马肩并肩同行,牛津也堪称给人以深沉、持久、独特印象的大学。"

"承蒙大自然的眷顾,不列颠帝国几百年来未受外国军队的亵渎,她拥有一个最富裕的地区,该区不但有一条广阔的绿色淡水河谷,查韦尔与伊希斯那饱满清澈的河水在此汇合,而且这里有原始榆树和橡树,其弯弯曲曲的树干缠绕在花园、草坪、田园、村庄、屋舍、农场和国家机构中,将这些地方融为一体,其中有一些类别不同的大型建筑,如宫殿、城堡和修道院。一座哥特式教堂塔楼和现代希腊风格穹顶拔地而起。然而,在远处乍看上去,它实际上与中世纪其他任何城镇建筑都不相同。"其轮廓并非那么棱角分明,其造型并非那么生硬、无规律或神秘。相反,它看上去线条柔和,有着特有的静态,矗立在那一大片鳞次栉比的建筑中。在克劳德·洛兰和普桑的画中,我们期望找出与其他普通画有所不同的场景,然后做比较,尤其是在画中出彩的方面。他们的画中,最重要的标志就是大学,大学的教学楼、城市的教堂及其周边,整座城市延伸到目不可及之处。然而,一进入街道,我们就会看到琳琅满目的商品和繁忙的交易。除了英国，任何其他地方都没如此多富有典雅风格的店铺能引人注目。即使所有东西都那么闪亮耀眼，可店商仍然既保持着谦逊温和的态度，也保持着高级生活的传统。这样的传统早已在基督教兴盛之初就开始传承。那些典雅高贵的店铺可以说是国内学生逛街的天堂，也吸引了观光者的眼球。相比之下，所有其他建筑都得甘拜下风。每所老大学就像一个独立的整体——那就是一整座镇，其围墙及其纪念碑都在诉说这所大学几百年的进程。这样的大学自然而然隔绝了众多现代美，达到了令人望尘莫及的和谐。人们已经感觉到老大学的影响、其壮丽及其温柔。他们不禁要问，如果没有天主教或者没有创立天主教，那么慷慨热情的人是否拥有一切的荣耀和美好仍有待考问。

我们不敢明确地说，这样的魅力如此神秘，比人们的希望与灵感更宽广。但是，就我而言，从离开大学的那天起，我对学校的未来怀着无比的期待，无论学校的未来是好是坏，我也从未想过自己将来会回到一直思念的地方——在那儿我呆了将近三十年。尽管如此，从这天起，看到学校现在与以前毫无差别，我无比怀念我的教会学校。如果让我们选择另一所学校，即使牛津大学所表现出来的魅力让我仰慕，可我更愿意选择我的母校。自阿尔弗雷德和亨利一世起，世界已在快速发展。世界自西以东分为四五个大洲。我想从中找到一个比圣地耶路撒冷的土地面积更小、高速公路更多的城市。我期望那是一个同时拥有基督教历史更为悠久和发展前景更为远大的地方。这样的国家，在撒克逊人来到英国之前，已经拥有自身源远流长的魅力。其教堂由奥古斯丁和保利努斯建造，由费舍尔着手记录坎特伯雷和约克王朝兴亡的历史。我认为人不可能总是得到自己最想要的东西。我注视着这百年来发生的一切，隐约看到我梦想的地方，这个地方慢慢出现一条道路，而我的整个梦想就是世界中心。我见过人口众多的比利时人、生机勃勃的法国人、激情洋溢的西班牙人；我还见过英国提早多年完成了具有国家特色的成就。在这个繁荣昌盛、前景辉煌的地方，其首都坐落在一条非常浪漫的美丽海湾。我知道，该国的一所知名大学曾在艰难时期与其命运抗争，但随着其创始人和投资者的逝去，已成功地摆脱他们带来的困扰。这所大学是一片神圣的土地，是一切文明的发祥地，是基督教兴起的源头。其学生来自五湖四海——美国、澳大利亚、印度、埃及和小亚细亚，有的学生来得慢而不引人注目，有的学生来得快而轻松自如。他们来到大学后说同一种语言，持同一种信念。随后，渴望真理的英国人也来了。毕业以后，他们不再逗留在大学所在地，而是回到他们信仰"为所有善良者带去和平"的地方。

第三篇 雅典的大学生活

上一章行文将至一半时，我就恰巧地将话题岔开或可称之为偏离正题，这给大家添麻烦了。现在我得从岔开处开始找出一些问题。如果要继续探讨之前的隐喻，那么我就要言归正传，如果我想改变之前的隐喻，那么我就将重谈话题。

我希望我能将雅典的面貌展现在读者面前，带他们一览我们言谈中的大学。而这样做，目的不在于赞颂一座无宗教信仰的城市，不在于否认该城市的诸多丑恶面，也不在于隐瞒该城市的道德建立在大智慧之上。恰恰相反，这样做的目的在于描绘这些事物本身。换句话说，目前为止就想让大家看到什么是大学、大学的机构及其思想、大学的种类及其生源，以及大学需要什么外部援助和支持，以完善大学的类别、获得更多的生源。

那么，现在让我们来想象来自斯基泰、亚美尼亚、非洲、意大利、高卢等国的大学生，他们经过萨罗尼克湾的颠簸之后（他们来雅典的必经之路），最终到达比雷埃夫斯。他们的地位和所属的阶级完全由大家的喜好决定。或许他们会贴上标签，从王子到农夫，各类阶层有所不有。或许他是克莱安西斯，曾在公开比赛中当过拳击手，那么他是如何下定决心来到雅典寻求智慧的呢？或许如果他恰巧来到大洋彼岸，那么他对雅典的爱又从何而来？但一切已成事实：他随身只带三德拉克马（古希腊银币）到雅典，靠拉水、装车、当仆人维持生计。他喜欢所有的斯多葛派哲学家，无论是恬淡寡欲的、傲慢无比的，还是目中无人的，都受到他的青睐。贫穷的大学生从每日的生活费中拿出一欧布鲁斯（古希腊价值1/6德拉克马的硬币）作为听课费交给导师。他的进步很大，以至于齐诺死后他竟然成为那所大学的继承人。而且，如果我没有记错的话，他是写至高无上的圣歌的作者，他写的圣歌是同类经典诗歌作品中最华丽的篇章之一。然而，即使他已经当上了校长，他依然像一名苦行僧，继续长时间辛苦地工作。据说有一次，大风将他的大披肩吹到一旁，路人发现他居然没有穿其他衣服——就像德国大学生只穿外套，带一把双管枪就去海德尔堡一样。

或者他是画廊学派的一名信徒，比同学派的其他信徒更早崇尚自然恬淡、清心寡欲。他以一种截然不同的方式到了这座城市！这种方式与罗马的君主以及哲学家马库斯的进城方式没什么区别。以前还年轻时，他将教授们从雅典召集来为他服务。而现在他从生命的尽头回来，以战场上胜利者的姿态对这座智慧之城表达谢意，并顺从大家的意思参加艾留西斯的秘密宗教仪式。

或者他是一个前程似锦的年轻演说家，若不是因为心肺虚弱不能过激演讲，他才不会一边口若悬河地挥洒自己的修辞天赋，一边怜惜自己的身体。他就是西塞罗，他会在雅典短暂逗留。在他流芳百世的职业生涯开始之前，他会暂时忽视小亚细亚和那里的城市。他是如此喜欢在雅典短暂逗留，以至于坚持送比他当时逗留雅典时的年龄更小的儿子到大洋彼岸的雅典。

且看看从亚历山大港来的人吧（因为我们对过往的人或事并不十分关切）。一个二十出头的年轻人在航行中即将淹死时惊险地逃过一劫。他在雅典呆了八到十年，课堂上没学到一点拉丁文，却想着这足以让他完成在希腊的写作，并相信自己会成功。他是个严肃的人，别人很难理解他。有些人说他是基督教徒，有些人说他基督异教徒，连他父亲也说不准儿子是哪类教徒。他的名字叫格雷戈里，他来自卡帕多西亚，不久之后成为一位杰出的神学家，希腊教会主要的博士之一。

或者他是贺瑞斯，一个身材矮小一头黑发的青年，他的父亲让他在罗马接受高于自己社会地位的教育，现在他的父亲又要送他到雅典接受教育。传言他给诗歌带来了新思潮：他不是一位英雄，知道自己很优秀，但当时却热衷追捧自己所喜欢的东西，追随布鲁图和卡修斯参战，而后在腓力比战役中弃盾而逃。

或者他只不过是一个十五岁的男孩：他的名字叫攸内匹阿斯。尽管他到雅典的旅途不长，但晕船、行动受限、甲板上极差的生活条件还是让他发了高烧，当晚船在比雷埃夫斯靠岸时，乘客们纷纷下船，他却不能站立。与他同行的老乡背着他，将他带到了船长的朋友、当时的名师普洛阿尔雷修斯家，正是这位老师的名气使年少的他来到雅典。他的老乡们十分清楚，他们走进什么地方，在得到学生的许可之后，他们闯入哲学家的房子，虽然天色已晚，哲学家看上去已经休息了，而且打算让他们打消求学的念头。但是，这位哲学家并没举行什么仪式就收他为学生，这一点并不显得无礼，因为老师答应地如此轻松。初到者通过奇特的引见在大学获得了一席之地，但这并不是为了与雅典保持一致，因为他所预见的雅典就是一个充满年轻的暴徒，却没人假装要管的地方；是一个穷得不能再穷的人无论怎么竭尽所能都能活下去的地方。老师本身不能对课堂上众多学生提出的或幽默或固执的想法有所警戒吗？然而，普洛阿尔雷修斯对攸内匹阿斯关爱有加，告诉他许多雅典人生活的奇妙故事。普洛阿尔雷修斯自己曾经和一个叫赫费斯提翁的人一起上过大学，他们甚至比禁欲主义者克莱安西斯过着更清苦的生活。因为他们两人只有一条斗篷和一床旧床单，此外一无所有。所以，当普洛阿尔雷修斯外出时，赫费斯提翁就躺在床上独自练演讲；而当赫费斯提翁穿斗篷时，普洛阿尔雷修斯就必须躲在床单下。有一段时期，英国大学曾经出现市民与大学生之间激烈的宿怨，以至于教授们不敢在公共场合授课，害怕出现暴力事件。

然而，像攸内匹阿斯这样的大学新生很快就习惯了雅典流行的风俗。他作为一个几乎没进过城的人，得到一群年轻大学老师的不断训练，并不显得笨拙无知。第一眼看去，人们会惊叹他的幼稚。但是，类似的行为举止在中世纪大学中习以为常。没过几个月，学术期刊告诉我们什么人才是严肃的英国人，教会我们实事求是做计算，给予我们赚钱的欲望，用雪球在各自不可冒犯的地盘扔来扔去，在地方官阻挠我们行使男生特权时公然反抗。所以，我想我们必须将这些事归因于人性中这样或那样的因素。同时，新生被一群新伙伴们围着，他们吓唬他，取笑他，作弄他，无所不用其极。有的人假装彬彬有礼地跟他说话；有的人则凶恶地跟他说话；甚至有的人把他带入面孔严肃的游行队伍，从阿格拉一直到巴思，游行者靠近他时发疯似的对他手舞足蹈。不过，这差不多接近考验的尾声，因为巴思似乎是某项活动的起始地；这位新生随即会收到斗篷或大学礼服，那些让他吃尽苦头的人也会安静地离开。曾经还有一个新生免受这样的折磨，他甚至比圣格雷戈里本人更严肃、更高傲：可这并非出自其性格的力量，而是模仿格雷戈里，他逃跑了。格雷戈里是他的知己，已准备好当他到雅典时保护他。他就是另一个圣人、博士，伟大的罗勒。之后，（读者会发现）还有格雷戈里，不过他是教会的一名新教徒。

　　让我们把话题转回到一位大学一年级学生。尽管他已穿上他大一时的校服，然而他的烦恼并未结束。他到底寄宿在哪里？他应该应付谁？他还没弄清楚自己在哪儿，就发现自己被一伙男生抓住。他们就像在楼梯平台上的外国搬运工，抓起迷茫困惑的陌生人的行李箱，并把一打卡片猛推到他不愿接受的手里。年轻的陌生人受到这个教授或那个辩论家的逢迎者们的纠缠，这些逢迎者都梦想赢得名誉和大量财富。我们可以说，他逃过了那些逢迎者的纠缠，但是他不得不为自己选择出路。说实话，我已经赞扬过这座城市，尽管砖木结构的公寓都住满了有血有肉的人（尽管人们总是期望着那个地方有宏伟大厦），但是，那公寓看起来比不上人们印象中有趣而荒谬的希腊或土耳其城镇公寓。一幅生动活脱的伊尔力坡里画面呈现在我们面前。那位作家说：在英国发现大量破破烂烂的附属建筑物，它们是一些摇摇晃晃、古老破旧的廉价公寓，没有遮蔽的厚板，瓷砖结构，其实就是小棚屋和牲畜栏。而我们在路旁、鱼市场以及河岸边都很少看到这些破旧倒塌的附属建筑物。倾斜而裸露的小山使得这些破旧的建筑物倒塌，房屋之间留出了空地，而这些空地被人们铺成街道。条条道路环绕着城镇，快车道很窄，城市有别，各自矗立着独立的房屋，有的房屋在坡上，有的房屋在坡下，有的房屋沿着平直路，直到路的尽头。这时，你会对伊尔力坡里有了真正的了解。我想问的是，这样一幅画是否与古代缪斯女神的特殊地位相符？有学问的作家清楚地为我们叙述到，雅典的房屋大多低矮破烂；街道狭窄弯曲；商业楼矗立在快车道上；楼梯和走廊大多被向外开着的门堵住。这正是一幅绘画的大巧合。尽管史料对此并无记载，但我一点也不怀疑，颠簸的车厢在快车道无法通行，同时地下排水管穿过快车道。雅典似乎在这些方面不如同时代的其他城市。一个老人说：一个陌生人也许会怀疑他是否真正看到雅典。

我不得不接受所有这些关于雅典的景象，但是回想起来，雅典是智慧与美丽的家园，而不是低劣的表面机械与物质文明的造物。当你为自然和艺术所吸引时，你怎么会在室内停止计算因那些瓷砖而上调的房租费？你肯定会提出，这样的寝室应该有桌子、凳子和睡觉用的木板。你肯定还会提出，在大陆的某个地方有与你室内不同的房屋，这样的房屋可能是非洲马加利亚或叙利亚的人造窟洞，并不完美。假想你没到过雅典，没挤过楼梯，也没找过壁橱，只是来看看听听你在其他地方没有看过或听过的东西，那么，你在室内能获得什么样的食物？你待在那儿自我感觉会好吗？你想在那儿读书吗？你的书在哪儿？你期待在雅典买书吗？——你估算过高。事实是，我们生活在19世纪，各种希腊古籍已装在我们的记忆里；自从前人写了希腊书籍，那些书复制本就开始流行。但是，你不必去雅典买那些书，你也不可能在雅典买到。说起来很奇怪，19世纪正是柏拉图的书籍兴盛的年代，据说在雅典整座城没有一家书店。要知道，奥古斯图斯时期才开始有图书贸易。我怀疑图书馆是阿塔鲁斯或泊托乐米伊斯创办的。我想知道是否雅典在哈德良时期才有阿塔鲁斯或泊托乐米伊斯开办的图书馆。学生们所读的书或所听到的故事都出自雅典，而不是他自己想读的。

这位大一学生一大早就离开他那狭窄的小屋，直到晚上才回家。当天气寒冷、地上潮湿时，他睡的地方像牛栏或狗窝，远称不上一个家。他出门，既不去读时报，也不去买书籍，而是去呼吸不见影子的天才们所呼吸的空气，用心学习口语化的鉴赏佳作。出门离开房屋破烂倾斜的城镇，他就轻轻地把阿克洛·泊里克安的书抓在右手,把阿尔帕古斯的书抓在左手,到神庙学习菲迪阿斯的雕塑,到迪奥斯库里庙欣赏波吕格诺图斯的绘画。我们知道的只是索福克勒斯和伊斯齐鲁斯表面的东西,但是,如果去雅典旅行,那么就会明白一首悲剧诗歌是怎样写成的。他要么去南边的剧院,逐字逐句地观看戏剧,倾听演员歌唱;要么去西边的城市广场,到那儿听利西阿斯或奥多西德斯的祈祷,或者聆听德摩斯蒂尼的演说。他继续向西走,沿着西门安装的水平窗,就会看到周围的雕像、门廊和门厅。它们各自代表一种才华和技能,远可满足一个城市的所需。这时,他来到著名的凯拉摩斯,这里有私人的坟茔。身临此地,我们不得不想起最崇高、最感人的演说家伯里克利自己为生命演说的哲学颂词。

再继续往前走,他来到了更为著名的研究院。该研究院的名称是由某大学给取的,院里有一道风景铭刻在他的心里直到永远,还留下很多的美感:地方之美、丛林之美、雕像之美、寺庙之美以及基菲索斯河之美。老师和同伴教他多门课程,但是他的心里只留恋一门课,那就是柏拉图的演讲课。从柏拉图的演讲课中,他感受到一个完整且内在的东西,这样东西永恒不变,比任何其他东西都重要的。它在他的生命历程中具有相当的意义;永驻记忆,燃烧思想,与心灵结合直到永远。这是活着的人用他同伴的魔力追求或好或坏的东西。他的本性促使我们靠他人来创造美德、才华或名利,这就是我们唯一能做到的事吧!据说,西班牙人旅行到意大利只是为了看李维①,看完李维就回国。我们这位年轻的陌生人在旅途中除了有逼真的视觉和感受到的柏拉图外,什么也没有得到。他进演讲厅却没听演讲,进体育馆却没训练,他有一些教育方法和一些东西可以告诉他孙子。

但是,柏拉图不单是一位哲人,人们也没看过柏拉图在这个美好的地方接受过什么学科的教育——哲学领域和范畴的教育。大学是人类几百年前创建的;它们暗含着一种隐居生活,这种隐居生活至少对雅典人来说是一种很自然而有规律的生活。雅典哲学家的自我吹嘘,使得人们靠仅有

---

① 提图斯·李维(前59—17),古罗马历史学家。

的自然力量加上贵族和伟人的爱，便实现了其他名人靠勤劳的训练才能实现的成就。他们所有人都接受同一种教育方式。我们已从雅典卫城开始追逐这位年轻学生近百年的漫游历程。现在，他好像就在那所学校里，学校没有庄严的拱门，也没有五颜六色的彩窗作为标志。哲学存在于校园之外。校园内没有紧张的气氛压迫大脑或燃烧眼睑，也没有冗长的会议使大腿麻痹僵硬。伊壁鸠鲁躺在他的花园；芝诺看起来像一尊神站在门廊边；焦躁不安的亚里士多德在城市的另一头，好像在对抗柏拉图，让他的学生步行走到他的演讲厅。我们这位学生已决定让自己成为泰奥弗拉斯托斯的信徒。泰奥弗拉斯托斯一位不可思议的老师，凝聚了来自世界各地的两千多名学生。他自己是莱斯博斯岛人，大师及学生从世界各个地方来到这里创建了一所大学。一定是邀请到了这么有能力的老师，否则雅典怎么聚集起这么多的听众？在领土范围内，大学的概念意指学生的数量及其质量。阿那克萨戈拉来自爱奥尼亚，卡尼阿德斯来自非洲，芝诺来自塞浦路斯，普罗塔哥拉来自色雷斯，高尔吉亚来自西西里岛，安德罗马库斯来自叙利亚，普罗阿尔斯来自亚美尼亚，希拉里乌斯来自比森里亚，菲里斯库斯来自塞萨里安，哈德良来自叙利亚，不一而足。罗马以民事自由而出名，雅典则以思想自由而闻名。他没有狭窄的嫉妒心，不与教授作对，因为他并不是雅典人；他们具有天赋和才能，这些条件让他们在雅典创办令人尊敬的大学。大学有兄弟会的概念而没国籍的介意——有四海之内皆兄弟的国籍理念。

在大学，思想摆第一位，因为思想是学术体系的基础。但是，大学很快带上思想，并在自己周围收集财富的礼物和生活的奖品。随着时间的推移，智慧不是裸露的斗篷，而是以破衣烂衫开始，以细服麻衣结束。大学教授既尊贵又富裕，大学生以教授的名气声称自己的国籍，并自豪地称自己是教授的同胞。这所大学在四大国家开办分校，因为中世纪（即四世纪中期）称普罗阿尔斯、东方的赫费斯提翁、阿拉伯的埃皮法尼乌斯以及深海静体的迪奥菲安图斯为分校的校长和代理人。这样，教授既是委托的代理人、陌生人和拜访者的大师，也是学校的校长：来到这所大学的卡帕多西亚、叙利亚和西西里亚的年轻人在他的保护和鼓励下努力学习，并以他为榜样。

即使雅典的大学尚未成立一百年，柏拉图就已经在当时受到人们的尊崇。他在赫拉克勒亚有一幢别墅，把自己的遗产捐赠给他的学校，其财产留在学校里，这样不仅安全，而且能结出成果。这在八百年前动荡的希腊是一个不可思议的现象。伊壁鸠鲁拥有一座花园，并在花园里演讲，这也成了他的宗教财产。可在罗马时代，政府慷慨地举行了关于语法、修辞、政治和哲学等四场演讲。一些教授自身就是政治家或高职人员，他们成天戴着最喜欢的研究头衔这顶帽，且乐此不疲。

像这样的赞助能给我们所关注的新生一些补偿，用来改善他们简陋的宿舍环境，让他们远离粗暴的室友。凡事都有好的一面和坏的一面。每个地方都有声名狼藉的人和受人尊敬的人或者几乎无人不晓的人。这天，人们来到同一所大学，带着矛盾的表情，发表矛盾的声明，根据自己的需要找到不同的社团。如果你相信好的一面，事情就会朝好的一面发展；如果你相信坏的一面，事情就会朝坏的一面发展。美德和礼貌存在于少数地方，处于不利的状态，情况就是这样。比如希罗德·阿提库斯，他即使抛弃财富和地位，也要支持高雅的哲学，这就是一种收获。议员是一个有大笔财富的继承人，他愿意把生命奉献给教授一职，并且用自己的财富资助文学。他总共给了辩论家约八千英镑作为三次演讲的酬金。他在雅典建了一个六百平方英尺的体育场，全部由白色大理石砌成，这个体育场足够容纳整个雅典的名人望族。他建的戏剧院用雪松雕刻而成。他还有两套别墅，一套在他出生的地方——马拉松，离雅典十多英里；另一套在塞菲斯亚，离雅典六英里。他在那里聚集了很多优秀的学生。别墅建在茂密的树林中，有长长的拱形游廊和用以洗澡的干净水池，能吸引夏天的游客。从来没有如此辉煌的演讲厅，把来自罗马、希腊和小亚细亚的机敏学生紧紧聚集在一起。知识肤浅的人、普通的游客、哲学家和流浪汉都在一个招待会上见面，他们总是彬彬有礼。我们从有些背景资料的记载可知，他以机敏的应答而出名。当然，根据具体情况，他有好的一面，也有不好的一面。

罗勒是一位有足够魅力吸引别人的年轻人，人们总是分配给他要求极高的任务。你可能会认为，他的魅力会让人们对他敬而远之，可他自己却把雅典作为追求的目标。他对自己不满的是，人们以他的优势来获利。索菲罗纽斯就是其中的一个，后来他在政府中高就；约塞比乌斯是其中的另一个，那时是索菲罗纽斯的知心朋友，后来当上教主。克理索也被提名，他后来受到朱利安国王提拔，管辖西里西亚。朱利安自己在雅典时有过一段不愉快的记忆，至少格雷戈里知道这一情况。另外朱利安也提到，他随后掌管土地税。在雅典学生中，我们发现大概有抱着美好社会理想的一类人，这类人是有信誉的政党成员，如格雷戈里和罗勒这样的年轻人。他们和世界著名的基督教组织有着紧密的联系，受到人们崇高的尊敬和爱戴。当两个圣徒都离开时，其同伴抱着想改变他们的目的来到他们身边。罗勒坚持，但是格雷戈里却妥协，后者转到雅典，在雅典待了三个月。

诗歌研究[1]

The Study Of Poetry

[英] 马修·阿诺德

---
[1] 发表于1880年,作为《英国诗人》的概论,由托马斯·汉弗莱·沃德编辑。——著者注

主编序言

　　马修·阿诺德是著名的英国拉格比公学校长托马斯·阿诺德之子。他1822年出生在拉利汉姆，在温彻斯特和拉格比公学上过学；1844年获得去牛津大学贝列尔学院学习的奖学金，荣获纽迪吉特英国诗歌奖；1845年当选为牛津大学奥列尔学院研究员。几年后，他成为该校督察，主持该校董事会的日常工作长达三十五年。他在牛津大学教授诗歌十年，1883年至1884年，他到美国发表演讲，于1888年去世。

　　由于阿诺德在诗歌和散文两方面都很杰出，在现代文人中享有很高的名望。他的诗学著作属于其早期职业生涯的作品，于1867年完成。在首次出版的时候，他的诗歌读者人数很有限，但在阿诺德的人生中，其诗歌的地位稳步上升，尽管他从此之后不再写新诗。现在许多文学评论者认为，他的诗歌比散文更有生命力。其诗歌优美之处在于优雅的感觉、崇高的思想、精湛的表达和温和的忧郁。

　　在散文方面，阿诺德的写作主题甚广——教育、社会、政治，特别是文学和宗教。他对基督教教义的抨击被认为是他作品的致命之处，也许这是理所当然的，因为他不善于处理涉及宗教批判作品的技巧问题。在文学批评领域，他一直有着重要的影响，在人们阅读传统经典作品和发现外国文学作品的价值方面做出不少贡献。下面这篇题为《诗歌研究》的文章——他的名篇之一——也许可以佐证他所特有的生动活泼和令人难忘的风格：出色、准确地表现出细致入微的欣赏力，特别是他的雄辩。也许当下没有一篇批评文章能够像这样造出这么多文学词汇，或鼓励读者以高度明确的判断标准进行阅读。

查尔斯·艾略特

诗歌的未来不可估量，它拥有崇高的使命，因为随着时间的推移，人类将在诗歌中感受到一种比以往任何时候都可靠的存在。没有什么信条亘古不变，没有什么被认可的教条不值得怀疑，没有什么广为接受的传统不面临消逝的危险。我们的宗教已然在假设的或具体的东西中物质化，如今现实又正在抛弃它。但是，对于诗歌来说，思想就是一切，剩下的就是幻觉，神圣的幻觉。诗歌赋情感于思想，思想就是事实。当今宗教中最强大的部分也就是它的那些无意识的诗歌了。
　　请允许我引用自己的这些话，在我看来，"将所思所想表达出来"应该伴随着我们，并指导我们学习所有的诗歌。在目前研究的诗歌作品中，我们要跟随一条支流的进程，这条支流对世界诗歌之河具有重要贡献。在此，我们应邀追溯英国诗歌的源流。但是，无论我们是想追随诗歌大河中的某一条支流，还是想要了解所有的一切，我们的指导思想应该是一致的。我们应该设想诗歌的价值意义重大，大于我们以往的设想。我们应该设想诗歌有更高层次的用途，并赋予其更崇高的使命，高于通常所认定的使命。越来越多的人将发现，我们不得不寻求让诗歌来为我们诠释生活，安慰我们，支持我们。我们用来传递宗教和哲学的大多数形式将为诗歌取而代之。我想说，要是没有诗歌，科学将显得不完整，因为华兹华斯精练地称诗歌为"所有科学完整的表达中慷慨激昂的表达"，没有相应的表达又如何完整呢？同样，华兹华斯还精练地称诗歌为"所有知识的呼吸器官和崇高精神"。我们的宗教就像大众现在心目中所依赖的精神；我们的哲学因其因果关系的推理以及有限、无限的存在而引以为荣。诗歌是什么？只是知识的影子和梦幻的显现吗？总有一天，我们将会惊叹自己很认真地对待诗歌，信任诗歌。我们越是认为诗歌空虚，就越应该重视诗歌提供给我们的"知识的呼吸器官和崇高精神"。

但是，如果设想诗歌有崇高的使命，那么我们需要给诗歌设立高标准，以期能够实现崇高的使命，诗歌必须是高层次的、卓越的。我们自己也需要习惯于高标准和严判断。圣佩韦说，有一天有人在拿破仑面前被说成是江湖骗子时，拿破仑说道："你尽管行骗吧，试问这世上什么地方没有江湖骗术？""是的，"圣佩韦回答说："在政治上，在统治人类的艺术上，这也许是真实的。但是，在思想和艺术上、在永恒的荣耀和尊敬方面，欺骗是找不到任何入口的，这就是我们人类的高贵之处。"这一说法令人钦佩，让我们铭记在心。在诗歌中，思想和艺术已融为一体，它是荣耀、永恒的荣誉，江湖骗子不可能拥有这样的荣耀或荣誉，诗歌这一崇高领域神圣不可侵犯。江湖骗子混淆或抹杀优劣之间的区别、健全和不健全之间的区别、真实和不真实之间的区别。这就是行骗之术，有意识或无意识，随时都想混淆或抹杀这些区别。在诗歌中，超越其他任何事物不允许混淆或抹杀这些区别。因为在诗歌中，存在优劣之间的区别、健全和不健全之间的区别、真实和不真实之间的区别，它们都很重要，因为诗歌有着崇高的使命。在诗歌中，正如根据诗意的真理及其的美感所设的条件而制定对生活的批评一样，我们已经说过，随着时间的推移，我们人类会寻求精神的慰藉和存在的力量。

我们会发现，最优秀的诗歌是我们所想要的，它具有一种取悦我们的力量，这种力量是其他事物所没有的。优秀的诗歌有更清晰和更深刻的意义，它所带来的力量和快乐最为宝贵、最有意义。然而，这样的诗歌有一种难以回避的东西，这种东西往往让我们意识模糊，不知我们的利益何在，从而分散了我们的追求。因此，一开始我们就应该在脑海中设定这种东西，当我们继续往前走的时候，就可以强迫自己不断地回想这一点。

　　是的，不断地阅读诗歌，寻求优秀诗歌所带来的力量和欢乐，这些应该存在于我们的脑海中，并指引我们对所阅读的诗歌做出评价。但是，如果我们不谨慎的话，真正的、唯一真实的评价容易被历史评价和个人评价所取代，后两者用于评价诗歌都是谬误。一位诗人或一首诗可能从历史的角度对我们有特殊的意义，也可能因我们个人的原因对我们有特殊的意义。一个国家的语言、思想和诗歌的发展过程是深刻有趣的，我们视一位诗人的作品为这个发展过程中的一个阶段，这样很容易使我们视诗人的重要性要高于诗歌本身真正的重要性，我们可能在评论诗歌时用很夸张的语言去赞美它，简而言之，对它有过高的评价。因此，在我们的诗歌评判中出现由这种评价所造成的谬误，我们可以称这种评价为历史性评价。再者，一位诗人或一首诗可能因我们个人的原因对我们有特殊的意义。我们个人的亲和力、喜好和境遇，有巨大的力量使我们去评价这位或那位诗人的作品，让我们更多地把它作为诗歌来关注，而更少关注它本身真正拥有的东西，因为对我们来说，它很重要，或者说一直以来都很重要。在此我们也可能高估了我们感兴趣的对象，用了相当夸张的赞词。因此，在我们的诗歌评判中有了第二种谬误——由这种评价所带来的谬误，我们可以称为个人评价。

　　出现这两种谬误都很自然。显然，对诗歌历史和发展的研究，可能让人容易在面对曾经引人注目但现在模糊不清的诗作时停滞不前，易于因公众粗心的遗漏而引发争吵，遵循更多的传统习惯。在民族诗歌中，一个个响亮的名字或有名的作品不知道缺少什么，不知道它们留存下来的原因，不知道诗歌成长的全过程，这是自然而然的事。法国已经研究了被他们长期忽视的早期诗歌，在这一研究中就有一大部分人对那些早期古典诗歌不甚满意。17世纪法国古典主义悲剧家佩利松曾责备这些诗歌缺乏真正的诗意，它们贫乏且猥獗到了不懂礼数的地步，可在法国却一度被绝对看作是古典诗歌的完美之作。他们的不满也很自然。一位学识渊博的评论家，克莱门特罗特的编辑查尔斯·黑里卡特先生说："经典周围的荣耀是迷雾，因为它对文学的未来而言是危险的,使历史目标无法达到。"他继续说道:"它阻碍我们看到更多的方面,如终极目标和特别的东西;阻碍我们看到作品的思想和概要。它替代人相学的光环,把一尊雕像放在曾经是真人的地方,追溯劳动、尝试、弱点和失败的过程却对我们讳莫如深,声称不在研究而在崇拜,不向我们展示它是怎样完成研究,而是将典范强加给我们。最重要的是,对历史学家来说,经典人物的创造难以接受,因为它把诗人从他的时代及其正常生活分离,打破历史关系,通过传统的赞赏来蒙蔽批评,使文学渊源的调查研究变得令人难以接受。它给予我们的不再是人物,而是坐在其完美作品中纹丝不动的一尊神,这尊神就像奥林匹斯山上的木星一样,让年轻学生很难相信那些离他们遥远的作品不是神圣的创作。"

所有这一切都是语出惊人、引人关注的评论,可我们一定要有所区别。一切的区别都取决于诗人经典作品的真实性。如果诗人是不可信服的典范,我们就筛选他们;如果诗人是虚假的典范,我们就忽视他们。但是,如果诗人是真正的典范,其作品就属于最优秀的一类。我们要做的事就是一如既往地深度感受和欣赏他们的作品,欣赏所有经典作品之间的差异。这样做十分有益,将影响到未来的发展,也是从诗歌研究中得到的一大好处。一切对这种做法的干扰和阻碍都十分有害。诚然,阅读经典我们必须擦亮双眼,而不是被迷信蒙蔽双眼;当诗人的作品未获成功,没有步入最优秀行列时,我们也必须察觉到,在这种情况下,我们必须给予其适当的价值评价。但是,这种批评的运用并不在于其本身,完全在于使我们对什么是真正的优秀作品有更清晰的认识和更深入的欣赏。追溯真正经典诗歌中的劳动、尝试和不足,让自己了解作者所处的时代、生活和历史关系,只是人们单纯的文学艺术趣味,除非人们对作品的结果有更清晰的认识和更深入的欣赏。可以说,我们对经典作家知道得越多,就越应该更好地欣赏他们;如果我们像玛土撒拉[①]一样活得很久,那么我们可能就有无

[①] 玛土撒拉,在希伯来语旧约《圣经》记载中,亚当第七代的子孙,是最长寿的老人,据说他在世上活了969年。

比坚定的意志，这可能会在现实中做到，因为它在理论上是合理的。但是，这和小学生学习希腊文和拉丁文的情况有很多相似之处。我们要求他们打下叙述语言学的基础，在理论上，这是对希腊和拉丁作家可敬的赞赏做令人钦佩的准备，奠定更扎实的基础，以便能够更好地欣赏作者——如果时间不是这么短暂，小学生的注意力肯定分散。但是，事实上，只有优美的语言才广为人知，而作者却鲜为人知、不被欣赏。诗歌"历史渊源"的研究者也是如此。这些研究者应该欣赏真正的经典之作，更好地为研究服务。他们经常在欣赏最优秀作品时有所分心，使自己忙碌于阅读不太优秀的作品，对于这所带来的麻烦，他们很容易夸大其词。在当前诗歌中追溯历史渊源和历史关系不容忽视。诗人在作品中所要表现的东西将转嫁给那些对诗人有高度赞赏的编译者，而不转嫁给对其没有特别偏好的人。另外，分析诗人并出版其作品会使我们倾向肯定或放大他的能力。因此，在当前诗歌研究中，有很多诱惑影响着我们——重视历史的评价或个人的评价而忽视真正的评价。如果我们想要从诗歌中得到极大的益处，我们就必须采用真正的评价。我认为，在研究诗人和诗歌时，我们在脑海中应把真正的评价牢牢地设定为目标，把实现它的欲望作为原则，不管我们阅读到什么或了解到什么，我们都有必要回到这一点。当阅读或学习许多新东西时，我们总是有必要回到原则上。

当我们研究古代诗人时，历史评价很可能影响我们的判断和表达；当我们研究任何现代或当代诗人时，个人评价可能会影响我们的判断和表达。历史原因造成的夸张言辞也许对它们自身不是很重要。夸张的言辞难以为一般人所接受，甚至舞文弄墨者自己对其也不甚了了。但是，它却导致语言滥用的危险。因此，我们就听到有人把我们的诗人凯德蒙与弥尔顿做比较。我已经注意到，一个颇有成就的法国批评家对"历史渊源"的关注，另一位杰出的法国批评家维泰先生评论过法国早期诗歌名作《罗兰之歌》。这的确是一首十分有趣的诗歌。行吟诗人在和黑斯廷斯与威廉的征服者的军队中，行进在诺曼军队的前面，据说如此，歌唱着"查理曼、罗兰和奥利佛，死在伦塞斯瓦列斯的奴仆"。行吟诗人的诗作《罗兰之歌》保存在牛津大学博得利图书馆的一份12世纪手稿中。我们当然了解行吟诗人所唱圣歌的主题或其中一些词语。这首诗很有活力，清新淡雅却不无悲怆。但是，维泰认为，它很有诗意，是一首具有很高历史和语言学价值的诗作，一部精美的鸿篇巨制，一座史诗天才的丰碑。他在这首诗歌的构思中看到了诗人宏大的构想，在这首诗歌的细节中发现了伟大与简单的结合，这些都是一部真正史诗的标志，真正史诗有别于文学时代的虚假史诗，他确实这么说。一想到荷马，就给予荷马以赞美，公正的赞美，没有比这种赞誉更高了，这种赞誉是给予最杰出的史诗，其他作品无法分享。让我们尽最大的努力吟唱《罗兰之歌》吧。罗兰受了致命伤，躺在一棵松树下，他的脸转向西班牙和敌人：

"那么多的回忆在他脑海闪现，
那些被他打败的英雄领主和他们的土地，
亲爱的法兰西，
还有家族中伟大的先辈们。"

在此我强调一点，这是原始的作品，此诗作具有不可否认的诗意。它值得我们这样赞美，这种赞美对于它来说是充分的。

在此我们来到另一个世界，阅读另一种水平的诗歌；它们同样值得赞美，就像维泰先生高度赞美《罗兰之歌》一样。如果我们的话语有什么意义，如果我们的判断有什么可靠性，那么我们绝不能把那种高度的赞美给予水平极其低劣的诗歌。

事实上，对于判断什么诗歌属于真正优秀的作品，比起总记着大师的文字表达并将其作为其他诗歌的试金石更有用。当然，我们不要求其他诗歌与这些诗歌相类似，因为其他诗歌可能会有自己的与众不同之处。但是，如果我们用智慧发现真正优秀的作品，将它们铭记在我们的脑海中，那么它们会是绝对可靠的试金石，用来检验高品质诗歌的存在与否及其品质，我们可以将其用于所有其他诗歌。短文即使是一行文字，也可以充分为我们所用。以上文引用的荷马的两行诗来说，关于海伦诗人提到她兄弟的评论。

以莎士比亚的《亨利四世》中哈姆雷特沉睡时告诫的几行诗为例：

"高高的桅杆令人头晕目眩，让人害怕，狂风暴雨让船上男孩睁不开眼，站不稳脚，在狂风巨浪中船只像摇篮一样……"

再看哈姆雷特对霍雷肖的哀声请求：

"要是你曾把我拥入怀抱，
你短暂地失去幸福，
在这冷酷的世界痛苦地呼吸，
讲述我的故事……"

现在，看一段弥尔顿诗歌风格的文字：

"如此晦暗，然而又发着光，他们的头顶上都是天使；但他的脸上留下深深的泪痕，
他褪色的脸颊写满顾虑……"

接着，再看这样的两行诗句：

"有勇气就永不屈从，永不屈服
永不失败……"

最后，以普洛塞尔皮娜那句精湛的结束语为例：

"……带给塞雷丝那所有的痛苦，
在世界中追寻她。"

如果我们有才智并能运用它们，那么，这几行文字足以使我们对诗歌

保持清醒的认识、合理的判断，把我们从对诗歌的错误评价中解放出来，让我们对诗歌有真正的评价。我所引述的范例彼此之间的差异很大，可它们具有这样的共同点：具有很高的诗意。如果我们为它们的力量所彻底征服，那么我们应该发现，我们已经获得了一种识别能力，使我们能去感受存在的诗意及其缺陷。批评家花了大量精力勾勒出高品质诗歌的抽象特征。这比简单地寻求具体的例子要好得多。他们以高质量的诗歌为例，并说：它们所表达的就是诗歌高品质的特点。比起通过仔细阅读评论家的论文，通过感受大师的诗歌，我们更能体会到这些特点。然而，如果我们急需对诗歌做出一些评论，那么我们不仅要思考诗歌本身，而且还要思考人物角色在诗歌语境中有何言行举止。诗歌的特点既存在于诗歌的主题，也存在于诗歌的风格。主题和风格二者都具有高度的审美价值和审美力量的标志和特点。但是，如果我们要抽象地定义这种标志性特点，那么答案一定是否认的，因为我们应该模糊这一问题，而不是澄清它。一首好诗在主题及其风格上的标志性特点和其他所有诗歌在主题及其风格上的标志性特点是相似的。

我们可以用以补充诗歌的主题是这样的一点，那就是用亚里士多德深刻的论断来指导我们，因为历史上诗歌的优势在于它更真实、更严肃。因此，我们以上所补充的最优秀诗歌之所以有其特别的品质，是因为其主题具有突出的真实性和严肃性。我们可以进一步补充，让诗歌在风格上显现名诗特征的是其措辞，甚至是其行文方式。另外，尽管我们区分了诗歌优越性的两个特征，然而两者联系非常密切。最优秀诗歌在真实性和严肃性方面所具有的特点，与形成其风格的措辞和行文密不可分。这两个特点密切相关，二者有固定的比例。到目前为止，因为诗歌的主题极度缺乏诗意、真实性及严肃性，所以其风格也同样极度缺乏措辞和行文的诗意品质。此外，因为诗人的风格缺乏这种措辞和行文的高品质标志，所以其主题也缺乏高度诗意化的真实性与严肃性。

对以上那些诗歌特点，如果我不是做生硬的笼统概括而是应用，那么我希望每个诗歌学习者自己能应用它们。自己的应用会比我的论述在心中留下更深刻的印象。我个人的欠缺也无法让我全面应用以上所提出的理论。但是，我至少希望它们会有意义，并希望通过这种方法更牢固地建立起重要的原则，我会坚持不懈，一直追溯到英国诗歌历史的源头。

让我们再次回到法国的早期诗歌，它与我们英国诗歌的起源不可分割地联系在一起。12世纪至13世纪，在现代语言和文学的发展阶段，法国诗歌在欧洲具有明显的优势。法国诗歌分奥依语诗歌和奥克语诗歌两大部分。奥克语诗歌、法国南部诗歌和行吟诗歌非常重要，因为它们对意大利文学有过影响；现代欧洲文学首次受到真正的关注，给世界带来了像但丁和彼特拉克那样的"文学典范"。但是，这一时期法国诗歌在欧洲的优势应该归功于奥依语诗歌、法国北部诗歌和方言诗歌（也就是现在的法语诗歌）。12世纪，浪漫的法国诗歌在英格兰，也就是在盎格鲁—诺曼国王的宫廷里十分盛行，比在法国还要盛行，也盛行得更早。正是因为法国诗歌的盛行，就像英国诗歌自我定型一样，所以法国诗歌中的浪漫诗也自我定型。12至13世纪占据欧洲心脏和富有想象力的浪漫诗是法国诗。正如索西公正地说："法国诗歌是法国文学的骄傲，我们的诗歌无法与之抗衡。"法国浪漫诗的主题包罗万象，可浪漫的背景是这些主题所共有的，所以法国诗歌受到欧洲人的关注。这促成法国诗歌、文学和语言在中世纪鼎盛时期所占有不可改变的主导地位。

"现在通过这本书，首先您将了解到希腊著名的骑士精神和诗歌，然后把骑士精神和诗歌传递到罗马，现在它们来到法国。但愿上帝保佑它们能在法国久留，因为法国太讨它们喜欢了，由于在法国享有荣誉，也许它们将永远不会离开法国！"

然而，现在什么都没了，法国式浪漫诗的主题分量和风格力量在特鲁瓦基督教经节选中并未加以公正的体现。只有通过历史评价的途径，我们才能被说服不去想其诗意的重要性。

但是，14世纪有位英国人润色过这首诗，用这首诗来传道，并从中获取词语和韵律。甚至意大利人也引用过这首诗。然后，乔叟立即从中衍生其新诗的那诗节，他可能在法国获得依据和建议。乔叟同时代的人为他着迷，可特鲁瓦基督徒和埃申巴赫的沃尔夫勒姆同样让人着迷。然而，乔叟的魅力却是永恒的；他的诗的重要性千真万确，无需借助历史来评价。乔叟是喜悦和力量的真正源泉，这一源泉永不枯竭。人们在诵读他的诗歌，随着时间的推移，将来比现在将会有更多人诵读他的诗歌。尽管他的语言对我们来说是有难度，可同时我认为，彭斯的语言很大程度上也是如此。就像彭斯的诗一样，乔叟的诗确实很难让人毫不犹豫地接受，也很难让人克服语言障碍。

如果我们问自己乔叟诗篇中何处能找出超越浪漫主义诗歌的那部分，为何经历了乔叟却感觉自己是在另一世界，那么我们应该先找出其长处、作品主题和风格。他的主题突出特点源自他的自由、简洁、清晰且善意的人生见解，这一特点与浪漫主义诗人截然不同，是一切智慧的核心。乔叟没有浪漫主义诗人的那种无望，他拥有了解世界的力量，这种力量来源于人性核心的、最真实的视角。说到这，我们不得不想起《坎特伯雷故事集》的序言。英国诗人德莱顿对该序言有过正确的评论："根据谚语，我们足以说这序言沐浴着'上帝的富足'。而且，他仿佛是永不枯竭的灵感喷泉。"正是因为事物能得以完美的体现，诗篇对生活尖锐批判的主题才显得真实，而乔叟的诗也具有这种主题的真实性。

如果我们最先想到浪漫主义诗歌，尔后再想到乔叟行云流水般的措辞和行文，那么我们就很难适度地界定他的作品风格和创作方式。风格与方式难以回避，它们证明了乔叟后人所说的"言辞金露"中所有欣喜的合理性。约翰逊批评德莱顿归纳乔叟第一个用极致数词时，完全忽视了这一点，并说高尔也可以用流畅的数词和容易押韵的词。极致数词的意味远不止这些。一个国家可能有诗人用流畅的数词和容易押韵的词，也可能没有真正的诗歌。乔叟既是英国诗歌之父又是"纯净英语之源"，因为他的措辞和行文开时代之先河，建立起新传统。在斯宾塞、莎士比亚、弥尔顿和济慈中，我们可以追随乔叟清新透彻的措辞和流畅优美的行文。同时，在这些诗人中，就是乔叟的清澈的措辞才让我们感受到这些诗人的美德，也就是他流畅的行文才使美德变得令人无法抗拒。

尽管我的文章篇幅有限，可是我必须找出空间去例证乔叟的美，因为我已经举例并展示过伟大经典作家的美。我想说，一行诗就足以显示乔叟诗歌的魅力，比如以下这样的一行诗：

"所有的烈士都因荣誉而联结！"

这行诗具有形式美和行文美，这些美是我们在所有浪漫诗歌的诗节中找不到的，不能说明什么。除了那些被我命名为乔叟传统的特殊继承者外，这种美也许在我们所有的英文诗歌中都找不到。如果我们没有乔叟文笔的记忆，只用这一行诗说明问题那未免显得太单薄了。那就让我们列举他的一节诗。这一诗节出自《女修道士的故事》，讲述一个基督徒的孩子被一个犹太人谋杀的故事：

"赛德这孩子，以仁慈的方式
把我的喉咙连同颈骨统统切开，
是的，很久以前，我本该死去；
耶稣基督，因为你们在找书籍，
他的荣誉必将长存，让人铭记，
人们还将崇拜他亲爱的母亲，
然后我可以大声高唱阿尔玛。"

华兹华斯已经把这个故事改写成现代诗，想要感受诗句的魅力有多么雅致，我们只有在读完乔叟的诗后，再去读华兹华斯改写的这节诗的前三行：

"我相信我的喉咙已被切到骨头，
赛德这个年轻的孩子，十分仁慈，
是的，几小时前我本应该就死了。"

华兹华斯的这节诗毫无魅力可言。人们常说，乔叟诗句的优雅和流畅有赖他对语言自由谨慎的处理，这在现在不可能做到。依赖于自由度，就像彭斯也钟爱的那样，诗人可以通过添加音素把"neck"（脖子）、

"bird"（鸟）这样的词变成双音节词；通过添加一个不发音的e把韵律词变成双音节词。乔叟诗歌的流畅性是与诗歌的自由度相结合，诗歌的自由度很好地服务于流畅性，我们不应该说它依赖于自由度，而应该说依赖于他的天赋。其他自由处理文字的诗人达不到乔叟的流畅性，彭斯也达不到。再强调一次，拥有和乔叟一样天赋的诗人莎士比亚、济慈等已知道在缺乏诗歌自由度的情况下如何达到其流畅性。

然而，乔叟不是最伟大的经典诗人之一。他的诗歌轻松超越天主教徒、基督教徒的所有浪漫诗，让英国同时代的其他所有诗歌黯然失色，也超越随之而来直到伊丽莎白时代的英国诗歌。他的诗歌真实的诗意与自然的风格相结合。尽管如此，可我还是认为乔叟不是最伟大的经典诗人之一，因为他的诗歌不具备经典诗人的韵律特点。只举基督教第一个经典诗人的名字就能意指乔叟诗歌缺乏韵律的特点。这样的韵律在不朽诗人但丁的诗歌中可以看到。比如：

"制止危及海上航行安全非法行为……"

这些诗歌完全超出乔叟的能力范围。我们赞美乔叟，可我们觉得他的诗歌不具有韵律特点。人们可能认为，那个时期诗歌发展是任何英国诗人无法企及的。出现这种情况是可能的。但是，我们要采取真实而非历史的方法评价诗歌。我们也许可以解释乔叟诗歌所缺乏的韵律，毕竟韵律是最优秀最光辉的诗歌必备的东西，或者说，乔叟诗歌所缺乏的无疑是极其突出的严肃性。严肃性在亚里士多德看来是诗歌美的要素之一。乔叟诗歌的主题，其对事物的看法和对生活的评价显得广博、自由、精明和亲切，可缺乏高度的严肃性。荷马、但丁和莎士比亚对于生活的评价就具有高度的严肃性。正是这种严肃性使我们的灵魂有所依归；随着对诗歌的需求日益增长，这种特点给予我们可以倚赖的东西——这种诗歌美将越来越受到尊重。在乔叟之后的五六十年，来自巴黎的贫民窟和贫穷的维庸人的声音，比起乔叟的所有作品，展现出来了更多重要的严肃的诗歌美[如，在《老情妇》（*La Belle Heaulmière*）①的最后一节]。维庸人的诗歌或类似维庸人的诗人作品中表达了这种幻影和飘浮不定。诗人的崇高和伟大以及他们作品的永恒的美正在于他们对生活的批评力度。

虽然我们赞美乔叟，可他作为诗人肯定存在其局限性，因为他缺乏经典诗人的严肃性及其相关的诗歌美的要素。然而，关于乔叟，我们需要记住的是，尽管他的诗意缺乏很强的严肃性，可他的诗歌内容与主题具有真实性，相应的，也有自己高雅的风格和诗歌的美感。他写出了那个时代真正的诗歌。

我现在无需将论述停留在伊丽莎白诗歌时代，或继续谈论弥尔顿的诗歌，因为我们所有的人都在弥尔顿诗的评价问题上达成了共识，所有的人都认为他是伟大的诗人，他的诗歌是最伟大的诗歌，同时也认为莎士比亚和弥尔顿是我们的诗歌典范。下一个时代我们对诗歌的评价又将产生新的分歧。诗歌的历史性评价自身已经形成体系，问题是，它是否会与真正的评价相吻合。

我们相信，德莱顿的时代连同接下来的18世纪会产生自己的诗歌经

---

① Heaulmière这个名字据说是来源于妓女佩戴的作为标志的一个头饰（头盔）。在维庸的民谣中，一个可怜的这个阶级的老家伙悲叹她那些青春和美丽的日子。民谣的最后一节是这样的：

"Ainsi le bon temps regretons
Entre nous, pauvres vieilles sottes,
Assises bas, a croppetons,
Tout en ung tas comme pelottes;
A petit feu de chenevottes
Tost allumées, tost estainctes.
Et jadis fusmes si mignottes!
Ainsi en prend à maintz et maintes."

"因此我们为过往的美好时光感到遗憾，可怜的愚蠢的老东西，低坐在我们的脚后跟上，堆在一起像如此多的球。一点小火，很快地点燃麻秆，然后很快就燃尽了。我们曾是这样的宠儿！许许多多的人都有如此的遭遇。"

典，甚至会在诗歌领域取得进展，超越所有的前辈。德莱顿认为"英国诗歌的美妙从未被前辈们所理解和践行"的观点没有较多的争议。考利在乔叟的诗歌中看不到任何东西。德莱顿尽情地欣赏乔叟的诗歌，并且正如我们所见，他还极度称赞乔叟诗歌的内容。但是，在乔叟高雅的诗风和优美的行文中，德莱顿能说的是"其中有苏格兰曲调粗犷的甜蜜、自然和欢快，尽管不尽完美"。阿迪森比较过乔叟和德莱顿的作品，他更倾向于赞美乔叟数词的使用。整个18世纪，甚至延续到我们这个时代，对早期好诗的刻板赞词甚至出现在德莱顿、爱迪森、蒲伯和约翰逊的诗歌中。德莱顿和蒲伯的作品是诗歌吗？如此考问他们诗歌的历史性评价已自成一体，历久弥坚，以至于无法轻易退出诗坛而让步于真正的评价？众所周知，华兹华斯和柯勒律治否认历史性评价。但是，华兹华斯和柯勒律治所拥有的权威性对年轻一代影响不大，有很多现象表明，18世纪及其评价再次受到人们的青睐。华兹华斯和柯勒律治是18世纪经典中最受欢迎的诗人吗？

由于能力所限，我目前还无法充分讨论这个问题。什么文人不会在专断评价德莱顿和蒲伯这两位文学大师中退缩？这两位诗人都具有令人钦佩的天资，其中德莱顿在所有方面都精力充沛。然而，如果我们要大大受益于诗歌，我们的确得对德莱顿做出真正的评价。在目前这种毫不冒犯的评价中，我想寻找一些成功的模式。也许最好的方法就是现在马上开始寻找，因为有了人们真诚的赞美，我们就很容易开始寻找工作。

我们发现，伊丽莎白时期荷马作品的译者查普曼在他的序言中有这样的表达："尽管真理赤身裸体地坐在如此深的大坑里，从地球到极地和恒河，很少有人能听见真理。然而，我希望那些少数人在这里能发现并确认真理，是真理不该再躲在阴影里的时候了，诗人应该将他们的想法公之于众。"——我们认为，这样的散文让人无法接受。当我们发现弥尔顿写过："不久之后我证实了，这种想法不会挫伤他以后写赞美事物的好作品的积极性，他自己应该是一首真正的诗。"——我们认为，这样的散文有其伟大之处，可它毕竟已经过时。当我们发现德莱顿告诉我们："维吉尔在他充满活力的年代舒舒服服地写作，而我却在垂暮之年着手翻译，与贫困挣扎，受疾病折磨，才华受限制。"——然后我们大声呼喊，现在我们终于有了真正的英国散文,如果知道如何评价散文的话,我们会很喜欢评价这样的散文,尽管德莱顿和弥尔顿属于同一时代的人。

但是,王政复辟(1660年英王查理二世复辟)之后,我们意识到国家急需从清教徒的宗教偏见中解放出来,可这种解放产生了过多的负面影响,以致造成对人们生活的疏忽和损害;18世纪的历史潮流向我们表明,要是没有这些负面影响,宗教解放就无法实现,不过宗教解放最终还是实现了。如果让宗教偏见继续存在下去,它必将阻碍国家前进的步伐,不过国家还是摆脱了宗教偏见。正如那个时期对宗教充满偏见一样,对文学也是如此。我们需要优美的散文,一篇优美的散文所具有的特质是规律性、均匀性、精确性和平衡性。文人的使命是给自己的国家写出优美的散文,可无论是散文还是诗歌,规律性、均匀性、精确性和平衡性等特质必须占其主导地位,甚至散文家和诗人要给予它们近乎全部的关注。

散文在理性时代是我们不可或缺的作品,我们认为德莱顿是散文最著名的创始人,蒲伯是杰出的大祭司。他们的使命及其诗歌像他们的散文一样令人钦佩。如果你问我,德莱顿是不是一位优秀的诗人?

"乳白的雌鹿正在长生着。
都饲养在草地上和森林里。"

那么我的回答是:他开拓了理性时代的散文,我为其宗旨深感钦佩。如果你问我,蒲伯是不是一位优秀的诗人?
我对豪恩洛斯希思和班斯特德指出,

"那是你的绵羊和我的小鸡。"

我的回答是:我为他是理性时代散文的大祭司及其宗旨深感钦佩。但是,如果你问我,这句诗是否出自那样的人?对生活那样批评是否有足够的诗意?他对人生的批评是否有很高的严肃性?他的批评是否具有诗歌的广博、自由、洞悉和仁慈?如果你问我,在这个人的诗句中,他的思想是否常常有力地注入他们所描写的生活中？如果你问我，诗歌要么有充满诗意的人生批评事件，要么有其难以割舍的东西，他的诗歌是否具有这样的特点？

"使你远离幸福一段时间……"

或者：

"那还有什么是不可战胜的……"

或者：

"所有的烈士都因荣誉而联结！"

我的回答是没有，也不可能有那些特点，因为这是理性时代散文创始人的诗歌。尽管德莱顿和蒲伯可能会写诗，尽管他们可能在某种程度上是大诗人，但是他们不是我们的诗歌典范，而是我们的散文典范。

格雷是那个文学时代的诗歌典范，他的地位非凡无比，在此我需要说明几句。那些对生活有独特见解的诗人并不像德莱顿和蒲伯那样有大量的诗作，前者更有条件来到这个时代。但是，格雷与伟大的诗人共同生活，尤其是与希腊人一起生活，不断向他们学习，欣赏他们，借鉴他们关于生活的诗歌观点，也借鉴他们的诗歌形式。对他来说，观点和形式不是自己拥有的，而是从其他人那儿学来的，并且他对其加以自由充分的应用。阿狄森和蒲伯从未运用过它们，然而格雷偶尔却运用了它们。在我们的诗歌典范中，格雷最微小最脆弱，可他毕竟是一位经典诗人。

从格雷之后到18世纪末，我们遇到了伟大的彭斯，进入另一个时期，这个时期对诗人的个人评价开始盛行，而对他们自身真实的评价却难以进行。自身偏袒和国家偏袒有令人不安的压力，使我们无法真实地评价彭斯的诗歌。彭斯的英语诗歌总体上属于18世纪，对我们来说并不是很重要。

"在这个堕落的时代

看着毫无防备的无辜猎物，

因为狡猾的骗子指引错路，

而柔韧的舌头，

吮吸着平等的生命线。"

很明显，这不是真实的彭斯，或者他的名字和声誉很久以前就消失了。这也不是克拉琳达与西尔万德的爱情诗，更不是真正的彭斯。但是彭斯告诉我们："这些英语诗歌使我非常困惑。我的英语掌握程度不如我的母语。事实上，我认为我的想法在英语里比在苏格兰语里更贫瘠。我曾经用英语来阐述邓肯格雷，但是我所能做的就是极度的愚蠢。"彭斯用我们的母语英语自然地写诗，我们很容易读懂，但是在这些诗歌中没有真实的彭斯。

真实的彭斯当然是在他苏格兰语的诗歌里。我们可以大胆地说，许多这类诗都涉及苏格兰酒、苏格兰宗教和苏格兰礼节，苏格兰人的评价倾向于个人。苏格兰人习惯了这个充满苏格兰酒、苏格兰宗教和苏格兰礼节的世界；彭斯对此有一种柔情，他在自己的灵魂中途遇到自己。在这种柔和的情绪里，他读着像《圣节集市》和《万圣节》这样的片段。但是，不是偏爱他的同乡人读他的诗时，这个充满苏格兰酒、苏格兰宗教和苏格兰礼节的世界就是和诗人彭斯作对，对他十分不利，因为那个世界本身就不是一个美丽的世界，而没人能否认描写美丽的世界是诗人的优势。彭斯的这个充满苏格兰酒、苏格兰宗教和苏格兰礼节的世界通常是残酷的、污秽的和丑恶的，甚至他的《科特的星期六晚上》也并不描写一个美丽的世界。毫无疑问，诗人对生活的批判可能存在这样的真理和力量，甚至征服世界，使我们欣喜。彭斯可能会战胜他的世界。的确，他经常击败他的世界，让我们来看看他是如何打败并在何处打败他的世界。个人评价的偏见通常易于误导人，不过彭斯是首例，就让我们近距离地看一看他。

他的许多钦慕者告诉我们，他们拥有活跃的、真实的和愉悦的彭斯：

"请让我喝酒！酒给予我们更多，
多于任何院校给予我们的东西；
酒点燃智慧，唤醒对故乡的思念，
酒让我们为我们的知识深感剧痛。
是威士忌酒还是廉价的酒水，
而只是更强劲的药剂，
酒从不退却，而我们在痛饮，
喝下酒以应对我们的理念，
夜以继日不停地喝。"

彭斯的诗歌有大量的这类东西，可它之所以令人不满，不是因为那是酒神节诗歌，而是因为这些诗歌没有酒神节诗歌真挚的特点。他的诗歌里有一些虚张声势的东西，这些东西让我们感觉，没人对我们说出他心中真实的声音，因此，这些东西意味着他的诗歌缺乏诗意。

彭斯的仰慕者更自信地告诉我们，他们拥有真实的彭斯，他是一位伟大的诗人，他的诗歌在维护人类的独立、平等和尊严时，就像那首著名的诗篇《又何妨，又何妨》描写的那样：

"国王造就佩戴的骑士，
侯爵、公爵，凡此种种，
可一个正直的人却可能
以自己的信念标志自己！
这又何妨，这又何妨，
他们的尊严，凡此种种，
理性的精髓，价值的骄傲，
这些都高于凡此种种。"

当这个常常蔑视道德的伟大天才屈身说教时，他们发现了他宏大、真诚的绝笔，还有更多的：

"挚爱中最神圣的爱，
是无尽的沉醉，
不要尝试失意的徘徊，
尽管不该露出什么端倪。
我安放了罪恶，
隐藏的危险，
可是，哎呀，它让生灵变得冷酷，
麻木了感知。"

或者更高的笔调：

"是谁下定决心，是他独自一人，
只有上帝可以测试我们的力量；
他深谙每个和弦，各种各样的音调；每个春天，各种各样的偏爱。
然后在平衡中，让我们沉默无声，
我们从不能改变这一切；
已然逝去的必然可以计算，
但我们不知在抗拒什么。"

或者彭斯有更好的笔调，彭斯的仰慕者可能会说彭斯的笔调是无法超越的笔调：

"营造一个开心的家，
与妻儿共享天伦，
这是人生真正的悲怆和崇高。"

彭斯的仰慕者会跟我们说，彭斯的诗歌批判生活，他也将自己的思想注入生活！这点毋庸置疑。色诺芬告诉我们，引证的最后几行诗句中的说教意义几乎与所有苏格拉底学说所确立的目标一致。他应用语言娴熟，是一个具有超强理解力（需要我说吗？）的语言应用大师。但是，在至高无上的诗歌创作上所要求的思想抒发比在生活中娴熟的语言应用要多，思想的抒发定是由诗意真实性和诗意美原则规定下的一种语言应用。诗人的思想是文中的主题，高度严肃。高度严肃来自于绝对真诚，而出自于绝对真诚的高度严肃性正是这样的诗歌所具有的：

上帝的意愿是我们的和平。（In la sua volontade è nostra pace.）

这就像但丁对生活批判一样。你们能在我引用的彭斯诗句中感受到以上诗句所产生的力量吗？当然不能。如果我们有敏锐的感官，我们一定会意识到，在这些段落里我们没听到真诚的彭斯发自心底的灵魂之声。彭斯没从灵魂深处与我们对话，他或多或少是在说教。我们较少欣赏这种诗歌段落，错失这些诗歌段落里优美诗句的特点，他补偿我们的将会是我们更加赞美颇具特色的诗歌。

彭斯像乔叟一样缺乏高度的严肃性。他常常以充满忧郁的心情去表达，就像拜伦给阿比多斯新娘的座右铭的四行不朽的诗句。但是，彭斯的诗句里具有拜伦的诗句里所没有的更深层的诗歌品质，比如：

"我们从没有如此衷心地爱过，
我们从没有如此盲目地爱过，
从未相遇，或从不分离，
我们从不心碎。"

但是，彭斯写不出有如此品质的完整的一首诗。其余的在诗歌《向南希告别》中都是空话。我认为，我们对彭斯的评价是真实的，他的诗歌拥有事件的真实性和形式的真实性，可却没有经典诗歌的特点和美感。当彭

斯内心里真正的那个诗人发言时,他对生活真实的批判是极具讽刺性。它不是:

> "这至上的霸权,周密的计划,
> 我所实践的悲痛,
> 我在此坚定地停住,他们定是最好的,
> 因为他们是你的决心!"

到目前为止,我们可以像评价乔叟那样评价彭斯。面对眼前的生活和世界,彭斯持有自己的观点,他的观点博大、自由、精明、有益,因此是真正的诗学。他的表达形式及其所见所闻相互一致。但是,同时我们必须注意到彭斯和乔叟有大位不同。彭斯以其狂野的巨大能量使乔叟式的自由在自己的诗歌里得以加强,乔叟式的仁慈得以加深,诗人怀有对事物的深深悲怆——对人性的悲怆,也对非人性的悲怆。乔叟的行文流畅优美,取而代之的是彭斯的富有弹性、无拘无束的快捷方式。尽管彭斯缺少一点魅力,可现在的他拥有强大的力量。乔叟的世界比彭斯的世界更加公平、更加富有、更有意义。但是,当彭斯的广博和自由得到充分运用时,如在《山中小湖圆帽》中或在名作《愉快的乞丐》中更明显,他的诗歌天赋征服了他的世界。在《愉快的乞丐》的世界里,不仅有丑陋与肮脏,而且还有兽性与残忍。这篇作品是一首很成功的诗歌,其广度、真实和力量构筑起像《浮士德》中奥尔巴赫的地下室那样著名的场景,不过看上去好像人工雕琢痕迹严重,而且平淡乏味。确实,也只有莎士比亚和亚里斯多芬尼斯的作品才能与《浮士德》相媲美。

在此,彭斯的博大和自由如此畅快地为他所用。在彭斯的诗歌中,他的精明带有无限的诙谐与才智,同样他的仁慈带有无限的悲怆。他的表达方式完美无瑕,他一生的诗歌就是完美的答案,此类作品有如《邓肯格雷》《塔恩格伦》《口哨》《我将靠近你,我的朋友》《友谊地久天长》(可能开出一张很长的清单)。在此我们可以看到一个真实的彭斯,读者对他的真实评价一定很高。虽然他不是一位经典诗人,没有卓越伟大的经典之作，没有一首诗能上升到对生活的高度批判，也没有像前辈那样富有美感的诗篇，可他却是一个只有完全真实内容和回应真实风格的诗人，带给我们一首首强劲有力的诗。我们所有人倾向于对可怜者抱以同情，可我们之所以倾向于赞美彭斯，多半是因为彭斯善于应用打动人心的手法，这种手法有时让人几乎无法忍受，甚至感到痛苦。比如，就像以下这样的一首诗：

"我们两个在河上戏水，
从早到晚，
但是在我们之间的海洋咆哮着，
友谊地久天长……"

在这首诗里，措辞精美，语法正确。也许，因为他的诗歌结构较容易平衡杰作的完美笔风，所以他对我们来说是最有益的诗人。对于被雪莱的个人评价误导的追随者来说，就像我们很多人过去、现在被误导将来也可能被误导那样，那种高贵的精神制造出许多文字和图片的彩色阴霾。

"气味刺鼻的空洞里的暗淡"

没有什么比与彭斯作品的极致俏皮和完美接触更为受益的东西了，与上一诗句并行的是：

"在黑夜和清晨的边缘，
我的骏马习惯于呼吸，
但是地球只是耳语了一个警告，
他们的飞行肯定比火更加迅速……"

在《普罗米修斯被释》中，多么有益地将《塔恩格伦》中的诗句放在此处：

"我的明妮不断地使我听不到,
并吩咐我小心一个年轻男子,
她说他们阿谀奉承,欺骗我,
但是她怎样评价塔恩格伦?"

但是,当走进离我们如此近的时代的诗歌时,我们好像走进拜伦、雪莱和华兹华斯的诗歌烈焰燃烧的火场——通常人们对他们诗歌的评价不仅带有个人倾向,而且带有个人激情。至于我的评价宗旨,我想能以彭斯为例那就足够了。在我们研究的作品评价中,彭斯是首位有明显个人倾向的诗人,研究结果意味着,我们可以怎样以伟大的经典作家作为试金石纠正个人评价,就像我们先前用同样的方法纠正我们所遇到的历史评价一样。当前的文集列有一连串名人和名诗,为我们下定决心努力真实公正地评价诗歌提供一次良机。为此,我正寻求一种能帮助我们的方法,将这种方法应用的实践中,以让所有想用的人应用它。

无论如何,方法和评价的目标在于引导,并且达到引导的目的。如果它们确实起到引导的作用,那么它们就实现了其所有的价值——能够十分清楚地感受并深度欣赏诗歌真正的经典佳作。文章结尾,我再说一遍,这才是一个至关重要的目标。我们经常被告知,我们这个时代是开放的,身在这个时代,我们可以看到许多普通读者和普通作品。普通读者无需也无法欣赏比普通作品更好的东西了。这样,图书产业就会变得有利可图,成为大产业。即使佳作在世上失去其文学价值,可它仍值得我们自己继续欣赏。但是,尽管世上出现了货币价值,可佳作永远不会失去其文学价值,也永远不会丧失其在文坛上霸主的地位。文学作品在世上总是价值连城,实际上,这不是因为世人有意的选择,而是因为它蕴涵着更深刻的东西——人性自我保护的本能。

芝麻与百合
Sesame And Lilies
[英] 约翰·罗斯金

主编序言

约翰·罗斯金（1819—1900），英国作家、批评家，出生于伦敦一个殷实的酒商家庭。他从小受到严格的家庭教育，每年夏天随父母游览名山大川，参观古代建筑和名画，培养对自然和艺术的爱好。1836年他考入牛津大学基督学院，1840年因病退学。此后两年他在意大利养病，同时收集资料著书立说。他有关艺术问题的重要作品有《现代画家》（1843）、《建筑的七盏灯》（1849）、《威尼斯之石》（1851—1853）、论文和演讲稿。他认为艺术不能脱离生活，因此在探讨艺术的过程中，总是密切关注实际的社会问题。他还批评社会不平等现象，要求普及教育。1860年，他完成了《现代画家》第2、3卷，从此结束艺术评论工作，转而研究经济和劳工等问题。

1871年，他组织圣乔治会，希望实现他的改良主义的社会理想，建立起乌托邦。他把全部收入都捐献给该组织和其他慈善机构，可他所倡导的事业却得不到人们的支持，因此无所建树。他的爱情生活极不称心如意，1848年他与艾菲·格雷结婚，1854年离异，加之体弱多病，难免在悲观抑郁中夹杂着愤怒的情绪。1879年他隐居于兰开夏科尼斯顿湖畔的布伦特伍德镇，1900年1月20日因患脑热病去世。

罗斯金的代表作有《时至今日》（1862）、《芝麻与百合》（1865）、《野橄榄花冠》（1866）、《劳动者的力量》（1871）和《经济学释义》（1872）等。在这些作品中他提出自己的伦理思想和经济主张。他认为资产阶级的政治经济原则违反人性。他反对英国立法维护剥削制度，认为劳资问题是道德问题，资本家不应榨取工人的血汗。他还认为机械工艺的发展扼杀了工人的主动性。他把中世纪手工业劳动加以理想化，主张回到资本主义初期。他高度评价文艺复兴前期的艺术作品，否定文艺复兴现世的肉欲艺术。他的艺术观同他的社会观不无二致。

查尔斯·艾略特

芝麻：打开国王的宝藏

"你们每个人都将拥有一块芝麻饼和十英镑。"

——卢安奇[①]：《渔夫》

今晚我首先得请各位原谅，因为我演讲的题目虽然已经指出我要阐述的主题，但还是给大家带来诸多困惑。归根结底，今晚我们讨论的话题既不是国王——虽然国王的地位至高无上，也不是宝藏——虽然它蕴含着巨大的财富，而是另一种鲜为人知的"财富"，这种"财富"不同于大家之前所认识的财富。同时，我希望你们相信我，让我集中注意力，因为我要像某些人带朋友观赏自己心爱的宝物时所做的那样，用一种拙劣的方式隐藏我最想展示的东西，再用一种曲折委婉的方式引出我的观点。受过演讲训练的人曾说，听众感到最累的是费力去听那些不说明演讲目的的演讲。因此，我要立刻揭下这层细薄的面纱，直截了当地告诉我的听众，我要谈论的是蕴涵在书里的宝藏、寻找宝藏的方法以及失去宝藏的原因。大家一定会说，这个话题既严肃又宽泛！不错，这个话题实在太宽泛，没有必要花更多精力涉及其全部内容。我只是想向你们提出几种关于读书的朴素观点。考虑到日益增加的教育手段、与之相适应的不同知识的传播以及大多

[①] 卢安奇：（120—180），古希腊作家，无神论者。

数人的精神生活，这些观点越来越深地烙在我的脑海中。

我与那些专门为各类青少年开办的学校有过一些接触，收到许多学生父母关于他们子女教育的来信。在大多数来信中，我总是被一种超前的想法所吸引，这种想法始终把"生活定位"观置于父母尤其是母亲的一切考虑之上；"接受教育就是为了这样或那样的地位"之类的话常被提起。据我所知，他们根本不是在追求教育本身，甚至连写信人似乎都没明白寓于教育之中抽象的正确观念。相反，他们所要求的教育只是"可以给我儿子披上漂亮的外衣，让他们信心十足地按响别人的双门铃[①]，最终让自己住上装有双门铃的房子"。总之，这种教育是他们梦寐以求的。这些父母从来就没有想到另外还有一种教育，它本身就标志着人生开拓，而其他的教育则很可能是死路一条。倘若他们找到正确的途径，他们就有可能意外且轻易接受上述那种实质性教育；倘若他们找不到正确的途径，那么这种教育便毫无价值、与人无益。

世界各国最常提问的人集中思考最长时间的首要问题是什么呢？我能否请大家和我一起考虑这个问题的内涵到底是什么？应该是什么呢？我猜想，就是"人生开拓"。

就目前而言，在实际生活中"人生的开拓"是指受人仰慕，获得为人认可、值得尊敬的位置。一般地说，这种人生开拓不是挣钱，而是让别人知道我们发财致富；不是为了实现某个伟大的目标，而是让别人知道我们的成就。总之，这样的人生开拓指的是满足于所渴望的掌声。这种渴望对思想崇高者来说是瑕疵，对思想脆弱者而言则是致命的东西。总之，这种渴望是一般人所共有的，足以产生极其强大的动力。人之所以做出巨大的努力，其冲动往往是喜欢得到别人的赞许，而其最致命的冲动则是崇拜快乐并且追求快乐。

我无意抨击或袒护这种冲动。我只想让大家体会一把冲动成为拼搏的感觉，尤其是现代人拼搏的根源已经到了何等程度。拼搏实际上是在追求对虚荣的满足。虚荣是我们劳动的激素、休息的油膏；因为虚荣离生命

---

① 可能是富裕家庭的一种象征。

之泉如此接近，所以其受到的挫伤往往难以抚平。我们称这种挫伤为"羞辱"，也可用于指身体局部难以治愈的创伤。尽管我的医学知识不足以证明虚荣对健康和精力有多大影响，但是我仍相信大多数诚实者知道，甚至立刻意识到虚荣的主导力量在于人类自身的目的性。通常，海员之所以希望成为船长，不是因为他认为自己在管理船舶方面比其他水手高明，而是因为他可以被别人尊称为船长。牧师希望成为主教，不是因为他认为自己比别人优秀，可以帮助管辖的教区渡过难关，而是主要因为别人可以称他为"我尊敬的主教"。对王子来说，他不会积极主动要求得到王位，因为他相信除了自己之外，不会有第二个人能像他那样在王位上更好地为国效劳。但是，他也希望有尽可能多的人称其为"我的陛下"。

这就是"人生开拓"的主要意义。对我们每个人而言，人生开拓对上流社会栖身者的影响往往因个人地位而异。我们之所以栖身上流社会，不是因为我们应该占有上流社会，而是因为我们置身其中便引人注目；我们对美好事物的认识不就主要从美好事物中显现出来吗？

请允许我暂停一会儿，提一个你们可能认为无礼的问题，也可能与今天的演讲无关的话题，这样的话，你们是否会原谅我？我很想知道听众赞成我还是反对我，否则我就无法继续讲下去。起初我并不十分介意，可现在我得知道听众的意向。此时此刻，我真的很想知道，你们是否认为我将人的行为动机看得太低下了。今晚我决定把它说得低到别人认为可能的程度，因为在我的政治经济学著作中，当我提出诚实、慷慨、人们通称的"美德"可能被视为人的行为动机时，人们的回答往往是："你何必如此设想？人性并不包含这些东西，除了占有欲和嫉妒心是人所共有的外，你不必考虑其他方面；只有在偶然的情况下，其他感情在与事业无关的事情中才对人产生影响。"由于这个缘故，我向你们提出这样的请求：倘若你们认为赞许是人们企求开拓的主要动机，而履行个人职责的诚意只是次要动机，请举手示意。（只有十几个人举手——这可能由两方面的原因引起，一个原因是听众也许在质疑本演讲的严肃性，另一个原因是听众羞于表达自己的意见。）我的态度是严肃的——我确实很想知道大家的想法。此外，我可以通过反问的方式进行推断。认为职责是第一动机，而推崇赞许是第二动机的，请举手示意。（据统计，只有一个坐在主讲人身后的听众举了手。）非常好！我注意到大家一直在聚精会神地听我演讲，同时认为我还没有抛出最新的观点。现在，我不想再接着提令人厌烦的问题，让我大胆猜测一下，在大家看来，履行义务至少应该是第二、三动机吧。尽管很多人在渴望提升自身价值的过程中将此视为次要因素，可我认为，人们对做些有益的事或得到实在好处的渴望，事实上已成为已知的间接观念。对诚实者适度渴望权力这一行为，大家都会采取认同的态度，至少看在他们已获得优先权的份上。大家宁愿选择与通情达理者和学识渊博者为伍，也不愿与无知者交往。最后，关于朋友的珍贵和同伴的影响等问题我们无须赘述。毋庸置疑，从自身的良好愿望出发，你也许会承认自己的朋友都十分真诚可靠，自己的同伴都很聪明。在真情与判断二者结合或任二选一的情况下，朋友和同伴将为我们成就幸福及其所作所为提供重要的机会。

然而，即使我们承认凭意志和直觉能很好地选择属于自己的朋友，我们当中真正拥有这种支配力的人却寥寥无几！至少可以说，对大多数人而言，可供选择的范围很有限！我们无法知道谁会成为我们的朋友，而对于那些已经非常熟悉的人来说，我们则无法确定自己会在什么时候最需要他们的帮助。

主流圈的人向非主流圈人传授智慧的过程非常短暂。我们一生可能有幸瞥见一位伟大的诗人，聆听他的声音；或者有幸向一位科学家请教，得到他善意的回答；也许还会有幸争取到十分钟的谈话机会，对某位内阁部长评头论足，得到的也可能是比沉默更糟糕的答复——骗人的把戏；我们一生中也可能碰上一两次机会：有把握在王子经过的地方为他献上一束鲜花，或者赢得女王仁爱的目光。这些短暂的机遇我们还觉得来之不易，甚至不惜为此付出时间、热情和精力。然而，有一个社会阶层不断向我们敞开大门，无论我们的地位和职业如何，我们都可以跟这一阶层的人聊天聊到尽兴；他们寻找美丽的语言，谈他们心里感受最亲切的事物。他们如此文雅，人数如此众多，还能听从我们的盼咐，整天守候在我们身边（其中的帝王和政客都徘徊不前，他们不是为了等候接见别人，而是为了等候被接见）；他们生活在陈设简陋的狭小客厅中，住在我们书架之上，可正因为如此，我们反而忽视他们，甚至从早到晚不屑去听这些与我们朝夕相处的人的任何一句话！

你们可能告诉我，也可能暗自思忖：我们对恳求我们倾听其说话的崇高朋友，为了与他们结识而表现出来热情，而对鄙视我们、不能予以教益的卑下朋友却采取冷漠的态度，对此你做何评论？我们可以与他们本人见面，而我们希望熟悉的只是他们本人，而不是他们智慧的言语，可事实并非如此。假设你们不被允许与他们见面，只允许躲在亲王或政客的室内屏风后。那么，即使不得迈出屏风一步，你们不是也高兴地听到他们说话了吗？然后，当屏风变小，不是四扇而是两扇，而当你们站在一本书之前，终日倾听智者经过选择、知识渊博的发言时，你们却不屑充当听众，瞧不起这些值得尊重的政客！

你们可能会说，你们之所以倾听那些人说话，是因为他们在著作中所说的都是正在发生的、你们感兴趣的事，比他们漫不经心的说话中所涉及的事精彩得多。不过我得承认，你们喜欢这种昙花一现、转瞬即逝的东西，而不喜欢持久耐读的好书，你们这个想法一定会对你们产生影响。书可以分为两类：风靡一时的书和流芳百世的书。请注意这一分类——并不单纯按质论价加以区分。风靡一时的不一定是坏书，流芳百世的也不一定是好书。我说的是按种类进行区分。好书既可以风靡一时也可以流芳百世，坏书亦如此。我在进一步阐述之前必须给这类书下此定义。

风靡一时的好书——我说的不是风靡一时的坏书——是为你们而印的，只能是作者一时发表的有用论述。这类书常常很有用，它们告诉大家必须知道的事情，十分取悦人，就像知书达礼的朋友在跟你谈话一样。那些生动的游记、机智问题的论述、生动多情的小说、如临其境的传记等都应该是风靡一时的书。在教育日益普及的情况下，这类书在我们的生活中日益增加，它们是当今这个时代一笔特别的财富。我们应当对此表示感激。如果我们不好好读这些书，就真的叫问心有愧。但是，倘若我们容许这类书在真正的图书世界占有一席之地，那么我们对这些书可谓过于厚爱了。严格意义上讲，这类书只能算是信件或报纸，那么朋友的信件无论值得保留与否，它们只能令人开心，让人有一时的需要。报纸在早餐时可能让你赏心悦目，可其余时间我们肯定不会去读它。同样，长长的信件可能会给你在旅馆、路途或去某地的日子里增添色彩，会告诉你愉快的故事，描述种种事件的特定场合，可不管这种特定场合有多珍贵，它也不是真正的"书"，你也不是在真正的"读书"。书本质上不是闲言碎语，而是作者在深思熟虑后写出来的。写作不只是简单的交流，而且是一种永恒的著述。闲书之所以也出版，是因为作者无法同时与成千上万的人交流，如果他可以的话，书就不可能比他说的话还多。你无法与居住在印度的朋友当面交谈，如果可以的话，你一定非常乐意，所以你们只好以信代说，书信只是心音的传播。写书并不是单纯为了声音的多次重复和传播，而是使之流芳百世。作者将其认为真实有用、精彩有益的东西说出来，想方设法把它们描述得一目了然，无论在什么情况下都把它们交代得一清二楚，以让读者看起来赏心悦目。作者发现，这件事或这一系列的事他看得最透彻，既是其真知灼见，也是他那方天地的阳光和土壤让他获取的东西，因此，他要永远把那些东西记录下来，只要有可能还会刻石铭记："这是我一生最美好的东西。余生我和其他人一样吃喝、爱恨、休息与睡眠。我的生命曾是朝雾，但现在不是。这种人生蜕变我看清了，也明白了。倘若这称得上是我一生中有分量的东西，那倒值得你们铭记。"这便是他的著作。在他的人生道上，无论他内心有多少真实的灵感，可这毕竟是他的灵感或圣典。这便是"书"。

或许你认为从来没有一本书是用这种方法写出来的。

那么，我想问问大家，你们相信诚实和仁爱吗？智者身上到底存不存在诚实和仁爱？但愿我们当中没有人如此悲观忧伤，竟然会如此设想。智者的工作，哪怕其中只有一点儿是靠诚实和仁爱做出来的，那么，这一点儿便可称作他的书或艺术品。它总是与蹩脚的片段——粗制滥造、添油加醋、矫揉造作的成分掺杂在一起。你要是善于阅读，肯定不难发现其中真实的成分，这些真实的成分便是书。

无论在哪个时代，最伟大的人物——博学者、政治家、思想家——都写过这样的书。这些书可供你们选择，人生苦短啊。然而，你们可曾衡量、勾勒过短暂的人生及其可能出现的状况？难道你们不知道自己不可能什么都谈论得起来吗？后一句话你们以前没少听过。你们今天失去的明天不可能再得到。当有机会与国王或王后交谈时，你们是否会去找女仆和马夫聊天？当永恒的宫殿及其人才济济的社会一起向你们敞开大门，每个时代的英雄豪杰以及强者都与你们交谈时，难道你们还要等到自我吹捧，意识到自己有价值而有自尊的要求时，才与求知的民群争这儿或那儿的听众席吗？上述永恒的宫殿你们可以随时进去，根据自己的意愿在其中取得成员资格和应有地位。你们除非自己犯错，否则，入宫后不至于被抛弃；你们原来高尚的朋友将受到你们现在高尚的朋友的检阅；你们力图在社会占有显赫地位的动机、一切事实和诚意都将受到失意者曾希望在社会占有一席之地这一心理的检阅。

　　这里我还必须谈一谈你们所希望的与己相适的地位，因为历史宫殿与现实上流社会的不同之处，在于它只向勤劳者和高尚者敞开大门。任何财富、声誉、奸诈都无法贿赂、恫吓、欺骗艾理西姆①的守门人。从更深层意义上说，恶者或俗夫永远无法进入历史宫殿。在静寂的圣日耳曼区入口处，只能听到这样一句简短的问话："你们够资格进去么？如果够，请进吧。"你要与高尚者为伍么？如果要，你自己必须高尚，然后才能与高尚者为伍。你们希望与智者对话么？如果希望，你们首先必须能够理解他们的话，然后才能听懂他们的话。此外，还需要什么条件？不需要什么条件了。倘若你们不迎面而上，他们便不能靠近你们。活着的尊贵者可能讲究礼貌，活着的哲人可能为你们着想而不厌其烦向你们解释他们的思想。然而，在这方面既不需要我们造作也不用我们阐述。倘若你们想从尊贵者的思想中找到乐趣，你们的思想也必须达到他们的境界；倘若你们想认识他们的存在，你们必须首先分享他们的感情。

　　这便是你们必须做到的事；我承认须做到的事的分量的确不轻。总之，倘若你们要与高尚者为伍，你们必须喜爱他们。妄自尊大绝对派不上用场。他们是不屑你们所谓的雄心的。你们必须喜爱他们，从以下两方面把你们的喜好表现出来：

---

① 艾理西姆，希腊神话中那些已故的高尚者的寓所。

首先，你们要有求教他们和进入其思想境界的诚意。请注意，是进入他们的思想境界，而不是要他们对你们的思想加以解释。其次，倘若作者不如你们聪明，那么你们自然没有必要读他们的书；倘若作者比你们高明，那么他们所想的会在许多方面与你们截然不同。

我们提到一本书时总习惯这样说："多么好的一本书啊，它说的恰好是我所想的！"然而，正确的反应应该是"太新奇了！以前我压根儿没想到，不过，它说的倒是真的；倘若我现在不明白，我想总有一天会明白"。但是，无论你们是否附会，你们起码得肯定自己之所以靠拢作者，是因为你理解了他的意思，而不是因为你认为书中所写的原来是你的意思。倘若你们认为自己事后有能力判断，那就请你们做出判断，可你们必须先明白作者的意思。倘若作者真的了不起，你们还得肯定自己不可能一下子就理解他，或者说，你们无论如何不可能在开卷伊始就完全理解他的全部意思。这并不意味他没说出他的意思，恰恰相反，他还是用很明确的语言说出来的，可他不可能把所有的意思都说出来。更奇怪的是，他不愿把全部的话都说出来；要说的话，那也只是暗示地说，或者寓意地说，其目的是要检验你们是否真的想知道他所说的。这当中的道理我不十分清楚，也无法分析智者的所思所想，因为他们对自己深奥的思想总是持保留态度。他们赋予你们以他们的思想并不以施舍的方式，而是以奖赏的方式。在他们容许你们接触他们的思想之前，他们要确定你们是否适应他们的思想。这种情况跟黄金的物质形态是一样的。在大家看来，地球的电磁力没有理由不把地球内部所有的黄金全部推到山顶上。这样，国王及其臣民便知道哪儿拾到所有的黄金，无须浪费时间，只要随手拾来便是，想造多少金币就造多少金币。然而，大自然并不这样安排。她把黄金置于地壳细小的缝隙中，谁也不知道它藏在什么地方。人们挖掘很久，很可能什么也没找到；你们要是想找到一丁点儿，就必须不辞劳苦地挖掘。

人类最精彩的书籍也莫过如此。当你们接触到这一本好书时，必须问一问自己："我们是否愿意像澳大利亚矿工一样劳作？铁镐和铁锹是否已准备妥当？我们是否已卷起袖子，准备就绪？呼吸和情绪是否处在良好状态？"这样的说法对你们很有帮助。因此，你们要不厌其烦地把它长久保存在脑海里。你们寻求的金属既然是作者的思想或意识，那么他的话便是岩石，所以要触及作者思想这块金属，你们就必须把岩石粉碎、熔化。你们的铁镐是你们的知识、智慧和细心；而熔炉便是你们善于思考的头脑。千万不要以为你们不必运用这些工具，不必燃起熊熊的烈火，便可以挖掘到作者的思想。在大多数情况下，你们需要精雕细刻，十分耐心地把岩石熔化，才可能获得一丁点儿这样的金属。

因此，我首先要满怀信心地（我知道我在这方面是正确的）认真地告诉你们：必须养成专心致志研究书中词句的习惯，逐个音节，不，逐个字母地亲自确定其含义。虽然书的内容称之为"学者"，而不称之为"书者"和"词者"，就其原因，无非是作为信息的字母不同于作为信息的声音，但是你们不妨把以下出自偶然的名称与事实联系起来：尽管你可以在大英博物馆博览群书（倘若你们的寿命足够长的话），可你们仍有可能只是个未受教育的"文盲"；反之，倘若你逐字逐词地读，也就是说，斟字酌句地读一本好书，哪怕只读了十页，那么在某种程度上你就可说是个受教育的人。仅就教育所蕴含的知识而言，受教育与未受教育的全部差别就在于这斟酌二字。一个受过良好教育的人所掌握的语种可能不多，可能只会用母语说话，也可能读的书很少，可无论掌握哪种语言，他都能掌握得十分准确；无论学习哪个词语，他都能十分准确地把它的音读出来。总之，他是精通雅词的家族，一眼便可以分辨哪些词有历史渊源，哪些是近代的，并知道它们的出处，它们之间的搭配及其渊源关系，它们何时地被接受的程度以及所占的地位。然而，一个未受教育的人靠强记可能懂得并会说多种语言，可对其中任何一个词，甚至连母语中的一些词都没真正弄懂。一个才疏识浅的海员在哪个港口都敢上岸观光，然而，无论他使用什么语言，只要他一开口，别人就不难发现他是个一窍不通的文盲。依此类推，借助一句话的表达方式或词句的重音，同样可以判定一位学者的深浅。对此，受过教育的人深有感触，毅然接受。因此，在任何文明国的议会里，只要读错一个重音或读错一个音节，这一错误都可能永远给人贴上卑劣程度不一的标签。

当然，这一点无可非议。可惜的是，我们所坚持的准确性还不够大，对其要求尚未达到严格的地步。在我们下院，大量使用拉丁文不当而引发哄堂哄笑，这很自然。然而，搞错英语词语的意思反而没人皱眉头，这就不对了。词的重音不容忽视，可这样做的人毕竟不多。至于使用精选的多义词，即便只用几个，它们也能起到几百个词所不能起到的作用，如果这几百个词只能含糊表达取代它们的少数几个词的意思。其实，倘若你们不密切关注词，它们有时会起到破坏的作用。现在，有那么一些戴着假面具的词在我们欧洲人周围游荡，发出嗡嗡的声响——这类词之所以这么多，是因为各处都充斥着浅薄的、污染环境并使人犯错的"信息"或者被歪曲的信息，也是因为学校讲授的不是其人文的意义，而是内容删节的回答和华而不实的辞藻——国外有戴着假面具的词，而这些词谁都无法理解，可却为大家所用。而且，许多人为之奋斗、生活，甚至不惜生命的代价，以为它们代表着他们视为珍宝的东西所含的这样那样的意思，其原因在于它们披着变色龙或"地老虎"的外衣，具有空想的色彩。相比这些戴面具的词，任何猛兽都不如它们凶残，任何外交家都不如它们狡诈，任何投毒都不如它们那么致命。它们是一切思想不公平的管家；人无论热衷于何种空想，都爱用这些戴假面具的词，让它们来指使他、摆弄他，它们中的任何一个字眼儿都具有左右人的无限力量，你们只有借助词的交流作用才能理解它。

就英语这种极其不纯正的语言而言，无论人们是否愿意使用，势必有权含糊其辞，他们都能为使自己的思想给人留下深刻的印象，而随心所欲使用希腊语或拉丁语；或为使自己的思想变得通俗，而随心所欲地使用撒克逊[①]或其他语言的常用词。无论我们是否保留希腊语的"biblos"或"bibion"，并视之为"book"（书）的正确的表达方式，只要我们忽视它的使用只限于赋予该概念以庄重色彩的范围，而在其他场合沿袭英语的表达方式，那么，对习惯于死死把"词"形当作其力量的人来说，它会产生多么奇特的有益影响。在诸如《使徒行传》第十九章第十九节的章节里，

[①] 撒克逊：撒克逊人是曾在6世纪征服过英国部分地区的西日耳曼人，相对于拉丁语和希腊语，撒克逊词汇是土著语言，其形式一般比较简短。

倘若我们用希腊语的表达方式,而不用英语的表达方式,那么,行文应是"他们中许多行邪术的人把自己的'biblos'收集起来当众烧毁,然后算了算书价,总价竟然高达五万银币!"这对许多头脑简单的人来说实在是受益良多!另一方面,倘若在保留这一希腊语表达方式的地方都把"biblos"翻译出来,只说"The holy book"(圣书)而不说"The Holy Bible"(圣经),那么现在就会有更多人相信:上帝的话——过去天堂赖以存在,现在仍赖以保留的上帝之言——不可能当作摩洛哥式装帧的礼品送给任何人,也不能借助诸如蒸汽爬犁或蒸汽压缩机这样的现代装置在路旁播种。尽管如此,至今每天仍有人把上帝的话赠予我们,但都受到我们严厉的反驳。与此同时,每天仍有人在我们当中传播上帝的话,可又立刻遭到我们的封杀。

在将希腊语"κατακρίνω"一词翻译成英语时,有人出于好意用源于拉丁语语意强烈的"damno"(诅咒)一词,这样译在一般英国人的庸俗思想中到底会产生什么影响呢?而他们选择保持绅士风度时,则会用颇有节制的"谴责"这个词表达以往愤怒的情感。尽管他们最终会出于恐惧而不再坚持翻译《圣经》中的部分内容,如《希伯来书》第十一章第七节中的"他在拯救全家的同时诅咒整个世界",又如《约翰福音》第八章第十二节中的"'女人啊,难道你没有受过男人的谴责吗?'女人答道:'主啊!没有。'耶稣回答她说:'那么我也不会谴责你,去吧,从此不要再作恶。'"对此英国人都会诚惶诚恐,不敢加以解释。欧洲大陆意识形态领域中的分化以血流成河为代价,以免人们高贵的心如落叶般在狂乱纷纷的凄凉晚景中迷失方向——尽管人们心中有着更深层动因——这种思想之所以可能分裂,恐怕是因为欧洲人用希腊语"ecclesia"作为群众集会的同义语及其相关的含糊词语①,对为了达到宗教目的而紧急集会表示特别的敬意。

请注意,倘若要准确无误地使用词语,你们就必须养成根据具体情况具体选词的习惯。在你们的语言中,几乎所有的词语最初都出自其他

---

① 如英语俗语中以"priest"(祭祀、僧侣)这一缩写形式代替"presbyter"(长老)。

语种，如撒克逊语、日耳曼语、法语、拉丁语、希腊语等。至于出自东方方言和古方言的词语，那就更不用说了。许多词语都出自不同的语种，比如，某个英语词语最初是希腊语，然后是拉丁语，再次是法语和日耳曼语，最后才是英语。它们出自不同民族之口，在意义和应用方面都经历了某种变化，但仍然保留自身深刻的含义。即使在今天，所有优秀的学者在使用这些词语时也能意识到它们的重要含义。倘若你们不认识希腊字母，你们应该学习；无论你们是老还是少，是少男还是少女，倘若你们想严肃认真地做研究（这当然是指你们有可供自己支配的闲暇时间），你们就应该学会希腊字母。然后，你们还应该找几本与上述那些语言有关的好字典，不论何时，只要你们对某个词产生怀疑，你们就应该耐心地刨根问底，千万不要放过你们可疑的词，你们还应该从弄懂马克·缪勒①的教程着手，因为该教程的权威性和准确性不可估量。当然，这是一项严谨的工作。不过，你们会发现这项工作一开始就引人入胜，最后使人感到乐趣无穷。这会让你们在阅读方面普遍受益。

请注意：这不意味着你们要去尝试学习或已经学会希腊语、拉丁语和法语。熟练掌握一种语言无疑是一辈子的事。不过，通过这种努力，你们可以轻而易举地发现英语词义的演变过程，以及优秀作家在其作品中从原词衍生出的词义。

那么，现在我又要举例说明了，请允许我和你们大家一起细心念上几行诗，让我们看看这几行诗表达一种怎样的意境。我所选的书你们十分熟悉。虽然其中没有哪个英语单词我们不知道，但是我们仍然要抱着诚挚的心去朗读，不可掉以轻心。我下面就从《利西达斯》②中摘下几行诗句：

    加利利湖那个掌舵的水手，
    最后一个来也是最后一个走；

---

① 马克·缪勒（1823—1900），德国语言学家。
② 弥尔顿为了悼念1637年溺水而亡的虔诚学者爱德华·金而写的一首悼亡诗，"利西达斯"这个名字源于古希腊田园诗人忒奥克里托斯，意为"最优秀的吹笛手"。

他随身携带两把不同金属的大钥匙,
(开门用金钥匙,关门用铁钥匙)
他摇动主教法冠上的锁,厉声说道:
"年轻人,要是我赦免了你们该多好!"
我受够了那些人,
他们大腹便便,连滚带爬偷溜进教会!
他们极少关注那些值得关心的事,
却着迷于争抢剪羊毛人盛会上的座位,
把那些受邀到会的嘉宾挤到一旁;
他们不知如何使用牧杖,却盲目指挥!
他们未曾获得过其他任何的点滴知识
缺乏忠诚的牧羊人的起码修养;
他们爱听歪诗邪曲,
在低质的芦笛上吹响刺耳的乐调;
饥饿的羊群嗷嗷待哺,却无人喂食,
羊只只好喝西北风,吸入污浊的空气,
其内脏为此开始腐烂,如瘟疫般蔓延开;
还有那些狰狞的恶狼,张牙舞爪等待着,
每天都去偷食羊只,可他们却沉默不言。
让我们考虑一下这段话,研究一下其中的措辞。

  首先,我们发现弥尔顿赋予圣彼得①主教一切职责,以及那些被新教徒疯狂拒斥的不同职责,这难道不觉得稀奇吗?圣彼得戴上了"主教帽"。由此可见,弥尔顿对主教没有好感,可他为什么要给他戴上主教帽呢?"他带了两把大钥匙。"那么,这是否指罗马主教所要求的、代表权力的钥匙呢?弥尔顿是否为了追求形象,只从诗歌创作的角度出发,承认

---

① 圣彼得:基督教徒,《圣经》故事中耶稣十二使徒之一,在耶稣死后成为使徒之首,后殉教于罗马。

主教权力，以便借助金钥匙的光芒增加诗歌的效果呢？请别这么想。伟人不可能拿生死的道理开玩笑，只有小人物才如此。弥尔顿说，他将不惜为此付出自己的全部精力。他虽然厌恶主教，但喜欢真主教；加利利湖的水手就在眼前，存在于他的思想中，首先代表主教的真正权力，因为弥尔顿对文本中"我一定把天国的钥匙交给你"这句话做了十分诚恳的解释。他虽然是清教徒，但不愿把上面的话从书中删掉，因为教会中毕竟有坏主教。为了理解弥尔顿，我们必须首先了解这首诗。对这首诗不屑一顾或认为它别有用心，仿佛它是敌对教派祭祀的一件武器，那是不行的。其实，这首诗是一首严肃诗，其断言具有普遍的意义，所有教派都应把它铭记在心里。倘若我们做一点深入的研究，然后再回过头看这首诗，我们也许能更好地按这首诗去推理，因为这首诗明显坚持的是真主教的权力，它要求我们恰如其分地认识到，我们应该对要求主教职权而不忠职守者，或要求牧师职权而不忠职守者提出指控；这些人就是那些"大腹便便，连滚带爬偷溜进教会"的人。

千万别以为弥尔顿就像不严肃的作家，为了填满自己的诗歌而用"滚""偷溜进""爬"这三个词。但是除了"滚""偷溜进""爬"之外，他需要的只是这三个词，而不是其他词。其他词不会也不可能起到这三个词所能起到的作用，多添一个词也不可能，因为它们囊括了与这三个词相称的、卑鄙追求宗教权力的三种人。首先是"滚"进教会的那些人。他们不在乎名誉和地位，可十分关切个人的影响；他们行事诡秘狡黠；在为人处事方面怒气十足。这样，他们便可以秘密地发现人们的思想，并不知不觉中予以指引诱导。其次是"偷溜进"（也就是说渗入）教会的那些人。他们凭着天生的傲慢执着善辩，无所畏惧地坚持己见，从而在普通人中赢得威信，使他们言听计从。最后是"爬"进教会的那些人。他们凭借自己丰富的知识显得精力旺盛，但在追求个人野心时却滥用自己的精力和知识，从而赢得很高的尊严和权力。他们虽然不是领头羊，但却"凌驾于普通人之上"。

现在让我继续念一段引文：

> 他们极少关注那些值得关心的事，
> 却着迷于争抢剪羊毛人盛会上的座位，
> 把那些受邀到会的嘉宾……
> 盲目指挥——

我只好再次停下来，因为这里出现了奇怪的表达方式，你们也许认为这是由于作者粗心和缺乏文采造成的。

其实不然。这个词组言简意赅，手法大胆，其目的在于引起我们认真的关注和思考，把它牢牢记住。原文使用blind、mouth两个单音节词，表达了教会内部两大职能（主教和牧师）之间在性格特征上的尖锐对立。

"主教"是指一个"专司察看别人的人"。

"牧师"是指一个"专司喂养别人的人"。

因此，一般人所具备的非主教特征是看不见的——失明（blind）；他们所具备的非牧师特征是饭来张口待哺——指一张嘴巴（mouth）。

将上面两个词合二为一，就得出"盲目指挥"（blind mouth）这个词组。我们不妨彻底探索它的意义。教会中的罪恶大都出于那些权欲熏心、一手遮天的主教。他们所追求的不是未来的前景，而是由他们说了算的"权力"，可他们真正的职能绝非统治。统治的职能属于国王，而主教的职能只是看管好羊群（比喻信奉上帝的教徒），逐一清点羊只，随时准备对它们做出详尽的描述。请注意：如果不清点羊只，他们就说不出它们的数目。因而主教要做的第一件事就是将自己放在这一位置，从而可以时刻了解他教区内每个人从小到大的历史及现状。在偏僻的小巷，比尔和南茜彼此敲掉对方的牙齿，诸如此类的事主教是否都知道？他是否关注到他们？他能否按当时的情况向我们解释比尔为何养成殴打南茜脑袋的恶习？倘若他办不到，那么，尽管他手中的权杖跟索尔斯伯利尖塔一般高，他也不是主教。他执意掌舵，却不愿站在桅杆顶上，因而什么也看不见。"嗨！"你们或许会说："他的职责不是看管后街的比尔。"（又回到弥尔顿的诗句）"饥饿的羊群眼巴巴地举目张望，得不到喂养，而那只藏着爪子、不怀好意的恶狼，每日匆匆吞食，谁也不因此吱声"，难道你们以为他要看管的只是这些毛茸茸的肥羊吗?

你们也许会说:"这并不是我们所认识的主教。"这也许不是我们的认识,可却是圣保罗①的认识,以及弥尔顿的认识。也许是他们的认识正确,否则就是我们的认识正确。不过,我们千万别以为在他们的语句中注入我们的思想就等于理解了圣保罗或弥尔顿。

让我们继续念下去:

"羊只只好喝西北风,吸入污浊的空气。"

这行诗针对这样一句庸俗的套语:"穷人倘若在肉体上得不到照顾,那么在精神上倒是得到照顾,因为他们有的是精神食粮。"

但是,弥尔顿却说:"他们压根儿没有精神食粮;他们只不过吸满了一肚子臭气。"你们一开始可能认为这是一句未经推敲的话,一句含糊其辞的话。其实,这倒是一句意思十分准确的话。你们不妨找一本拉丁文字典或希腊文字典,查一查"精神"(spirit)的意思。"精神"只是拉丁文"呼吸"的缩写形式,相当于"风"这个希腊词的含糊译文。人们写作时用这个词的不同形式,然后说"风要吹哪儿就吹哪儿"或者"每个精神的产儿也是如此"。所谓精神的产儿实质上是呼吸的产儿,因为呼吸指的是上帝肉体的呼吸。由此可见,羊群吸入两种气:上帝之气和人体之气。上帝之气对上帝来说是健康、生命与和平的,正如空气之于山坡上的羊群。但是,人体之气是人称之为精神的那种东西,对人体来说却如同英格兰东部潮湿洼地的雾霭,意味着疾病和感染。正是因为这种人气,人体从内部开始腐烂,如同尸体内物质分解产生气体而膨胀一样,它们被气撑得鼓囊囊的。一切虚伪的宗教训诲都是如此,其中最致命的结果是"被撑得鼓囊囊的"。有些儿女虽皈依宗教,却教训父母;有些罪犯虽皈依宗教,却欺负老实人;有些人虽皈依宗教,却糊涂半辈子;有些笨蛋忽然意识到上帝的存在而自认为是上帝的特殊子民和使者;有些人属于大小教派、天主教

---

① 圣保罗:犹太人,曾参与对基督徒的迫害,后成为基督徒向非犹太人传教。

或基督教、高教会派①或低教会派②，居然相信自己一贯正确，而别人则是一无是处的宗教主义者。更有甚者，每个教派一贯认为：只要想得正确，就不必做事正确；只要口若悬河，就不必身体力行；只要有奢望，就不必劳动便可得救：他们是地地道道的雾之子——不含水的云；无血无肉、由臭气和皮肤组成的躯体；他们是供魔鬼玩耍的乐器——腐化堕落成充气的风笛："风里带着难闻的恶臭味，他们吸了满满一肚子的臭气。"

最后，让我们回到关于钥匙与权力的那几行诗句。我们现在有可能理解它们了。请你们注意但丁与弥尔顿各自阐述权力时的分歧：前者在思想上一度比较保守，他认为那两把都是天堂大门的钥匙，一把是金钥匙，另一把是银钥匙：是圣彼得堡交给站岗的那个天使。我们要判明天堂大门三级台阶的实质意义或两把钥匙的意义并非易事。后者却把金钥匙当作天堂的钥匙，把铁钥匙当作监狱的钥匙，而所谓的监狱就是"把知识的钥匙拿走，自己却不进知识大门的坏老师"的去处。

我们已经知道，主教和牧师的职责是察看和喂养。在谈到履行这些职责的主教和牧师时，大家都这样说："浇水者必有人为他浇水。"反之，也千真万确。不浇水者必然枯死；不察看者必然被排斥在景物之外——被一辈子禁锢在死牢内。监狱敞开着，以后仍将敞开：准备上天堂的人必须先到地球。"抓住他，困住他的手脚，把他扔出去！"这是上帝向身强力壮的天使（他们的形象是岩石使徒）发出的命令，要求上述牧师采取行动，因为那些牧师从不提供帮助，完全拒绝真理，将万物虚假化；由于这个缘故，他们给人们的桎梏越多，他们就被扔得越远，直到"金门敞开，铁门紧闭"，牢笼的栅栏把他们牢牢禁锢。

我想，从这几句诗中我们总算得到一点收获，然后更多的成果还有待我们去获取。至于以举例法逐字逐句地检验上述那位作家的著作，我们在这方面已经做了不少工作，这才真正说得上是"读书"。不放过书中每个

---

① 高教会派：英国基督教圣公会众的一派，支持维持教会享有较高的权威地位，在教义、礼仪和规章上主张大量保持天主教的传统。
② 低教会派：英国基督教圣公会众的一派，反对过分强调教会的权威地位，主张简化仪式，较倾向于清教徒。

重音以及每个词语，随时随地从作者出发，摒弃自己的个人意识，力求进入作者的境界。这样，我们才可能有把握地说："弥尔顿是这样想的。"而不至于说："由于误解了弥尔顿的著作，我才这样想。"这种做法能使你们在今后的阅读中逐步克服"我才这样想"的缺点。你们将逐渐认识到你们的所思所想无关紧要，因而无论在什么问题上，你们的思想不一定就针对从问题可得出的十分清晰且明智的结论。事实上，你们会意识到自己除非是天才，否则就不可能认为自己有"思想"。在任何严肃的事情上，你们都没有思想的物质基础，也没有"想"的权利，只有力求掌握更多事实的权利。或许在你们一生中（刚才我说过，除非你们是天才），无论在什么事情上，你们都不可能拥有个人见解的权利，除非是一件你们必须马上处理的事。毫无疑问，对那些必须处理的事，你们知道怎样处理。你们总要把家管理得井井有条，总有商品要出售，总有土地要耕耘，总有沟渠要清理。对于这些事，没必要有意见分歧。不过，在处理这些事中倘若只有一种意见，那更糟糕。再者，在业务范围以外，你们难免在一两个问题上持一种意见。必须反对说谎和流氓行为，一旦发现，就立刻不留情面地清除——贪婪与争吵，即使对儿童而言也是危害极大；对民族和成人而言更是致命——最后，天地神非常喜欢积极、谦虚、慈祥的人，却十分厌恶懒惰、傲慢、贪婪、残忍的人。对以上所述的这些普遍事实，你们只能有一种看法，而且还要予以重点强调。至于宗教、各级政府、科学、艺术等其他方面的问题，你们肯定会发现：就整体而言，你们一无所知，无法对它们做出判断；即使你们的文化程度很高，你们充其量也只能保持缄默，努力使自己一天比一天聪明一点儿，多了解一点儿别人的思想。你们如果老老实实这样去做，就会发现那才是最聪明的人，他们的想法也只是与上面所说的问题有直接关系罢了。他们普遍能为你们做到的莫过于把困难明明白白具体化，向你们说明他们优柔寡断的原因。他们如果真能"把音乐与我们的思想糅合在一起，以世人的疑问增添我们的哀伤"，那么，他们不论为了我们还是为了自己都干得很出色。刚才我引用了那位作家的作品，他虽称不上是一流或最著名的作家，但他能把问题看得很精准，因而我们容易理解他的所有思想。然而，至于那些比他更伟大的作家，你们难以摸透他们的心思，恐怕他们自己也不曾思量过自己的全部心思；他们有复杂的思想，倘若我请你们思索一下，比方，在教会权力问题上，哪些是莎士比亚或但丁的想法而不是弥尔顿的想法？你们当中谁能立刻告诉我他们各自的想法，哪怕只是一点想法呢？你们是否曾经用克兰默尔的性格去衡量《理查三世》中主教出场的场面呢？你们是否曾经通过描写那个促使维吉尔给予关注的人——"他张开手脚，横躺在十字架上，在卑微中永远被放逐"——或者通过描写但丁身旁的那个人——"像那位修道士承认自己是背信弃义的杀人凶手"一样——去衡量描写圣方济各①和圣多明我②的方式呢？我认为莎士比亚和但丁对人的了解胜过我们当中绝大多数人！他们都身处世俗力量与精神力量较劲的环境中。我们不妨设想他们都有各自的想法，可这些想法存在于什么地方？让他们带着这些想法对簿公堂！把莎士比亚或但丁的信仰写进文章，把他们的信仰递交宗教法庭，让法庭去判决吧！

我想再次告诉你们，你们将在合唱一段时间内无法弄清这些伟人的真正意图及其教诲；然而，你们只要稍微踏踏实实研究一下他们，就不难发现，你们自以为是的"判断"纯粹是偶然的偏见，以及被遗弃、散乱无章、纠缠不清的思想杂草。你们总有一天会发现：它们一部分滋生为毒草，另一部分则可以与寸草不生、顽强生存、无人料理的荒原相比。而比起以风为播种、有毒有害、恶意揣测的思想杂草，大多数人的思想不见得好多少；你们为了他们和自己必须做到的第一件事是，鄙夷却认真地放上一把火，烧掉一切荆棘，让它们都化为有益的灰烬，然后犁地播种。对眼前摆着的所有真正著作，你们都必须严格按照这个程序入手。"不要在荆棘丛中播种，而要开出自己的一道道田畦。"

你们既然忠实地倾听这些伟大导师的教诲，自然有可能进入他们的"思想境界"。然而，你们还得有更高的追求，务必进入他们的"感情领

---

① 圣方济各（1182—1226），意大利保圣人，天主教方济各会和方济各修女会创始人，主张修士恪守苦修，麻衣赤足，步行各地宣传"清贫福音"。
② 圣多明我（约1170—1221），西班牙天主教教士，1215年在法国图卢兹创立多明我会，1217年经教皇批准在罗马设总会，自认总会长。

域"。你们初次接近他们是为了获得他们清晰的表象,因而你们必须与他们结伴而行,这样可能分享他们真正强大的"激情"——若非激情,就是"冲动"。我不害怕"冲动"这个词,更不害怕冲动这件事。近来,你们听到反对冲动的愤怒声,可我要告诉你们,我们需要的冲动不是多了,而是少了。冲动既存在于人与人之间,能起到减少差异的作用,也存在于动物与动物之间,能起到同样的作用。因而,生活中我们可以说,这个人或这只动物比那个人或那只动物更冲动。我们如果是海绵,就不可能轻易产生冲动;我们倘若是蚯蚓,随时随地都可能被铁锹断成半截。这样,太冲动对我们反而没什么好处。然而,我们是人,激情对我们却有好处;我们正是因为敏感才有足够的气质,而我们的荣誉恰巧与我们的激情成正比。

你们明白,我曾提到过那个纯粹的大社团,那儿"不容许庸俗者或虚荣者进去"。请你们说一说,我所谓的"庸俗者"究竟指什么?你们自己对"庸俗"怎样看?你们肯定会发现,这是一个既有思想又有益的课题。说得简单点,一切庸俗实质上都在于缺乏感性。单纯天真的庸俗只是与身心有关、未经教化、得不到启迪的鲁钝;而天生的真正庸俗却蕴涵致命的冷酷。一个人的冷酷一旦走向极端,就可能发展到无所畏惧、无所愉悦、无所震惊、无所怜悯,那么他什么兽行与罪恶都干得出来。人们之所以庸俗,完全是因为他们双手不灵、心已死去、习惯不好、心肠铁石。他们永远很庸俗,其庸俗程度绝对与他们的本能成正比——他们本能缺乏同情心,不懂谅解人,没有灵与肉。(准确地说,灵与肉的常用术语应该是"触觉"或"感触能力"。这种触觉是含羞草,是纯洁的妇女,具有其他一切生灵所没有的感觉,这种感觉超越理性,细腻而丰富。)它是理性的导师,使理性得到圣洁的恩主。理性只能判断真假;能够认识上帝所创造美好事物的唯一东西则是上帝赋予我们的激情。

现在,让我们进入已故者的大厅。我们不但要向他们学习什么是"真正的"东西,而且还要与他们一道去体会什么是"公正的"东西。若要与他们一道去体会,我们就必须像他们一样做真正的人,做公正的事。然而,要是不付出辛勤的劳动,我们就不可能做到跟他们一样。真正的知识是真正经得起考验的激情,而不是先入为主的激情。先入为主的东西往往空虚、虚假且骗人；倘若屈服于先入为主的知识和激情，那么，在先入为主的情况下，你们就可能做无益的追求，有虚假的热情，以至于偏离真正的目标，失去真正的激情。这不是说，人要有了感情，都会犯错误，而是说，人的感情倘若偏离正轨，人就会犯错误。高尚的感情在于其力量与正直；感情如果脆弱，只为芝麻绿豆的小事而懵懂，那么有这种感情的人就会犯错。小孩看魔术师表演抛金球时会表现出很幼稚的讶异，倘若你们与这些小孩没区别，那么你们的情感未免跟小孩一样的脆弱。当人们受到召唤，讶异地看见创造天堂金球之手把金球抛过夜空时，你们是否认为他们的讶异不像话，他们的感情不足挂齿呢？小孩好奇地打开一扇不容打开的大门，或仆人好奇地打听主人的私情，那么这种好奇心是卑微的；倘若面临危险仍然抱着好奇心，或穿过沙漠去探索前面大河的源头，或跨过海洋去探索对面大陆的方位，那么这种好奇心是崇高的。还有一种好奇心更崇高，它能驱使人们去探索生命河的源头、天堂的空间以及"天使也要深究"的一切。因此，在听了无聊的故事而无法排遣对其情节的困惑后，你们会因为有焦虑就变得不高尚？然而，在目睹命运如何捉弄受难的民族后，你们是否想到自己的焦虑是多了还是少了呢？唉！在英国，你们今天应感到遗憾的是感情上的狭隘、自私和细微；这种感情表现在献花和讲话，歌舞和饮宴，模拟的战争以及欢乐的傀儡戏中。同时，你们可以目睹着高尚的民族在人类互相残杀中一个个死去，却居然无动于衷，不掉眼泪，不予干预。

刚才我谈到感情的"细微"和"自私"，一言以蔽之，我应该说感情的"不公"或"不义"，因为只有在这方面，我们才能更好地区别高尚者与庸俗者，也只有在这方面，我们才能更好地区别高尚的民族（这样的民族已被区分出来）与任性多变的民众。高尚者的感情是永恒的、公正的，是细微思考与公平观念的结果。你们可以说服任性多变的民众做这样或那样的事。总体上说，他们的感情可能是丰富的、积极的，可没有基础的感情却不牢靠；你们可以任意挪揄他们，或鼓动他们抒发这样或那样的感情；他们大都像传染上流感一样受到外界的感染后才进行思考，一下子就采纳别人的意见。他们兴致勃勃时，无论对什么小事都会发疯似地大叫大嚷；一旦兴奋劲儿过去，无论对什么大事，转瞬间也会忘得一干二净。但是，高尚者和高尚的民族却有所不同，他们的激情充满正能量，有分寸，可持续。例如，一个大民族绝不会因为一个流氓杀人而动员全民族的聪明才智，花几个月时间权衡罪证，也不会长年看着民众相互残杀，每天数以千计、万计地死去而无动于衷，反而会考虑棉花价格可能受到的影响。一个大民族绝不会因为几个苦孩子偷了几个核桃而把他们投入监狱，不会因为破产者点头哈腰而容忍他们窃取数以千万计的款项，也不会允许靠穷人存款致富的金融商借口"非人力所能及因素"以"未经批准"为由歇业。一个大民族也不会容许自己纯朴的贫民终身为地主每周多赚六便士，而被热辐射弄得口干舌燥，或因病憔悴消瘦以致丧生，然后掉下愚蠢的眼泪，流露魔鬼般的同情，讨论自己是否怀着虔诚之心去拯救杀人犯，是否怀着爱护之心珍惜他们的生命。同样，对于一个大民族而言，虽然绞刑肯定是对杀人犯最恰当的惩罚，但其毕竟有一副菩萨心肠，能区分罪行的轻重。当一个大国派内阁部长劝说企图当着少女父亲的面行刺她的坏男孩，或企图以比乡村屠夫在泉水中宰羊更快的速度杀害高尚青年于血泊中的男子时，部长不可能像一只冻伤的小狼踏着血迹追踪那个吓坏了的坏男孩，也不可能像白发苍苍的奥赛罗叫嚷着"实在太困惑了"。最后，一个大民族不会虚伪地声称爱财是万恶之源，又声明在主要民族事务方面除了受爱财心理的影响外，就不受其他物欲的影响，从而表露出对天国和天国权力的嘲弄。

朋友们，我们不明白为什么要谈论读书。我们需要严格的读书纪律。然而，无论如何，你们必须首先明确相信，我们对读书无能为力。大凡有这种心态的人无心读书，他们无法理解每个大作家笔下的每句话。英国公众现在简直无法理解每部思想内容丰富的作品，因为他们贪得无厌到了疯狂的地步，所以已经变得无法思考。幸亏我们所患的疾病尚未超出无法思考的范围，还不是内在品性的堕落。无论什么事只要我们认为有理，那么表面上仍然有理；无论什么事都想"有利可图"，那么这种思想将严重影响我们的一切行动，甚至扮演乐善好施的撒玛利亚人掏出两便士送给接待的主人时，也不会说"我下次再来时，你必须给我四便士"。尽管如此，我们内心深处仍有萌发高尚感情的功能。这一功能表现在我们的工作中，甚至表现在家属不公平的爱恋中。我们一方面会为个人一点小过失而勃然大怒，另一方面对毫无约束的公众过错而大度宽容；虽然我们给耐心的劳动者增添赌徒般暴怒，但是我们一整天仍然勤奋劳动；虽然我们分辨不出战争的真正原因，但是我们在生命的最后一刻仍然勇敢顽强；我们爱自己的至亲骨肉，至死不渝。任何一个民族如果能做到这一点，那么这个民族就有希望。任何一个民族只要把命运掌握在自己手中，时刻准备为自己的荣誉（虽然是愚蠢的荣誉）、爱情（虽然是自私的爱情）、事业（虽然是卑鄙的事业）拯救自己的生命，那么这个民族仍然有希望。然而，这也只是希望而已，因为出自不顾后果的内在美德是不能持久的。任何一个民族倘若变成乌合之众，那么这个民族无论感情如何丰富也不可能长期维持下去。任何一个民族必须抑制自己的感情，否则这个民族总有一天要受到感情的折磨和约束。任何一个民族不可能一味鄙视文学、科学、艺术、自然和同情心，把精力集中在金钱之上，而不受惩罚，而不沦丧。你们是否认为这番话太刺耳、太放肆？请你们再耐心听我多说一会儿。我肯定逐一向你们论证其中的道理。

在此，我可以说你们瞧不起文学。作为国民，我们应该如何对待书呢？相比我们在养马所花的钱，你们是否想到，我们总共用于公共图书馆和私人图书馆的钱到底有多少？谁要是把大笔的钱用于为自己购买图书，你们肯定会骂他是疯子——嗜书狂。虽然每天都有人因马而破产，但你决不会骂他们是养马狂，而你们可曾听说过有谁因书而破产。我们不妨把范围缩小到与联合王国酒窖的比较。你们是否想到我们公共和私人书架上的藏书是多还是少？相比在美味佳肴上的开支，联合王国在文学上的开支又有多大？我们既要谈物质食粮，也要谈精神食粮，而好书所包含的精神食粮取之不尽，有终生受用不尽的粮食，可供我们大部分人阅读。虽然有人为了买书不惜节衣缩食，但在他们心目中图书毕竟比大多数人的晚餐便宜。可是，我们大多数人见到一本好书反而要迟疑良久，才舍得花一条大菱鲆的价钱把它下。接受节衣缩食考验的人愈少，就愈令人感到惋惜，因为一个有价值的东西倘若通过勤劳俭朴获得，那么它在我们心目中就很有价值；普通图书的价钱倘若只有普通一餐饭的一半，或者书价倘若只及一只手镯价钱的十分之一，那就难免有人怀疑读书是否跟吃喝一样有益。由于文学价值如此之低，聪明人也会忘却值得一读的书就是值得一买的书。价值不大的书固然一文不值，就算是有价值的书，倘若我们不去读，不去反复地读，不去做记号以便随时翻阅其中的章节，以使我们就像士兵一样能识别并取出军火库中自己所需的武器，或者就像家庭主妇一样能识别并取出厨房库藏中自己所需的香料，那么有价值的书也派不上用场。白面做的面包是好吃，可面包也包含在好书之中，我们可以试着尝一尝，发现书中的面包如蜂蜜般香甜；一个家庭如果买不起它所需的面包，还不起面包房的账，这个家庭必然穷得揭不开锅。我们称自己为富有的民族，然而，我们实在太愚蠢、太龌龊，居然把我们从图书馆流通室借来的书随便弄脏！

我也可以说，你们瞧不起科学。"什么？"你们肯定会立刻叫起来："我们不是站在科学研究的前列吗？世人无不因为我们的发明弄得晕头转向？"这话说得不错，但你们是否认为那是我们国家发明出来的呢？发明工作的完成与我们国家丝毫无关，而是靠个别人的热情和金钱干出来的。我们很喜欢利用科学，并从中受益。科学就好比一根带肉的骨头，我们迫不及待地从中摄取一切，可要是科学家向我们讨骨头，那又是另一回事了。我们公开为科学家做了些什么呢？为了航行安全，我们必须有时间观念，因此，我们花钱建造天文台。一提到大英博物馆，我们满肚子不高兴，认为它是收藏鸟类标本、供儿童取乐的地方，只好每年靠国会勉为其难为它做一点儿工作。谁愿意自己花钱买天文望远镜，解决辛星云的问题，可我们却大谈特谈辛星云的发现，仿佛辛星云是自己发现的。在无数狩猎的乡绅中，倘若有一个突然发现地球的形成不是为狐狸而是为其他东西提供栖身之所，他自己就会钻进去挖掘，告诉我们哪儿埋藏着黄金，哪儿埋藏着煤炭，这时我们肯定意识到他说的话必然有利于我们，于是十分庄重地授予他骑士称号。倘若一个人偶然发现自己如何有效工作，那么这算不算是我们的荣誉呢？按这样的设想，那么我们是否可以说，他的乡绅兄弟们否定他的发现也许就是我们的耻辱。如果你们怀疑上述观点，那么以下事实应该足以说明我们爱科学的观点值得我们深思。去年有人在巴伐利亚拍卖一批索纶豪汾化石，这些化石是现存最好的一批，包括许多独特的完整标本，其中一个化石由于提供了新物种的例证而更显独特，它表明先前存在一个至今不为人所知的生物王国。在私人买主中，这批化石的市场价格可能高达一千英镑或一千二百英镑，但买主愿意以七百英镑的价格卖给英国，而我们却无意付这七百英镑，幸亏欧文教授不惜牺牲自己的时间，耐心说服英国公众选出的代表同意支付四百英镑，其余三百英镑则由欧文教授负责。如果没有欧文教授，这批化石现在很可能已陈列在慕尼黑博物馆。欧文支付的这笔钱始终要由英国公众还，公众当然不高兴，而且这件事不能给他们带来一点荣誉。我请你们从算术的角度出发思考这件事的意义。你们每年用于公共事业的开支（其中三分之一用于武器）不低于五千万英镑。请注意：七百英镑之于五千万英镑，大致相当于七便士之于两千英镑。我们不妨设想有这么一位绅士——我们不知道他每年赚多少钱，不过，他每年用于花园围墙和仆人身上的钱竟达两千英镑。从这件事我们不难推测他有多少财富。他声称自己爱科学，但当他的仆人急切地告诉他，有一批能为新世纪提供线索的化石以七便士的价格出售时，这位自称爱科学、为自己的花园每年化两千英镑的绅士居然让仆人等几个月再告诉他，"好吧！我给你四便士买进这批化石，如果你愿意在今年内承担其余三便士的话"。

我还可以说你们瞧不起艺术。"什么？"你们一定会再次反驳我："我们举办艺术展览不是足足有几英里长吗？我们不是花几千英镑购买一幅画吗？我们国家现有的艺术学校和艺术机构不是比以前还多吗？"不错，情况是这样，但这些都是为了做生意。你卖煤，同样卖画；你卖铁器，同样卖陶器；只要可能，你们便不惜从他国人民的口中抢下面包；如果你们办不到，你们就会站在世界的通衢大道上，像勒德盖特监狱的见习看守一样对每个路人尖声大叫："你们还缺什么？"你们对自己的能力或环境一无所知，以为站在自己平原上就像法国人站在自己古铜色葡萄藤丛中，就像意大利人站在自己的火山峭壁下，一下子就能获得艺术灵感。你们认为艺术跟记事一样可以轻而易举地掌握；一旦掌握了，你们就有机会收藏更多的书本。你们喜欢画，说的绝对些，你们与其说喜爱画，倒不如说喜欢墙上的账单。你们的墙面随时都有足够的空间让你们贴上供人查看的账单，但绝对没有贴上供人观赏绘画的空间。你们不知道英国有什么名画，更不知道辨别它们的真伪，也不了解对保存它们的情况。在国外，你们对世上现有的最珍贵绘画在废物堆中腐烂（在维也纳，你们见过奥地利大炮对准藏画的艺术宫开火）而无动于衷；当你们得知欧洲有些名画即将变成堆放在奥地利碉堡上的沙袋时，你们内心恐怕不会像你们在一天的狩猎中因失去一、两次猎物机会那样烦恼。这就是你们对艺术的爱。

然后，我可以说你们瞧不起大自然。简言之，你们瞧不起人们对大自然风光的深情厚意。法国大革命者将法国所有的大教堂改建成马厩，你们呢？也把地球上所有的教堂改建成跑马场。至于欢乐，你们仅有的概念并非坐火车绕教堂走廊兜圈子，然后把祭坛踏平。你们在查甫豪森瀑布上架铁桥；你们在毗邻特尔教堂的卢森纳峭壁中开隧道；你们在日内瓦湖破坏了克拉伦湖岸；英国没有一处幽谷不被你们闷雷般炮声震响；英国没有一寸土地不被你们随意倾倒的煤渣弄脏；在布满你们足迹的每座外国城市，没有一条漂亮的古老街道，没有一座欢乐的花园，还不是因为你们的放浪形骸而败坏风气。你们把本民族诗人十分尊重的阿尔卑斯山视为熊黑馆内涂了肥皂的滑溜溜的柱子，让自己爬上去，然后又狂呼乱叫滑下来。当你们尖声怪叫后无法再发出高亢兴奋的声音时，你们就用火药般的爆炸声破坏他人山谷的平静，然后自负得像火山爆发一样，满脸通红地跑回家不断唠叨，其间夹杂着因得意忘形而导致的痉挛性呃逆。在人类社会中，我目睹最伤心的情景，那就是美国的暴徒在萨幕尼山谷开枪放炮，从中取乐；瑞士苏黎世的葡萄园主在"葡萄园之塔"集结，从早到晚给马枪装火药，开火。我觉得，对快乐抱如此的态度太可悲了。

最后，我还可以说你们鄙薄同情。我不必用自己的话证实这一点。我有剪报的习惯，每次把剪下的报纸放在抽屉里，我只要把其中一张印出来给你们看就足够了。以下是我今年（1867）初从《每日电讯报》某一期上剪下的一篇报道。由于一时疏忽，我没在这张剪报上记下日期，不过，日期不难确定，因为其背面有一则通告，上面写着"昨日是大主教在圣保罗教堂主持今年第七次特别礼拜"。这篇报道只叙述日复一日发生的事。一次偶然的机会,这件事以特定的方式提交给验尸官,这篇报道我一定要用红色油墨印出来。请相信,这些事一定要写进书中;我们每个人无论有无文化,总有一天都会读到自己写下的东西。

"星期五,副验尸官理查德先生到斯帕塔奥菲尔德市教会区的白马镇,准备调查迈克尔·科林斯(58岁)的死因。玛丽·科林斯是一个可怜兮兮的女人,她与死者的儿子柯涅利亚斯·科林斯住在基督教堂附近柯布大院二号一间房内。死者是翻制短筒皮鞋的鞋匠,而见证人则在外面收破旧短筒皮鞋,旧皮鞋由死者及其儿子翻新后,再拿到小店出售。由此赚到的钱当然微不足道。死者及其儿子总是夜以继日地工作,以换取一点面包和茶叶,每周支付两先令房租,以免一家人流离失所。上星期五晚上,死者从工作凳上站起来,开始发抖。他把手中的皮鞋扔下,接着说:'我死了,你们一定让别人把这双皮鞋接着做好,我干不了啦。'房内没生火,只听他说:'如果暖和点,我也许好些。'于是,见证人拿了两双翻新皮鞋到小店出售,只卖了十四便士,因为小店伙计说:'我们也要赚钱。'见证人买了十四磅煤,一点面包和茶叶。当晚,儿子为了多卖几个钱,整夜翻新皮鞋,到了星期六早晨,他父亲便去世了。这一家人从来没有吃饱过肚子。验尸官说:'你们不进济贫院,我觉得实在太遗憾了。'见证人说:'我们希望自己这个小家庭过得舒适。'陪审员发现室内只有一点儿麦秸,门窗也是破的,于是便问她,所谓的舒适是什么意思。见证人一听,禁不住哭了,说他们只有一床被子和仅有的几件杂物。死者曾说,他绝不进济贫院。倘若夏天鞋子销路好,他们每周可以净挣十先令,节余一部分钱留到下周使用。一般情况下,下周他们总是过得不好。冬天他们挣的钱不及夏天的一半。三年来,他们的生活每况愈下。柯涅利亚斯·科林斯说,从1847年起他一直帮助父亲干活。他们已经习惯工作到深夜,眼睛几乎都失明了。现在他的眼睛已经蒙上一层翳。五年前,死者向他们所属的教区请求救助。主管救济的官员给了他四磅面包,同时告诉他,倘若下次再来,'他得到的一定是石头'。死者对此十分反感,以后再也不与他们打交道。他们的处境越来越坏,到了上周五,连买一支蜡烛的半便士都没有。死者就是躺在麦秸上说他活不到明天了。陪审员说：'你自己也快饿死了，还是应该进济贫院，在那儿待到夏天。'见证人说：'如果我们进济贫院，非死不可。等到夏天出来，我们就会像天外来客，谁也不认识我们，我们再也找不到房子。我只要有粮食，还能工作，我的眼睛自然会好起来。'沃卡医生说，死者死于昏厥、衰竭和营养不良，死前根本没有被褥，四个月来除了依靠面包充饥外，什么食物都没有，体内没有一点脂肪。他没有病，如果抢救及时，得到护理，完全可以从昏厥中苏醒过来。验尸官说明了令人痛苦的案情性质，陪审员针对他的说明作了宣判：'死者因身体衰竭、营养不良、日用品缺乏，且得不到医疗而死亡。'"

你们一定会问："见证人为什么不愿进济贫院？"穷人对济贫院的偏见是富人所没有的。理由很明显，因为向政府领救济的人都纷纷涌进贫院。然而，唯独为富人设的"济贫院"不存在劳动观念，因而，这样的济贫院应称为娱乐院。看来，穷人宁死也要自立。倘若我们把为穷人设的娱乐院办得很漂亮，令人高兴，或让他们待在自己家里享受养老金，或让他们多少有权动用一点公款，那么他们就能妥协。然而，事实上，我们给予他们的救济不是带有侮辱性就是带有痛苦。这样，他们当然宁死也不愿接受救济。再有一种情况是，我们干脆不让他们受教育，任由他们愚昧无知。这样，他们只能对饥饿无所作为，以至于饿得发狂，饿得不吱声，最后不明不白地死去。我可以说你们鄙薄、无情。如果没有，那么在信奉基督教的国家里就不能有这样的新闻，这就像在大街上不可能出现蓄意杀人案一样。我刚才不是说"信奉基督教"？天呐！倘若我们是本分的非基督教徒，这种事情也许不会发生。促使我们犯下这些罪行的是我们自己想象中的基督教，因为我们沉湎于自己的信仰，在其中歌舞升平，对它有一种不纯的认识。这种信仰好像装点上了其他东西，显得很不真实。在教堂里奏风琴，黎明做礼拜，薄暮时分向基督祷告——我们会毫无顾虑地在诸如罗伯特与浮士德等小撒旦身上，形象地把对基督的嘲弄与对魔鬼的摆布交织起来——为了背景效果，大唱赞美诗，让歌声穿过纹饰窗户，并反复改变模仿的祷文，对赞美诗加以艺术处理（另一方面，每隔一日，我们发表一篇论述我们自以为是的第三戒要义的文章，为诅咒者的利益辩护）。在头顶吊有煤气灯、在灯光照射下的基督看来，我们就是胜利者。我们决不许基督教怀疑的异教徒触碰我们衣袍的尾摆，顺手把它拖回来。用一句浅显的英语或者做一件平凡的事情表现基督教普遍正直，使基督教教规成为生活法则，在此基础上规范全民的行为或者给全民带来希望。由于这个缘故，我们实在太清楚自己最终信仰什么！我们在敬神的迷雾中可能临终前得以复苏，复苏的速度快过近代美国宗教采取的真实行动或从中获得的激情。最好还是把香烟和风管琴一起扔了吧！请把哥特式窗户连同有色玻璃一起交还业主吧！为了身体健康，请把魔鬼般的碳化氢吐出来吧；请照顾那个站在门前台阶上的拉撒路去吧。无论什么地方，只要援助之手握着求援之手，那么这个地方一定建有一座真正的教堂；这样的教堂才是唯一圣洁的教堂；这样的教堂过去有，将来也永远会有。

接下来，我再重复一遍，作为全体国民，你们已经蔑视所有这些快乐和道德标准。实际上，你们有些人并没这样做，你们靠他们的工作、力量、生存和死亡苟且偷生，却从来不向他们道谢。但是，对那些你们嘲笑过或遗忘了的人来说，你们的财富、快乐以及骄傲都是不该得的。警察每晚都要在偏僻阴暗的小巷执勤，以防你们在那儿为非作歹，他的头部也许随时都会遭到外力猛烈的击打，落下终身残疾，却从来得不到人们的感谢；水手们在与狂风巨浪搏斗；安静的学生在绞尽脑汁啃书本；普通工作者在没有表扬，甚至忍饥挨饿的情况下做着自己的工作。这些人就像你的马无望地为你拉着马车，正是依靠他们英格兰才得以继续存在下去，可他们却难以支撑起整个国家，他们只不过是国家这个庞大躯体和神经系统的一部分，依旧照老习惯重复着几近痉挛的代谢，而国家的意识却已消亡。我们"国民"的思想及其目标让人倍感愉悦，我们的"国"教、教堂仪式，以及对令人昏昏欲睡的真相（或非真相）的揭露都可能让游手好闲者安心工作，可同时，我们却在自娱自乐。这种对于享乐的需求像令人发烧的疾病一样附在我们体内，令我们的嗓子沙哑，目光游离——麻木呆滞、漫无目的。当人们忙于工作时，工作就像鲜花花瓣一样能带给人快乐。如果人们真诚地帮助别人，那么流露出来的感情必然永恒存在、鲜活动人。迄今为止，因为我们找不到好工作，所以我们的男性朋友们就把全部精力倾注在钱财上；因为我们缺乏真正的感情，所以我们就表现出虚情假意；我们在舞台上和小说中重现自己并不履行的正义；我们以哑剧的形态变化取代遭到我们破坏的天性美；我们满足于法庭上令人哀叹的陈词，满足于收集墓穴水和夜露水，以此取代我们本该流下的崇高的悲情泪——在我们的人性中自然而然存在某种恐惧与忧伤。

要说清楚上文提到的那些事实的真正意义并非容易；那些事实的确骇人听闻。我们允许每天有无数人死亡，可并无恶意。我们纵火烧房，洗劫农民良田。我们一旦发现自己伤害了别人，应该感到愧疚。毕竟我们还有一副菩萨心肠，可以做些好事。可惜的是，在这方面我们与孩子没什么区别。查尔莫斯在漫长的一生中拥有左右公众的巨大权力，晚年因在某件严肃的事情上征求"民意"而受折磨，为此极不耐烦地高呼："公众只是大孩子而已！"我之所以把这些严肃的思想问题和探索读书方法交织在一起，是因为我看到本民族的过失与不幸越多，这些过失和不幸越显得幼稚。因而，这显示出，我们习以为常的思想顽疾在于缺乏教育。让我们再重复一遍：让我们感到悲哀的不是恶习，不是自私，不是愚蠢，而是不可触及的小学生似的鲁莽，这种鲁莽不同于小学生的真正鲁莽，因为鲁莽者根本不承认什么老师的存在，以至于排除接受教育的可能性。

在最后一位大画家那可爱却被遗忘的画作中，我们发现它自身有一个令人好奇的特点，该画取材于一幅科柯比·朗斯代尔教堂墓地的绘画，画面中墓地周围溪流潺潺，峡谷险峻，山峦起伏，远处笼罩在清晨朦胧的薄雾中，水天一色。不经意间，我们感觉画面似曾相识：死神离开这里，向其他地方的峡谷和蓝天进发，一群男生在坟茔上将书本堆成小山，然后向书堆不停地投掷石块，直到把它击倒。于是，我们开始玩死神教给我们的文字游戏，以自己的意志痛苦、鲁莽地把它们从我们头脑中驱逐出去，就像风起落叶飞舞的场景，越来越多的落叶堆积如山，四处都是，有的落在墓碑上，有的落在遭世人诅咒的地下室封条上——不，那是由长眠于地下的国王们建造的伟大皇城之门，只要我们知道如何用姓名唤醒沉睡中的国王，他们就会醒来，与我们比肩而行。

在大多数情况下，即使我们能够抬起这扇厚重的大理石门，我们又能做些什么呢？在这些沉睡的国王身边闲逛，摸一摸他们的长袍，碰一碰他们头顶上的王冠，仅此而已。面对我们，他们仍然缄默不语，看上去只不过是一幅尘封多年的图画，之所以这样，是因为我们还没有掌握如何破解足以唤醒他们心灵的咒语；而他们只要一听见咒语，就会凭借自身久违的力量立刻起身与我们见面，全神贯注地看着我们，就像沉睡中的冥王哈得斯一样思索问题，在梦乡之中见到刚睡的人时说："你们不也跟我们一样软弱，成为我们当中的一员吗？"刚登基的帝王跟地狱中的帝王一样，戴着金光闪闪的皇冠前来迎接我们，并对我们说："你们的心也变得跟我们的一样纯洁、一样强大吗？你们也成为我们当中的一员吗？"

心灵变得强大和思想变得强大，那么人就变得"宽厚"，这实质上就是生的伟大；人不断变得宽厚，实质上是在人生中开拓，也就是在生活自身中开拓，而不是在生活的装饰品中开拓。朋友们，你们是否记得西徐亚人的古老习俗？当一家之长去世时，他们给死者穿上最好的衣服，把死者放在战车上带到死者生前的朋友家；在每位朋友家里，主人把死者安排在餐桌的重要席位，让大家与死者一道进餐。倘若有人向你们建议：你们自己还活在世上时，让自己逐步获得西徐亚人的这种荣誉，其具体建议如下：你们必须慢慢地死去，热血日渐冷却，肌肤得日渐僵化，最后心脏得像生锈的活塞一样搏动，生命慢慢地消逝，穿过地球，沉入肯纳的冰层中。倘若你们愿意，你们的尸体将日复一日地被打扮得漂漂亮亮，置于高高的战车上，胸前挂上很多奖章，头戴华丽的冠冕；然后，人们将向你们的尸体顶礼膜拜，凝视着它，在它周围欢呼雀跃，蜂拥在它的后面。此外，人们还为了安葬尸体改造宫殿，让它坐在餐桌的重要席位，彻夜与它一道进餐；你们的灵魂将在躯体中停留一段时间，让你们知道人们在干些什么，感知金饰衣服在肩上的重量和冠冕在头顶上留下的痕迹——这就是具体的建议。你们是否接受死神口头提出的这一建议？你们可能认为只有最卑贱的人才会接受这个建议吧？其实我们每个人都或多或少能接受这一建议，甚至这一建议显得十分恐怖时，仍然有很多人接受它。因为每个人都希望在人生中开拓，却不知人生为何物，所以他们都会接受它；因为每个人都希望获得更多的马匹、仆从、财富、公开荣誉，而不希望获得更多的个人精神,所以他们都会接受它。另一方面,只有心地善良、头脑敏捷、心境平和的人,才会在人生中进行开拓。人只有过上这种生活,才能成为地球上真正的帝王和朝臣。其他的一切王权只要是真实的,都不过是地球上王权拥有具体产物的体现;倘若不是真实的,那么它们就是戏剧化的王权,(用真正的珠宝而不用华而不实的金属片堆成的昂贵装饰),无异于国家的玩具,根本不是王权,而是暴政,或者只是最耀眼的国家愚昧之产物。由于这个缘故,我在其他场合提到这一点时,总是说:"执政的政府只是某些人的玩具,成了某些国家的疾患与缰绳,而对于更多的国家来说则成了更大的负担。"

时至今日,我仍然听人——甚至有思想的人——在谈论帝王时,仿佛认为,帝王统治下的国家是其私有财产,可以像羔羊一样买卖,可以借助其他手段获得;羊羔的肉,帝王可以拿来吃;羊羔的皮毛,帝王可以拿来用。好像阿喀琉斯[①]愤怒地咒骂卑鄙的帝王时就采用这样的形容词——"吃人的",确实,"吃人的"是每位帝王不可更改的称号,似乎帝王领地的扩大与私人地产的增长是同一回事!我无法形容听见这些谈论时自己的惊讶。如上所述的帝王,无论他们怎么理解自己的权威,无论他们怎么强大,也不可能是国家真正的帝王。他们成为帝王,无异于牛虻是马的"帝王"一样;他们吸国家的血,把国人逼疯,但从来不领导国家。倘若我们的认识是正确的话,他们以及他们的朝廷和军队只不过是沼泽里的大蚊子,长着刺刀状的吸血嘴,在乐队大师的指挥下,在夏日的天空中和谐地吹着喇叭,到了薄暮时分,情况或许会好一点儿,但却不利于人体健康,因为这时候成群结队的小虫形成了闪闪发亮的雾霭。与此同时,真正帝王的统治不动声色,如果真要有什么国事的话,他们讨厌统治国家;他们当中不愿当帝王的人不在少数;如果他们不放弃王位,一旦出现可能对乌合之众有利的情况时,后者肯定要废弃他们。

但是,在位的帝王倘若是根据国力而不是根据地理边界估计自己的

---

① 阿喀琉斯:希腊神话中的英雄,他的母亲在他出生后,倒提着他的双脚将其浸在冥河水中,因此除去双脚外他浑身刀枪不入。

领地，他们总有一天可能成为真正的帝王。特兰特运河是否在这儿为你划出一小块土地？莱茵河是否在那儿为你少圈了一座城堡？这对你们来说无关紧要。但是，人民的帝王对你们来说却至关重要：你们对某人说："走。"他会不会走；你们对某人说："来。"他会不会来；你们能否左右自己的人民，如同治理特兰特运河——要它流向何方，它便流向何方？人民的帝王对你们至关重要的是帝王是否恨你们，是否因你而付出生命的代价？是否爱你们，依靠你们生存？根据人口的多少衡量领地的大小，不如根据面积的大小衡量王权的强弱；爱的纬度应该根据爱距离赤道的长度计算。

现在就说一说衡量吧！有些人"辛勤劳动，诲人不倦"，是人间王国和天堂王国最伟大的人；有些人则不劳动，只消费，他们的力量充其量只相当于飞蛾和铁锈的力量。谁能衡量出上述两者之间的力量差距呢？说也奇怪，飞蛾王为小飞蛾储蓄宝藏；铁锈王之于人民有如铁锈之于盔甲，为铁锈换得一份宝藏；贼王为小偷储蓄宝藏。然而，帝王真正储蓄的宝藏无须加以保护，因为宝藏实在太少了！绣花的黄袍专供撕扯，铸就的头盔和刀剑专门为了失色，金银珠宝专供散发——收集宝藏的就以上三类王者。假设还有第四类王者的话，那么他们应该是在阅读模糊不清的古文献时发现第四种宝藏，而这种宝藏是金银珠宝无可比拟的，也不可以纯金表示其价值。均匀的印染布只有用雅典娜的梭才能编织出来；上等的铠甲只有借助火神的力量才能锻造；真金一定要借助太阳的光和热才能提炼出来，所以把它们放在阿婆罗神庙的山崖上。只有这样才能得到均匀的印染布、坚实的铠甲以及真金！——行为、劳累、思想这三大天使仍在呼唤着我们，在我们的门前衷心守护着，只要我们自己愿意任由它们指引，它们就会借助翅膀的力量指引我们前进的方向。家禽飞不到的地方以及秃鹰飞不到的高度都难逃它们的眼睛。如果很多帝王表示自己听过这些话，并且愿意相信，那么他们最后能否聚在一起，捧出所有的智慧宝藏惠泽自己的臣民呢？

你们不妨想一下，这是一件多么令人惊讶的事！我们民族的智慧处在目前的状况，这是一件多么难以置信的事！在教育农民的过程中，我们给予他们的应该是帮助他们读书识字，而不是拼刺刀——我们应该组织他们，训练他们，给他们拨款，并配备优秀的指挥官以建立起一支思想家队伍，而不建立杀人犯的队伍；应该像在演武场中一样在阅览室中找到民众的乐趣；奖励人们发现真理，就像我们奖励实弹射击命中目标的人一样。说句公道话，在文明的国家里，资本家的财富应该用于学术而不用于战争，而用于战争似乎太荒谬了吧！

我有一本书堪称好书，它是我全部著作中流行时间最长的一本书。我要从中摘一句话读给你们听，请你们耐心听我读下去。

"资本家的财富是非正义战争的唯一支柱。非正义战争是欧洲一种极其可怕的财富运作模式。正义战争不需要这么多钱，因为大多数参战者不索取报酬。但是，发动一场非正义战争需要花钱收买参战者的肉体和灵魂，为他们添置最精良的武器。因此，非正义战争的代价十分昂贵；民众对自己的民族没有足够的好感并自欺欺人，以至于无法换来一个精神和平的国家；他们因彼此间的卑鄙、恐惧、愤怒和猜忌而付出的金钱就更不用说了。例如，现在的法国人和英国人每年都因恐惧得花一千万英镑收买对方（这是借助近代政治经济学家不宣传真理只宣传贪婪的'科学理论'，从而播下收割数量十分糟糕的庄稼，其中一半是荆棘，一半是白杨树叶）。一切非正义战争倘若不靠掠夺敌人，只靠资本家的贷款维持，那么这些贷款就得依靠日后向人们征收税款去偿还；在这件事情上人们无权过问，而资本家的贪得无厌才是战争的主要根源。但是，战争的真正根源毕竟在于整个民族的贪婪，贪婪使整个民族失去信心，不讲信誉与正义，总有一天将国家的损失和所受的惩罚转嫁到每个国民头上。"

我们从文学的角度可以看出，法国人和英国人的确因恐惧花大量的金钱收买了对方，每年为此付出一千万英镑的代价。倘若它们每年不花一千万英镑去收买对方，而是下决心与对方和平相处，双方每年都花一千万英镑去购买知识，或设立皇家图书馆、皇家艺术馆、皇家博物馆、皇家花园以及其他公共设施，这对法国和英国来说不是解决问题的更好方法吗？

也许等到这一切真正结束时还有很长的路要走。但是，我希望不久之后在每座大、中城市都将建立皇家图书馆或国立图书馆，收藏一系列皇家书籍以及其他系列丛书。每本藏书都得经过严格挑选，堪称精品中的精品，以尽可能完善的方式为收藏国家系列丛书做准备。藏书的文字内容全部印在相同大小的书页上，采用大开本，恰当分成若干卷，拿在手里毫无沉重感，装帧精良美观、结实耐用。此外，所有大图书馆从早到晚只会向所有衣着整洁、彬彬有礼的人开放，制订严格的规章制度和法律以确保图书馆整洁安静。

　　我还为你们准备了其他计划。我可以为你们设计艺术馆和自然博物馆的蓝图。但是，上文提及的图书计划很有必要，也很容易实现，就像我们认为英国宪法很有必要也很容易实现一样，显然，该计划将证明是一种有助增进身心健康的计划，可人健康一段时间后就会患浮肿病，极度渴望更为健康的滋养。为此，你们本应该放弃《谷物法》，如果你们尚未制订新的《谷物法》，那么请尝试把芝麻当作一块很有营养的面包——这块面包是由古老的、带有咒语的阿拉伯谷物芝麻制成的"芝麻开门"，你们打开的将不是强盗的赃物之门，而是国王的宝藏之门。

百合：装饰王后的花园[①]

"啊，干涸的沙漠，但愿你高兴快乐，高兴快乐得像百合一样盛开；约旦的不毛之地一定会布满茂密的丛林。"

——《以赛亚》第三十五章第一节

这一篇演讲是我上一次演讲的续篇，我必须向你们讲清楚我这两篇演讲的总体目标，这似乎更好些。在第一次演讲中，我特意向你们提出怎么读书和读什么书的问题，这两个问题源于一个更深层次的问题，也是我大力鼓励你们向自己提的问题，即为什么要读书。现在请你们与我一起解读这样一件事：无论我们在普及教育与文学方面创造了什么有利条件，在明确了教育走向何方和教授什么学问后，我们才真正接受有利条件。但愿你们能够意识到：指导有方的道德教育与选择得当的阅读能使人有股力量战胜误导与无知；毋庸置疑，从一定程度上，这股力量本质上属于帝王，真的能在人世间确立无比纯正的统治。其他许多方面的统治无论是表面上还是物质上的力量多么巨大，都是魔鬼或暴君的统治。实质上，这些统治只是徒有其表的王权，像死亡一样空虚，只是"戴着一顶像王冠一样的帽子

[①] 作者1864年12月14日为圣安德鲁各级学校募捐，于曼彻斯特市政厅发表的一篇演讲。
——著者注

而已"；所谓的暴君统治，实质上是以个人意志取代帝王赖以统治的律法与爱心。

让我再重复一遍，世上只有一种纯正的帝王统治。因为必须给你们讲授这一点，所以我一开始就谈到它，临结束还要谈到它。真正纯正的王权只有一种，其标志不是头顶上的王冠。这种王权亘古不变，不容置疑，它以高尚的道德规范和真实的思想状态为基础，能指导或提高人们的道德思想。请注意"状态"（state）一词，这个词我们用得实在太多了，其本意是指物体的静态与稳定，从其派生词"塑像"——不能移动的物体，我们可以体会该词的全部意义。帝王的威严或"国家"的权利之所以称为"国家"的，是因为它们完全依赖于不可动摇性，即不抖动也不震动，所以永远处于平衡状态；它们的不动摇性基于不可改变、不可颠覆的永恒法则。

不容置疑的是，一切文学或教育要是想发挥作用，我们就必须承认这种平衡的、有益的、崇高的权力。出于这一认识，我请你们与我一起深入思考一下女性理应享受什么特殊待遇，帝王有什么权力，女性在何种程度上可以享有真正的权力——既主管家庭又主管其权利范围内的一切事务。假如她们能真正理解帝王的影响力，并能恰当地运用之，那么从女性温和的权力中引申出来的美感与法度，在何种意义上能使我们理直气壮地把女性统治下的领地称为"王后花园"呢？

在这件事情上，我们遇到一个更为深刻的问题。这个问题虽很奇怪、很重要，但对此你们始终没有定论。

在我们一致明确女性普遍享有什么权力之前，我们无法决定什么权力应该是女性的最高权力；在我们一致明确什么职责是女性经常履行的职责之前，我们无法考虑教育如何才能使她们适应日益增加的职责。读到这个对全社会的幸福十分重要的问题时，从来没有谁说过放肆的话，也不容许谁有更空洞的想象。女人天性与男人天性之间的关系以及智力与美德的差异似乎人类从未做过完全一致的估量。我们曾经说过女性的"使命"与"权力"，仿佛她们的使命和权力与男人的使命与权力脱节似的，仿佛她和她的丈夫是彼此独立、同床异梦的两类人。这种认识是错误的。认为妻子只是丈夫的影子和侍者，必须对他百依百顺；当她表现软弱时，她才会明显得到丈夫的强力支持。这种认识也是错误的，甚至是十分可笑的（因为我一直盼着我所希望的东西得以证实）。

大家请注意，这就是一切谬论理论中对女性——作为男性助手的女性——最愚蠢的认识，仿佛男性真能得到影子般或仆人式的有效帮助。

当我们谈到男性的思想和美德时，我们不妨思考一下，女性的哪些思想和美德起主导作用，为人真正接受的男女关系是如何增进双方的活力和尊严的？对此，我们是否有那么一点儿清晰的、一致的认识（我们的认识倘若是清晰的，自然也应该是一致的）？

说到这里，必须重复我在上一讲中提到的一件事：教育的第一要义就是使我们能在一切真正困难的问题上与最明智的伟人共同商讨。我们正确使用书本就等于求助书本，在知识与思维能力无济于事时向他们呼吁：让书本扩大我们的视野，使我们获得更纯粹的观念，并从中接受历代的审判者和审判机构对我们个人不妥的意见做出统一的判断。

现在就行动起来吧，看看历代最伟大、最明智、最善良的人在这个问题上是否有一致的看法。听听他们在说明女性的真正尊严及其帮助男性的方式上有什么见解。

首先，我们以莎士比亚为例。

一方面，莎士比亚在其剧作中并没塑造男英雄形象，而只塑造女英雄形象。除了他笔下轻描淡写的、纯粹出于舞台效果予以渲染的亨利五世和《维罗纳两绅士》中的范伦丁外，他并未塑造出一个完整的男英雄形象。在他精心创作的完整剧本中，你们找不到男英雄。倘若奥赛罗不那么单纯，始终没有成为他周围一切卑鄙者的牺牲品，那么他可能成为男英雄，也只是接近男英雄而已。科利奥兰纳斯（《科利奥兰纳斯》）、恺撒（《尤利乌斯·恺撒》）和安东尼（《安东尼与克里奥佩特拉》）总以不完美的形象出现，最后又因虚荣而垮台；懒洋洋的哈姆雷特总在糊里糊涂地猜想；罗密欧则是一个急性子男孩；威尼斯商人疲惫地屈服于厄运；《李尔王》中的肯特心地十分善良，但行为过分粗野，关键时刻却派不上用场；奥兰多（《皆大欢喜》）的高尚虽然不亚于其他人的高尚，但他却是命运之神的、令人同情的玩物，任凭罗瑟琳追随、安慰和拯救。另一方面，莎翁的剧本几乎没有一本不描写执著于希望、有坚定目标的完美女性。考狄利娅、苔丝狄蒙娜、伊莎贝拉、赫米娅、伊摩琴、凯萨琳王后、潘狄塔、西尔维娅、薇奥拉、罗瑟琳、海伦娜，以及最可爱的维吉利亚[①]都是完美女性，她们都是从人类英雄的模子中铸造出来的。

我们进一步发现，莎士比亚每部剧本提到的灾难都因男子的愚昧而起。这些灾难如果能够挽回，那都得归因女性的聪明才智与美德。要是没有她们，任何补救都是不可能的。李尔王的灾难是因为自己优柔寡断、渴望虚荣和误解孩子，假如他不抛弃唯一真正爱他的女儿，这个女儿本可以及时拯救他，使他另外两个女儿无法加害于他，不过，她最终还是拯救了他。

我没必要回顾奥赛罗的故事，或他那强烈的爱所包含的一点软弱。奥赛罗的洞察力怎么都不如剧中另一女性奥菲利亚；后者极力反对他犯错误："啊，凶手是个花花公子，像你这样的笨蛋该如何对待自己的妻子？"她在大放厥词中死去。

在《罗密欧与朱丽叶》中，朱丽叶明智而勇敢的谋略都毁于罗密欧鲁莽的心情。在《冬天的故事》和《辛白林》中，两个美好家庭因父辈的愚昧和固执而长期失去快乐，最后靠妻子的聪明才智才得以维持。在《一报还一报》中，法官卑鄙无耻地极力反对女性坚定的信仰。在《科利奥兰纳斯》中，母亲的忠告如果及时得以采纳，她的儿子就有可能在罪恶中自救。儿子之所以毁灭，是因为一时忘记了母亲的忠告；母亲的祷告终于灵验，她挽救了儿子，当然不是把他从死神中挽救出来，而是使他免遭诅咒，被人骂作"亡国者"。

至于朱莉亚[②]，她有一个坏孩子般的情人，一向反对他的轻佻；关于她，我该说些什么呢？海伦娜遇到一个鲁莽的青年，一再反对他的乖戾和

[①] 考狄利娅、苔丝狄蒙娜、伊莎贝拉、赫米娅、伊摩琴、凯萨琳王后、潘狄塔、西尔维娅、薇奥拉、罗瑟琳、海伦娜、维吉利亚——皆为莎翁戏剧中人物，依次为：《李尔王》《奥赛罗》《一报还一报》《冬天的故事》《辛白林》《亨利五世》《冬天的故事》《维罗纳两绅士》《第十二夜》《皆大欢喜》《仲夏夜之梦》《科利奥兰纳斯》。

[②] 朱莉亚是《维罗纳两绅士》中的人物。

侮辱；关于她，我又该说些什么呢？此外，还有希罗的耐心以及贝特丽斯①的激情。那个"没有教养的姑娘"沉着冷静地奉献出聪明才智。当男人感到绝望，表现出盲目和报复的心态时，她就像温文典雅的天使徐徐降临，一出现就给他带来安全感，以女性少有的周密而正确的思想战胜恶行。

通过进一步研究，我们不难发现，在莎士比亚剧本的主要人物中唯一的弱女子是奥菲利亚。她面临的所有苦难之所以接踵而来，是因为她在关键时刻辜负了哈姆雷特的信赖，在他最需要她的时候，不能给他以引导；同时，由于性格的关系，她也不可能成为他的领路人。最后，虽然莎士比亚的剧作中还有麦克白夫人②、里甘和高纳里尔③这三个坏女人，但我们毕竟能够马上意识到，她们只不过是有悖生活常理的三个例外；她们所产生的致命影响与她们抛弃行善原则的程度成正比。

综上所述，莎士比亚塑造这些女性人物总的目的是，表明自己在人生中的对女性地位及其特征的个人见解。他把女性塑造成忠诚与聪颖的参谋，正直与纯洁的化身。即使她们无法拯救人类，她们也永远是伟大的，值得我们奉之为神。

接下来，我想请你们了解一下沃尔特·斯科特的见解。之所以如此，不是因为斯科特对人性的认识可能超越莎士比亚（应该说他对命运的起因与发展不甚了了），而是因为他这位作家向我们广泛展示出道德社会内部的思想状况与思维模式。

我想不谈论他的浪漫散文，因为在我个人看来他的散文毫无价值。虽然他早期的浪漫主义诗歌很美，但是它们所反映出来的只是男孩凭借理想提出的一般见解而已。一方面，他的有些作品虽出于苏格兰人的生活，却能提供最真实的见证。在他所有这类作品中，只有丹迪·丁梦特、罗布·罗伊和克拉弗豪斯三人才能算是英雄，其中一人是边陲的农民，一人是海盗，最后一人是参加非正义战争的士兵。他们只在勇气与信念上以强大却

---

① 希罗和贝特丽斯都是《无事生非》中的女性人物。
② 麦克白夫人是《麦克白》中的人物。
③ 里甘、高纳里尔是《李尔王》中的人物。

未成熟的智力追逐英雄主义的理想；另一方面，斯科特笔下的年轻人都是怪诞命运之神手中的玩物。唯有在命运的帮助下（或者事出偶然），他们才能经受住他们不愿经受的考验而不至于毁灭。在他所构思的年轻人中，我们丝毫找不到一个人能遵守纪律，始终不改初衷，认真追求崇高目标，而且在面对各种敌意并肯定受到挑战时能十分沉静冷静。然而，在他的想象中，却不乏种种有美德、有柔情和有智力的女性——艾伦·道格拉斯、弗洛纳·麦克艾伐、罗斯·布列华黛娜、凯萨琳·塞顿、狄安娜·维农、利利亚斯·里德干特列、爱丽丝·布雷德诺斯、爱丽丝·李、珍妮·迪恩[①]等。在所有这些人物身上，我们都可以找到永远正确的、必然的尊严与正义。人一旦意识到责任，尤其是意识到职责的真正要求，就会迫切做出义无反顾的大无畏自我牺牲。她们虽从属于受约束的爱情，却表现得从容不迫，不局限于防着自己的爱人，意识到自己所肩负的职责，而那些与她们不配的恋人的性格，使得我们直到故事结尾仍能耐心倾听书中情人们述说他们本不该赢得的胜利。

因此，无论何时，就像在莎士比亚眼中一样，在斯科特眼中是女子监督、教育、引导年轻男子，而不是年轻男子监督和教育女子。

让我们罗列伟大的意大利人和希腊人的一些虽简短却严肃的看法。你们想必都很熟悉但丁的伟大诗篇吧，那是一首献给但丁已故爱人的情诗，也是一曲世人赞颂她监督自己灵魂的赞歌。虽然她委曲求全从不是为了爱情，而是为了怜悯，但她毕竟在他即将毁灭时将他拯救，让他不至于下地狱。当他误入歧途时，她却从天而降给予他帮助；作为他的老师，她领着他飞向天堂，一路上不断向他解释那些最难懂的人神真理，反复告诫他，同时又带他在星际之间穿梭。

我并不执着于但丁的观点，不过，既然开了头，不可能就这么草草结束；再说了，在你们看来，这可能就是诗人内心狂野的想象。因此，我更

[①] 艾伦·道格拉斯、弗洛纳·麦克艾伐（《威佛利》）、罗斯·布列华戴娜（《威佛利》）、凯萨琳·塞顿、狄安娜·维农（《罗布·罗伊》）、利利亚斯·里德干特列（《里德干特列》）、爱丽丝·布雷德诺斯（《贝弗利尔·皮克》）、爱丽丝·李（《伍德斯托克》）、珍妮·迪恩（《麦德洛亚恩的监狱》）。

愿意给你们读一段诗，这是一首比萨骑士精心构思、献给他在世的爱人的诗。这首诗具有13世纪到14世纪初所有高尚男性的所有感情特征。它保留在许多记载骑士荣誉与爱情的文献中，是但丁·罗赛蒂从意大利早期诗人那儿为我们收集到的。

  哦！你的法则已经通过：
  我的爱必须让你知晓——
  为你效劳，对你臣服；
  由于这样做，身心充满快乐，
  请允许我做你统治下的奴仆。
  没有也许，我是真的欢天喜地，
  因为你，快乐之花绽放，
  我已决定为你的美丽效劳；
  无论什么事似乎都不会无风起浪
  无法引发悔恨与痛苦；
  在你身上寄托全部的思念与感情；
  所有美德都从你那儿流出，
  如同泉涌水流；
  因而你的礼物饱含智慧的精华，
  以及永不萎谢的荣誉；
  所有善良的君王都与你同住，
  充分体现你完美的风度。

  夫人啊，我心中保留着
  那副令人喜悦的面容，
  我的生命已经超然，
  在灿烂的阳光中栖息于真理的寓所；
  从前我在生活中，的确，
  摸索于黑暗处的阴影中，

在那儿消磨了无数的时光,
但始终没有找着善良。
现在,我的效劳
属于你,我内心充满宁静与欢乐;
你把我从野兽变成人,
因为我只是为了你的爱而活。

你们可能认为,希腊骑士对女性的评价低于这位基督教徒对其情人的评价。在精神上,希腊骑士对女性并不绝对顺从;至于女性的个性,倘若我认为你们很理解我,我早就以希腊女性为例,而不提莎士比亚笔下的女性了。比如,用希腊女性的例子说明典型的理想信念以及人性美;安德洛马刻城①的母亲们和妻子们心灵淳朴;卡珊德拉②有超人的智慧但却受人排斥;快乐之城诺希卡的人们过着欢快而纯朴的生活;终生注视大海的珀涅罗珀③在生活中所表现出家庭主妇的冷静;在安提戈涅④身上表现出大无畏的精神和至死不渝的虔诚;伊芙琴尼亚⑤像羊羔一样沉默顺从;阿尔刻提斯⑥为了拯救自己的丈夫沉着冷静地经历死而复生的痛苦,从坟茔出来后向希腊人诠释复活的希望。

如果时间充裕,我还可以向你们逐一列举这类例子。以乔叟⑦为例,我向你们说明他为什么创作《贤妇的故事》,而不创作《贤男的故事》。

---

① 安德洛马刻城,希腊城市。
② 卡珊德拉,希腊女神,凶事语言家。
③ 珀涅罗珀,希腊女神,奥德修斯的忠实妻子,丈夫远征二十年,期间她拒绝了无数求婚者。
④ 安提戈涅,希腊女神,底比斯王俄狄浦斯之女,因违抗禁令而自杀身亡。
⑤ 伊芙琴尼亚,希腊女神,迈锡尼王阿伽门农的女儿,险被其父供神而牺牲。
⑥ 阿尔刻提斯,希腊女神,阿德墨托斯之妻。
⑦ 乔叟(1340?—1400),英国诗人,他在创作时使用的是伦敦方言,后使其成为英国文学的语言,代表作是《坎特伯雷故事集》,作品主要反映的是14世纪时期英国各阶级的生活面貌,体现了人文主义思想。

以斯宾塞①为例，我为你们指出他笔下英俊的骑士为何事受骗，又为何被征服；乌娜的灵魂为何从未蒙上阴影；布里托马特的枪为何从未折断。我还可以回顾带有神话色彩的古训，为你们指出，伟大的人民如何通过自己的公主而非亲属说明世上所有立法者都得受教育；伟大的埃及人民——当时最聪明的民族之一——如何称女性为智慧的精灵，把纺织梭子放在女性手上作为智慧的象征；希腊人相信智慧之神如何变为头戴橄榄枝头盔、手执云盾的雅典娜。即使在今天，无论你们说的什么民族艺术、文学和美德的至上珍品，都得归功于对雅典娜的信赖。

不过，我想言归正传，让你们听一听这些带有神话色彩的古老传说；我只要求你们赋予世上这些伟人和诗人的思想以其应有的价值，正如你们所见，在这个问题上他们的见解是一致的。请你们说一说，我们能否这样想：在他们一生的主要作品中，他们往往通过虚构无益的男女情感自娱自乐，甚至比这种虚构更糟糕，因为想象中的事情只要可能，仍然可取。然而，按照我们对婚姻的认识，他们理想的女性却一无是处。我们认为，女性并不引导男性，甚至不为自己思索。男性的聪明才智一贯优于女性，他们似乎注定要成为思想家和统治者；他们的持重就像他们的权力一样胜过女性的持重。

难道在此问题上果断做出决定就没一点意义吗？究竟是这些伟人错了还是我们错了呢？莎士比亚、埃斯库勒斯、但丁和荷马为女性梳妆打扮，甚至比这更糟糕的是，给不近情理的虚构形象打扮（这些虚构形象若是真实，将会给无数的家庭带来灾难，毁灭所有的爱）是为了我们吗？假如你们这样想，请最后接受人类有爱心者所提供的可作为依据的事实吧！

在以纯洁或进步著称的基督教时代，有情郎对心上人一向百依百顺，无私奉献。所谓百依百顺，不但指内心中的顶礼膜拜，而且还指行动上的绝对服从；情人不仅从他的恋人——无论她是多么年轻——那儿得到鼓

---

① 斯宾塞（1552—1599），英国诗人，因长篇寓言诗《仙后》而闻名于世，另著有《牧人月历》《结婚曲》等，其语言和诗歌对后世英国诗人产生了深远的影响。尤纳和布里托马特是《仙后》中的人物。

励、赞扬和犒赏，而且在需要做出抉择和对付难题时还要唯命是从。至于这种骑士制度，战争时期的一切残忍、和平时期的一切不义、家庭成员的一切堕落与卑鄙行为，都主要归咎于该制度的弊端；此外，我们捍卫信仰、法律与爱情，这应归功于该制度原始的纯洁力量。请注意：从高尚生活最初形成的概念来看，这种制度认为年轻骑士必须屈从情人，对她们唯命是从，甚至有时还得忍气吞声。之所以有如此认识，是因为骑士首领认识到：每一颗真正经过教化的骑士的爱心都有不可或缺的最新冲动，这种冲动就是为心中的情妇盲目效劳；上文所述的骑士对少女的顶礼膜拜是对人类力量的神化，一切目的的延伸。这种膜拜之所以可能，不是因为它使得不体面的人变得更体面，而是因为每个高尚的、受过合理教育的青年既不可能去爱他不信赖的人，也不可能去爱不果断服从其祷告似命令的人。

　　我并不想提出更多的论据去论证这一观点，因为我觉得这种观点定会让你们了解早已存在的事实，同时感知应该存在的事实。你们别以为骑士的情妇亲手给他们穿戴盔甲是浪漫而任性之举。精神上的盔甲只有当女人把它扣牢才能凌驾于感情之上；一旦没有扣牢，男性的荣誉就要失去光彩。你们是否知道这几行人们所喜爱的诗句呢？但愿英国所有的年轻女性都读过：

　　　　啊，落落大方的女人！
　　　　她可以为他可爱的东西标价，
　　　　因为她知道他不可能挑选，
　　　　只能照价付款；
　　　　她的乐园收费很低，
　　　　无偿献出她的无价之宝，
　　　　面包和酒变坏，浪费该多可惜！
　　　　如果节约，那么节约下的饮食
　　　　足以使野兽变成人，使人变神！

　　情人关系我们就谈到这里。我相信你们会接受我的观点。不过，我们一直怀疑,这种关系始终伴随人的一生是否合适。我认为,这种关系对情人与情妇而言是适合的,可就夫妻而言却有点过。简言之,我认为当我们对某人的爱不信任,对其品性只有片面、模糊的认识时,我们仍有责任对他表示尊敬与关切。一旦他的爱毫无保留地为我们拥有,其品性经鉴别后,我们能毫无顾忌地把自己一生的幸福相托时,我们就不应该对他表示尊敬,也不用为他承担责任。这种想法既不可取也不合理!难道你们对此就没半点察觉吗?婚姻毕竟是婚姻,只能是一种保证,它明确地标志着一时的效忠向永恒的效忠过渡。难道你们对此就没半点感触吗?

你们可能会问,女人的主导作用如何与其丈夫真正的服从协调起来?简言之,夫妻只能在这方面相符,即女人的主导作用仅限于"主导",而不在于决定。现在,让我简明扼要地向你们说明这两种力量是可以正确区别的。

我们如果谈论一性别"优于"另一性别,仿佛男女可以拿相似的东西做比较,那么就实在太愚蠢了。一性别具备另一性别不具备的东西;一性别可以弥补另一性别的不足;两性各自的东西毫无相似之处;两性的完美幸福有赖于彼此索取和获得只有对方才能提供的东西。

简而言之,两性各自的特征是:男性具有积极的、进步的、刚性的力量。显然,他们是实干家、创造者、发现者和保卫者。他们的智力适合发明创造;他们的能量适于进取、战争和征服。只要他们参加的战争是正义的,他们就有不可或缺的征服力量。然而,女性的力量不适合战争而适合做决定;她们的智力不适合发明创造而适合做出决定以及巧妙的安排。她们了解事物的性质、需求和级别。她们的伟大之处在于懂得赞扬别人。她们不参与竞争,却能百分之百确定胜利王冠的归属。鉴于她们的职能和地位,她们应该受到保护,不应该受到任何的威胁与引诱。男性在外部世界从事艰苦的劳动,必须面对失败和攻击;不可避免要犯错误;不时受伤或被征服,常常误入歧途。因此,在任何时候,男性都必须显得刚毅坚定。但是,对于女性,男性必须坚决保护她们免受这一切损害,而女性在家料理家务。女性除非出于本人自愿,否则她们不必面对危险、引诱、错误或攻击。真正的家就应该这样——是和平之宫,是庇护所,不但能使人避免一切损害，而且可以逃避恐惧、疑虑和分裂。家倘若不是这样，就不能称之为家；倘若家庭成员都要为外部生活而焦虑万分，倘若夫妻任何一方允许外头的陌生人、第三者跨入家的门槛，那么这样的家就不称其为家，而只能称其为盖上屋顶的外部世界，男女在那儿生火煮饭罢了。然而，家是个神圣的地方、维斯塔的殿堂，是家神座下温暖的殿堂，那么，除了能得到以爱相迎的家人外，也不容许其他人接近家。只要家是如此，只要家的屋顶与炉火上挂有明亮的灯，夏天感觉得到阴凉——明亮得就像波涛汹涌的大海中的杰劳斯，阴凉得就像躲在荒野岩石旁，只要家的存在名副其实，值得人们对其加以赞扬，那么它就是真正的家。

　　称职的妻子无论走到哪里，有她的地方便有家。其头顶上也许只有高高悬挂的星星，其脚下也许只有寒夜草丛中萤火虫的亮光。然而，只要有她的地方便是家。对贵妇人来说，她的家覆盖的面积很广，胜过柏树遮挡的天空，胜过橘红色的彩绘装饰；可对无家可归者来说，家却为其家庭成员洒下一片柔和的亮光。

　　我认为这正是女性真正的地位与魅力之所在，难道你们不承认这一点吗？然而，要做到以上这一点，她们不应该犯错误——倘若我们能以此类人的腔调说话，难道你们对此没有同感吗？只要在她们的管理下，家里什么事都是对的，否则什么事都是错的。她们必须始终善良，不堕落；必须天资聪颖，不犯错误。她们聪颖不是为了自我发展，而是为了自我牺牲；她们不能因为聪颖就可凌驾于丈夫之上，而是因为聪颖就绝不疏远丈夫。他们的聪颖并不含无情的傲慢和狭隘，而在不断变化的谦逊中表现出深情的优雅风度——女性真正的可变度就在于此。在这个层面上，"女性是可变的"，但却不是"一根随风飘荡的羽毛"。她们的变化也不是"轻飘飘的杨树下阴影的变化"，而是光的变化，光可放射出许许多多清晰宁静的光束，洒落在物体上时，便呈现物体的颜色，以渲染出光的色彩。

　　到此为止，我已竭力向你们说明什么是女性应有的地位，什么是女性应有的力量。现在让我们谈第二个问题：什么样的教育适合女性？

　　倘若你们确实认为以上所述就是我们对女性的职能与尊严所持的观点，那么，要探索什么课程能使妇女适合履行其职责，获得其尊严等问题就显得容易多了。

  毋庸置疑，我们所有的细心人都有责任向女性提供足以增进她们健康，使她们的体形得到很好锻炼的机会，因为这是女性应承担的首要责任，要知道，没有以培养美为目的的活动与灵敏的反应是无法塑造极致的美的。我的意思是，她们必须完善自己的美，加强自己的美感。不过，她们的美不能太过，美的圣光不能照射得太远，因为任何女性要是没有相应的心灵自由，即便有人身自由也无法塑造美，牢记这一点就足够了。有一位诗人，我觉得他之所以不同于其他诗人，不是因为他的文字功底，而是因为他的文字高度精确。他的两段诗为你们指明了美的源泉，他寥寥数语为你们描写出十全十美的女性形象。这里我不妨把导言中的那几节诗读给大家听。我希望你们能够特别关注最后一节：

    三年来她在阳光雨露中成长，
    大自然说：比她更可爱的花朵
    未曾在大地上绽放。
    我一定要把这位女孩据为己有；
    她必须属于我，而我一定要培育她，
    使她成为我的情妇。
    我之于我的宝贝，有如法律之于脉搏；
    这位姑娘伴随着我，在山峦和平原，
    地上和天国，
    林间空地和茅屋村舍，
    她一定感觉到有种催人奋发，
    或约束他人的力量。

    浮云赋予这位姑娘
    以其体态；杨柳也为之倾倒；
    即使在狂风暴雨中，
    她也不至于视而不见

> 那个脉脉含情塑造起来的
> 有少女体态的女神。

> 充满活力的愉快感情
> 必将培育出她那极致的体态，
> 使她贞洁的胸膛丰满隆起。
> 当露西和我一块儿生活
> 在这快活的小幽谷时，
> 我定要告诉她我的这一想法。

请注意"充满活力的愉快情感"。愉快情感具有杀伤力。然而，顺乎自然的感情生活十分重要，不可或缺。这种感情倘若要变得十分重要，就必须是愉快的。千万别以为一位不快乐的少女是可爱的。你们对善良少女天性的任何限制——对她们爱情本能或工作本能的任何限制——无不在她们外表上留下令其痛恨的不可磨灭的痕迹；这痛恨令人痛心，既让少女天真无邪的双眼失去光彩，又让她们美丽的前额失去魅力。

以上是赢得女性美的手法。现在再来看一看赢得女性美的目的。让我们从同一位诗人的作品中摘两行对女性完美描写的诗句：

> 女性的外貌堆集着
> 甜美的回忆与甜美的许诺。

女性完美可爱的外表只能存在于庄重的祥和中，而庄重的祥和可以存在于我们的记忆中，这种记忆又可以在有益健康的快活年代——充满甜美回忆的年代找到；我们一旦将甜美的记忆与更加庄重的稚气结合，便可从中找到庄重的祥和；这种稚气是那种充满变化与许诺的稚气；稚气的女性永远开放、谦恭、光明磊落，希望得到更美好的东西，也希望给予人们更美好的东西。只要甜美的许诺长存，人就不至于衰老。

既然如此，女性必须首先重视培养自己的体态，然后在自己力所能及的范围内充实自己的头脑，锻炼自己的思维，使自己足以强化与生俱来的本能，以便懂得如何天生机智地对待爱情的理性思想。

我们赋予女性的知识应该有助于她们了解和支持男人的工作，可这类知识并不是以知识的名义，也不是因为它似乎是或可能是她们必须了解的东西，而只是作为她必须感知和判断的东西。她们是否懂得多种语言或只懂得一种语言，这虽然关系到她们的自豪感和完美性，可并不重要，重要的是，她们必须对陌生人宽厚，了解他们的语言。无论她们熟悉一门学科还是多门学科，对她们自身价值和尊严并不重要，重要的是，她们必须培养自己准确思考的习惯，理解自然法则的含义，至少走一条得以在科学上有所成就的道路，到达令人难堪的屈辱谷门前。屈辱谷只有最聪明最勇敢的人才能下得去；她们永远觉得自己是小孩，在无边无际的沙滩上捡石子。全球城市的位置、事件发生的日期、知名人士的姓名，这些东西她们知道得再多也是枉然。教育的目的不是把女性变成字典；不可或缺的是，必须教育她全心全意地进入所读的历史中，让历史的篇章在她们灿烂的想象中构成图像，凭借她们出色的本能去理解历史事件或人物关系——这部分历史是历史学家单纯以推理的方式删节而成的，或从文章的选材布局出发浓缩而成的。就女性而言，她们必须探索神圣奖赏中隐藏的公正，透过黑暗看见用来编织火网的那根致命线。这样，她们每天出现在苦难面前时，就会想到用这根线对自己的思想和行为所产生的影响。真正的苦难不会因为她们看不见苦难而少一些。我们要让她们知道：她们生活和爱的小世界和上帝生活和爱的大世界相比，前者在后者中所占的比例显得微不足道。我们必须严肃地教导她们，努力使自己虔诚的思想不因受害人数的递增而削弱；当她们为一大群缺乏爱的人——"为一切受压迫的穷人"——祷告时，她们的祷告并不比她们为丈夫或孩子解除一时的痛苦而做的祷告要少。

到目前为止，我认为我已经得到你们的认同，至于我认为最需要说明的事，你们可能与我意见不一致。对女性来说，她们的确必须意识到她们已亵渎了一门科学——神学。奇怪，真是悲剧！一方面，她们谦逊，对自己的力量持怀疑态度，在科学门槛前——即使每一级台阶都坚固，她们仍然裹足不前；另一方面，她们不考虑自己能否接受，就一头扎进科学。在科学面前，最伟大的人也要发抖，最聪明的人会犯错误。奇怪！她们竟然殷勤且自豪地把自己的恶行、愚昧、激情、乖戾以及令人不可理喻的盲目性扎成一捆，并将此奉为神药。奇怪！有些女性生来就是肉眼可见的爱神，但她们对自己不解的事却首先发言指责，并向自己的天主自荐爬上天主的审判台。最奇怪的是，她们以为圣灵已使得自己养成多种思维习惯；这些习惯已成为导致家庭不和的因素；她们居然把基督教的家神变成自己个人的丑陋偶像、精神上的玩物，任意打扮它们，以至于丈夫们不得不感到伤心，抱着轻蔑的心理对这些偶像敬而远之，唯恐损坏它们而被大声训斥。

除此之外，我相信女性所接受的教育，无论是课程学习还是其他研究，都应该与男孩所接受的基本相同，可教学方法却应该因人而异。女性不论在生活中拥有什么地位，都应理解丈夫可能理解的东西，只不过男女理解的方法不同而已。男性掌握的知识应该是根本性的、不断发展的，而女性掌握的知识则应是一般性的、多方面的、辅助性的、日常性的。为了眼前的利益，男性采用女性的学习方法学习一些知识，并涉猎最适合今后为社会服务的其他知识，找机会锻炼自己服务社会的能力，这样或许比较明智。此外，从广义上说，男性应该十分明白自己所学的语言或学科，而女性也应该懂得男性所学的那种语言或学科。但是，只要求她们掌握的程度能使她们同情丈夫及其挚友的志趣，这就足够了。

但是，请你们注意，女性应该尽可能十分准确地掌握知识。基础知识与粗浅知识——求知伊始时的扎实态度与追求广博时的浅尝态度，这两种态度区别很大。女性掌握的知识无论少到什么程度，她们依然可以用自己有限的知识去帮助丈夫；倘若她们用所掌握到一知半解的知识或错误理解的知识去帮助丈夫，那只能令其哭笑不得。

假如男女的教育存在区别，那么两性之间由于女性的智力成熟较快，应该较早引导她们学习较深的科目；她们涉猎的文学应该包含较少的轻佻成分，其目的在于给她们天生的敏锐思想与机智增添更多的忍耐性和严肃性，同时使她们拥有高尚纯洁的思想。现在我不谈选读什么书的问题，只要求大家保证：要是从流通图书馆的书袋中掉出，被愚昧之泉最后溅出的水滴弄脏，这样的书就不要出现在女性的大腿上。

这样的书甚至包括被机智之泉弄脏的书，因为就小说强大的诱惑力而言，我们害怕的不是小说质量的低劣，而是小说丧失趣味。写得最松散的传奇不像激动人心的低级宗教文学那样使人愚昧，写得最糟糕的传奇也不会像伪历史、伪哲学、伪证论那样使人堕落。但是，一旦最好的传奇以其激动人心的章节使日常生活秩序相形见绌，增加读者病态向往我们不屑在其中活动的场景时，那就变得十分危险了。

因此，在这里我只谈论好小说。近代文学中有特别多这样的小说。这些小说倘若读法得当，肯定十分有益。好小说既不亚于道德分析论著或化学著作，也不亚于基于人的基因研究人性的专著。我并不看重小说在这些方面的作用，因为人们读这些小说时往往不够认真，以至于好小说无法在这方面发挥真正的作用。好小说充其量只能或多或少使厚道的女读者的心更善，或使坏心眼的女读者的心更坏，因为她们都从小说中为自己的意向寻找精神食粮。那些生来骄傲、爱妒忌的人从萨科雷[①]作品中学到的将是对人的轻蔑；那些生来温和的人学到的将是对人的怜惜；那些生来浅薄的人学到的将是对人的嘲笑。因此，在众多小说中也存在一种有益的成分，它使我们活生生地面对自己以前朦胧意识到的人类真理。可是，小说形象化叙述的诱惑力实在太大了，甚至最出色的小说家也难以抗拒。我们的观点被描写得过于强烈、过于片面，从这一点上说，小说的魅力与其说有益，倒不如说有害。

然而，在此我并不想冒昧地断言小说的阅读量需要多少。不过，我起码要明确：无论是阅读小说、诗歌还是历史，我们的选择都不应只满足于它们是否已摆脱了邪恶，而应立足于它们是否包含善意。暗藏的、偶然的邪恶情节七零八落分散在一本有影响的书中，或在这儿或在那儿出现，决不可能伤害高尚的女性。可是，作者的空虚能使女性感到压抑，书中叙

[①] 萨科雷（1811—1836），英国小说家，其作品经常对上层社会进行嘲讽，代表作有长篇小说《名利场》和《彭登尼斯》、历史小说《亨利·埃斯蒙德》以及散文集《势力人脸谱》等。

说人的愚昧能使女性堕落。倘若女性能进入收藏古籍和古典书目的好图书馆，那么她们就没有选择的必要。千万别让你们的女人接触近代杂志和小说；每逢阴雨适合读书的时候就得让她们自由自在地读古典名著，别打扰她们。她们会发现什么是好书，而你们却发现不了；因为女性性格的形成不同于男性的性格，你们可以用凿子给男性造型，就像你们可以用凿子给岩石造型一样；倘若男性是好样的，你们也可以用榔头给他们造型，就像你们可以给一块黄铜造型一样。但是，不管是什么样的女性，你们不能用榔头给她们造型。女性如同花儿一样生长，要是没有阳光，她们就会枯萎凋谢；要是得不到足够的空气，她们就会像水仙花一样在球茎包壳中腐烂；要是在生命中的某一刻她们得不到帮助，她们就会倒下，弄得灰头土脸。但是，你不能给她们拷上枷锁；她们必须随心所欲地公正行事；无论怎么做事，她们在心灵上如同在肉体上一样都必须时刻自由——"她们在自己家里轻松自在地活动，能迈出童贞女不受约束的脚步。"让她们自由自在地待在书房里。我是说，像你们对待田野上的小鹿一样对待她们。小鹿对莠草的鉴别力要胜过你们二十倍，对良草的鉴别力也如此；女性有时候吃点带苦味、带刺儿的良草，反而对她们有好处。这些你们根本就不曾料到吧？

　　在艺术上，我们要为她们提供最美好的模特儿，让她们实践所有的才艺，力求做到准确、透彻，进而使她们所理解的多于她们所完成的。我所谓的最美好，简言之，就是最真实、最简朴和最有用。请注意我用的这些修饰语。最好的东西在艺术中比比皆是。你们不妨去音乐中试一试。你们可能认为，在这个领域里上述的修饰语派不上什么用场。首先，我所谓的最真实，意思是说音符以最真实的方式，最准确、最忠实地表达出歌词的意义或感情的特征；其次，所谓的最简朴，也就是音乐以最简朴的方式，用尽可能少的音符获得意义与节奏；最后，所谓的最有用，意思是说音乐使好词变得优美，以音乐的伟大赋予我们记忆中每个好词以魅力；当我们需要好词时，音乐用最美的歌词非常亲切地作用于我们的心灵。

　　女性所接受的教育不仅是在教材方面，而且更为重要的是在精神方面，女性应该与男性接受相同的教育。你们培育自己的女孩，仿佛旨在先把她们当作橱柜的装饰，然后埋怨她们轻佻。请你们把给予她们兄弟的那些有利条件给予她们吧——呼唤伟大的本性吧！同样，请你们让她们知道勇敢与真理是她们生存的支柱。当你们意识到在我们这样一个基督教王国，没有一所女子学校会认为女孩的勇气远不如她们进门时的举止重要。当我们的整个社会制度，就其确定女子的生活地位而言，简直无异于一场充满懦弱和欺骗、坏透顶的瘟疫时，难道你们认为她们现在虽然勇敢、真诚，但却仍不会响应上述的呼吁吗？所谓的懦弱，表现在我们不敢让女孩去爱、去生活，除非她像邻家女孩一样；所谓的欺骗，表现在我们为了自豪，在女性一生的全部幸福取决于她们依然不受迷惑时，把全世界最坏的虚荣光芒聚焦在女性身上。

最后，我们不但要让她们接受高尚的教育，而且要为她们配备高尚的老师。你们送男孩上学，事前必须多多少少考虑他们的老师会是什么样的。无论老师属于哪一类，你们至少得赋予他们管教孩子的全部权力。你们自己也会对老师表示一点敬意。如果老师跟你们一同进餐，你们也不至于让他们坐在桌边上。你们也知道孩子的班导师在学院要接受更高一级导师的指导，对于后者你们绝对更加尊重。至于基督学院的院长和三一学院的院长，你们绝不至于视他们为下属。

然而，你们为女孩聘请了什么样的女老师？你们又如何尊重你们选中的老师呢？你们把塑造女孩智力与道德品质的责任托付给一位老师时，居然容忍你们的仆人怠慢这位老师。你们对女孩的尊重远不如你们对自己管家的尊敬，仿佛孩子的灵魂还不及果酱和日用品值钱。有时候你们让孩子的老师晚上坐在房间里，便觉得这就是莫大的恩赐。这样，你们的女孩怎么可能认为她们的行为或智力十分重要呢？

文学艺术给予女孩的帮助已如上所述；另外，还有一种帮助不容我们忽视——这种帮助所起的作用有时甚至大于其他方面的影响——这种东西就是源自大自然粗犷而优雅的帮助。请大家听一听圣女贞德[1]在这方面所

---

[1] 贞德（1412—1431），法国著名的女民族英雄，英法"百年战争"期间率领六千法国士兵解除了奥尔良城之围，后被俘，被处以火刑。

接受的教育吧：

"拿现在的标准衡量，这位穷苦女孩所接受的教育很低劣；拿纯粹的哲学标准衡量，她所接受的教育的伟大难以形容。可惜的是，我们这个时代没什么好东西，因为对我们来说，好东西都遥不可及……

"除了在精神上的有利条件外，她特别受益于所处的环境。冬赫米水泉位于广阔的森林边缘，那儿时常有神职人员出入，牧区的神父为了让人循规蹈矩，每年必须在那儿做一次弥撒……

"然而，冬赫米森林——蕴藏着神秘的力量和古老的秘密，而两者早已升华为悲剧的力量；那儿有修道院，还有窗户——'好像印度的摩尔式宇宙'——它们显现的帝王般权力甚至作用于都兰和德国国会；每逢晨祷或晚祷，这些修道院都有自己的传说；修道院虽然为数不多，稀稀落落，不足以影响该地区与世隔绝，然而也可以说数量众多，因为它们足以张开基督教圣洁的大网，把其他似乎属于异教徒的旷野覆盖。以上所有这些光荣都是这片土地的光荣。"

现在，英国不可能有半径八十英里的森林。然而，只要愿意，你们或许就可以为自己的孩子留下一、两篇神话故事。你们是否愿意呢？假设你们在屋后都有一座花园，其大小可供你们的孩子嬉戏玩闹，那儿的草地也足以让孩子们在上面自由奔跑，除此之外什么东西都没有，假设你们不搬迁住所，可只要愿意，你们也许能在草地当中掘出一口矿井，把花圃变为一堆堆焦煤，从而成倍增加你们的收入，那么你们愿意这样吗？我希望你们还是别这样做。我可以告诉你们，假如你们这样做，即便你们的收入比原来的增加六十倍而不是四倍，那也是错误之举。

但是，你们正是这样对待英国的土地。整个英国只不过是一座小花园，倘若你们所有的孩子在花园草地上奔跑，这座小花园只能勉强容纳罢了。倘若有可能，你们就要将这座小花园变为炼钢厂，在上面堆上火红的煤渣，因此受罪的不是你们，而是你们的孩子，因为罪恶的精灵是无法驱赶干净的，因为森林里有神仙，炼钢炉里也能炼出神仙般的产品，炼钢炉送给我们的第一批礼物似乎是"万能的利箭"，可它们送给我们的最后一批礼物却是"罗藤木的炭火"[①]。

刚才说的这件事虽然是我感触良多的那份演讲的部分内容，可我不能将这些内容强加于你们，因为我们掌握自然力量时，对自然物的应用实在太少了，当然也就意识不到我们的损失。在莫塞河对岸，你们拥有斯诺顿山、门奈海峡以及盎格鲁西荒野远处绵延的巨石——石岩一直延伸到西海岸，带给你们无限的遐想。此外，你们还有圣赫特山，其火红的光芒在暴风骤雨后映照大地，至今还令人感到敬畏。这些山脉、这些海湾以及这些蓝色的河口倘若坐落在希腊，将会永远受到希腊人的热爱，它们无时无刻不对民族精神产生巨大的影响。斯诺顿山是你们的帕纳赛斯山[②]，可它的缪斯在什么地方？圣赫特山是你们的伊吉娜岛，可它的涅瓦女神[③]的神庙在什么地方？

我是否给你们提过，基督教的米诺瓦直到1848年在帕纳萨斯山的阴影下才有所成就呢？下面一段话简明扼要地谈到威尔士一所学校的情况，这段话载于教育咨询委员会发表在威尔士报告的第261页（这所学校离市区很近，大约有五千人）：

"我把一个大班的学生召集来，他们大多是新近到这所学校读书的。其中三位女生一再说，她们从未听说过基督；两位则说，她们从未听说过上帝；两位认为基督现在还住在地球上（她们的想法可能很糟糕）；三位根本不知道耶稣被钉死在十字架上。四位不知道月份的名字，也不知道一年有多少天，除了二加二或三加三等于多少之外，就不知道其他加法了，她们的思想简直就是一片空白。"啊，英国的女性们！从威尔士岛的公主到你们当中头脑最简单的人，你们千万别以为：当你们的孩子像没有牧羊

---

① "勇士的利箭"和"罗藤木的炭火"均出自《圣经》中的《诗篇》。
② 帕纳赛斯山：古时人们认为这里是太阳神和瘟疫女神的圣地。
③ 密涅瓦女神：罗马神话中掌管指挥、艺术、发明和武艺的女神，和希腊神话中的雅典娜差不多。

人看管的羊只分散在山坡上时,她们仍能自己进入羊圈。你们也千万别这样想:当上帝为你们女儿安排的、供她们上学和游戏的场所变成一片荒芜的污浊之地时,她们仍能接受符合人类审美的真理教育。除非你们用伟大的勘探者从你们本土的岩石中凿出的甜水——异教徒以其纯洁之心崇拜甜水,而你们却亵渎甜水——为你们的儿女洗礼,否则,你们无法万无一失地用自己的东西为她们洗礼。天国深蓝的祭坛——支撑你们岛国的山——异教徒们站在上面看见天国的权力留在每座山中——可仍然没为你们留下铭文时,你们不可能还虔诚地领着你们的孩子走向那些斧头凿出的教堂小祭坛,祭坛不是为祭奉无名神而建,而是无名神为自己而建。

关于女性的品性、教育、家庭职责及其王后般的风度,我就谈到这里。现在,我要谈最后一个广为谈论的问题——对国家而言,究竟什么是女性王后般的职责呢?

给我们留下最普遍的印象是:男性的职责属于"公"的一方面,而女性的职责属于"私"的一方面。可事实并非如此。男性既有家庭事务或职责,也有国家的公务或职责,其公务是家务的延续。女性也有同样的职责,其公务也是家务的延续。

正如上面所说,男性为了各自家庭而承担家务,努力维持、发展和保护自己的家。那么女性呢?她们则努力维护家庭的秩序、安适及其和谐。

把男女的这些职能扩大一些,我们可以看出,男子作为社会的成员有职责保证国家的长治久安、不断进步和防御侵略,而女性作为社会成员有职责帮助国家维持秩序,安定国务,为国添彩。

男性站在自己的家门口,倘若有必要,就要去保卫家庭,使家庭不受侮辱和损害。同时,他们还站在国家的大门口,倘若有必要,就以更多的——而不是少得可怜的——奉献精神,甚至不惜让家庭蒙受损失,为国履行自己应尽的职责。

女性的情况也十分相似。在家里,她们是家庭秩序的核心、苦难的油膏、美丽的镜子;在外面,她们仍像在家里一样,更难维持国家秩序,更能吃苦,更缺乏爱。

由于人们心中本能地时刻准备履行一切真正的职责——除非改变出自

本能的真正目的，否则你们就不可能歪曲、冲淡乃至埋葬这种本能——由于人们心中本能地时刻有着强烈的爱，倘若有正确原则的引导，人们就会本能地维护人生；倘若误入歧途，他们就会毁掉人生。这两者之间必须有所抉择——人们内心一种不可扑灭的本能，即对权力的爱。在正确原则的引导下，爱能维护法律的尊严与人的尊严；反之，爱就会破坏法律的尊严与人的尊严。

爱权力的本能深深植根于男女的内心深处，上帝将其安排并保留在人们的内心。要是你们对此表示谴责，那是既徒劳又错误的！为了天堂，为了人类，你们要不遗余力地渴求权力。然而，渴求什么权力呢？这就是问题的症结所在。是渴求毁灭的权力，还是渴求狮子强大的四肢和龙喷出的气息[1]？都不是。我们渴求的应该是医治权、补救权、指导权、保卫权；我们渴求的应该是权杖和盾的权力；一把脉就能治病的手——那只帝王般的手——掌握的权力就是能缚住恶魔，给俘虏松绑的权力；职责权悬挂在坚如磐石的正义宝座上，除非登上慈悲的台阶，否则它与正义不相分离。难道你们不向往这样的权力？不想登上这样的宝座？宁做家庭主妇而不做王后？

英国女性曾普遍用只属于贵族的"女士"这一称号。在她们习惯用这一纯朴得相当于"先生"这一称号后，反而坚持用"夫人"这个仅与"勋爵"相当的称号。这种情况由来已久。

我们并不因此谴责她们。我要谴责的只是这样做的狭隘动机。倘若她们不仅要求用"夫人"这一称号，而且还要承担这一称号所赋予的职责，那么我倒希望她们用这一称号。"夫人"的意思是"面包的施予者"，而"勋爵"的意思则是"法律的维护者"；这两个称号不是指使某些家庭得以保护的法律，以及某些家庭的成员所能得到的面包，而是指为了大众必须维护的法律，以及必须向大众分发的面包。因此，任何一个勋爵只要维护国王的正义，就有权拥有"勋爵"的称号；任何一位夫人只要能像耶稣一样向来将自己所得到的帮助传给穷人，分发面包给穷人而为人所知，那

---

[1] 和中国人对龙的崇拜不同，西方文化中龙是会喷火的妖怪。

么才有称自己为"夫人"的合法权。

这种善意的合法权——多米努斯和多米娜的权力——伟大到值得人们尊敬。之所以如此，不是因为这种权力赖以代代相传的人有多少，而是因为它所及范围的人有多少；倘若这种权力基于职责，其意图及其所行善事相互关联，那么人们就会以崇敬的心情对待它。当你们想成为贵妇人，将拥有大批随从时，你们的遐想就会得到满足。即使你们的随从不可能很多，可你们也会觉得自己十分高贵。你们务必要做到：你们的随从不但要由那些供养你们的奴仆组成，而且要由被你们供养的奴仆组成；唯命是听的民众应该是你们曾安慰过却不曾压迫过的人——他们是因你们拯救而获得自由的人，而不是因你们引导而失去自由的人。

这对下等家庭妇女是如此，对掌握主权的王后也是如此；假如你们接受上述最高职责，那么最庄严的大门也向你们敞开。国王与王后——"办事公正者"——之所以与众不同，是因为他们不但给人以衣食，而且给人以引导。无论是自觉还是不自觉，你们在多数人心中都必须登上帝王的宝座，千万别把皇冠搁置一旁。你们必须随时随地都是女王，是你们情人眼中的女王，是你们丈夫和儿子眼中的女王，是外部世界更神秘的女王。在象征女性的爱神木制作的皇冠和洁白无瑕的权杖面前，世界永远向你俯首鞠躬。天呐！可你们这些女王却经常无所事事、漫不经心，只在微乎其微的小事中体现女王的威严，却在至关重要的大事中有失女王的风范，任凭失误的统治与暴力，无视这种权力，在人们当中为所欲为。恶者利用和平王子的馈赠，摆出一副诚实的面孔出卖这种权力；而善良者则听之任之。

请你们注意"和平王子"这个名词。帝王以和平王子的名义统治时——地球上的高尚者和审判者在自己狭小空间手握生杀大权时——也获得这个称号赋予的权力。再也没有比和平王子更伟大的统治者。除了和平王子的统治之外，其他一切统治都是错误的。谁真正按照"上帝之意"统治，谁就是和平王子或和平公主。世界上没有一场战争，也没有一次不义之举是妇女不可以负责的。这不在于你们是否挑起战争，是否做出不义之举，而在于你们没有予以阻止。男性由于他们好斗的天性可以为任何事情而奋战，也可以为任何事业而弃战。你们要替他们选择他们为之奋斗的事业。

倘若他们没有任何要为之奋斗的事业，你们就应当阻止他们去奋战。世界上灾难与不幸的出现都与你们有关。对此，男性可以熟视无睹，在斗争中冷酷无情，践踏不幸。他们的同情心很脆弱，失望已把他们变成了冷血动物。虽然只有你们能够感觉到痛苦的深浅，想出治愈的方法，可是你们非但没这样做，反而拒他们于千里之外。你们把自己困在公园围墙和花园大门之内，只满足于知道它们的外面还有一个完全荒凉的世界———一个你们不敢洞悉其秘密、不敢设想其苦难的世界。

我告诉你们，我认为这是人类社会出现的最令人吃惊的现象。人类一旦没有了自己的荣光，就将无休止地堕落下去。但是，对此我不会感到意外。吝啬鬼临终时两手一松，手中的金子掉落一地，我也不因此感到惊讶；好色之徒过着用丧服裹双脚的生活，对此我从不感到惊讶；杀人犯躲在铁路暗处或沼泽地芦苇阴影下杀害无辜，对此我不感到惊讶；甚至那些发疯的国家洋洋得意兴师动众，光天化日之下滥杀无辜，其国君和神父犯下难以想象的滔天罪行，对此我也不感到惊讶。然而，看见你们当中那些温柔的女性胸前抱着孩子，掌握着只要她们行使便足以控制丈夫和孩子的权力——比天上的空气更纯洁、比地球的海洋更浩大的权力——这是多么巨大的幸福，即使地球是用一整块完美的金橄榄石做成，她们的丈夫也不至于拿这种幸福去交换。她们一放下庄严的权力就与她们的邻居游戏！在我看来，这实在是了不起啊！

我们习惯将花瓣撒在我们认为最幸福的人头上。只要愿意，我们至少可以觉察到这一习惯背后深藏着一层意义，你们是否曾经考虑过这层意义呢？你们是否认为这只是为了欺骗他们，要他们盼望幸福就像撒花一样纷纷扬扬落在他们脚下呢？只要他们相信，无论他们走到那儿，你们都会踏着香气扑鼻的花草，为他们凹凸的路面铺上一层厚厚的玫瑰将路面垫平吗？虽然相信你们会这么做，可他们还必须走在苦草和花刺上，感觉脚下的柔软是积雪的柔软。但是，你们应当相信其中的用意并非如此；这一习惯包含更深层的良好用意。善良的女性所走的道路确实撒满了鲜花，可这些花儿不是撒在她们面前，而是撒在她们身后。"她的脚踏着草地，将雏菊变成了玫瑰红[1]。"

你们可能认为，以上所说的只是情人的遐想——纯属虚假，毫无益处！倘若这是真的，那你们又怎样看呢？你们也可能认为，这也只是诗人的遐想——"甚至柔弱的蓝铃花也抬起头，从她那轻盈的脚步中获得弹性。[2]"然而，提到女性，说她们无论走到哪儿也不会失去什么，这未免也太轻描淡写了，好像她们就应该让万物复苏——当她们路过那儿，那儿的蓝铃花就应该绽放而不应该垂头丧气。你们认为我大概在胡思乱想吧？对不起，根本不是这样——我是用通俗简洁的语言在说话，以绝对真理的名义在说话，所说的都是我的心里话。你们可能曾经听说，花朵只在爱花人的花园里才会生机勃勃（我相信这句话包含比人们所遐想的东西来得多。不过，你们就当它是遐想吧）。我知道，倘若你们给自己的花儿投去温柔的一瞥，倘若你们不但能催生花朵，而且还能保护花朵，倘若你们能命令黑色的枯萎病滚开，命令结成一团的毛虫别侵犯花朵，倘若你们遇到干旱时能命令雨露洒落在花朵身上，遇到霜降时能对南风说："来啊，南风啊，吹拂我的花园吧，让它们芳香万里[3]。"那么，你们肯定希望看到真实的花朵。这时候才更让人赏心悦目。你们认为这是件了不起的事吗？之所以没有什么其他的花比上述花更美丽，是因为它们得到你们的祝福而让你们享福，是因为得到你们的爱而爱你们，它们与你们具有同样思想并与你们过着同样的生活，是因为它们一旦被你们救活就永远绽放。对这些花朵，倘若你们能够按上面说的那样去做（应该做得比所述的一切还要多），难道你们不认为这是件非常了不起的事吗？难道你们只有微不足道的力量吗？在那偏远的不毛之地和岩石中——在远处那可怕的街道暗处——躺着这些羸弱的小花，它们鲜嫩的绿叶撕裂了，茎折断了，当狂风吹得它们瑟瑟发抖时，你们也不给它们围上篱笆，难道你们真的就忍心不去救它们，让它们永远死去吗？清晨周而复始，难道每个清晨真的只是为了你们

---

[1] 语出阿尔弗雷德·丁尼生《莫德》第六章。
[2] 语出沃尔特·司各特《湖上夫人》。
[3] 语出《圣经》中的《所罗门之歌》。

而不管花朵的死活？破晓的黎明远远望着死神在疯狂舞蹈，难道真的不去唤醒河岸上的野紫罗兰、忍冬和玫瑰，让它们充满活力吗？难道真的也不穿过你们的窗户对你们呼唤（这呼唤声没说出那位英国诗人的情人名叫什么，只提到但丁笔下伟大的玛蒂尔达，她站在里西河河岸上用花朵编织自己的名字）：

  莫德，请走进这座花园！
  因为，夜幕已降临，黑蝙蝠在飞翔。
  忍冬的芬芳在空中流溢，
  麝香般的玫瑰四处飘香[①]。

你们不到花丛中去吗？到那些充满活力的花朵中去吧！天空下色彩斑斓的大地喷薄而出这样的东西，其新生的力量有如旋风一样腾空而起；花朵纯洁抖落了所有的尘土，花苞一个接一个开出希望之花；花朵依然面对着你们，为了你们而开放，"飞燕草在聆听——我听见了，我听见了！百合花在细语——我在等待[②]"。

你们发现我读这首诗的第一节时掉了两行，是否觉得我遗忘了什么呢？现在请你们听这几行诗句：

  莫德，请走进这座花园！
  因为，夜幕已降临，黑蝙蝠在飞翔。
  莫德，请走进这座花园，
  这儿只有我独自站在门旁[③]。

请你们想一想，独自站在这座十分美丽的花园门口等你们的这人是

[①] 出自阿尔弗雷德·丁尼生的《莫德》。
[②] 同上。
[③] 出自阿尔弗雷德·丁尼生的《莫德》。

谁？你们曾否听说有个名叫麦德林而不是莫德的人，他黎明时分来到自己的花园，发现花园门口有个人，以为他就是园丁？你们是否常常在寻找他，整夜找不到他，在悬挂着火剑的古老花园①门前找不到他？他绝对不在那儿。但是，在这座花园门前，那些花朵却时刻在等待——等待着拉住你们的手——走下去看看山谷中的果实，看看葡萄藤是否已经茂盛，石榴树是否已经萌芽。在那儿，你们一定要与他一块儿欣赏他用手捋过的藤条——你们一定要观赏他曾在其间播下血红色种子的地方，那儿生长着一棵棵石榴树。另外，你们一定要看看那一群护园天使，它们张开翅膀驱赶人们曾播过种的花园垄上的麻雀，隔着葡萄园垄彼此招呼："抓住那些损害葡萄藤的小狐狸，把它们带来，因为我们的葡萄藤结满了嫩葡萄。②"啊——你们这些王后——管辖着这片土地，在令人愉快的山谷和翠林中能容许狐狸打洞，飞鸟筑巢吗？在你们的城市中能容许石块呼啸地击中你们，声称它们是人子③用的唯一枕头吗？

---

① 《圣经》里的故事说，上帝在把人类从伊甸园赶出去之后，为了防止人类返回，就在伊甸园门口悬挂了一把时刻旋转并且能喷射火焰的利剑。
② 语出《圣经》中《所罗门之歌》。
③ 据《圣经》记载，"耶稣说，狐狸有洞，天空的飞鸟有窝，只是人子（即耶稣）没有枕头的地方"。

约翰·弥尔顿[1]
John Milton

[英] 沃尔特·白芝浩

---

[1] 参见：大卫·马森的"约翰·弥尔顿生平，著述与政治、教会及他那个时代的文学史"。
——著者注

主编序言

沃尔特·白芝浩既是经济学家又是记者及评论家，1826年2月3日出生于英格兰萨默塞特郡兰伯特，银行家之子，伦敦大学毕业后，子承父业，与父亲一道做生意。1851年他到巴黎时正值路易·波拿巴政变，他在给一份英国报纸的书信中详细地描述了此次事件。从法国回来后，他开始为《前景展望》和《国家评论》杂志写传记，并担任了一段时间的联合编辑。1866年至1877年，他担任《经济学人》杂志编辑，期间出版了给他带来巨大声誉的《英国宪法》《物理与政治》《伦巴第街：金融市场概述》等著作。他于1877年3月24日逝世。

白芝浩之所以为世人熟知，主要因为他是原创政治理论大家之一，与此同时，他在文学评论界也占有显著的地位。他不写那些职业书评人的文章，他的作品虽然在技巧上不如其他作家，然而却不拘泥于刻板的专业词汇，并为后来此类作品奠定了基础。他头脑敏锐，有丰富的想象力和独特的品位，天生热爱文字。他似乎总有什么要说，然而，尽管好像没人能读懂他撰写的关于弥尔顿的作品，可是每个人都为其作品中异常的创造力和敏锐的洞察力所激励。

查尔斯·艾略特

梅森教授编著的《弥尔顿的一生》对于文学评论人来说非常艰难。这本书耗费时间很长，词句讲究，关键的是，我们相信该书内容翔实，篇幅超长，有780页，共计三卷，涉及多个话题，且每个话题都通过穷尽全力的调查研究而得以陈述。诚然，没人愿意去责难一部呕心沥血的作品，然而作为真正的文学评论人，我们有义务和责任去指出问题。我们认为，这部作品在创作中存在一个错误的原则。为了表明公正，我们有必要把自己的思想表达出来。

传记类作品一般采用两种写作手法。第一种写作手法我们可以称之为详尽描述。作品必须详尽讲述我们所知的主人公的每个细节，比如他做过的每件事、他未做的事、别人对他做过的事以及别人未对他做的事。我们可以得知他生活的每个小细节：他经历过的事及其所获得的荣誉。我们要做到就像卡莱尔先生所说的那样，将"他对世界的影响和世界对他的影响"[1]的每个小细节都了解得一清二楚。我们承认，这类传记作品通常冗

---

[1] 洛克哈特的回顾"斯科特"，1881年由旅行者保险公司出版，1899年由旅行者保险公司再版。

长乏味。要知道，这世界上有太多事情不可能都塞进这类传记，然而依照这个原则，写出来的东西肯定是清清楚楚、易解易懂。

第二种写作手法为选择性描述，即选择描述我们自己想要表达的事件，并非将细节完全描述出来。从众多的事实和阐述主人公人格魅力的事件中，我们选取一些事件来展示主人公的才华、缺点和坏习惯，一句话，我们择取那些最具代表性的特质和细节，展现主人公的生活方式及其为人。在这方面，正如《洪流》的作者西德尼·史密斯所说："我们必须知道，只有切实可行的原则才能表达那些太多细节被记录的人。"当然对于古代的英雄人物，这样列举的方法是可行的，因为所有关于他们的事都记载在古希腊文、古拉丁文的一些篇章里，每个主人公的事都可以翔实表达出来，而且不会那么冗长，虽然会很枯燥。然而，对现今这个人群拥挤的社会而言，这种写作手法就变得不可行了。因为有太多事情可以讲述，所以我们必须择取自己要说的事件。然而，传记类作品很少敢大胆一致采用这种选择性描述的写作手法。我们猜想，传记作者大概是害怕那些同时代的文学评论人吧。可以想见，前者不喜欢别人说什么这个博学者有什么大缺陷之类的话，如"1562年的那件事没提到，1597年10月的事件只是粗略描述了一下"之类的话语。同时，我们也认为在任何情况下都可能有这类评论。博学者似乎很喜欢向人展示他们所知的书中一些为人所忽视的东西，有时他们似乎暗示一些可能连原作者都不知道的东西，甚至提出自己的看法。作者如果期望其传记作品广受青睐，就必须有足够的勇气面对这种职责和责难。正如我们所说的一样，他必须选择文章的特性，另外，还必须将有特性的东西表达出来，而对所有事件的大致描述有助于我们清楚地了解自己对事件的选择，以便向他人表示敬意。这样做的本意就是为了详尽描述事件。

毫无疑问，梅森教授并未采用第二种传记写作手法。他并没有意识到详尽描述方法的不足，只是想描述弥尔顿的一生，加上他那个时代人们的观点。他似乎不只是要告诉我们弥尔顿的一生，还想要告诉我们那时英国的状况，将自己的作品描述成"不仅是弥尔顿的一生，而且还是那个时代的历史。写作弥尔顿有时好像是在追寻历史，得在博物馆收集素材；有时是从他那个时代的文学获得素材；有时通过世俗生活和政治获得素材。可对于我而言，在他身上花费时间决定了，我现在写作的目的是将所有事件联系起来，就像将大革命前的英国人思维和英国社会联系起来一样"。

我们能做的仅仅是，看着他们在漫长且不具体的事件中将所有的东西联系在一起，而在所有事件中，略微表现弥尔顿讲述英国社会观的事应该忽略，这岂不很荒谬？这卷里弥尔顿中年生活的篇幅使这种荒谬变得尤为明显。当时正值中年的弥尔顿是一个极具争议的人物。传记作者将重点放在这一争议上似乎有点不对，然而弥尔顿的许多特性都集中体现在这段时期，因此将他这段时期的公众事件加以考虑显得十分必要。我们没必要严厉指责一个将兴趣集中在这件事上甚至有点迷失方向的人。对弥尔顿的前三十年应该持不同的观点，因为他度过了用功读书和用心沉思的青春时代，过着"列西达斯"和"科莫斯"式的生活，做着"在夏夜迷幻的小河边年轻诗人"[①]的梦。

在很大程度上，我们不希望在谈论残酷的世俗时提到他这段时期的事，觉得没必要去打扰他在这一时期的安宁，因为一段诗意的人生要求的只是保留其本质，而无需其他方面的东西。在特尼森先生的传记里，我们丝毫看不到任何《宪章革命》和《谷物法案》的东西。然而，梅森先生持有一种完全不同的观点，他认为非常有必要告诉我们弥尔顿做了什么，包括他自己听说的所有东西。

在肯特利的弥尔顿传记里则有一种截然不同的标准，他只用很少的篇幅去讲述弥尔顿的事业，或许这样做太过简要，描述得太过平实、单薄。然而，他的作品观点敏锐且清晰。虽然在一定程度上他这部作品的瑕疵超过其他作品，但是我们应该认为，他并未批评那些用心描述众多细节的作品。

弥尔顿人生的基本脉络我们是熟悉的。我们知道，他出生于詹姆斯国王统治的后期，那时清教正积蓄力量准备抗争。他的父母都是好人，不是那种需要人说服、有极端倾向的清教徒。他早年进入剑桥大学读书，并

---

① 引自"L.阿戈罗"。

且和当权者发生争执。他的青春期单调乏味，刻板保守。后来他结婚了，但因为古怪的性格导致了他与第一任妻子离婚，接着娶了第二任妻子，第二任妻子死后，他娶了第三任妻子，第三任妻子和他一起生活了10多年。弥尔顿早期的诗歌单调枯燥，但是我们至今仍在读那些诗。他去意大利旅行，向人们展示他在学校里学到的东西；他陷入他那个时代的神学和政治争论中，成立了一个学派，当然这一学派并不像今日大学中的协会一样招收学员。弥尔顿是一个古怪的共和人士，因为他是无神论者，约翰逊博士常认为他的观点十分危险。弥尔顿曾任国会外国语言类工作秘书长，克伦威尔政变后仍然担任这一要职。他对查理一世的死进行了辩论，在写作一部与此相关的书时失明了。"王政复辟"后，他处于非常危险的困境中，在此困境中创作《失乐园》，可他并没有丧失信心。在他的作品被毁后，他平静地度过了人生最后十四年。我们小时候听说过"虽然失落在邪恶的日子，虽然失落在没落的时代"①之类的话语。构成这个完整的形象需要下多少的工夫？多少好坏的东西能从过去的事件中找出来？这些我们不得而知。直到技能娴熟的传记作家为写传记收集细节并加以阐述后，我们才可以知道。我们大家所能做的是，将各种各样对清教诗特征的评论掺杂在一起。如果我们发现某些方面的评论十分消极，或有贬低和否定的意思，我们会找理由说，只希望弥尔顿像他本来的样子，或者说那些刺耳的观点应该在概论中提出。

世界上有两种典型的美感，然而它们在本话题中形成对比。对此，我们似乎想找确切的词来表达，但总是表达得模糊不清。这种美感可称为"极度美"或"禁欲美"。其中第一种美在以色列国王大卫的拟人化上体现得特别明显，很多作家将大卫的历史事迹描述出来，以至于看到都是陈词滥调。大卫将我们称之为"极具美感的美好"形象，他将普通人的观念转化为一种模糊的意思。似乎有必要去修正他的缺点，然而他在描绘人物肖像时，问题就转向了我们，其特质必须接近完美且准确恰当。描写特质的原则是要保持对外界刺激的敏感，即为外界的事物所感动、刺激，并对

---

① 《失乐园》第七卷。

所见所闻保持一种开放的心态。这种构思的结果就是对诱惑的独特倾向。根据神圣法则，人类都是通过感知客观世界的事物来感知自己。通过外部世界对大脑不停的刺激，我们知道，选择的机会到来时，我们的灵魂可能永垂不朽。对外部刺激的敏感所带来的是灵魂不朽的问题，发生在他们身上的每件事都可能刺激到他们，而最诱惑的事通常也会对他们产生重大的影响，其结果就是走向极端。因而，这些伟人的错误自然而然也很明显。我们没必要说灵魂是不朽的：

> 模糊的信仰让人内疚悲伤，
> 至上的目标受到泥土玷污，
> 智慧的光芒受到人们遮蔽，
> 心满意足的当权者的心态，
> 与血肉之躯共遵守的忠告，
> 是悲伤的成功和父母的泪，
> 也是那段沉寂忧郁的日子。[1]

另一方面，人类的美德拥有一种魔力，一种自身独有的美感。他们因为知情，所以温和地对待不完美；他们因为对世界的敏感，所以能深刻同情这个世界；他们因为知晓道德的美，所以变得复杂而善良。他们着迷于自己的寿命，知道死亡并不会把自己和爱人分开。独特的个性让他们有着很深的信仰，而且这样的信仰在他们身上体现得比在别人身上明显，因为同情心让他们知道他人的善良，反而对上帝没有更多的敬意。知识使他们认为这就是爱——发自内心的爱。因而，他们常受自己长久未改的弱点及其结果所折磨。

相反，这种禁欲美得以明显的体现。这种美可并不完全像很多人所想的那样是天生的，当然只是一种自律和克制的结果。有的美是天然的，而大部分的美是后天形成的；有的美是因为对世界的排斥，而大部分的美都

---

[1] 约翰·亨利·纽曼《呼唤大卫》。

是出于本能的保护，换句话说，是为了躲避那些我们认为是困难的东西和吸引我们的事，以免诱惑。从人的天性看，预防性自省有时会使人显得强大，它将人完全置于自己的权力之下，让人退出这个世界，在消遣活动时别冒犯他人，在选择职位时给自己施加压力，让自己对罪恶产生恐惧。这样做的结果是让自己走向极端，到了一种令人不可理喻的程度。它使人与世隔绝，让人孤独地生活在道德里。这种隔绝不论其优劣好坏，都让人的性情丰富复杂。这样做的最好结果就是远离尘嚣，专心思考宗教。这类人关起精神大门，不为世俗小事所烦扰，生活在宗教所创造的永恒世界里。他们拒绝承认俗世生活，生活在俗世生活之上。这种远离尘嚣的宁静智慧，在那些对宗教衷心耿耿、冥想苦思的人的身上体现得最为明显。在人类众多的生活方式里，这种与世隔绝的生活方式体现得更加明显。一些人带着他人所没有的先知先觉、狂热信仰和纯洁思想度过人生；他们的信仰非常重要，而且他们的生活没有缺憾。然而，很明显的是，这只不过是他们的想法而已。对于拥有相似性格的人来说，这一点也相当独特。首先，这种隔绝给他们一种无比的优越感和难以避免的无知感。然后，他们受自己条条框框的束缚，排斥别人许可的东西，警惕别人为之欢喜的东西。

　　总之，他们深信自己的想法，不断放大自己的观点。人性的比重越大，世界的诱惑就越大。他的想法越多，其结果就是越加赞美自我，甚至过分高估自己的能力。这种自傲让他们越来越不关心事物，越来越远离人群。可是弥尔顿的想法并不一样，虽然有时他会觉得自己与众不同，生活过得很艰苦。然而，一般沉迷于自己高尚想法的人都会很敏感于远离尘世的想法，这种想法让他们从人群中脱颖而出。而且，这种与世隔绝通常会产生两种不同的影响，一种是生活现实的，另一种是投机取巧的。当这类人在犯错时，他们通常会觉得自己是正确的；当发现自己的判断错误时，他们也没有想让别人来纠正的习惯；他们往往会认为大部分人是错误的；他们期望别人不加任何怀疑地支持自己的观点。在意识到自己的错误非常严重时，他们会鼓起勇气地说没有什么人是完美的。他们的优点通常都被其严重的错误所掩盖。他们一般都高高在上，更多的时候认为自己高人一等，而其他人都逊于他们，甚至有时跟他们相比显得很低级。然而，在投机取巧方面，这种观点直接触及个性好的一面——深思熟虑的信仰。那些只看到信仰一方面的人只能看到与信仰相同的东西，用已知的东西解释未知的东西。信仰在于尝试，人生总会遇到各种各样的困难，以及内心深处对上帝的真正理解。苦行者需要做到这些，因而，宗教中大纲的严肃性及其明确的体现和弘扬一样重要。生活中我们常在追寻那些单纯的东西，同时还可能拥有同样的个性、无情的狭隘、偏执的错误。

那种苦行而严肃的生活态度似乎在弥尔顿身上有所体现。事实上，人并没有什么理想的类型，因为人的天性有很多的可能性，环境多种多样，所有人的天性中都存在缺陷，而且有些方面不能单方面下定义。可我们发现，这里描述的人类性格很接近我们从中提炼出来的理论性格。弥尔顿的性格很大程度上属于人们所讲的严谨性格，即"敬畏自己"。我们几乎可以发现，他所有作品的描述和自我描述不时体现出这一点，他恢宏的自传就体现出这种独特的魅力。以下的一段话尽管被人引用过无数次，但是在此还得再次加以引用：

"我也和其他作家一样拥有我自己的时间和读者，也和其他有学问的人一样，所持有的观点都会很快为人所接受，可在那些被推荐的作家作品中却没有任何的体现。在那些沉闷且严肃的口述者和历史学家看来，活到这把年龄的我能理解他们所关注的东西，以及那些流畅却悲伤的诗句。虽然这一学派作家的言行不足为奇，但是他们作品中令人喜悦的声音和我内心的声音有最大的相似性，而且几乎所有人都知道我喜好读书，没有什么能比得上这种读书的乐趣。因为那些东西伴随我很多年，虽然有的东西看起来很严肃，但我可以节制很长一段时间。当我看到他们凭自己的智慧获得成就时，他们似乎最值得赞扬，最能受到人们的爱戴。他们赞赏那些赋予他人的极致之美。我常想，我们的本能和天赋不会有错，或许我们的自我能力和他们赋予我们的能力一模一样。那些判断力和智慧是我再次与大家分享的东西，而最好的美德本身取决于我如何去评判、去选择，而不只是取决于我如何去赞赏（不让耳朵去听）。至于那些似乎美好的、值得推崇的思想，对一些人而言是可以谅解的，而对另一些人来说却是一种懒惰的想法。然而，这样的事都将以严肃的方式结束。

　　读者们，不要挑剔那些推荐给你们的东西，因为最珍贵的东西有时是优选出来的。那些对好坏不怎么敏感的人，请你们以广阔的胸襟不温不火地争论一些不成定论的观点。由于对这些观点有明确的定义，所以我记得我变得如此精神、如此明智。如果我发现某个作家对有些东西总是胡乱吹捧，却不忠诚于他以前崇尚的东西，我还会喜欢他的作品却不喜欢他这个人的观点，那么这件事就会萦绕在我心头。和上面所有人相比，我宁愿选择著名的比特赖斯和劳拉，他们只写作他们所崇尚的诗歌，展示诗歌纯粹的美。因而，我肯定了这样一种观点：人们不必沮丧于自己不能写出值得赞赏的诗句却能写出真正的诗篇。换句话说，贫嘴和诗歌的最好形式是，人们无需花很多精力去赞扬那些英雄和名城，除非他们自己有这样的经历或这些东西真的值得去赞赏。"

　　我们可以设想去增加一些可能想笑的东西，但是，我们仍然相信那些奇怪的东西和设想增加的独特个性美。所有描述过清楚那个时代的人都告诉我们，这一设想很有意义。梅森先生提出这样的观点："弥尔顿1632年7月离开剑桥大学时才23岁8个月，然而，从某种'高度'上说，他已经成为他自己了。在'高度'这个问题上，他在晚年被问及这个问题时说：'我承认自己真的不是很高，但是我已很接近那种所谓的中等高度。如果有人说我很矮小，和那些身材不高却思想伟大的人一比，为什么情操足够高尚的人还会被称之为矮小呢？'"这句话已经说得很准确。但是，奥伯雷说过具有同样效果的话："他只是和我一样高而已。"为了从这句话中看出聪慧的明智，他用"和我差不多的高度都是中等高度"，比如弥尔顿比中等高度矮一点。奥伯雷继续说："他有浅棕色的头发，"他把棕色当作浅的近义词，接着又说："他还有一张椭圆形的脸和一双深灰色的眼睛。"

　　我们不能指责弥尔顿的虚荣心，因为他的性格是如此的坚韧。如果我们要说他虚荣的话，这样说根本就不是问题，不过别人对他的崇敬可能会有一点过分抬高。丑陋者理应为自己的存在感到羞耻，而弥尔顿不是这样的人。弥尔顿独特坚韧的性格比其他人的强得多，所以他和其他人有明显的不同主要在于他有极强的个性。阅读他给我们写的作品首先带来的震撼就是这种天性，同时我们似乎忽视了其他作家的小世界。其他作家的作品被称为"有手有脚"，其他作家似乎对动态事物感兴趣。然而，弥尔顿的文字并非如此，一方面，他对动态事物没有太多狂热的激情。另一方面，弥尔顿的文字似乎有一种其他文字所没有的灵魂。他也意识到这一点，"在某种程度上，他有某种至关重要的东西包含在文字里"，意识到里面有一种非物质的东西永不"乐意去死"。

两百年后我们依然能感受到这一点。弥尔顿的文字有一种严肃坚定的韵味，一种沉思的崇高依附其中，作者的伟大精神融入字里行间。他的人生似乎也和他的作品一样，展现给我们的是那样古怪独特的东西。他坚韧不拔的性格让人震惊：自学并完成自己想学的课程。与此同时，我们从他的人性弱点中也能看出这一点。有人讲"精力充沛"和"脾气暴躁"其实是一回事，虽然两者形成强烈的对比，然而我们却可以找到一些事实加以佐证。那些努力工作的人如果没得到自己为之努力的东西，那么他们就会发脾气；那些强烈渴望得到某种东西的人如果没得到，那么他们就会脾气暴躁。正是由于这种强烈欲望的东西，在其他东西都很平常时，如果人们受到某些东西的阻碍，那么他们就会感到痛苦。那些高尚者如果受到低贱者的侵犯，那么就会非常生气。因此，弥尔顿被那些了解他的人称为"严厉暴躁的人"。这样，我们就知道："他的性情有一种魅力，至少在晚年之前不忧郁、不尖酸、不郁闷、不怪癖，只是思想有点深刻严肃，不屈就于一些小事。"尽管如此，他的女儿仍然认为他是一个令人愉悦的玩伴，有着令人争论的人生、所谓的"一些令人关注的话题，以及不受人左右的乐观态度和礼貌"。毫无疑问，这种情况会出现在他轻松的时刻或在家的时候。然而，那种与人不和的东西几乎存在于他所有作品中。

弥尔顿一些怪癖的禁欲特性同样被他好学的性格放大了。这在他青年时期就开始了，并且持续到生命结束。"我的父亲，"他说，"我将注定学习礼仪文学，我如此贪婪地学习此种礼仪，以至于我从12岁起，到半夜我才会停止学习。这是我眼睛受伤的首要原因，其他原因是我天生虚弱，加上时常头痛。可是，所有这一切无法阻止我对知识的追求，而且父亲乐意指导我。"[1]尽管成年人多在消遣，年老者多处在盲目和忧郁之中，可弥尔顿仍然乐于"好学和选择性学习"。虽然弥尔顿时常感到奇怪，为什么自己会变成这样，但这种性情却能永远融入他的作品。过分蔑视和自我欣赏这两个弱点加剧了这一倾向，而这种弱点在伟大的英国作家中极其罕见。也许有较多灵感的人往往对别人过分蔑视，而且个人的自我欣赏更是令人不快。我们无需停止观察他本身的习惯，也无需评论这些朴素的经历是怎样有助于形成他朴素的性格。深入研究，尤其是靠丰富的想象力和主要的东西的深入研究，必要时把人从现实中剥离出来，让他们自身净化而变得纯洁。他们的言行举止在其受到孤立时会变得高尚。我们的本意是缺乏幽默感和人性的知识。可能经过岁月流逝之后，英国文学只接受有明显特征的评判，与之前或将来的文学相比，评论家更重整体，似乎文学评论最显著的特征是其回归，也就是说，回归到生活中。

在某种程度上，普通忙碌者的性格和行为体现在似乎可能有特别想法、孤僻沉思者的著作中。这在某种意义上是平凡生活中富有想象的元素——魅力，相比之下，通过分享耕农的知识和兴趣达到心灵的缓解。显而易见，弥尔顿著作的每一页都不缺乏这种元素，也就是说，这种元素无处不在，俯拾即得。我们应该期待弥尔顿在他的戏剧中充分显示他的性格缺陷。"永远不要像莎士比亚一样在其戏剧里讨论公民。"我们本能地觉得，弥尔顿的双眼从未在简单的日子里轻松愉悦地休息过。也许这就是艺术的复杂性——我们觉得最悲伤的场景最需要这种复杂性。这可能是一种怪论，但我们相信它会是真理，因为悲剧需要有喜剧的元素。生活中似乎有同样的道理。我们可以阅读历史重大事件的描述，比如主斯特拉福德的审判、他的精彩演讲以及他向"圣徒"的呼吁。但是，在亲自认识贝利先生后，我们就会更好地了解整个处理过程。在看到人们吃坚果和苹果、谈

---

[1] 托马斯·凯特里译自《再为英国人民申辩》。

笑风生后，我们就可以在赦免和谴责等重大问题上做决定。为什么会这样？这个问题不难理解。这似乎是一条想象出来的法律，至少在大多数时候人们将不承担集体的责任。这个问题实质上成了一个粗俗的教员，不知为什么问题解决了又再次出现，出现了又解决。我们大多数人都知道，当我们试着去解决问题时，问题立即就会消逝。但是，艺术效果的对比却是这样一种结果：巧妙地处理来自每个相互包含的对立概念，因此，艺术的正确程序是让它以这样的方式存在，以确保其再次呈现。

当我们熟悉悲剧观念对普通人思想所起的作用时，我们完全意识到悲剧所产生的极小的结果和巨大的力量。力士参孙的灾难揭示了弥尔顿不熟练这一因素所产生的影响。如果他们这时真的能与我们交换意见，我们就几乎无法避免偏心等东西。可以这么说，这时普通人显示出他们自己特有的东西，并且说他们自己特有的事情。

莎士比亚最巧妙地在各种戏剧场景体现这样一种原则：艺术是以他自己的方式表现。他的想象力似乎总是浮游于有反差的事物之间。如果他有一个惹人喜爱的、可以放松的地方，这是对异常事件的一般看法。在很大程度上，弥尔顿有义务在力士参孙的悲剧中运用艺术来消除这种原则。因为他已竭尽全力，所以他提高了需要补充的严肃悲剧元素。他的艺术总是显得很严肃。他的力士参孙在个性上不是流于形式的体硕化身，也不是旧约简单的浪漫化身。相反，参孙已经成为一个清教徒：他所做的观察已在克伦威尔军队的宗教士兵中产生很大信誉。因此，他的死亡需要闪电触动以使其成为真正的艺术品。然而，严肃的浮华情节变得太压抑。

"最后，他被带到两根柱子中间去休息，
他向领路人要求
（这是从站在前方的人那儿听来的），
因为太累了，让他靠一会儿，
两只胳臂放在那两根粗大牢固的柱子上歇歇，
那两根柱子是支撑穹隆屋顶的。
领路人毫不犹豫地把参孙领去，

他抱着两根柱子，低着头，两眼盯着地上，
像是祈祷的样子或心事重重的样子：
最后他抬起头来，
这样大声叫道：
老爷们！我已经服从你们的命令表演了各种武艺，
不无新奇玩意，也引起你们一些高兴，
现在我自己主动表演一点新东西，
表现一下我有更大的气力，
你们看了会吓一大跳。
说完了，他咬紧牙关，
拉紧每一根神经，
低下头，用惊天动地
排山倒海的千钧之力，
摇动那两根柱子，把它们左右振荡，
拖拉，摇曳，柱子终于轰的一声塌下，
整个屋顶随着崩塌，雷轰一般
砸在底下坐着的人们身上，
首长、贵妇、将军、顾问、祭司
以及本城和附近各非利士城的
家绅贵族，娇嫩如花诸美人
被挑选来赴宴的都在内。
参孙和他们在一起，
他自己拉倒大厦，自然也同归于尽？
幸免的只有那些站在外面的穷百姓。
合唱队
付出沉重代价复仇呀
活也罢，死也罢，你终究
实践了神向你预示的
对以色列人所做的事业。如今

你胜利地躺在你自己杀死的
敌人中间；不是自愿
而是迫于环境的可悲无奈，
环境决定你必须和敌人
同归于尽——你死时所杀的敌人
比你活时所杀的敌人更多。"

如果是莎士比亚的话，他不会这么写，但是他会做写得更好。我们有必要去观察一个孤独的隐士是怎么描述缺乏普通人的感情，描述他是怎样在某种程度上不食人间烟火。弥尔顿似乎在实践他对生活的专业研究，这其实是徒劳的。如果把普通人某种本质上的超然态度与文学习惯以及持之以恒的勤奋好学思想联系起来，我们会立刻明白，忍受本能的朴素性格能带来多么强大的力量，也会明白，在好坏方面发展本能的特殊偏好有多么的确定。

没有人能洞察知识分子所有重要的追求，也没有人能把"合乎礼仪的艺术"的重要性看得更高。但是，在人类日常生活和工作中，我们不仅是靠智力来学习：我们必须同情他人，从他们的人际关系方面了解他们。一个扫烟囱的孩子绝对不会很伤感：这是因为他自己很感兴趣。弥尔顿朴素的性格更加明显了，因为他某些方面拥有大量补救的原动力，而与弥尔顿有类似性格的知名人士很缺乏这种原动力。这些人通常都很迟钝：我们极易把他们在行为上的纯洁归因于其在感觉上的迟钝。弥尔顿身上不存在这种迟钝：他完全有机会知道这个"眼睛和耳朵的世界"，在不了解他知道多少事实的情况下，你不要翻开他的作品。他本性上的朴素并非由缺乏感官而引起，而是只靠大量的直觉。甚至他公开声称将为感官勾勒出快感的世界，这表明他具有自己的本能。约翰逊博士认为他能辨别忧郁。如果他说孤独，那一定是正确的。弥尔顿性格中奇特的天性，在他国内生活中和他那个时代的大革命观点中表现得很明显。我们只能腾出一点简洁的空间用以调查这两者中的任何一方面，但我们会努力为两方面都说几句话。弥尔顿第一次婚姻和许多奇怪诗人的婚姻一样奇异。事情因一场大生意而揭开：众所周知，弥尔顿的父亲是一名公证人，即一种专业的贷款人，当时在伦敦很有名。其父很早就与牛津有紧密的联系，随即和某个邻居乡村绅士做金钱交易。1627年6月的某一天，他借了500英镑给理查德·鲍威尔先生，后者是一个拥有中等地产的乡绅，居住在离牛津城约四公里的森林中。

几个月后，老弥尔顿给了他那个当诗人的儿子312英镑，那个时候弥尔顿还是学校里的青年学生。老弥尔顿像往常一样在账本上做了正式的备忘录。备忘录被一直保存着。这笔债务一直没有还清过。"因为我们发现，1650年1月老弥尔顿声明他只收回大约180镑，'我感觉有点满意，和我刚才说的主要债务一样，同样的损失相当于损失了一件外套的钱'。"凯特利先生猜测，老弥尔顿离开剑桥后骑马去过森林多次，随后便在离森林不远的霍尔顿住了下来。当然，这也仅仅是猜测，正如他外甥所说的那样，我们只知道"他到乡下旅游去了，没人知道是什么原因，或者不只是为了娱乐而旅游。他去的时候还是一个单身汉，在那儿住了几个月，回来时却已结婚了。他的妻子叫玛丽，是理查德·鲍威尔先生的长女，接着就当上了牛津地区的地方执法官"。这件突如其来的事令人相当震惊，而菲利普是他的一个学生，可能这位"年轻绅士"的一些痛苦给这场恋爱减色不少。尽管如此，作为弥尔顿外甥的菲利普，可能早就知道这种情况。弥尔顿似乎没那么做，可这场婚姻的结局却来得相当快。不管怎么说，那时他结婚了，带着他的新娘回到坐落在阿尔德斯盖特街的家，按当地的风俗举办了一场令人愉快的婚宴。几周后，新娘回了家，拜访了一些亲朋好友。她在那儿所做的事没什么值得特别的记载。然而，奇怪的是，到了该回来的时候，她却拒绝回到夫家。她做出此决定的理由令人难以置信。老鲍威尔和弥尔顿之间政党立场的不同可能是其很大的原因：老鲍威尔坚决站在国王一边，而弥尔顿则支持议会。这被认为是夫妻不和的原因。另一方面，这种情况应该在三个月前就知道。在这三个月里，那个地区的两派之间没有发生任何明显的变化。其他不和的原因就得从弥尔顿夫人身上去找了。按照她的说法，她讨厌丈夫那"填不饱的食欲和刻苦的学习"。

毫无疑问，她发现伦敦生活枯燥乏味，或许她是由于久居乡下，自己很不适应这种令人不悦的环境。虽然如此，可是还是有很多年轻女孩从牛津到伦敦，其中一些人嫁给校长。然而，如此和谐的婚约就这样解除还闻所未闻。大家得出的结论是，新娘不喜欢她的丈夫。我们不禁猜测，她在结婚前就不喜欢她的丈夫，金钱应该是夫妻不和的原因之一。不过，如果鲍威尔先生能利用父威，也许可以确保他签订一份协议，拿到可观的补偿费。并不是每个父亲都能遇上年轻英俊且富得流油的债权人（女婿成了可敲诈的对象，我是这样理解的）。也许看来无需过于逼迫这个年轻女子去做什么，似乎这是一件其他人做起来没有任何压力的事，然而这些都只是一种假设：即使查理一世时期几乎没有什么爱情的信物，不论鲍威尔小姐的感觉如何，但是弥尔顿夫人的感觉却很肯定：她没回夫家，不回丈夫的信，他派去想接她回家的信使也被随便打发走。毫无疑问，迄今为止，在这两个该受责备的人中，实际上应该更受责的人是她。无论他对她做了什么，比起她离开他这种做法都算不了什么。为了捍卫这样一场婚姻的严肃性，我们必须采取比弥尔顿先生一直想求和的态度更为极端的方式——离婚。无论弥尔顿夫人的习惯如何——很有可能她为人处世的原则相当保守，如果可以委托魔鬼来检验对错，那么她可能就有申请减轻判决的辩解机会，弥尔顿先生的性格也可能不受这位年轻小姐的喜欢。当然，苦行加禁欲对人来说只能是一盏"灯泡"，缺乏浪漫的人远比不上性感多情的人受女人青睐。前者自欺自大，心不在焉，与女性难以相处；有好学习惯和独特克己的人活着似乎没什么意义，他们错过了真实世界里就在眼前的很多东西，忽视了每天生活中大大小小的趣事。有饱满热情、公益精神和执着追求崇高理想的人脱离了生命的轨迹：他们的目光聚焦在寻求臆想中的幽灵诗人，无法与女人相处，这方面有很多证据；而禁欲的道德家更是无生活乐趣可言。一个人与这两种人扯在一块，痛苦与失败难以预期也难以解释，这一点在某种程度上与弥尔顿的婚姻失败特别吻合。弥尔顿可能致力于过苦行僧的生活：对他来说女人满足不了日常生活中的小快乐。弥尔顿在他书中关于离婚问题阐述了自己较独特的观点。他抱怨他的妻子不说话，希望婚姻关系是"亲密且能交谈的"；可他遇上了"一个缄默无语的伴侣"。他的一篇家庭对话"离婚的虔诚必要性"中的主要观点显得漏洞百出。许多杰出的男人都会抱怨其多嘴的妻子，但是，弥尔顿家庭的不幸就另当别论了。弥尔顿希望找到的是一个"敏捷而充满活力的伴侣"。然而，"硬币式的玩笑（两者居一）"开出的结果是阴面，看来弥尔顿可能还是一个无趣可厌的人。

有时弥尔顿会把自身的不幸归咎于青年人没受教育。"最冷静、自控力最强的人，"他说："在这些事情中最不讲究实际。"弥尔顿关于离婚的书尽管饱含感情，而且以很快的速度"点燃婚姻的火炬（步入婚姻生活）"，但是，那些"生活得最轻松的人，由于他们勇敢地闯入婚姻，证明在婚姻中也是最成功的人，因为他们外向的热情随意不定，与很多离婚的冲动一样教会他们经验"。弥尔顿希望品德高尚的男人遭遇不幸时，应该能同样机智地处理离婚。他也许意识到，女孩"羞怯无语"时常隐藏真正不适谈话的内向和天生的惰性。

弥尔顿因个人的原因希望这么做，过了很久他仍然相信，他的书清楚地讲述了他第一次婚姻的异常经历，他妻子一开始就不和他说话，直接离开了他。于是，书中大部分的内容在讲述个人的遭遇。他就这个问题的专著写得事无巨细。一些体贴的绅士对"女权"忧心忡忡，他们认为妇女消除长期建立起来的错误屏障后会从中受益。我们无法猜测情况会怎样，毕竟现今更加稳固的婚姻体系符合大部分女性的心意。家庭生存的变迁体系或许也符合都德范特夫人的心意，只存在极个别的特殊例外。可当我们听到可亲的人解决女性听觉（当然书是这么写的）能力自由发展的问题时，我们便想起狼和小羊的故事。但是，现在还没有充分的理由接受这一观点。弥尔顿没有如此现代的观点：他对人权表现出坦率而诚心的关注。在教条中，离婚只允许妻子的帮助，而丈夫却会宣称："抚摸妻子！谁会那么愚蠢地认为女人是为男人而生，而不是男人为女人而生？不相爱的婚姻是多么受伤啊！别理睬她！谁为房屋守则满意的人做主？不是出于智慧上的同等或通情达理，而是出自女性的骄傲！我不许女人剥夺男人的权利。如果女性无法忍受，不知她的言论会被羞辱成什么样子？"他真诚希望维护社会上不合群的男性和无同情心的女性，这是他的主要的想法。在某种程度上，阐述他的理论有着相同的情形。下面的文章表达出弥尔顿十分清晰的意思。

"摩西制订出严谨的法律,这种法律充满了道德上的公正以及对自然的真正思考。人们不能不接受由最明智的人和最文明的民族制订出的法律:当男人娶了妻子,如果因一些不愉快的事或妻子不能胜任而他不爱她,那么让他给她写一张离婚账单。毋庸置疑,法律的意图是这样的:善良的人由于面临某些无助的分歧,或者无论是精神还是肉体上不喜欢的东西,因而带着进攻性的永久掩饰和精神的困扰,进而无法愉快履行丈夫的职责——与其叫他和妻子都生活得不幸福,与其继续承担他不愿履行的责任和义务,倒不如休掉妻子,而不是只凭良心保持着夫妻关系。那就娶一个可恶的(那么,希伯来语的意思不是'可恶的',虽然它将所有问题归纳在一起)女人,所罗门所说的神圣法律证据是一条必不可少的好法律,与一个可恶的女人结婚是一件任何男人都无法承受的事。男人会抱怨说,现代国家民法干扰了"丈夫家庭式的特权"。所罗门的观念似乎只有一个非常充分的理由,否则丈夫受到束缚,却不能休掉一个跟自己的脾气完全不同的妻子,这样的妻子其实就是一个不可救药的"哑人",与被离弃的弥尔顿太太没什么两样。但是,所罗门绝不承认在行使这一权利时,他的法律证据应由人类法庭来纠正。他认为,每起案件的具体情况取决于"明了的事实";民事法院要对很微妙的问题和很细微的材料从本质上做出决定,这几乎是不可能的。尽管和蔼可亲的男人无疑遭受没有妻子的痛苦,可在这种情况下,我们不该太快为他们做出草率的裁决。裁决的范畴倾向详述妻子对社会所负的责任。此时,我们只主张给弥尔顿做这样的描述,这样就可以阐明他的性格。我们认为,我们已表明他在家庭关系中可能过于傲慢;我们远未关注现实中被高估的男权。但是,现在在男权优势的固有基础上又有离婚主义的教条,而没有他对其妻所负的社会责任。然而,我们不主张妻子因存在类似低人一等的大缺陷而离开丈夫。如果变故的权利在这些微不足道的情况中加以应用的话,那么没有多少家庭会继续存在下去。我们只不过在暗示,妻子可能与其他不可靠的夫人分享我们讽刺大家的宽恕:"我的母亲是天使,可天使并不总是我的母亲。"这是我们的话题中令人不快的一部分,我们必须将其撇开不讲。我们更愿意讲述,弥尔顿在生活的任何情况下，而不是在晚期的奇怪行为中，绝对表现出其性格的重要方面。过了很长时间，在弥尔顿关于离婚话题的书出版后，弥尔顿夫人表示愿意回到丈夫身边。尽管理论上弥尔顿已与她离婚，可他心理上还是接受她的。他怀着一个基督教徒巨大的忍耐之心，接受了她的感情。议会党后来胜利了；老鲍威尔先生为国王受了很多苦，直到无忧无虑地死去，"完全奉献自我"，因为我们在他女婿的房间里得知这一切。至于弥尔顿家庭生活的其他事件，我们自己还是不说为好。我们得将话题转向他性格的第二来源——他对当时重大公共事件的意见。这听起来可能很奇怪，可我们相信，一个性格简朴的人自然倾向于有极端的派性，显得相当独立。

当然，培养这样一个人的环境应该与可能影响其他人的环境不一样。如果我们可以宽容如此的评论，那么可以说，派性需要伙伴关系，而独立则排斥派性。这种性格的人只要有可能，就会很快倾向于精神上的独立。这种人在家中就只有自己思想上的热情，受困于自己狭隘的思想境界，不提出自己的观点，倾向于思想上的独立。但是，当伯克在不可战胜的环境中投身于精神伙伴关系时，我们就能在他身上看到这种过分的热情。没有人会动不动开口就讲哲学，然而，一个加入政党的人就不会再讲哲学，更不会支持哲学。弥尔顿忘了该怎么抨击敌人的信条，他的想象力使敌人成了信条的抽象化身。当独立的思维与流行的趋势一道起作用时，这种思维将倾向于夸大事实。第一个间接获得他人想法的人对自己弱点的理解更加明确，能更熟悉别人同情的感觉，这多半是因为使他孤立的感情产生出几乎不可避免的后果。

弥尔顿就是这一评论的例子。在查尔斯一世和议会斗争伊始，他非常支持群众运动，文学家可以对查尔斯一世写下这样的一段话：谁能耐心听这场肮脏、卑鄙、愚蠢的演讲，以至于现在看来他的党派似乎十分奇怪。没人能想象得到，在他那个时代的英国对知名人士的伟大和虔诚如此不敬？比一比大卫王和查尔斯王：一个是最虔诚的国王，而另一个是拥戴迷信王子的预言家、基督教初学者；一个是最审慎明智的王子，而另一个是无能之辈；一个是英勇王子，而另一个是懦弱者；一个是最公正的王子,而另一个是最不公正的人。一个人虽已受心腹朋友白金汉公爵各种邪恶的约束,但你还可以粗鲁地表扬他纯洁、严肃;一个人虽在公开游戏中拥吻女士,但你还可以调查他。无论命运多舛的君主犯了什么错误(他们犯的错误确实不少),但是现在却没人会认为君主荒谬的谩骂情有可原。这种谩骂完全没有击中要害,只是强烈表现出充满想象力的思维而已,思维者已经了解到一些其不喜欢的东西,且无法或正确通过结果看到任何与其相关的东西。

但是,由于议会的最高权力——"保卫英格兰人民",弥尔顿不再忠诚于他们的原则。没人曾为他们建立的制度画过更为不利的插图。多年后他们大势已去,(书中第三部分)最为人不喜欢的一部分是对他们的又一次抨击。恢复君主制已经遍及陌生的新场景、老演员和旧世界,弥尔顿闯入了"英格兰历史"。一旦表面的热情冷却下来,散布公众烟雾的地方新法官感到精疲力竭,每个专心的人(设置联邦在后,联邦士兵结束在前)就立即行动,就像为他自己的利益或抱负指引方向一样。正义随之姗姗来迟,不久后便遭到拒绝,而恶意和喜好决定一切。因此,从那时起,派系开始背信弃义,不管是在家里还是在田间,处处都有罪恶和压迫;污秽可怕的行为每日或悄然或公开发生,持续不断。于是,一无所长的店员和仓库员被召来坐在最高理事会和委员会(就像教养一样)上,开始鼓吹联邦。从那以后,其他人也开始为联邦而鼓吹。因为这样,人们可以很大程度上安慰并顺应他们,所以鼓吹最多的人或在虚情假意庇护下的人,可耻地享有学术奖和忠诚奖,或他们在犯罪和违法中可以逃脱惩罚。在那些人看来,应该废除不好的法律,并且应该立即制订更好的宪法选票及其条例,以回应过分的新要求,税捐和国内货物税——每年每月每日都不会授权他们,也不与他们分享官职、赠品和优先权。弥尔顿既不喜欢委员会的制度,也不喜欢联邦的管理,这使他依附清教军队和克伦威尔,并做出有利的判断:英国,讲一个不经常说的真理,因为它是一个土地多产足以保证人们生活的国家,但在我们提及的章节后部分,它表达教师某种情感。所以,在和平时期能受到适当谨慎支配的人自然不会太富裕,只能相信自己天生的智力;他们认为,要是有适当的礼貌、智慧、金钱和荣誉,更有热爱公益的心，那么这样的人在这片土地上能够成功英勇地获胜，但想知道胜利的结果和原因既不明智也不聪明。不管成功与否，其结果和原因都是不可教的。

在某种程度上，有教养的人一旦有了思想，就会变得可靠，做事就会精心策划。由于有了阳光，我们就想有成熟的智慧，这就像从国外进口葡萄酒和石油一样，所以我们肯定会有成熟的认知，也让外国鼎盛时期的典范作品中的许多公德输入我们的思想。不过，我们仍然会遇到失败，在创办大企业的尝试中也还会存在不足。因此，他们的胜利证明是徒劳的，就像他们的失败证明是危险的一样。而且，在人们遭受像被征服而痛苦一样的屈辱下，让他们继续征服。另外，这种征服确实不太可能向其他方面发展，除非人们变得非常庸俗。就像他们中的几个人一样，传统的知识和俊杰的行为往往与许多不可战胜的权利是对立的，可对待友谊和一般关系却不偏不倚——他们以这种方式处理事务；但另一方面，从小商贩到零售商，他们中许多比其他人更无知的人被供认出来，这些人在教会和政府中有着肮脏的雏形，却接受友善的调配。我们不必讲起弥尔顿不赞成恢复原职。在他和查尔斯二世的世界里，对抗是不可避免的。因此，总的事实仍然是，除了夸大早期斗争中的公众态度，他在立场上方面仍然保持孤立，对当时的胜诉方并不表示任何的同情。弥尔顿关于政府的理论肯定源于自己的作品。他主张建立一个没有个人法令也没有上院法律的自由联邦。但是，他规划出来的联邦形式却很奇怪。他认为，常务委员会应一次性由国家选举产生，这样的委员会是一台政府最有可能存在的机器。他没有把他的宣传部局限于抽象的理论，以免得出错误的结论。不论在当时还是在后来，几乎没有一个人会采纳他的意见。弥尔顿政论文的理论部分完全是历史的。他的政治信条没有多大的价值，他用来支撑信条的论证也许是少了点。但是，那些信条与写政论文时的关系在政客们中起到很明显的作用。联邦政府建议立即在国家建立这一委员会。我们不必去调查我们详细制订的商讨、所读法国文学的论述、关于建立君主立宪制的可取之处、关于建立共和政体的可取之处，以及关于建立帝王统治的可取之处。在继续验证这些争论之前，开放多样的问题与对世袭政体的默许之间的强烈对比让我们十分震惊。我们认为"国王、上议院和下议院"都是自然规定的条例。然而，弥尔顿的政论文体现了，在一段时期的几年中，英国政府如同1851年的法国政府一样几乎成为普遍议论的焦点。在当时的情况下，一篇题为"向思想家发出的邀请"的文章发表后受到内克尔的责难。这篇文章作为哲学推测的惯用手段最终为人所接受并得以推广。这不是说我们期待从弥尔顿的帮助中能得到什么推测。该文作者不存在与别人交易的问题，也不存在与复杂的世人交往的问题。要知道，在这个世界独立而简朴的思想最有优势，其优势在于它本身，在于它具有"宁静而和悦的孤独"。这一思想者能听到别人听不到的思想，享受到愉悦学习所带来的安静空气，意识到这样的沉思和诗歌似乎不是从记忆夫人及其双胞胎女儿的祈祷中获得的，而是从永恒精神的虔诚祈祷者那儿获得的。他们能从中增加说话的方式，丰富自己的知识，将神圣的火焰和祭坛送给六翼天使。

> 尤拉尼亚啊，从天上降临吧！
> 如果没有叫错您的名字的话，
> 我将随着您那神圣的声音，
> 飞得比天马珀伽索斯的翅膀更高，
> 超越过俄林普斯山。
> 我呼喊的不是名字，而是意义。
> 您不属于九位缪斯，
> 也不住在老俄林普斯山上，
> 而是天生出现在群山，
> 泉水喷流以前，
> 您就和永恒的"智慧"一道交游，
> 智慧是您的姊妹，
> 在全能的天父面前您曾和她嬉戏玩闹，
> 天父爱听您的绝妙歌词。
> 我作为人世间的客人，
> 在您的指引之下，闯进了天庭，

呼吸您所调的最高天庭的空气。
希望同样指引我平安返回故土,
不要让我从奔放不羁的飞马上误坠,
坠落在"流浪"之野,
在那里独自徘徊、流浪,以至绝望。
我的诗还有一半尚未吟咏,
其界线只限于日常所见的
狭窄世界范围之内;
站在地面上,目光超不过地极;
我要更自然地用人的声音歌唱,
纵使落难,也决不变哑或默不作声,
在落难的日子里,
每每遭恶毒的诽谤,身处黑暗,
危险和孤独包围着我;
可我不孤独,因为每夜您都在我睡梦里,
或者晨光染红东方时造访我。
尤拉尼亚呀,愿您继续聆听我的歌,
为我寻找适当的听众,即使不多。
但要远远消除野蛮的噪音,
巴克斯和他那些纵酒之徒,
以及在洛多坡把赛雷斯的歌者,
撕碎野蛮狂暴种族的骚音。
那时林木和岩石都闻歌起舞,
但狂野的骚音将歌声琴声淹没,
就连缪斯女神也救不了她的儿子。
您千万别让对您祈求的人失望,
因为您是天使,而她只不过做场空梦。

多塞特古郡的一名牧师和赖特博士在一间锈绿色的房间里发现,弥尔顿坐在扶手椅上，穿着一身整洁的黑色服装，脸色苍白，但不显得惨白。以前在温暖的晴天，他经常穿一身灰色粗布外套，坐在伦敦北部一座公墓附近的房门前。人们说他从中受到启发。我们如果将目光他转向他的作品，就会立即被两个奇特的反差所震惊。其中一个是：古代艺术和现代艺术的反差，或者说，真正囿于古代艺术而富有想象的简单裸露与现代艺术呈现出的复杂包装之间的反差。如果我们接受这样的反差，那么弥尔顿似乎一方面属于传统派，而另一方面属于现代派。不过，弥尔顿作品的题材远没那么简单。他创作中最伟大的两个角色——撒旦和夏娃——也是最简单的两个角色，后者可以说是整个文学领域离最简单的角色。一方面，弥尔顿的艺术是传统的；另一方面，没有什么作家的比喻较他的丰富，其插图比他的多样，其服装比他的华丽，从这个角度说，他的作品风格似乎趋近浪漫和现代。然而，他的风格实际上是带着现代伪装的传统艺术：服装毕竟只是服装，因为我们可以在任何自己希望的时间脱掉它。确实，我们大家也许都会记得自己脱衣的时刻。尽管在弥尔顿想象中夏娃呈现出丰富装饰，可她本质上仍然属于最简单的那类女性——我们希望女性纯粹体现应有的内在本质。撒旦这一形象包含着某种元素，不是那么容易描绘。

最纯粹的现代理念无法接受这么裸露的艺术形式。现代艺术与浪漫的服装密不可分。哈姆雷特和李尔王两角色被认为很复杂，是棘手和复杂的化身。作为生活的共性，复杂的形象很难用文字描述出来，哈姆雷特的形象更是如此。如果我们能做到我们应该做的那样，那么现代特征的浪漫艺术呈现给我们的作品是我们无法想象和描绘的。可以这么说，看来我们绝不能把弥尔顿摆在浪漫艺术大师的行列中。如果弥尔顿的主题不涉及古代争辩的混战，那么我们可以说，弥尔顿诗歌最突出的特性在于其纯粹朴素的想法及其丰富的插图。他的诗歌另一个极为突出的特征似乎有一种称之为二手诗的东西：一些诗人苦苦思考别人的诗歌，不知不觉从中发掘一些属于自己的东西。如果新的理念与原作相似，那么这种理念绝不可能有过，原作的版本以前也绝对不可能有过。新理念作为新东西与原作截然不同，既不是复制品也不是剽窃物，而是一种创作——可以说是一种指向性创作。勤奋的评论家们一路跟随弥尔顿的创作道路，发现和他们一样的一群人无疑都徘徊在幻想的周围，然而弥尔顿却在写这群人。

这些评论家专注于研究弥尔顿的作品，小有成绩。他们在弥尔顿的半数作品中看出蛛丝马迹，这是任何一个读者都能做到的事——不仅能看出明喻的修辞手法，而且也能看出特有质感的思想表达。毫无疑问，在很多情况下，他们发现的东西远比作者本身知道的还要多。弥尔顿的头脑中存储着很多颇具想象力的回忆，所以我们无法知道他的想象力由哪段回忆折射出来。人们清楚地知道，最好的想法是不值得去探索其缘由，我们该做的是去适应、去模仿、去演练想法，这对诗人而言可谓千真万确。他们的想法按照规律以艺术的形式表现出来，比世上其他任何的想法都难以描述。可以说，二手诗对诗人本身而言就是原创。弥尔顿通常不知道二手诗是源于对过往的回忆。多年后他才会发现这个问题就像其他人发现的问题一样，一般来说，这种低劣的创作不易为那些独特创意者发现。就像格雷所描述的一样，一种沉静、平和、精锐的思想是我们所期待拥有的。伟大的创意可以干扰适应过程，只有自身闪光的思想可以消除他人思想带来的束缚。二手诗歌就像现代地质岩石的中间层，呈现静止、柔软、冲积的形态；最初才华的光芒所带来的协同效应就像原始花岗岩，其规则显得简单、惊人、独特。弥尔顿是一个特例，他的思想具有明显的独创性，他的诗像一座柔美的人造绿色公园，构思大胆，景色独特，建筑坚固，其永恒凸出的岩石显得更加美妙，这就像我们自己湖畔的风景。然而，大自然有自己的构造，我们有赖德尔湖永恒的山脉，可弥尔顿有柔美的壮观，这是他的特点。最初传统和现代之间的反差困扰着我们，可在我们记忆当中，这正是区分弥尔顿和其他诗人的依据。

例证、想象和隐喻的应用表面上看起来很简单，并且与之相对的是，我们能看出潜在简明的思想表达，以及对概念直接有力的陈述。尽管表面上华丽的辞藻很多，但表达的思想却很少。我们会不断将弥尔顿的诗歌与记忆中的抒情诗歌做对比，也会将其与过往那些言语犀利且充满想象的著名诗歌融为一体。我们大概可以说，弥尔顿的语言就像他的性格一样，本质上诚实简朴，感情细腻。我们都知道，他一向有得体的行为举止。在我们的想象中，他的声音传达出音乐般的感染力；他的性格品质及其诗歌都有着像套头美人的美一样的美感。也许没有一本书评论起来会比《失乐园》更难。评论一本充满想象力的作品的唯一途径，就是描述它对读者的思想所产生的影响，在任何情况下评论家都得这样。这种描述可以通过强有力的例子、贴切的比喻、可能些许的夸张充分地勾勒出来。本质上说，描述的任务并不容易。诗人可以在评论家想象的基础上画出一幅画，而评论家可以在纸上或多或少将想象复制出来，后者在可以根据其想象描述前，必须说出其想象是什么。可在《失乐园》一书中，我们很难使用例子。《失乐园》主题富于想象力。在任何情况下，我们都要有勇气去努力挖空心思地审视。《失乐园》的另一个特性使这个任务变得更难完成。弥尔顿曾声称《失乐园》不是或绝不只是一部作品。《失乐园》一开始就有一个绝对目标：它公然认为存在永恒的上帝，并且向人们解释了上帝的行为。在这一点上，我们总是对曾遭无数谩骂的剑桥数学家深表同情。那位数学家说过，毕竟《失乐园》也没证明什么。有不同诗歌鉴赏品味的人对这种平淡无味的评论很苛刻。然而，毕竟那位数学家是对的。弥尔顿确实声称证明了一些东西。作为一个评论家，数学家的评论太深邃了，不过，他仍然是弥尔顿忠实的追随者。

弥尔顿发现了关于作品永恒的某些共性原则，这些共性是评论界很想阐述的东西，但不知在这一主题上弥尔顿想证明的东西。弥尔顿宣称要去处理那些关乎人类命运的重大问题，还要去探讨创造人类的原因、人类住在什么宇宙以及人类的起源和归宿。他要探讨这些重大问题的必然性，就得阐述这些问题的重要性，还得考虑其无限性和永恒性，乃至其时间性和真理性。他担当起描述上帝处事方式及其性格特征，以及人类行为举止的任务。这一描述的成功实质上就是想满足人类的宗教感，把我们的心带到真正的心灵家园，交给我们看不见的东西，用我们已经遗忘的东西唤醒我们，剥去穿在我们身上的伪装和罩在整个国家脸上的面纱。总之，弥尔顿给我们一个我们能接受、相信和信任的圣洁人类的概念。评论的真实规则需要弥尔顿所倡导的东西，在某种程度上对伟大史诗这个预期目标进行检验。如果检验目标的话，那么我们需要使用不同寻常的朴实话语，而不需要约定俗成的套话；如果认为离开主题就无法阐述清楚的话，那么一定是我们自己在找借口。《失乐园》的瑕疵在于毕竟它的创作基于政治交易。其背景是宇宙历史早期的天堂，并且是在人类起源和撒旦堕落之前。我们描述了一个审判的地方：受上帝召唤的天使按等级顺序出现；成千上万面旌旗飘扬在神的军队中；空气中的气流似乎也按等级秩序吹动着旌旗。至高的上帝对这群人说："听！所有的天使、充满光芒的子孙、皇冠、统帅、王国、道德和权力，听我的信条，那些尚未废除的信条仍然有效。今天，在这座神圣的山上，我宣称，我已经得到我唯一的儿子。"

"他已被选定，顺着我的右手你们看到的人就是他；我当着你们的面发过誓，天庭上所有的人都将向他鞠躬，并承认他为主；在他伟大副手的持续统治下，构筑起一个永远幸福的独立灵魂。他要是不服从联盟，我要是也不服从联盟，总有一天将被上帝和他保佑的人驱逐，判定没有救赎，坠入一片黑暗的无尽深渊。"这种行为在法庭上不受欢迎，可它为什么会发生呢？从宗教的角度看，这种行为必将遭到反对。罪人欠神的崇拜无法传递给代理人。法庭的整个现场破坏了一种真实的感受：我们似乎在读一些关于历史上皇帝的故事，这个皇帝在帝国面前承认他儿子的权利，赋予他相当的司法管理权，并要求官员正式向他下跪。"儿子"这代"在任何时候"对他们来说已成为现实，永远不变的现实。他们的脑海里毫无对任免权的疑问，任何时候儿子就是儿子，就像任何时候父亲就是父亲一样。弥尔顿在这类事情上有一个大胆却不很敏感的联想。他把圣经（在一定程度上乃至所有宗教）语言中不可避免的唯物论当作明显的启示来接受。他坚信，与老信条相反，那些神同时具有"性格和激情"。他想象地球"只不过是天堂的影子，那里事物之间的关系和地球上的相同"。从一些段落似乎可以看出，他认为神有跟人类一样的"成员和组织"。因此，很自然，他不会容忍神秘的时间概念和传统学说中所涉及的永恒。然而，现在我们不是在关注弥尔顿的信仰，而是关注他的信条的表现形式，他所展现给读者的画面，即《失乐园》里的画面。但是，我们只能想象，那些画面几乎不含宗教的东西，也完全有别于基督世界所接受的东西。像"任何时候""永恒的一代"这样的用语无疑被许多人模糊地诠释过。尽管如此，明显正统的人画这代人的图片都会把意思及时表达出来。读下面的诗句会让我们更清楚地看到这一点:"所有的人看起来很高兴,但不是所有的人都很高兴。"

他的名字可以猜得出来,可是他坚决反对,并且召集会议,在会上解释说:"命令和等级并不与自由冲突,而是自由的有力支撑。"但是,只凭关系推举新人的做法,甚至大大超出原来天神封帝的做法,成为一项新"法则",这么做多么专制。亚必迪"最热心于敬奉神灵,最能遵守神的旨意",他试图反抗。

"其他同辈的事不公正;
你难道能自以为伟大光荣,
自以为集所有精灵美德于一身,
自以为是和独生圣子同辈?
岂不知万能的上帝创造万物,
就是凭他的'言词'去创造,
你,也同样是他创造的,
天上各级精灵都是他创造的,
并且我们靠他享得荣誉,
享有王侯、有势、有德、
有权的光荣称号;
不因他的统治而黯然失色,
反而更加灿烂辉煌;
由于他屈尊来做我们的首领,
成了我们的同辈、我们的伙伴,
他的法律就是我们的法律;
一切的光荣归于他,
由他归还我们自己。
因此,你必须停止这不敬的诽谤,
不要引诱这些天使,
赶快别激怒圣父和圣子。

现在祈求赦免还来得及。"

毫无疑问，亚必迪的愿望是美好的，可他的论辩却软弱无力。作为人类发展进程中的一种工具，权力难以对人们是否遵守道德形成有效的约束。当然，权力会在生活中体现出来。然而，权力却无法要求人们遵守道德。它是各种偶像崇拜以及虚伪的宗教引导人的准则。可是，撒旦对此并不认同：

"照你说，难道我们都是造出来的？
而且是二手产品？
是父传子的作品？
这种说法真新鲜、真奇怪！"

我们不得不说，新任统治者所持的"王、公、有势、有德和有权"等观点，很难与亚必迪的观点相一致。亚必迪"当时"似乎已形成自己的观点，却几乎没在天使般的创作中提出过。他已不年轻了，和他人交谈起来就像跟老熟人交谈一样应答自如。我们最后要研究的一部分是大失误的源头，而这种失误在《失乐园》中比比皆是。好在撒旦这个人物比较有趣。这就成了许多正统派和异端派攻击他的理由。另一方面，虽然谢里是一个虚构的人物，可他在作品中光彩照人。如果我们没有记错的话，弥尔顿把自己归为异端派这一类，就像谢里自己所做的那样希望能展示神学虚伪的一面。然而，弥尔顿出生的年代太早了，他自己也太诚实了，他无法以比较隐晦的方式提出自己的学说。他相信自己所说的每一句话，却未意识到在那个年代他的书所产生的影响。那可是一个到处充满怀疑的年代，对他的论述毫无帮助。我们孩童时可能会记得，有关神圣天堂的描述会引起我们对上帝的尊敬。我们本来就不敢以审视的态度去读宗教书，也不敢去研究它的细节，搞清楚它的意思：因为它毕竟是一本宗教书，听起来就很神圣，那就足够了。诸如此类的情况就是17世纪人们的一种思想状态。甚至弥尔顿潜意识里也会对宗教语言有某种崇敬，他很难感受到他描绘的理想道德所能产生的影响。

　　弥尔顿的艺术天赋常使他变得匆匆忙忙。在他和我们看来，他塑造的撒旦是他诗歌里的男主人公。诗歌一开始，弥尔顿让撒旦拒绝接受人间王国原谅他后给他安排的合适场所。弥尔顿也许跟他的读者一样对撒旦抱有一点同情。撒旦个性的引人之处体现在前两本书的最高潮部分，诗人柯勒律治恰如其分地拿撒旦个性与拿破仑个性相比。撒旦和拿破仑同样傲慢、同样邪恶、同样自负，有同样的愿望。撒旦的个性似乎随他地位的改变而改变。至少可以说，如果拉斐尔关于撒旦的描述是可信的话，撒旦离开天堂的当天，除了孤身一人外别无他物以外，在饱受悲惨的痛苦之后，他过得比在天堂以前好多了。没有通过想象也没有参阅史料所绘的革命无政府主义的画卷近乎完美。在人类一定想要的情况下，那儿有人类伟大思想的所有壮丽画面。几乎没有什么英国人对拿破仑一世怀有深厚的崇敬。在拿破仑时代，英国没有与法国结盟。传统上，我们大部分人对拿破仑都有反感。要是没感觉到拿破仑对君王的兴趣在增强，要是没意识到人们默默希望他成功的时候，几乎没有什么英国人能看1814战役的账目。我们对拿破仑持否定的观点，当然我们庄严地支持英国，但是可以想象对拿破仑自身不会抱有任何的同情。我们阅读到关于伟大将军表现出几乎无限的天赋（没有比最后紧急关头更伟大的天赋）。拿破仑有着无与伦比的天赋，可他仍然被征服，屈服于环境的力量，屈服于对手的联军。对于这支联军来说，在力量上拿破仑单对单胜过联军任何一位将士，而在王权上、思想上拿破仑胜过联军将士的总和。在《失乐园》的前两卷，撒旦有着与拿破仑相类似的兴趣。我们知道撒旦会被征服的，他的名字不是一封推荐信。我们无法想象得出撒旦会被征服，我们不像对他感兴趣一样对他的事感兴趣。我们同情撒旦，也喜欢撒旦。也许这多半是必然的，可撒旦有一个大缺点。尤其是，弥尔顿自己的观点存在很大的缺陷。他将此看作后现实主义。假如世上写邪恶的作家最引人注目，假如所有罪恶的根源就是我们所有兴趣的源头，那么我们就不必生活在这样的世界里。

　　就像我们常说的一样，很多此类事很难避免，即使论述这一主题也不例外。弥尔顿或多或少缩小了撒旦身上的神性。当他被要求去完成这一任务时，他的想象力明显受到限制。弥尔顿对精彩的现代世界想象得越多，就会越失望。任何一个有如此企图的人最终都会发现自己的神经为之颤抖。出于好奇，弥尔顿犯了一个致命的错误，他选择描述的正好是神性那一部分。这已经大大超出了人类能力所及；当我们试图描绘我们想象神性时，这也是对我们的思维最没益处的。弥尔顿已经让神去争论。现在，神从真理到真理的思维过程必须为我们所理解。弥尔顿想通过多而无味的天使的方法增加我们对撒旦的兴趣。史诗犹如一台超然机器，也有其自己的老规则。这些规则源自于荷马的习惯，值得在史诗中占有一席之地。荷马相信，他的诸神比称之为机器的批评家更具生命的活力。也许这些规则对弥尔顿有过一些影响，引导他以巧妙的方式对待表情严肃的天使，除此之外别无他法。那些天使仿佛是无所事事的优秀管理员；他们是长着翅膀的重要的管家，飞到人间为亚当和夏娃收集情报。他们没有个性，是重要的信使，可算不上指挥家，顺应天意。他们没有幻想却有自己活动的权利，几乎没有自己的思维，没有什么人比他们更不幸了。如果撒旦与上帝直接抗争，其神性将被唤醒。相比只有翅膀的天使，我们更同情那些有思想的天使。

　　因此，在《失乐园》的前两卷里，我们非常同情弥尔顿所塑造的撒旦这一角色，尽管我们认为我们没资格这么做。众所周知，弥尔顿所发表的演讲都很出色。布鲁汉勋爵对其夸张的演讲丝毫不带鄙视的评判，他曾说过，如果一个人从未有机会读过什么高雅的作品，那么这种人最好还是把弥尔顿的演讲作为一个典范来阅读。演讲人感到遗憾的是，他在演讲时没有调动起自己的情绪。"宁为地狱的主人，不当天堂的奴隶，"这句话不论怎样都堪称厚颜无耻的言论。但是，弥尔顿无法在行动中表现得同样厚颜无耻。他富有攻击性的生涯十分有限。在学科领域中，这位堕落的天使几乎没机会详尽展示弥尔顿赋予他的卓越智慧。他穿过混沌的世界，经历了肉体上的磨难，可这些远远不够。他的宏伟目标就是征服我们的祖先；我们即将陷入这场极不对等的冲突中。两条生命诞生了，他们没有阅历，不会欺诈，不知好歹，渴望与人争论有关谁掌控艺术与想象，不听微妙的建议，切断暗喻的源泉。所有的读者必将达成这样的共识：我们不惊讶我们的祖先应该屈服，而惊讶撒旦不该放低身段去袭击我们的祖先。这就好比一支军队去包围一间村舍。

我们提到的宗教神学比我们预先准备的还要多。我们不必去提好斗者带来的极不公平对这场冲突结果的判断产生多大影响。弥尔顿的说法就是这样，因为他想象中的亚当和夏娃手无缚鸡之力，屈服于他所描绘的几乎全能的撒旦。弥尔顿从某种意义上杜撰出这些苦难，因为这本书开头并不存在这么多的不公。毒蛇可能是野兽世界中最狡猾最敏感的动物，可它未必敌得过聪明的人类。弥尔顿非但没有证明上帝待人的方式，反而给这普通的神学添加了累赘。

我们可能在这讨论过后需要休息一下。最好还是先欣赏关于夏娃的一段摘要：

> 那天我记起，
> 当我刚从梦里醒来时候，
> 我发现自己在花影下，
> 很想知道自己是怎么回事，到底在哪儿？
> 从何处来？又是怎么来的？
> 从不远的岩洞中传来潺潺流水声，
> 水流向一片平原，
> 随后平静下来，
> 纯净的水面像宽广的天堂；我慢慢向那边走去。
> 我从未想过伏身在碧绿的河畔，
> 望着这片宁静清澈的河流，
> 河流对我来说就像另一片天空。
> 当我弯腰凝望，只见对面某物泛着微微水光，
> 弯曲着朝我看。
> 我一动，他便动，可我一退，他也退。
> 很快他回望的眼神中透露出一丝同情和爱恋。
> 我一直注视着他，眼里充满渴望。

仿佛有一个声音在提醒我：

"你看见的美妙的东西就是你自己；
它如影随形。但请跟我来，我带你去一个光明的地方。
你来吧，和你温柔地拥抱，不分彼此，
所以两人应该尽情享受。
他应该像你自己一样承受很多东西，
因此也被称为人类的母亲。"
我除了直接跟随这种无形的指引，
还能做什么呢？
直到我在一棵法国梧桐树下认出你，
你有白皙的皮肤、高挑的身材；
但依我看你与那宁静的雨景相比
远没那么白嫩、柔软，也没那么温和。
我转过身，你便大声哭泣：
"回来吧，美丽的夏娃，你究竟要去哪儿？"

性格鲜明的夏娃确实是人类想象出的最为精彩的杰作。她属于那种抽象的女性，典型标准的"万物之母"。不过，她是一个真正有趣的女人，不仅有微微甜美的外表，而且还有无以言状的魅力，其品格的魅力像她这类典型的性格的女性从未有过。才智的完美体现使她具有永久的个性魅力，同时丝毫没有改变我们曾经有过的普遍观念。因为我们对这种才智知之甚少，所以无法对其做出解释。

亚当远不算一个成功的男子。他有一头漂亮的紫青头发，天庭饱满，双眼庄严，此外就没有什么值得我们注意的东西了。事实上，尽管他确实拥有男子气概，可是他没机会将其展示，却只能屈服于妻子，被她呼来唤去。我们无法断定他是否做得很好，不过他确实很乏味。他沉溺于善良的说教，但是很多人不禁担心，诸如夏娃那么可爱的人一定会觉得他很无聊。就在她离他而去的关键时刻，他却选择去睡觉。

约翰逊博士说过，《失乐园》毕竟是那种没人希望他写得冗长的书。我们担心，在我们这一代人中，有些人希望这本书可以再薄一点。假如最后一卷的某些部分被他删去，那么几乎没有什么读者会表示同意。律治柯勒的确在书的最后发现了意义深远的东西，但是，即使律治柯勒很想找出点不足的东西，可他也无法发现出什么。屈莱顿理性地认为，弥尔顿开始追寻圣经足迹的时候才是最乏味的东西。我们对这种情况并不感到惊讶。《圣经》里的很多部分就不容随便删减。一个单词或一个想法对观念的影响不是一模一样的。没有什么比对文字说教的描述更无聊了。这样的事情太经常发生了，比如神职人员开始为我们心灵的净化不断准备做说明性诠释时就是如此。鉴于此目的，我们可以容忍，却极不情愿。但是，我们丝毫不能容忍，诗歌中这种东西唤醒我们的幻想，而不改变我们的行为。每本书开篇一系列的创作是一门艺术：要是没有敏锐的想象，开篇不能容忍增加几个小字母，更不能容忍增加几个词语。

记载物种的《创世纪》是任何想象都无法增减的一部杰作。弥尔顿的解释似乎烦琐而无益。用长点的措辞说，这个世界是"开阔的"，但不可创造，苍翠欲滴的春天不会一瞬间就从无边无际的太空冒出来。这个世界也不是像《旧约》中的世界那样简单寂寥，屈指可数的天使没有起到任何作用，只是说天堂一定充满被驯服的生物。对《失乐园》做出这样评论，甚至是一些令人不快的评论并不难。世上什么书真正能达到高水平，或能用直白的语言叙述以达到预期的目的而读者的兴趣又不减？这样的书少而又少。

什么样的书才算是一本好书？书中文字在其最精彩段落中赋有魔力，即使是一些相对较差的段落，在把它们化为你自己的文字前，你都很难发现其拙劣。或许从来没人能写出这种风格的作品，并充分表达如此有力且独特的思想。一股无比强大的力量、一种激动人心的氛围以及一首铿锵有力的音乐都只是一部好书卓越的一部分。要理解其他的所有部分，你就必须静下心来仔细阅读——弥尔顿的书就是最有力的例证。人们认为这一点千真万确，没有任何异议。十七世纪中叶前——神学已经被人清楚透彻明白时，可能还没有什么书能记载其演化过程。我们现在不必再用大量的篇幅去"证明神转化为人的方式"。我们的种族越是正统，我们就越害怕这一方式；我们越在这一方式上犹豫，我们就越认为对此已束手无策。已被我们奉为宗旨的最著名的辩论风格是巴勒特风格，而不是弥尔顿风格。

他们没有自诩已对人类的命运做了一回令人满意的解释，相反，他们委婉地对我们说，如果他们把解释告诉我们，我们也许还是无法理解。他们至少没有欺骗我们，并且让我们知道那个解释没有告诉我们。他们研究的课题值得斟酌，他们提出"类比的难度"，也就是说，如果我们有强大的思想，那么他们会向我们解释，我们也就会知道我们的所见所感，但无法解释类似的因素学说。没有什么比弥尔顿的辩论证明更加大胆，也没有什么比他的叛逆风格更加夸张。18世纪的教学氛围正如我们现在的教学氛围：我们应用牛津大学的方法阅读；我们倾听梵蒂冈传教士的说道。这种神学氛围是澄澈的。至少我们知道我们的难处：我们极易夸大某种神学的力量，而否定所有现实的力量。

我们不能顽固地恪守某些观念，最后对读者失去耐心。但是，我们必须多发表言论，不再去批评《失乐园》。这一点和我们曾经探讨的很相似：他的诗歌创作是对美好品德的一种攻击。亚当冒犯上帝不是针对自然或良心，也不是针对肩负重任的理性者，而是针对难以言状的最高王权的禁令。正如弥尔顿所言，对上帝的不忠不意味着背叛大家信奉的伦理道德或亘古不变的精神法则，而意味着不从专政王权或荒谬的法令。我们不用去声讨现有美好的道德——我们只放在心里质疑。即便声讨了，我们也不要在一篇书评末尾加上自己的看法。但是我们可以确定的是，任何地方所颁布有关美德的法令都是不合理的，除非这些法令写入文学作品里。当然，这样做会让作家的良心感到不安。因为这很难做到，所以我们不必对此加以解释——有很多东西永远无法解释。但是，这又和回避批评困难的原则不太一样：遇到疑惑，置之不理；面对奇怪的疑问，只给出似是而非的答案。这正是弥尔顿毫无回避的做法。

我们就不去谈及弥尔顿的其他作品。不说他的所有作品，至少大部分作品都会受到吹毛求疵的批评，尽管他的作品可能有人褒奖，可事实上，他鲜有作品能为自己的个性增光添彩，能让我们进一步认识他的才华。诗歌《科摩斯》就很好地证明了这一点。如今的文学空前光彩夺目，这让我们很难想象文学在过去的境遇。现在用我们语言写成的诗歌——形式优美，结构流畅，内容易懂。虽然约翰逊博士可能对艰涩的文学不太精通，但是他却决意认为弥尔顿无法创作好作品。"尽管弥尔顿是一个雕石成像的天才，却难以用樱桃核雕刻头像。"如果当代年轻人读过约翰逊时代之后的众多优秀作品，他们就会对约翰逊的评价做出积极的响应，这也是正常的。从某种意义上说，这可能也符合大众普遍的品味。《科摩斯》不再像以前那样独特别致而深受读者欢迎。因为我们不用去概括对其缺陷的看法，我们可以更加具体地说：角色平淡，内容造作，情节单调。但是，只有清楚了这部作品有多少缺陷，我们才能理解其别致的伟大。作品的美在于风格。严肃强劲的音乐贯穿整部作品，并且比诗歌给人留下更深的印象，这种音乐柔美无瑕、和谐有力、美丽惊艳、魅力四射。可能我们有更好的文学，读起来朗朗上口、简单易懂、令人难忘。但是，我们现在却不可能有展现思维的能力和尊贵的东西，我相信以后也不可能有。这种音乐所营造的庄严气氛深深地吸引了我们。弥尔顿在其字里行间激起了巨大的未知力量。

现在，我们得结束讨论。这个主题范围很大，我们如果深究下去，就会陷入各种是非当中，那时就更没耐心了。我们的讨论起码有一个明确的目的：希望弥尔顿的高大形象及其伟大作品能够给这一代有着鲜明特征的人留下深刻的印象。

科学与文化[1]

Science And Culture

[英] 托马斯·亨利·赫胥黎

---
[1] 作者1812年在英国伯明翰梅森大学（现伯明翰大学）的办校仪式上的一篇演讲。——著者注

主编序言

托马斯·亨利·赫胥黎(1825—1895)出生于伦敦附近的伊灵,在研习医学后,去海上担任外科医务助理。在离任政府服务工作后,赫胥黎被任命为伦敦皇家矿业学院的自然历史讲师和英国皇家学院生理学教授,随后,在科学世界领域,他担任过诸多职务且收获诸多殊荣。他的专业主攻形态学,在这一领域,他提出了许多形态论专著并编撰了一些综合性的手册指南。

然而,他并非因其对知识的卓越贡献而被科学世界之外的读者熟知,反而因其在普及化和辩论术方面的贡献而声名远播。他是达尔文主义研究中最重要和最有成效的奋斗者之一,同时在"进化论"和传统的宗教正统性的学说的争论问题上,没有科学家可比其更为显著。此外,他反对一切形式的超自然,是不可知论的积极支持者,不可知论要求没有什么会被认为"信念保证比理由证据更强大"。

赫胥黎的兴趣从纯科学延伸到许多与此相关联的领域,比如神学、哲学(他写了一本有关休谟的极佳的书)和教育。至于他对教育的态度,从他下面关于"科学与文化"的演讲中一个很清晰的观点可以清晰得出,一个关于自然科学在大众教育中重要性的独立的强有说服力的辩解。

在他的所有著作中，他形成了一种风格，这种风格能够极好地去迎合其意图：清晰，有说服力，从风格中解放出来，甚至流露出内心的情感并且能在语句中留下深刻的记忆。且不说他对纯科学的贡献究竟达到何等高度，他确实是在英语写作中阐述和争论方面的一位大师，也对处于他那个时代几乎所有人皆有着巨大的知识影响。

查尔斯·艾略特

六年前曾出席过我演讲的听众可能记得，我有幸去调查过这个城市的绝大部分居住者，这些居住者聚集起来为了纪念他们的城市英雄——约瑟夫·普莱斯利。并且，如果能为其带来任何逝后荣誉，我们应该希望哲学家们的灵魂能够得到最终的平息。

然而，没有任何一个人，能在拥有世人一般见解之时，且不如世人那般自大虚荣之时，还能被认成是其所处时代或后代的至善至美；普莱斯利的人生毫无疑问证明了他，无论如何，对知识的进步和思想自由的推进建立了更高的价值，思想自由的推进最开始是思想进步的原因和结果。

因此，我更愿意认为，如果普莱斯利能够成为我们今天在座的一员，我们这次会议将会给予他比议程上要庆祝其伟大发现一百周年的更多乐趣。通过富裕的社会财富这一奇景，既没有挥霍在华丽的奢侈品或虚荣的表演上，也没有通过冷漠的慈善传播（这种慈善没有使捐赠者或者受施者真正的受益，反而耗光了考虑周全的支援计划，去支援那些愿意帮助的当代人或下代人）——这样善良的心会被感动，这样高度的社会责任感意识将会被满足。

在遥远的将来，我们要齐心协力。分享普莱斯利对物理科学的浓厚兴趣是必不可缺的；正如他所学的那样，去了解远离物理科学的咨询领域中科学培训的价值；正如他所感激的那样，去感谢约西亚给予中部地区居民的贵重礼物。

然而，对于我们这些19世纪的孩子来说，在约西亚的信任下建立一所大学所具有的意义是不同于任何一百年前的。它看起来像一个暗示，暗示着我们正在接近"战争"的危机，或者甚至一系列长时间"战争"的危机，这些"战争"在一次早于普莱斯利的时代的活动中因教育而起，甚至到目前为止还无法完成。

在18世纪，这些战斗者一方面是古老文学的拥护者，另一方面也是现代文学的捍卫者。但是三十年前①，随着围绕物理科学的旗帜前进的第三队派的出现，这场斗争变得复杂。

我并不知晓任何人都有权利以新的主持之人之名慷慨陈词。因为必须承认它在一定程度上和游击队武装有相似之处，大部分皆由非常规人员组成，其中每个人都相当程度的为自己的地位奋斗。但是对全部列兵的影响是缺乏兴趣的，这些列兵就当前的事物方向和永久性和平而言，在队伍中已经拥有很好的服务待遇。并且，我不知道，比起把他们摆在你们面前，我可以更好地利用和紧抓当前机遇。

自第一次建议把物理引进普通教学中至此，科学教育的拥护者已经遇到了两种不同的反对。一方面，他们已经被以成为实用性代表而自豪的商人瓦解了；另一方面，在他们掌管文化和自由教育专制者的能力方面，他们已经被古典学者摒弃了。

只讲实用之人相信他们崇拜的偶像，已成为过去繁荣的资源，并且能够满足未来艺术和制造业的福利。他们认为科学是投机的废物；理论和实际相互没有任何关系，在处理普通事情中，科学习惯会成为一个阻碍，而非铺路石。

我称实用主义者为明日黄花，是由于尽管三十年前，他们是非常强

---

① 通过乔治和其他人，支持将科学教育引入普通教育，这一主张很早就提出，但是这场运动在我所指的那段时间之前实际上很难争取到支持的力量。——著者注

大的，但是我仍然不能确信纯科学是否被根除。事实上，目前为止，争论仍在继续，他们还在受地狱之火的影响，若任何人能逃离地狱之火，那都是一个奇迹。但是我已经说过，你们这些典型的实用主义者和弥尔顿的天使有着意想不到的相似度。他的精神伤口，比如说由逻辑的武器造成的伤口，可能会像井那样深，像教堂的门那样宽广，但却远远超过流淌几滴灵液或者其他神圣之物，他丝毫不是更糟之人。因此，如果任何对手要离开，我不会白费时间去重复证明科学的实用价值，但若知道比喻有时会渗透到诡辩影响入口失败的地方，那时我将会提供一个故事供他们考虑。

很久以前，有一个男孩，除了自己精力充沛的性情他别无依靠，他被扔进一个人口密集地，在一群制造工人中为自己的生存努力的奋斗。他看起来经历了一个非常艰难的战斗，因为，在他三十岁的时候，他的全部可支配的资金就只有20磅。尽管如此，中年的生活建立了他对实际问题的理解，他大力呼吁通过卓越繁荣的事业来解决。

最后，人至老年，伴随着"荣誉，成群的朋友"，我故事中的主人公从他自己想到那些在人生中有相似起步的人，并且他怎样可以伸出援助之手去给他们一臂之力。

在长期的焦虑的反射后，这个成功的商业实用主义者能赠予他们的，没有比提供给他们获得"合理的、广泛的、实用的科学知识"的方法更合适的了。并且他奉献了他大部分财富和五年不间断的工作来达到这一目标。

我无需指出故事的寓意，就如同坚固宽广的科学院可以使我们安心确信一般，这个故事并非传说。我说的任何事情也不能强化实际的答案对实际的反对这一力量。

我们可能会想当然认为，在那些最为明辨是非之人的观点中，彻底的科学教育的传播，毫无疑问是工业进步的一个必要条件；也会认为今天开办的这所大学为那些通过在区域内练习艺术和制造而生活的人提供的恩惠是无可估量的。

唯一值得讨论的问题是，是否有这样的条件去尽可能实现永久性成功，而大学的工作也是在这样的条件下完成的。

毫无疑问，约西亚很明智地把很大程度的行动自由给了委托人，这个他最终建议行使大学管理权的人，这样做他们可以有能力去调整大学的安排以期将来的变化保持一致。但是，关于三点要求，他已经在管理者和教师上下达了极为明确的指令。

就大学工作而言，管理者和教师严禁带有党派政治思想；神学也同样严格地被驱逐出区域内；最后，尤其宣布大学将不会为"仅仅是文学导论和教育"提供条件。目前，这一点儿也不使我担心去仔细讲述前两条指令，反而是表达我内心对他们智慧十足的把握的信任。但第三条禁令让我们和科学教育的其他反对者面对面，这些反对者并没有在实用主义者的垂死边境，而是依然生机勃勃、机警敏捷且难以应对。

在一个声称要提供高质量、高效率教育的大学里清楚地听到对"文学导论和教育"的排斥也并非不可能。当然，这个时代将是文化的利未人吹起他们的号角像反对教育的杰力克一样反对阻碍者。[①]

我们有多久没有被告知学习物理科学不足以授予文化；我们有多久没有被告知物理科学没有涉及生活中更大的问题；更糟糕的是，我们有多久没有被告知对科学研究持续不断的奉献，却在科学方法对寻求所有真理的适用性上，产生出狭隘顽固的信念。一个人多次推辞说没有任何一个答案是对麻烦的争吵，就像只是称呼他"科学专家"一样。我担心以"明日黄花"这种形式去陈述科学教育的反对者是不被允许的。我们可以不期待被告知这个"文学指令和教育"的省略和禁令是科学狭隘思维的最好证明？

我并不熟悉约西亚采取这个行动的理由。但是如果正如我理解的这个情况，他是以"文学指令和教育"之名，指我们中学和大学里的普通经典课程，我敢提出我自己种种理由来支持这个活动。

我有两点来强力地支持我的观点。首先，既不是纪律也不是传统教育的学科问题对物理科学的学生有如此直接的价值以至于他们认为花费贵重的时间在其中一样上是正确的。其次，是为了接触实在的文化，排除他的

---

① 利未的后代，雅各的第三个儿子。摩西来自利未部落，在摩西的律法下该部落的人被神指派从事祭司的工作。他们没有分配到迦南地，只分配到了城市。

科学教育至少和排除他的文学教育一样有效率。

我几乎不需要向你指出这些观点，特别是后者，直接与那些大部分接受教育的英国人的观点相悖，就像是被学校和大学传统影响一样。在他们的信念里，文化只能通过自由教育才能够获得，并且自由教育不仅仅和文学教育以及文学指令同义，也是和一种特殊形式的文学的教育，即希腊和罗马古文学的教育相似。他们认为这些学习拉丁语和希腊语的人，不管学了多少都是受过教育的；相比之下，那些精通其他知识的人，不管多精通，或多或少只是一个专家，不被有文化的阶级所采纳。对科学是，在我们文化主信徒的作品中，他们所接受的这些意见。并且，一个人可以从那一本本使徒书到非利士人中进行选取。

阿诺德先生告诉我们文化的真正含义是"了解世界上已经想过说过的最好的"，它是包含在文学内的生活的批判。这一批判认为"欧洲作为一个出于智力和精神目的的一大联盟，有义务去参加行动，为一个共同结果而奋斗，而且这些成员，为了其共同的机构，对希腊、罗马和东方的古代文明有一定了解。另一方面，那特殊且当地的、短暂的优势是很重要的，当代的国家将会在智力的精神的范围方面有很大的进步，这个将会最有力地执行这一计划。但是，就像说的那样，我们大多数作为一个个体，如果我们更直接地执行这项计划，那么我们会有更大的进步吗？"

我们今天主要是解决两个最特别的提议。第一，对生活的批判是文化的核心；第二，文学包括满足批评形成的材料。

我想我们肯定皆同意第一项提议，因为文化确实意味着一些不同于学习和技术技巧的东西，它意味着拥有理想和通过与理论标准的对比去评价事物价值的习惯。完美的文化，因其基于对事物的可能性和限制性的较好了解，应该应用一个完整的生活理论。

但是我们也有可能两点都同意，尽管不赞同文学能独自胜任提供知识这一设想。在了解了古希腊、罗马及东方的思想和语录，以及现代文学告诉我们的内容之后，我们对构成文化的生活批判奠定了深厚的基础，这是不证自喻的。

事实上，对任何熟知物理科学范围的人来说，这一点儿也不明显。考虑到进步只在"智力和精神范围"，我发现我自己完全无法承认的一点，便是若他们的共同机构不能从物理科学的储备中吸取任何东西，无论国家或者是个人，可以真正进步。我想说如果一个军队没有精确的武器和运作场地，仍然比一个缺乏对物质科学在18世纪对生活批判影响了解的人，更有希望进入莱茵河战役。

当一个生物学家遇上一个反常事物，他会本能地转向研究它的发展以使这个反常物明朗化。矛盾观点的合理性在历史中应该有一样的信心被找到。

我们应该庆幸，英国人把他们的财富用在建筑和捐赠给教育性质的机构上。但是，五六百年前，基金会的行为表达或者暗示的情况几乎和约西亚想的所谓的权宜之计截然相反；那也就是说，物理科学事实上被忽略了，而某种文学培养被作为一种获得知识的方法，这种知识从本质上说又是神学的知识。

对于这个相似的人的行动之间产生的单一矛盾的原因是很容易发现的，这些行动因为一种强烈而无偏见的、想要提高同伴福利的愿望而变得活跃。

在那时，事实上，如果任何人渴望知识远远超过通过他们的研究，或者共同的会议可以获得的，那么他就必须先学习拉丁语，因为所有西方世界的更高层次的知识都是用那种语言写在作品当中的。因此，拉丁语法，不仅充满逻辑和修辞，且纵贯拉丁语学习始末，是教育的基础。出于对这一方针赋予的知识本质的尊重，犹太人和基督教的经文，他们作为罗马天主教翻译和补充的经文，包含着完整的、准确的知识主体。

神学的格言对那个时期的思想家来说，就像是欧几里得几何学的定义对几何学家一样。在中世纪，哲学家的事情就是从神学者提供的数据中进行推测，结论要和基督教会的教令一致。通过合理的程序，他们持有说明的特权，他们可说明为什么那个教会说的是真的，如何是真的，这样，那个教会说的就必然是真的。如果他们的示范没有达到或者超过这一限制，教会以慈母般态度去检查他们的过失，如果有需要，还可以通过牧师团队获得帮助。

在上述两种说法中，我们的祖先先被那紧密而又完整的一套对生活的批判理论给武装起来了。他们被告知这个世界是如何开始的，并且最终会如何终结；他们认识到任何的物质存在只是白皙肌肤般精神世界里的一点低劣的无关紧要的污点，自然对所有的意图和目的来说，是恶魔的活动场所。他们认识到地球是可见宇宙的中心，人类是地球上所有事物的焦点，更特别的是它教导我们自然的过程是没有固定顺序的，它能也持续地在被不计其数的、好的或坏的神灵代理人不间断地更改，更改的依据就是他们感到了人类的行为和祈祷。全部教条的总的主旨就是产生一个信念——这个世界上真正值得了解的事，就是怎样才能够在教会允许的情况下更好地保护那一片领地。

我们的祖先在生活的原理上有一个现有信念，并且在教育问题和其他任何问题上都按照这个信念来处理。文化意味着纯洁——在那个时代圣人的潮流之后。导致文化出现的教育必然是神学的。通往神学之路就在于拉丁语。

自然的学习远远超过了满足每个必要的需求。应该有任何对于人类生活的承受是远远超过受过训练的人所想的。更深层次的，由于自然是为了人类的利益被诅咒的，干涉自然的那些人可能已经和撒旦有相当紧密的联系，这是一个明显的结论。如果任何一个天生的科学调查员跟随他的直觉，那么他可能很安全地赢得了荣誉和名声，或者亦可能遭受着一个巫师的命运。

在中国闭关锁国的过程中，西方世界已使自己落后了，关于这个州的事的任何言论都闻所未闻。但是，值得高兴的是，西方世界也没孤立自身。甚至早于三十世纪前，西班牙的摩尔文明的发展和十字军重要的活动已经发生了潜移默化的影响，从那时到现在，这些影响从未停止过。首先，通过阿拉伯翻译的调停，后来通过原稿的研究，欧洲的西方国家对古代的哲学和诗方面的作品相当熟悉，到后来熟悉所有的大量的古代遗物文学的著作。

无论如何，在意大利、法国、德国和英国，皆有很高的理智的抱负和显著的能力。花费百年的时间去拥有希腊和罗马留下的无生命的文化，这富有的遗产，惊奇地受到印刷术的发明和经典的文化的传播和繁荣的帮助。这些拥有它的人以参加过人类可以到达的最高级别的文化以他们自己为荣。

公正地说，除了可谓登峰造极的但丁，在现代文学中没有人可以和那个文艺复兴时代高龄的人物相比较；这儿没有画像可以和他们的雕像相比较。这儿没有物质科学，但是有被希腊创造的科学。综上所述，除此，并没有一个完美知识自由的其他例子——这毫不迟疑地对理性的接受，就像真理的唯一引导和管理的最高仲裁者一样。

新的学问必然很快地会在教育上产生深远的影响。修道士和教师的语言似乎比刚从维吉尔和西塞罗毕业的学士的胡言乱语要稍微好一点，拉丁语的学习被放在了一个新的基础之上。更多的是，拉丁语不再是知识的唯一关键。寻求最高古代思想的学生发现在罗马文学里只有一个二手反映与它相关，从而转脸面向发着光芒的希腊语。在一场战役之后，希腊语的学习不是完全地不同于那些目前正在反对物理科学教育，被公认为是所有高等教育的基础。

因此，人道主义，正像他们被称呼一样，占据了上风；他们招致的伟大的变革对人类来说是不可估量的贡献。在所有改革者中复仇女神已经成为定局。教育改革者，就像宗教掉进了深渊，然而常见的错误，误解了改革工作目标的起点。

19世纪人道主义的代表者认为古典教育是通往教育的唯一大道，就好像我们仍在文艺复兴的时代。当然，目前的现代知识关系和古代世界极不同于三世纪以前获得的。除典型的现代文学，特别是现代音乐的存在不说，文明世界有一个特性的现状，这个世界和文艺复兴的分离比文艺复兴同中世纪的分离更加广泛。

我们这个时代独特的品质在于大量而又持续不断增加的角色，这些角色通过自然知识扮演。我们的日常生活不仅仅是通过它形成的，而且，我们的整个生活理论自觉的或不自觉的都被宇宙的一般概念影响，这个概念通过物理科学一直强加给我们。

事实上，对科学研究结果最基本的熟知表明他们提供了一个显著的惊人的矛盾的意见含蓄的被记录和传播在中世纪。

被我们祖先创造的开始和结束的世界这一概念已经不再可信。非常确定的是，在物质宇宙中，地球不是主要的结构，世界不是服从于人类的需要的。更确定的是，自然是不受干扰的定则的一种表达，人类最主要的事情就是学会相应地管理和支配他们自己。这一科学的"生活批判"呈现给我们不同于其他任何一个的凭据。它呼吁不要权威，也不要任何人可能会想到的东西，而是自然的。它承认我们对自然事实的所有理解或多或少是有缺陷的、象征的。要求学习者要通过事实而不是文字去寻求真理。它警告我们超过证据的断言不仅仅是一个大错，也是犯罪。

当代的人道主义代表者支持的纯粹古典教育对所有的一切没有给予任何暗示。一个人可能是一个比伊拉斯谟更好的学者，然而对当代智力发酵的主要原因的了解却并不超过伊拉斯谟。值得我们付出尊重的博学而虔诚的人赞成我们科学对抗中世纪的思维方式的悲伤训言，这种中世纪的思维方式流露出对科学调查的第一准则的无视，对理解科学家通过实诚寓意的无能，对建立科学真理重量的无意识，这是很滑稽的。

此辩论并非只存在于我，你亦是如此，其中并无伟大之力，或者其他的科学教育的支持者可能足够公正地反驳当代人道主义，他们可能是博学的专家，但是他们永远没有一个如此合理的生活批判的基础来受得文化这一名号。甚至，如果我们倾向于残暴，那么我们可能认为人道主义者已经把责备带给他们自己了，并不是因为他们太专注于古希腊的精神，反是因为他们缺乏这些。

文艺复兴时代通常被称作"文艺中兴"，好像当时对西方人施加的影响在文学领域已经消失殆尽。我想科学复兴通常会被遗忘，被同样的机构影响的科学复兴，虽然不是很显著，不是很重要。

事实上，那个时代少数的分散的自然学学生挑选他们秘密的线索，好像它在1000多年前从希腊手中滑下一样。数学基础被他们很好地贮存，以至于我们的学生2000年前在亚历山大的学校从课本上学习几何学。现代天文学是西帕克斯和托勒密工作的自然继续和发展；现代物理是德谟克利特和阿基米德的延续；那是很久以前通过亚里士多德、泰奥弗拉斯和盖伦遗留给我们的现代生物科学知识。

除非我们熟知他们是如何看待自然现象，否则我们是不可能掌握希腊的所有的思想和言语。除非我们理解物质概念影响的批判到达的程度，否则我们不可能完全对他们的生活进行批判。除非我们对他们中最好的智慧鞭辟入里，否则我们错误地假装他们是文化的继承者，他们对自由雇用的理由是毫不动摇的信念，按照科学方法，是到达科学真理的唯一方法。

因此，我想现代人道主义对占有文化的垄断权和古代精神的独一继承性的借口，如果没有遗弃，那肯定就应该减轻。对于我说的应该采取任何暗示欲望去贬低经典教育价值的东西，我很抱歉，因为它可能有或有时有。

人类天然的能力正如他们的机遇一样多变，当然文化是一个方面。人们最能到达的道路在很大程度上是不同于有益于其他人的那条。此外，尽管科学教育是早期的假设性的，但是经典教育充分利用世代教师的实际经验。所以，考虑到常规生命的学习和终点，或者是学术事业的足够时间，我认为一个寻求文化的年轻英国人不可能比跟随注定要他的课程、通过他的努力来弥补自己的不足的人干得更好。

这些打算把科学作为他们严肃的事业，或者这些决定跟随医药同行，抑或不得不提早进入商业的这些人，在我看来，经典教育是一个错误。这是由于我非常荣幸地看到"科学教育与指令"从约西亚学校课程排除。然而，我作为最后一个人去询问真实文学教育的重要性，或者假想智力文化可以不通过它完成。一个专门的科学训练就像专门的文学训练一样可以致使心理扭曲。货物的价值并不是处于一艘船失衡时的补偿。若我也认为科技学院证明的只是不平衡的人，那我也应该有所抱歉。

然而，英语、法语和德语的指导是能接受得了的，因此现代世界三大文学是学生容易接触的。

法语和德语，特别是后者语言，对那些渴望在科学的任何领域获得知识的人来说是必不可少的。但是假设获得这些语言的知识不足够来实现纯科学目的，任何一个英国人在他的母语方面都拥有文学表达最完美的工具，在他自己的文学方面，都有各式文学优美的典范。如果一个英国人不能从《圣经》、莎士比亚和弥尔顿中收获文化,也不能从自己的信念中汲取,那便也不能从荷马、索福克勒斯、弗吉尔和贺拉斯深奥的学习中得以馈赠。

因此,自从大学章程就像科学教育一样提供足够的支持给文学后,自从艺术指导计划后,在我看来一个相当公平完整的文化,便提供给了所有愿意利用它的人。

但是我不确定,可能要求所有谈论文学的人必须按照指导和"促进国家制造业和工业的繁荣"的目标去做。他可能建议为这一目标需要的不是文化,也不是纯粹的科学准则,而是应用科学的知识。

我希望"应用科学"从来没有被提出过。因为它暗示着这儿有一系列的科学知识直接实际应用,除了另一种科学知识——这个可以学得,却亦没有任何使用价值——它的另一学术名叫"纯科学"。但是没有比这更完整系统的谬论了。人们称之为应用科学只不过是纯科学在个别级别问题上的应用。它包括从通过说理与发现成立的通则中的扣除,这些组成了纯科学。没有人可以准确地确定这些扣除直达他牢固地掌握了法则,他可以获得只能通过动手、调查和劝说他们发现的个人经历的理解。

差不多所有应用在艺术和制造业的进程,适合物理或者化学的范畴。为了提高他们,我们必须彻底地了解他们,没有任何一个人拥有彻底了解他们的机会。除非他们拥有掌握准则和面对事实的习惯,这些是通过长时间在物理和化学实验室纯科学训练得到的。所以对于纯科学的需要性是没有疑问的,即使大学工作被它规定目标的狭窄翻译所限制。

广泛文化的愿望是超过独立科学产生的,据它回忆,制造工艺进程的提高只是致力于工业繁荣的一个条件。工业只是一种手段而不是一种目的;人类工作只是想得到他们所想得到的东西。那些事情绝大部分依赖于先天的,很大程度上他们获得的愿望。

如果工业繁荣成就的财富是花在不值得的满意上,如果制造工艺越来越多的完善是伴随着人们的贬值上,我将看不见工业繁荣的美德。

现在,人类对于值得依赖他们特性的东西的观点是完全正确的;对我们给予的固有的洁癖是任何指导都不能接触的。但是它没有遵循知识教育不可能到达的无限期的程度，通过提供他们不明的无知的动机，在行动中修改他们人性的实际表现。一个享乐的人可能会有各种娱乐；但是如果你给他选择，他可能会更喜欢那些不会对其有贬低的乐事。这个选择提供给在文学与艺术文化中拥有不尽快乐源泉的每一个人，这些快乐既不会随着时间消逝，也不会因为习俗变得陈腐，更不会因为回忆自我谴责的折磨而变得让人痛苦。

若今日启动的这个机构，履行创始人初衷，在这个区域所有等级的人口中经过挑选的知识分子必先通过它。从今以后，如果他有能力得益于提供给他的机遇，一开始在初级中学或者其他学校上学，后来进入科学学院，那么没有出生于伯明翰的孩子，不能获得指导和最适合他生活条件的文化。

在这些围墙里，将来的雇主和工匠可能会一起逗留一段时间，然后在他们整个人生中，带着给他们带来影响的印记。因此，工业的繁荣不仅仅是依靠制造工艺的改善，也不仅仅是依靠个性的高贵，而是依赖第三种情况，即对由资本家和技工表现出的社会生活条件，以及他们对社会行动共同准则的一致同意的清晰理解。他们必须认识到社会现象就像自然规律的表达一样；也必须认识到除非他们和社会静力学和动力学要求一致，否则没有任何社会安排是可以永久的；在事物的本性方面，有一个仲裁者，他的决定将会处置他们自己。

但是这种知识只可能通过应用调查研究的方法获得，而这种方法是从为了调查社会现象的物理研究中获得的。因此，我承认我很乐意看到，以社会学教学提供准备的形式为学院卓越的教学计划作添加。尽管我们都同意政党政治在大学教育中并没有一席之地；但是这个国家，完全像现在这样被普选权统治着，任何一个履行他义务的人一定会实践政党功能。和政党自由的好人密不可分的邪恶者是否会要被检查；国家在无政府和专制间永久的动荡，是否会被其自由稳定地发展所取代；这些肯定会发生，因为人类将慢慢地在处理政治问题上，像他们现在处理科学问题一样；在一种情景下，对过度的匆忙和政党歧视就像对其他一样感到羞愧；相信社会机器至少是和纺纱一样精美；不太可能通过那些没有将麻烦用来掌握活动准则的人的干预来获得提高。

最后，我确定让我自己成为所有出席的机构伟大创建人的发言人，机构现在着手于慈善事业；我们对他作品完成的祝贺，确信遥远的子孙会将此作为智慧的一个重要的实例，自然虔诚的智慧将会引导所有人认祖归宗。

种族与语言
Race And Language
[英] 爱德华·奥古斯都·弗里曼

主编序言

爱德华·奥古斯都·弗里曼（1823—1892）是近代最著名的英国历史学家之一，出生于英国斯塔福德郡的哈博尼镇，受教育于牛津大学，三一学院学员。他早期的作品体现了对建筑浓厚的兴趣，他与其他历史学家的区别之一就在于，他是首个在其专业中充分利用建筑艺术提供的证明和分析进行研究的历史学家。他最出名的作品《诺曼征服的历史》（1867—1879）是一部在那个时代长期保持权威的不朽作品。

弗里曼相信历史研究的一致性。他大量的作品则有助于实现他宣扬的普遍性。除了以上提到的研究领域，他还写古希腊、西西里岛、奥斯曼帝国、美国等的历史，历史研究方法和许多其他主题。他的兴趣主要是在政治方面。他积极参与他那个时代的政治活动，多年来一直为《星期六评论》撰稿。作为一名老师，他深深影响了英国的历史学研究。

普通人对少数通用术语的理解不如对"种族"这个词更精确。20世纪，语言学家们尝试根据语言将地球上的人进行分类，但他们在推广意义上理解不当的事实给研究增添了困惑。近代人类学家通过对人类头盖骨形状和肤色的研究已经努力纠正误解，但是大众对于整个研究仍然感到困惑。在下面这篇文章中，弗里曼引进了现代科学印证和丰富的历史信息来为困惑的人们解答,努力厘清种族与语言、习俗和血统的复杂关系。

查尔斯·艾略特

这不是十分美好的时光，因为《英语时报》的读者对一个匈牙利学生代表团去君士坦丁堡可能感到既可笑又吃惊：原因是代表团将去那儿向一位土耳其将军讲述他们荣誉之剑的故事。代表团不仅详述了土耳其人和匈牙利人古代同族的关系，以及他们之间长期的分裂和异化，而且也详述了后来他们对古代同族的回忆和同族人回归带来的亲切感。当记起西吉斯蒙德和瓦迪斯瓦夫的统治，当想起在尼克珀里斯和瓦尔纳统治下的黑暗日子，当追忆匈雅提·亚诺什率军在贝尔格莱德将征服者穆罕默德击退时，我们就会发现这个演讲的弦外之音。匈牙利人和土耳其人与重聚的亲人欣喜拥抱这一幕，在十四或十五世纪肯定没人期望看到。早期这种仪式也许看上去不会那么精彩。如果一个完全从现代地图中吸取理念的人坐下来研究康斯坦丁紫衣贵族的文学作品，他可能会对以下发现感到震惊：土耳其人和法兰克人被称作邻居；土耳其（Turcia）和法兰克（Francia）是邻国。一些研究也许会向他展示几乎全是名字而非边界的变化。土地仍然在那里，他们边界的变化也不及一个人在900多年后可能会期待的那样。两国人口也不会发生更大的变化。土耳其和法兰克的皇家地理学家还在他们称为土耳其和法兰克的土地上，只是我们不再说他们是土耳其人和法兰克人而已。君士坦丁的土耳其人如今称作匈牙利人，君士坦丁的法兰克人现在叫德国人。匈牙利的学生也许已翻开帝国的新篇章，他们也许已经明白他们的先祖怎样站在这里并描述这里。我们几乎无法想象土耳其帝国将军怎么有可能花这么多时间在这一传说上。然而，土耳其人的回答就像匈牙利人的演说一样充满对民族学和古文物的同情。我们很难想象，土耳其人会靠自己的努力，发现土耳其人与匈牙利人之间最原始的同族关系。他也许记起匈牙利人流放时在土耳其领土上找到安全的庇护所；他也许深入到当下的政治，看到土耳其人和匈牙利人的统治都受到斯拉夫民族发展的威胁。但是，在原始同族关系的基础上，匈牙利人和土耳其人互敬互爱和互相保护的这个想法，当然不可能闪现在粗野的土耳其人的脑海里。简言之，正如某个人在那时所说的，这个听起来像一个因对民族学狂热而失去理智的专家的梦想，而不像任何一个国家里脚踏实地者的严肃思想。然而，匈牙利学生似乎已经打算非常严肃地看待演说。而土耳其将军如果没有认真对待，至少应该明智地让自己的回答听起来像是认真对待一样。作为政治权术的一部分，这听起来像德皇腓特烈一世威胁要报复克拉苏（古罗马共和国末期武将）战败萨拉丁（埃及阿尤布王朝的创建者）一样，或像法国革命战争时法国人让教皇庇护一世为韦辛格托里克斯（高卢起义领袖）的错误负责一样。这件事听起来像喜剧，如同一部有意为之的喜剧。但是，如果这个想法根深蒂固于人的脑海中，甚至导致任何实际性后果，那么这部喜剧可能会变成悲剧。如果这种谈论没超出那些急躁学生可接受的范围，那么它只能被认为是一种狂热而不会变成悲剧。如果双方都有这个想法，以至于双方的政治家都发现公开表示着手处理只是权宜之计，那么它就可能不只是一种狂热。

称匈牙利人和土耳其人之间真实或假设的原始同族关系是政治行动的基础，或至少是现在事务中的政治同情，这样的称法是整个教条和情绪范围内的一个极端例子，可能有人更倾向于把这个例子称为归谬法，而归谬法在现代整个教条和情绪范围内通过人类思想获得巨大力量。他们获得如此巨大的力量，以至于那些可能为他们影响感到后悔的人都无法轻视它。只要可以推进，那么从匈牙利人和土耳其人（Turks）的原始同族关系做任何实际的推论，其实都是在推进种族信条，推进从种族升华的同情信条。在未陷入任何深不可测的神秘中，也未致力于探究民族学任何更深奥理论的情况下，我们也许可以开始怀疑在土耳其人（Ottoman）和芬兰的匈牙利人之间有无任何真正的原始同族关系。只有那些已经特别深入非雅利安人种族古代史的人才明白这种关系是否存在。无论如何，只要重大历史事件存在，同族关系就是最朦胧最模糊的东西。事实上，匈牙利人和土耳其人都像欧洲有史记载的非雅利安入侵者一样，不管对错，都被称作土耳其人。几百年的人类变迁史都向另一个方向发展，在两国间建立表达民族同情的组织看起来像是一条站不住脚的理由。令人难以相信的是，土耳其人和匈牙利人的同族关系是土耳其高官在布达的统治工具。毫无疑问，匈牙利新教徒往往合情合理地认为，穆斯林苏丹（某些伊斯兰国家统治者的称号）的侮辱比罗马天主教皇的迫害更易为人所忍。但是，他们并不是因为原始的同族关系才做出这样的选择。在君士坦丁堡举行的人种学的对话听起来真的更像发狂的种族学。可正因为如此，它才得到重视。我们必须利用源于种族的种族同情信条严格控制人类思想，以防忍不住将其称为怪诞思想。

显然，兴于现代的科学和历史研究对当代的政治有着显著而深刻的影响。这一现象也许由多方面的推理得来，然而，它作为一个事实而存在是不可否认的。不论从科学或文学的角度，还是从严格而实际的角度来看，如今的世界已不再是以前那个世界了。那时人们根本没想到梵文、希腊语和英语之间的同类关系，对他们来说，凯尔特的语言和民族与日耳曼的语言和民族之间存在区别是一种悖论。民族学和语言学研究（我并没忽略这两者的区别，但目前先把它们归为一类）已为新的民族同情与民族反感开山辟路，这在一百年前令人难以置信。那时，人们对政党的好恶很少超越出生地或血统这一范畴。特定的出生或血统使一个人成为特定政党的一员、特定国王的臣民、特定联邦的公民或国民。他所属的政体有其传统的盟友和敌人，而团体成员的好恶也由这些盟友和敌人决定。但是，这些传统的盟友和敌人很少依靠语言或种族理论做决定。一个地方的人可能不满于受外国政府的统治，但是，一般说来，只有在外国统治带给他们身心压迫或至少政治退化时，他们的不满才会表现出来。是否尊重当地人的权利或感受远比政府是本地的还是外来的重要。我们现在所谓的民族感在那时并不那么重要，我们现在所谓的种族情绪在那时毫无用处。只有少数散居各地的人，才能理解这种引发了当代两大事件的情感，即德国和意大利长久政治分裂后的重聚。没人能理解促使斯拉夫民族统一运动在欧洲事务中充当实际代理人，以及促使人们谈论"拉丁种族"的情感，尽管这种情感不切实际，但是至少存在可能性。尤其是，匈牙利人和土耳其人之间的原始同族关系在政治上可能受到重视？

毫无疑问，从这种情感产生的实际结果来看，我认为应该直接把结果归于当地的科学和历史教育。宗教同情和纯粹的民族同情都是相对简单发展的感情，这些感情无需任何精深的知识和特殊的教育。圣城被伊斯兰教取代后回荡着基督教的哭声，而圣城又被基督教取代后回荡着伊斯兰教的哭声。武装起来的英国去支援法国胡格诺派，而武装起来的西班牙去支援法国联盟，这些武装支援的精神都是表面现象。德国人或意大利人发现，他们因为纯粹的王室安排而与其他同胞分离，自然而然就期望更紧密的联合，这也是表面现象。我们无需对这些表面现象做求任何解释。我们感觉它们应该是当地嫉妒和厌恶的消极情绪，但是，这种感觉如此单纯，以至于无需靠仔细的研究来激发或领悟。因此，如果用我们现代的事件来说明，那么除了靠完全简单的一种感觉外别无他法，这种感觉能让俄罗斯这个最强大的东正教国家去帮助各地的东正教同胞国；这种感觉也能让各地的东正教教徒把俄罗斯看作是他们的保护国；这种感觉可能会跟一堆纯粹的政治思想作斗争，比后者更有价值。但是，这种感觉本身是单纯的、自然的。

另外，黑山共和国人、黑塞哥维那（南斯拉夫中西部地区）人和卡塔罗湾人认为，除非发生让他们分离的政治事件，他们自己无论在什么情况下都是同胞。如果任何奇怪的政治活动都会以同样的方式将他们分离，那么他们就会被一条大家都理解的情感纽带拴在一起，这条情感纽带同样把三个毗邻的英国郡拴在一起。从严格意义上说，这种情感是一种民族情感，是纯粹地方或地理意义上的民族情感。即使斯拉夫民族统一活动从未被人提起过，可它仍将存在。尽管那些怀有民族情感的人从未听说过斯拉夫民族，这种情感也可能存在。当我们谈到种族信条或广义上谈到源于种族的同情时，这完全是另一码事。我们有一种自称为血脉相连的感觉，而事实上，这种感觉对血脉相连已经有了真实效应。人类的同族关系最初并不比人为政治界限分明的德国、意大利和塞尔维亚人之间的同族关系明显。正是由于这种感觉的召唤，才使得团结的呼吁传向聚居在不同地方的人——那些也许好几年都没直接往来的人，那些语言可能不同却因共同目标而相互理解的人，尽管学者们可能第一眼就看出他们的同族关系。一百年前，塞尔维亚人可能因为共同的东正教信仰向俄罗斯人大声求援，但是，前者几乎不会因为共同的斯拉夫语和共同的祖先而求援。如果他们这样做了，那是因为他们能抓住任何机会（不论是不顾一切还是牵强附会），而不是只提出正式的、易解的、希望为多数人接受并付诸行动的声明。他们可能已经得到帮助，不管这些帮助是出于信仰团体的真正同情，还是出于可以将其作为廉价政治工具的卑鄙想法。如果只是纯粹以多年不起实际作用的血缘关系和相同语言为由，他们可能会得到帮助，不过所得到的帮忙只是微乎其微。

俄罗斯很久以前干涉土耳其和其他基督教国家时，斯拉夫人却没有对斯拉夫有任何同情的迹象。俄罗斯在处理黑山共和国的事件时，如我们所见，并非出于斯拉夫的兄弟关系，而是出于敌视土耳其的独立的东正教国家将成为有用的联盟。在早期俄罗斯和从属民族的交往中，其与希腊人的来往远多于同斯拉夫人的来往。事实上，直到后来土耳其所有东正教的东西在大多数欧洲人眼里与希腊人的毫无差异。东正教教堂被普遍认为是希腊教堂，但是，令人难以置信的是，所谓的希腊教堂的众多教徒在某种意义上并不是希腊人。有时我们可能会怀疑这些从属民族，也意识到它们之间种族和语言的不同。一个人无论何时何地都必须知道他是否和另一个人说相同的语言，但是他不会总以严格的准则去衡量差异意识。他总能在任何实际行动的基础上产生影响，尽管这种影响不是很大。诺曼底征服初期，英国人感到十分痛苦，他们知道这些痛苦是由外国统治造成的。但是，他们得学会将痛苦的感觉写进关于受压迫民族的任何作品中。所以，土耳其人发现可将希腊人的才智用作统治其他臣服国的工具时，众所周知，保加利亚人感觉到事情的难处——他们的身体受土耳其人束缚，他们的灵魂受希腊人束缚。但是，我们可能怀疑，这句简洁的用语很明显只是始于现代保加利亚民族感的觉醒。人们觉得土耳其人像是入侵者和敌人，因为他们的统治是秉承其他信条的、以公开压迫者身份的统治。另一方面，在同样意义上，尽管希腊的精神统治无疑造成真正的罪恶，希腊人却并为被当作侵略者和敌人。希腊人的聪慧和细腻使他们成为楷模。保加利亚人模仿希腊语言和希腊礼仪，立志让自己在其他方面看起来像希腊人。在宣扬种族信条的直接影响下，现代希腊人和保加利亚人之间界线分明。这一信条有利有弊。它给了希腊和保加利亚两国国民久未感受的全新生活、国家力量和国家希望。这是当时做得最具远见的好事之一。但是，这样做也造成最危险最直接的政治困境，在让两国存在的同时，也让它们相互敌视。而他们在面对共同的敌人时，所有无足轻重的差异和猜忌都不复存在。

有这样一种截然不同的种族和建立在种族上的同情信条，这一同情信条有别于宗教团体情感和狭义上的民族情感。它不像这两种情感中的任何一种那么简单容易。它既不以同样的方式浮于表面，也不以同样的方式根据每个人都能理解的显见事实。该信条本质上是人为的信条，习得的教义。这是一个根据事实的推理，而人们又远不可能自身发现这些事实，因为要是没有明确的教学，就决不能以任何可解的形式来说明事实。那么，这样一条教义的价值又是什么？是否因为它是人为的，不源于自发的冲动，而是源于习得，所以就一定是愚蠢的、恶劣的？或许换另一种角度来看更好：像许多其他教条和情感一样，它既不很好也不很差，既不是天生聪明也不是天生愚蠢；它可能像其他学说和情感一样有一个范围，在这个范围内对善起作用，在那个范围内对恶起作用。简而言之，它可能是为人贸然接受或唾弃的信条，可能是需要根据时间、地点和环境加以引导、规范和修改的信条。我现在不必去估计信条的实际好坏以弄清信条本身是什么，也不用去解释其中的一些难题。可我必须强调的是，没有什么比自以为可以随意嘲笑或咆哮，甚至自己都不懂的学说或观念上的高谈阔论更浅陋、更愚蠢。一种针对多数人的行为，甚至针对整个国家的行为可能包涵行之有效的信念或情感，也可能是错误的、有害的。但是，在一般情况下，它是一个貌似严重的大事。生活舒适者认为所有的智慧只限于自己和自己的小圈子，而且他们可能还会认为，自己远远优于我们这个时代叱咤风云的伟人，就像他们一定想象过自己远远优于那些鼓动第一批撒拉逊人或第一批十字军的伟人。但是，这些情感向来都是一样的，他们也向来这样行使自己的职责。在大多数人受过高等教育的社会里，受过最高教育的人不能嘲笑他们的存在。

但是，现在是该谈到更严格的科学领域的问题了。在一般形式上，种族信条是科学文献学研究的直接产物。眼下它正受到语言学家们的限制（至少在一般形式上是这样的）。这里面没什么精彩可言。事实上，以前种族信条几乎被认为是事物的自然过程。人们获得真理时却很少抓住其严密的科学要义。他们通常抓住的只是真理的一面，提出的也只是真理的一面。他们提出真理的这一面后，本身可能不扭曲或不夸张的一面在实践中几乎被扭曲和夸大，因为他们未将其与同一真理的其他方面联系起来。因此，就有了这种颇为流行的观点：自然反对严格精密的人和天生严格科学精密的人。这一观点本身非常正确。然而，可能经常出现的情况是，当科学的说法成为以科学为目的的唯一事实时，流行的版本对有点粗糙、目的明确的版本实际上也起到真理的作用。现在，自以为掌握完美真理和正义的语言学家开始抱怨，他们认为流行的种族信条混淆了种族和语言。他们告诉我们，语言并不能证明种族，说同样语言的人不一定就有同族关系。他们进一步告诉我们，所谓混乱的流行语无论出自什么地方，肯定不是出自语言学家的教学。

这一切的真相不能受到质疑。我们有太多用一种语言或其他语言记载国史的情况，因为任何关注语言准确性的人都把语言看作确定种族的测试工具。事实上，语言学家的研究和人类学家的研究截然不同，他们处理的是两种迥然有异的现象。人类学家的研究属于严格意义上的物理科学，他们必须面对纯粹的物理现象。他们的工作关键在于研究人体的不同种类，特别是人类头骨盖的各种构造，这也是他们对这方面无知者影响最深的研究分支。除了关注人的物理现象之外，人类学家的研究与动物学家和古生物学家的研究没有什么不同，因为后两个学科学者研究其他动物的物理现象。人类学家可以像后两个学科学者将所属物种或哺乳动物或爬行动物分组那样将不同种族的人正确分类。确实，物理学中民族学学生可用武器、饰品、陶器、埋葬等其他类证据强化自己的结论。但是，所有这些都是次要的。分类的主要原因在于人类自身的物理构造。至于语言，从语言留给人类学的研究方法可以看出，语言与人类学毫不相干。人类学主要研究物理，其地位仅次于古生物学和地质学。人类学很大程度上可以被认为是以史实为依据，真实可靠；它按严格的物理分类给人种分类，至于语言属于哪一类，这一问题只能留给其他学科的专家去研究和发现。

另一方面，语言学家的研究严格基于史实。纯粹语言学学科被称为物理，就像民族学被称为历史一样无疑具有次要意义。也就是说，到目前为止，语言学研究物理现象就像它必须研究形成人类语言的声音的物理现象。跟历史学的主要任务一样，语言学的主要任务是研究不依赖于物理定律、而依赖于人的意志的现象。在这方面，科学的语言就像科学的机构或人类的信念。语言学的主要问题不像人是什么这样的纯民族学，而是人做什么这样的历史学。显然，人的意志不可能直接影响其头骨的形状。我之所以说不可能直接影响，是因为语言不可能直接控制人的生活习惯、居住地域、生活模式和在人类意愿控制下产生的万物，却可能间接影响到一个人自己及其后裔的物理构造。一些观察家做出这样的论断：人生活在一个社会退化的文明而发达国家，就会接近劣等种族的物理类型。无论如何，可以相当肯定的是，没有人能靠思想给自己的身材增高，所以也没有人能靠思想使自己的头骨变长变短。但是，一个人的语言不取决于他的意志，说话者可以通过思想使其讲话像罗曼语一样浪漫，或像日耳曼语一样严谨。毫无疑问，多数情况下他几乎没有选择的余地。实际上，他所说的语言由他的风尚、习惯、早教以及一大堆他几乎无法控制的东西所决定。但是，这种控制就像他头骨的形状一样，是非物质性的、不可避免的。如果他禁不住用一种特殊的方式讲话，也就是他无法控制自己讲一种特别的语言，那么这意味着，他的情况就是这样：没有任何其他的说话方式出现在他的脑海里。许多情况下，在两种或两种以上的说话方式中，即在两种或两种以上的语言中，每个人都会真正做出一个选择。他所说的每个字都是真实的结果，不过无疑是无意识的、自由意志的行为结果。我们倾向于认为，人们所说的语言就像机构或其他任何东西一样都在发生变化，好像它们是物理定律的结果，作用于没有选择余地的人类。然而，每种变化都是各种行为的意志在所有相关部分的简单总和。演讲的每个变化、每发出一个新的声音或一个新词，真的都是一些人的意志或其他行为的结果。说话者的语言选择可能是无意识的，情况可能变成这样：实际上他只有一个选择，可他仍然要进行选择。当没有遇到任何物质上的障碍时，他用一种方式讲话；当没有受到任何物质上的强迫时，他用另一种方式讲话。高卢人不会为了学拉丁语而改变自己的语言。学拉丁语的变化不是物质必要性的结果，而是高卢人部分意志下系列行为的结果。道德因素导致他们做出选择，决定了高卢应该成为属于拉丁语系的一片地。但是，高卢人的头骨该长该短，他们的头发该黑该黄，这些都是高卢人自身无法直接控制的。

严格地说，男性头骨研究是物质意义上的研究，研究的是不受人的意志直接控制的事实；人类语言研究是历史意义上的研究，研究的是受人的意志直接控制的事实，它紧接着"语言不能绝对肯定地检测物质血统"这项很自然的研究。一个人在任何情况下都无法选择自己的头骨，可他可以在某些情况下选择自己的语言。他必须保持他父母给予他的头骨，却无法通过任何思想进程决定给予他孩子怎样的头骨。但是，他可以弃用从他父母那儿学来的语言，而且还可以决定教什么语言给他的孩子。种族的生理特性是不变的，或只看种族本身没有受到直接控制的影响而改变。种族所讲的语言可能会改变，无论是因有意识的意志行为而改变，还是因风尚的力量而改变，这种风尚的力量实际上是无数无意识行为的总和。而且，自然情况显示，语言不是对种族的准确测试，所以有史记载的事实证明了这一真理。实际上，个人和整个国家都经常用自己祖先的语言与一些说其他语言的人交流。一个在国外定居的人会学习居住国的语言，有时甚至会忘了自己语言的用法。他的孩子可能会说这两种语言。如果他们只说一种语言，那么他会说居住国的语言。这样经历一代或两代人，侨民身上所有本国血统的痕迹就会消失。因此，从这一点我们也可以看出，语言不能准确测定一个种族。如果曾孙讲他曾祖父的语言，只是因为曾孙辈会说除曾祖父辈的语言之外的任何其他外语。所以人有时说的是一个民族的语言，可他却是另一个民族的后裔。如果他们失去了属于一个种族原来定居者的物理特性，这只能归咎于近亲通婚、气候和完全独立于语言的某些原因。每个民族或多或少都有这样的外来小孩：他们说这个民族的语言，可却不是这个民族的人。发生在个人身上的这种情况也发生在整个国家。历史的长卷中这样的例子比比皆是，很多国家已经摒弃了自己祖先的语言，并且使用其他一些民族的语言。希腊人生活在东方，拉丁人生活在西方，然而血管里不带一丝希腊或意大利血统的拉丁人却说与希腊语非常相近的语言。之后，同样的情况也出现在阿拉伯语、波斯语、西班牙语、德语和英语中。他们的母语已经成为广大地区所熟知接受的母语，这些地区的广大人民群众不说阿拉伯语、西班牙语和英语。康沃尔郡的不列颠人在慢慢适应并最终彻底接受英语。美洲大陆纯种印第安人组成了讲科尔特斯语和皮萨罗语的联邦。希腊自从在亚洲和西西里岛建立殖民地以来，就一直忙于接纳那儿的外来人群，但是，现在他们却忙着转向消化并接纳阿尔巴尼亚邻居。在叛离者、土耳其近卫士兵和各民族的母亲中，许多人只是具有土耳其人血统，但并不是真正意义上的土耳其人。他们的本性在有文记载的历史中得到完美的体现，共同证明了语言不是对种族的准确测定。语言学家通过强调语言没有这样的测定功能这一事实，为准确的表达和精细的思维提供良好的服务。

然而，另一方面，我们关注的刚被视为最恰当的东西很有可能就是真理。一个人如果在缺乏特定的条件下过于宽泛地提出自己的目标，那么就会导致他在实现目标的过程中犯大错。我认为，人们不会觉得语言在任何情况下必然对种族进行完全正确的测定。如果有人这样认为，那么他自身就完全脱离整体，只着眼于显而易见的事实。毫无疑问，许多人都非常关注语言是对种族的测定。他们尚未完全忘记以其他方式陈述事实，尽管这些事实还没有使他们显示出足够卓越的特质。可我也相信，很多人在这个问题上的书面和口头表达方式，从严格的科学角度看不合情理，而从作者和说话者的角度看却合情合理。一般来说,一种说话方式可能并不科学准确,但实质上却与为一定目的进行的活动非常接近。从某种实用的乃至历史的角度看,它可能真正比科学精确的陈述更真实。语言无法准确地测定种族。但是,人们在这种有益的告诫下,是应该抛掉语言和种族两者完全无关的论点,还是应该无视这一告诫。在这种情况下,后面的错误要比前面的错误严重得多。人的自然本能与种族和语言息息相关。我们不要假设语言是一种测定种族的可靠方式,而要假设语言和种族两者紧密联系。人们认为,虽然语言不是一种对种族精确科学的测定,但是它相对许多实际目标来说是一种粗略而迅速的测定。为使更多东西有确切的定义,也许有人会说,虽然语言不是一种对种族的测定,但是在缺乏相反证据的情况下,它却是一种对种族的推断。虽然语言无法测定种族,但它却能测定许多与种族一样的实际目标。

马克思·穆勒教授很久以前就告诫说:我们无法谈论凯尔特人的头骨。塞斯先生最近也告诫过我们:我们无法推断出雅利安部落人的讲话与各地英国人、印度人之间有什么血缘关系。这两个告诫都非常正确。然而,人们通过阅读穆勒教授在牛津大学发表的著名论文开始研究这些问题时,实际上都会用另一种方式来分析问题。人们的脑海会充满雅利安大家族这样一幅生动的画面,家族人住在同一个地方,说同一种语言,已经迈出安居社会的第一步,认识到家庭的关系,拥有第一个政府和宗教的雏形,并呼吁所有这些文化的要素仍然保持分布在许多国家的同一家族血统。如果继续描绘同样生动的原始家族几个家庭分支,他们会看到一个庞大的分支向东南延伸,成为亚洲的波斯和印度孤立的大殖民地的祖先。他们还会看着其余的人一拨接一拨地走出去,成为史上欧洲各国的祖先。他们探寻着同一血统每个分支如何开始分享语言、信仰、机构和曾经共同所有的东西,又是如何变成血缘不同却是亲属的关系和形态类似的分支,其中许多分支壮大到拥有自己独立的生活和势力。这是导师们摆在我们面前的国家及其语言的真正来源。我们难免会去描绘这样的画面,我们的老师也无法避免。用这些词意味着整件事中严格的家庭关系,而社会的血统关系则是其中的根源。我们不禁要谈论家庭及其分支、父母、孩子、兄弟姐妹和表兄弟、表姐妹。自然亲属这个术语与情况十分相符，以至于没有其他术语能让我们清楚地阐明这个问题。但是，我们无法完全确定整个故事中有什么真正的社会血统。我们的确不知道语言和社会的起源。我们可以做无数次巧妙的猜测，可却无法证明其中的一个。这样一群人走到一起，构成了说原始雅利安语的原始社会，他们不是靠相同的社会血统聚居到一起，而是靠其他方式彼此相互联系。如果承认希伯来人的族谱，我们就会发现，他们无需比人类共同的祖先亚当和诺亚更相近的社会血统。也就是说，他们不必是同一个祖先的孩子，他们可以分别是不同祖先的孩子，特定的原因使他们居住在一起。如果我们相信自己是上帝单独造出来的人或者是脱离软体动物后发育的人，那么整个原始社会就不必是同一个人或同一个软体动物的后裔。总之，没有什么人类起源理论要我们相信：原始雅利安人是一个自然种族。他们可能更像是同路人的一个意外分支。如果我们把他们当作自然种族，这并不意味着，各分支发展为独立却说不同语言的不同种族和民族一定要用更直接的同族关系区分。或许没有什么波斯、希腊、日耳曼血统上的亲属关系比雅利安人的一般亲属关系更亲近。例如，不同政党从同一地点出发游行时，确实不能说那些一起行进的人肯定是兄弟姐妹。壮大后的印度人或日耳曼人的分支可能并不是唯一近亲亲属。一些同父同母或同祖先的人可能以一种方式游行，而其他人却以另一种方式游行或只待在游行队伍后面。

  如果我们愿意，不妨纵情想象：实际上家庭区别可能先于国家和种族区别出现。哥特阿玛丽式的家庭分支和罗马艾米利亚式的家庭分支可能就是这样，这种分支在日耳曼和意大利分裂之前就已经有了名字。（我提出的观点只是一个例证）那个家庭的一些成员可能加入哥特人的联盟，而其他成员则加入罗马人的联盟。除了以时间的长短区分这一假设情况外，其他没什么不同：英国家庭的一个分支在17世纪定居马萨诸塞州的波士顿，而另一分支留在荷兰的波士顿。塞斯先生说，使用真正的亲属语言并不能证明英国人和印度人是同族。他补充说，因为许多非雅利安种族的印度教徒基本上都学会说原始的梵文。他继续说，即使有充分的理由，我们也无法正面肯定原始雅利安种族的分支之间有任何血统关系。如果我们承认有这种关系，这并不意味印度人之间或英国人之间有更进一步的同族关系。原始群落可能不是一个种族，而是一个人为的联盟。如果原始群落是一个种族，那么其向东西南北四方一起迁移的成员之间的亲属关系就不会超出普通的表亲关系。

这种说法现在会让一些东西比"语言无法测定种族"这一理论更令人吃惊。它进一步表明种族也无法对不同血缘种群进行正确的测定，而这相当于说不存在跟种族一样的东西，因为种族的概念始于血缘种群的理论。如果"种族"这个词不是"血缘种群"的意思，那么我们很难知道它到底是什么意思。但是，可以肯定的是，即使血缘种群存在于人类群体中，我们本能认识的家庭和种族也没有真正血缘种群的确凿证据。不仅后来血统混杂了，而且最先也没有明确的证据证明血缘种群的存在。现在没有一个英国人可以绝对肯定地证明，他的祖先生自第五、六世纪定居英国的男系日耳曼殖民者。我之所以说男系，是因为任何英国国王后裔都可以证明自己的血统，而男系只有通过长久而复杂的女系继承网来证明。但是，我们可以肯定，没有什么能证明这一血统，即使律师要求明确财产或爵位的所有权，他们也无法证明。现代英国人真正的祖先可能不是血统纯正的盎格鲁人或撒克逊人，而是大不列颠人或苏格兰人。后来，法国人、弗雷明斯人和所有其他国家的人都学会讲英语，并给自己取了英文名。但是，假设一个人能辨认出这一血统，假设他能证明他有圆形巨石阵或瑟迪克的追随者的男系血脉，他也无法进一步证明，原始的血缘种群存在于特定的日耳曼种族或普通雅利安种族中。如果有人要求提供直接的证据，我们就得放弃一切关于家庭和种族的学说，前提是只要我们把物理构造之外的语言、举止、机构等东西作为种族和家庭的显著标志。这就是说，如果我们希望永不使用我们无法确定的文字，那么我们只能从纯物理的角度来探讨种族和家庭。我们只好这么说，人类的某些群体有着共同的历史，那就是他们在语言、信条和机构方面有着共同点。然而，我们没有足够的证据显示他们在这些方面都达成一致。我们无法确切地说是什么纽带把最初的群体成员联合在一起，而我们能够确定他们联合在一起的时间和地点。

因此，我们有可能在科学不确定性的荒野上着陆，使我们探讨的结果变得遥遥无期，这看起来好像我们显得很无知。但是，事实上，这种不确定性不会比历史学所探讨的不确定性大。尽管历史的真相可能会记载在最可靠的文档里，尽管历史的真相可能发生在我们这个时代，尽管我们可能亲眼见证了历史的真相，但是我们不可能得到相同的确定性，这就像数学家的证明完全是演示的命题一样。我们甚至无法最低限度地确定地质学家证明不同地层之间连接的顺序，因为在所有的历史探讨中，我们会面对他们自我控制意愿和人性反复无常的事实，也会证实人类调查者的可信度，而这些调查者可能会故意欺骗或者会无意误导。一个人既可能说谎也可能犯错，而三角形和岩石既不会说谎也不会犯错。我可以亲眼见证一个人的某种行为；他可能亲自告诉我或让其他人告诉我：他就是做那件事的人。但是，我不能绝对确定他的陈述，除非我自己完全不肯定我亲眼所见事实的陈述。历史的证据涉及各方面的东西，从微小的可能性到每个人在实际事务中毫不犹豫行动的道德确定性。但是它不可能超越最后的标准。如果我们都曾用过种族、家庭，甚至国家这类词语来表示不同于物质的、按历史形态划分的人群，即使我们必须像用其他词一样用这些词，那么也不能证明我们像数学家判断精确性那样将这些词用得很精确。我仍不能确信征服者威廉在佩文西登陆，尽管我有充分的理由相信他那么做过。而比起我相信征服者威廉在佩文西登陆，我有更充分的理由相信那些种族和语言的事实。简言之，对于所有这些事，我们在很大程度上必须满足于用推断取代实践证明。如果我们只做推断，那么我们将不再遇到太多的困难。语言无法用来确定种族，却可以用来推测种族。就像我们通常所理解的种族那样，种族群体并不是原血缘种群①的确切证明，但它却是原血缘种群的猜测。只要我们不坚持证明这样的物理血缘种群以满足族谱专家，那么这种假设就相当于道德证据——如果我们寻求的一切只是为了建立一种关系，在这种关系种血缘种群是中心思想，而自然血缘种群是不存在的，取而代之的是将一种合法虚拟的东西看作它的对等物。

如果我们对称为物质性、准确性的学科没什么要求，而是满足于从

---

① 血缘种群指的是有血缘关系的种族群体。

历史学中得到各种证据（如果我们满足于以一种流行实用的方式说话），那么我们可能证明语言和种族之间有很大关系，就像种族通常为人所理解的那样，种族和血缘种群之间也有很大关系。如果我们承认罗马的收养教义，那么人类发展的整个进程将是清晰的。自然家庭是一切事物的起点，但是，我们必须允许收养成员，给予自然家庭人为的力量以壮大家庭本身。人类群落因此而形成，群落中不遵循所有成员有什么自然血缘的规则，但是，血系是起点，由自然血系联系起来的人形成了外地成员被接受的原始团体。人类群落因此形成，它完全不同于意外结合的原子。三四个有血缘关系的兄弟和四五个同意被看作与他们有血缘关系的人，组成了不同于四五个人联盟的团体，他们中没人跟他人有任何血缘关系。在后一类联盟中，亲属概念不起作用。在前一类联盟中，亲属概念是一切事物的基础，决定了所有关系和所有行动的性质，即使一些亲属在社会成员和他人之间可能缺乏法律自制而不缺乏自然血统。我们所知的部落、民族、国家的发展使我们相信他们以这样一种方式发展——自然亲属是基础，是主导思想，但是，通过在政体中有重要影响的法律虚拟，收养关系是允许看作自然亲属关系。

语言的使用说明了血统关系或多或少是组成人类群体的关键。比如（希腊）等词都表明了自然家庭是所有团体的起源。狭义上的家庭，指的是父亲和孩子在一所房子里，变成广义上的家庭——部落。这样，朱利叶斯或科尼利厄斯要么是实际的或想象的祖先，要么是或真或假的后裔。部落的性质已多次得以阐明。如果朱利叶斯或科尼利厄斯是其他朱利叶斯或科尼利厄斯的原始同族者这个猜想是错的，朱利叶斯或科尼利厄斯原始部落只是人为关系这一观点也是错的，那么自然亲属的观点在此就不适用。人们可能没有共同的原始亲属关系，人为的部落完全可能形成于原始部落之后。这样的人为模仿可能证明部落的原始概念。收养法要做改变，因为很多人都同意接受共同的父亲，而不接受父亲收养孩子。然后，这样的家庭在部落中壮大，部落联盟形成社会阶层，共同的部落联盟又成了政治共同体的雏形，接着出现了国家，最后形成了种族联盟。真实或人为的亲属关系是所有社会和政府发展的基础之一。

显然，现在只要我们承认人为亲属学说，即只要我们允许执行收养法，种族的物理纯度就会降低。收养对一个人而言就像孩子面对自己真正的父亲，可事实上，收养不可能使被收养人成为收养人真正的孩子。如果一个短头颅父亲收养一个长头颅孩子，这一法律行为无法改变养子头颅的形状。我认为是因为收养的习俗而不是因为几代人之间的收养情况影响了人为收养的部落或民族里的人的头盖骨。如果碰巧养子和养父说不同的语言，收养风俗本身无法改变他们的语言。但是，收养风俗会影响养子以有意的行为使用新部落的语言，也会使养父以同样的行为来接受养子，使养子使用养父养母的语言。这个养子，甚至更多的养子，在演讲、感觉、尊敬和除物质血缘等方面看起来都成为其被收养部落的一员。他出于实用、政治、历史等目的而成为部落的一员。只有生理学家才能有否认这个养子新身份的权利。我们用自己的语言详尽表述了收养这一过程。当国家——这个词本身使其在我们出生时就作为万物基础保留在我们的记忆中——收养一个新公民，即国家的新生儿，这个新生儿就算入籍了。换言之，法律程序使新公民具有跟其他公民所具有的相同的地位，赋予其跟其他公民所拥有的相同的权利，就像一个人天生就是公民或儿子一样。人们认为公民权是天生就有的，也就是与生俱来的。陌生人只能通过人为血缘加入某部族，依法入籍，事实上这个陌生人的孩子在一、两代之间入籍。现在，祖先和与威廉一起登陆的英国人之间没有实质性差异，甚至，祖先和从阿尔瓦或路易十四那儿寻求栖息地的英国人之间，以及祖先和与亨吉斯特一起登陆的英国人之间也没有实质性差异。正如生物学家所说，这些差异是否可以追溯到他们的头骨？为了所有历史或政治的目的，这不同等级的几类人的所有差异都不复存在。

总之，我们可能会说收养法贯穿一切生活，并且它可能应用于任何领域。收养是通过家庭来完成的，入籍是通过国家来完成的。相同的程序使人从被收养或被入籍的个体变为更高级别的人，对国家而言尤为如此。当这个过程以这种模式推进，我们最好称其为同化。罗马在某种程度上同化西欧大陆国家，除各地少数几个幸存国外，不仅意大利被同化成罗马，而且高卢和西班牙也都被同化成罗马。这些国家的人一步一步地被承认拥有罗马公民权，还被允许使用罗马人的名字和语言。我们很难把在高卢和西班牙的罗马殖民者和穿着罗马服装的本地高卢人和西班牙人区分开来。同化随时随地都在进行。当两个国家以这种方式相互接触时，同化就取决于很多情况，如一个可能会同化另一个，或者他们没有同化对方却保持各自的特征。有时征服者同化被征服者，有时被征服者同化征服者，有时征服者和被征服者永远保持各自的特征。当同化以上述的方式发生时，同化的趋势部分取决于各自的数量，部分取决于各自的文明程度。文明落后的少数征服者在文明先进的多数被征服者中很容易迷失自我，尽管征服者以自己的名字命名被征服的土地和被征服者。能代表现代法国人的不是征服者法兰克人，而是被征服者高卢人，或者就像高卢人自称的那样——被征服的罗马人。现代保加利亚人的代表不是芬兰的征服者，而是被征服的斯拉夫人。现代俄罗斯的代表不是斯堪的纳维亚的统治者，而是派到斯堪的纳维亚统治他们的斯拉夫人。对此，我们还可以举出无数的例子。重要的是，收养、入籍和同化已经在各地进行。毫无疑问，尽管在血统上一些国家比另一些国家更具有纯正性，但是没有一个国家敢自夸自己的血统绝对纯正。当谈到血统纯正性时，我忘了一个隐藏的问题，那个我已提出的关于人类在文字记载前的问题。我认为像凯尔特人、日耳曼人和斯拉夫人那样庞大的族群以所谓的真正团体而存在，尽管我们可能认为刚有这样的团体。我现在所持的观点是，现有的民族中没有一个像纯粹的凯尔特人、日耳曼人、斯拉夫人或别的什么种族一样在生理学意义上是纯正的。所有种族或多或少都吸收了一些外来的元素。从这个标准来看，一个人可能比无文字记载时代的人更接近我们实际所知的范畴。我们必须重申，从纯粹科学或生理的角度看，不仅语言无法测定种族，而且在世界大国的所有事务中，一丁点儿都不存在种族的纯正性。

但是，尽管我们承认这一事实，甚至坚持它有着严格的科学观，可我们还必须从实用的角度以不同的眼光看待它。无论过去政治的历史还是现在历史的政治都是我们探讨问题的角度。从这点来看，我们可以毫不犹豫地说，这里存在诸如此类的种族和国家，并且在此分门别类的种族和国家里，语言是最好的向导。我们不能以哲学严谨的方式准确区别并定义种族之间和国家之间的关系。我们也不能以类似严谨的方式定义种族之间和国家之间的差别。但是，所有的推理导致我们相信，部落、国家和种族都是按原始家庭的模式形成的，虽然家庭源于血缘种群，但它允许人为收养方面的法律平等。在收养的所有情形中，归化和同化都存在，无论是个人还是政体都可能被收养，进入现有的团体。被收养的人无疑影响到收养团体。这一点立马就打破所有血统纯正团体的部分断言，并且在物质和精神等方面影响到收养团体。一个家庭、一个部落或者一个国家，通过收养很大程度上扩大了自己，就不可能和那些从未收养过、其所有成员都有原始血统的群体一样。收养成员受团队训练的影响远远大于他们受任何其他训练的影响。这种影响不可能改变他们的血统，也不可能带给他们全新的祖先，但却能做出上述事情之外的其他所有事，能使他们在演讲、感情、思想和习惯方面获得成功，而真正的团队成员会人为地为他们创造这些成功的机会。尽管这里没有什么国家、种族等会发生像血统纯正性一样严格的事件，但是，每个国家和每个种族都有自己管理的元素，或者是其他东西而不是某个元素——这些对国家和种族而言实质上都是精华的东西，有些国家和民族设立标准并决定特别的东西，有些吸引并同化其他所有的东西。其效果如此明显，以至于其他所有元素不再等同于元素本身，而纯粹的被收养人涌入早已存在的主体。毫无疑问，这些被收养人或多或少影响了同化他们的主体，但是他们接受训练的影响和他们忍受的影响不可相提并论。我们可以这样说，他们把自身的特性改变成同化他们的主体的特性，而他们也无法影响那个主体的特性。因此，假设人类群体作为要素人类群体的起源不为我们所知，那么我们可能会谈到家庭和种族、雅利安大家族和分裂的种族，因为群体是基于早期亲属统治思想的真正存在，即使在很多情况下亲属并非真正的自然血统，只是通过收养法而成亲属。

我们必须承认主要历史事实之间的区别——凯尔特族、日耳曼族和斯拉夫族是真正持久活跃的族群。尔后他们继续作为持久活跃的族群存在，即使我们知道他们已经同化了很多接纳的公民，有些接纳自雅利安家族其他分支，有些接纳自不同于雅利安血统的种族。从严格的生理学角度说，种族完全不存在，可从更真实的历史和政治角来说，它又确实存在。保加利亚向俄罗斯求助，俄罗斯回应了他们的请求，因为他们是斯拉夫族中血统相近的国家。如果能描绘出各地保加利亚人的明确族谱，以及各地俄罗斯人的真实血统，我们就会发现他们之间可能不存在真正的血缘关系，或者他们之间也可能存在血缘关系，可这种关系一定要追溯到另一血统而不是斯拉夫血统。说到真实血统，他们并非全都是斯拉夫血统，他们中某个人可能有斯拉夫血统，也可能他们所有人既没有斯拉夫血统也没有雅利安血统。说真的，保加利亚人可能比他们自己想象的更像芬兰人，因为芬兰征服者把保加利亚这个地名给了他们吞并的斯拉夫，保加利亚人就可能有原征服者芬兰人的血统。保加利亚人可能恰巧有同化斯拉夫的征服者芬兰人的血统，俄罗斯人可能恰巧有同化斯拉夫的征服者芬兰人的血统。随后求助声可能日益高涨，然后鉴于同族关系俄罗斯做出回应，而这同族关系在生理学家看来是不存在的。也有可能的是，同族关系真的既不是求助者也不是帮助者所想象的那样。但是，无论如何，为了人类生活的实际目的，这种求助肯定是件好事，而基于这样的同族关系可能是真正的同族关系。通过法律上的收养肯定也是件好事。我们承认，要是一个陌生的祖先前二十代至二代任何时期来到我们国家，我们就把这个人当作英国人，这从法律的角度说是件好事。为了实际的目的，为了引导人类行动的目的，无论这些目的是公众的还是私人的，俄罗斯人和保加利亚人成了长期分离的亲属。其实，从真理角度看他们根本不是亲属，反而是通过共同的种族情感联系在一起的同族人。他们属于同一种族，恰好的是，他们的祖先分别在四百年前和一、两百年前来到不列颠的英国人，他们像是通过相同的民族特性联系在一起的同一国家的公民。

  现在，国家和种族的管理尽管很大程度上是以立法的方式进行，但仍是一种真实生动的情形，同族关系思想是万物成长的思想，我们怎样定义我们的国家及其民族？我们怎样去把它们区别开来？要谨记已经提出的告诫和限定的条件，还要谨记已经说到的大量例外。于是，我就可以毫不犹豫地说，为了所有的现实目的，这里存在而且只存在一种测定工具，这个工具就是语言。不言自明的是，种族和国家不可能只通过人类群体在不同政府的安排下去定义。从这个标准来看，出于某种普通语言的目的和普遍政治的目的，我们会受到诱惑，甚至有时会被驱使。在世界的某些地区，以我们西欧为例，国家和政府以一种强硬的方式公平回应其他国家。无论如何，政治分歧并非不影响国家分裂，尽管国家分裂应该最可能影响政治分歧。也就是说，国家和政府表面上应该一致，我说的只是表面上，因为确实存在可以变通的规则。我们常有充分的理由说明国家和政府为什么应该是不同的，可当它们不同时，就应该有一些现成的理由。国家和政府绝不会一致，这有可能是真的。但是，国家和政府应该一致依然是一个规则。也就是说，就国家和政府的一致性来看，我们承认这是事情发展的自然状态，并且不过问任何原因。只要它们不一致，我们就要问其理由，并将其视为特例。说政府和国家应该一致，意味着政府的边界应该尽可能和国家的边界一致，即我们认为国家作为已经存在的东西排首要位置；次要的是，政府应该尽可能做好安排，与其相一致。如果没有特别反对的理由去限定政府的权力，我们应该怎样定义国家？

首先，我认为，语言就像一条不受制于例外的规则（作为初步标准，规则应该服从于特别反对的理由），我们用它来定义国家。我们至少在消极应用语言来定义国家。说相同语言的人一定有相同国籍这一论断对统治者来说很不安全，但是我们可以安然地说，世上根本不存在共同的语言，也根本不存在什么共同的民族特性。如果不存在共同的语言，民族就可能是人为的民族、有利于政治目的的民族，并且还会产生共同的民族情感。这和共同语言感受到的浓郁民族团结的气氛完全不同。事实上，人类本能地把语言作为民族的标志。到目前为止，我们已把语言作为民族的标志，并本能地把共同语言当成是否属于同一民族的规则，然后把背离这一规则的东西都当作例外。一个人用法国、德国或其他国家的一些词语，首先暗示他是一个把法语、德语或他国语作为母语的人。我们认为，没有什么东西能让我们逆向思考为什么法国人说法语，或为什么说法语的是法国人。任何东西都不止一面，我们就把这个问题的其他方面作为一个例外，探讨其特殊原因。

此外，规则就是规则，例外就是例外，因为例外就是超越规则的例子。规则就是规则，因为我们把遵照规则的实例视为一件理所当然的事，所以在很多情况下，我们要求对不遵守规则的行为做出解释。欧洲大国给我们提供了例子，但是我们却把它们全部当成特例。我们并不去问为什么法国本土人说法语，但是当法国本土人把其他语言而不是法语作为母语，当非法国本土人把法语或其他法语人常说的语言作为母语时，我们会立即问为什么。在任何情况下，我们总能找到特殊的历史原因，这些历史原因会使这个例子不用一般规则来解释。一个充分的理由就可以解释：为什么法语或其他常被当成法语的语言，在居民显然不是法国人的比利时和瑞士的部分地区流通。这就必须给出理由，并且允许受到公正的质问。

相类似的是，如果换成在我们自己的国家，无论何时只要在英国境内发现有人用的是其他语言而不是英语，我们就会立即问其缘故，很想知道其特殊的历史原因。在法国和英国的部分地区，我们发现使用的语言不像法语和英语，却很像其他语言。我们发现，这些幸存的语言和曾经的高卢人、英国人使用的语言相同，因为其他国家的殖民、其他语言的植入和发展，延续到今天依然幸存。另外，我们发现地理位置似乎属于法国，说岛屿语言的岛国人却对英国国王有所依赖，十分忠诚。我们很快就知道这种奇怪现象的原因。这些岛屿是一个说法语的民族剩下的土地，但是仍然剩下一块不属于法国的领土。人们在君主的统治下通过武力把这块土地纳入英国。后来那些人大部分败给法国人，在感情和语言上逐渐变成法国的一部分。这块剩余的土地切断了已由祖先征服的土地的联系，虽然他们仍说法语，但在情感上却不是法国人。最后，诺曼底岛的情况也是一个令人受益的特例。诺曼底和英国有政治上的联系，然而诺曼底从其语言和地理来看却和法国联盟。对于大陆的诺曼底来说，其地理连接最为强大，其语言和地理的结合取得了胜利，于是大陆的诺曼底人变成了法国人。在那些地理联系不是很强的岛屿中，政治的传统和明显的利益战胜了语言和联系较弱的地理。受到隔绝的诺曼底人没有成为法国人，但是他们也没成为英国人。他们独自保持诺曼底人的特性、自己的语言和自己的法律，却靠传统的联系优势依附于英国。在英格兰和诺曼底群岛上，国家间相对大小关系自然变成依赖于联盟中部分小成员的关系。但是，请记住：我们的祖先从未征服过诺曼底岛屿人的祖先，但是他们的祖先的确曾经征服过我们。

这些特例和其他无数的例子一样证实了这样一种情形：当群落语言成为最明显的共同民族属性的标志时，作为主要的元素或超越的部分，规则在民族性的构成中并非适用于所有民族，并且历代以来，语言的影响都不如其他方面的影响。但是，这条准则在所有的异议中得到统一，因为我们往往会特别关注那些违反规则的情况，却不会特别关注那些不符规则的情况。

在我们刚才所说的情况中，以语言标记的国家及其语言规则之外的发展所起的作用都有其渐进的、无意识的历史原因。统一政府中的联合或分裂政府中的分离已成为首要的历史原因。法国由人民拥有的连片领土构成，由法国国王统治。但是，法语从中起作用的原因是渐进的、无意识的。没有人会慎重提议，通过一起加入所有独立说法语的公国组建法国。自法国建国以来，法国人就建议将每块土地附加在那片说法语或说些类似法语的土地上。但是，法国建国这一结果本身有其历史原因，这种结果的产生毫无疑问是因为世世代代的稳定政策在起作用，而不是因为什么种族和语言有意识的理论在起作用。这是我们时代的特殊标志，有特殊影响的标志，这种影响使种族和语言的要义根植于人们的思想，以至于使我们看到了大国通过种族和语言统一的过程，而语言对于联盟的建立做出很大的贡献。如果政治家不为自己的这种理论感动，他们至少已经发现，充分利用该理论作为一种手段作用于他人的意识是符合他们的目的。重新统一分裂的德国和意大利，使其意识到民族性并接受共同语言以作为民族性的对外标志，这并无其他例外。诗人吟诵诗歌语言以作为民族团结的标志；政治家的演说语言也作为民族团结的标志，但是，直到今天他们出于政治上的考虑却不会对此有进一步的动作。

新生代的意大利王国并不接受所有说意大利语的人。卢加诺语、特伦特语、阿奎莱亚语源于意大利，而不源于像伊斯特里亚和达尔马提亚这样民族性令人怀疑的地方，因为这两地形式上不是意大利领土的一部分，而且科西嘉岛与其他两个临近岛国没有相同的制度。可事实上，这些不属意大利的地方立刻让我们提出两个问题：为什么它们不属意大利？是否它们不该属于意大利？历史可能轻松回答了第一个问题，但历史可能会以似是而非的方式回答第二个问题。提契诺不能失去她更多的自由；伊斯特里亚必须维护德国南部必要的话语权；达尔马提亚绝不能从斯拉夫主大陆分割出来；科西嘉岛似乎为个人崇拜牺牲国家形象。然而，的确让人难以置信的是，为什么特伦特和阿奎莱亚竟然从意大利领土分离出来？另一方面，意大利新兴王国的语言极少包含非意大利语。皮埃蒙特方言和西西里岛方言分在同一类，这可能是有点弹性的语言观。不过，事实上他们有自己传统的标准，该标准是同一种口音的不同方言为人普遍接受。但是，只有在一些高山峡谷通用语才是罗马语或日耳曼语，而不是意大利语。简而言之，意大利人完全接受意大利的再次统一，却没有因为一些政治原因而阻碍语言规则的执行。意大利的非意大利语地区已经很少说非意大利语，比如像《勃艮第的奥斯塔和七个德国公社》这样的作品，如果最后仍然用日耳曼语来写而置规则于不顾，那就会显得微不足道，以至于无法引起法律界的关注。

但是，我们切勿忘记：这一切只意味着我们刚说的在这片土地上使用规则已经开始全面实施。实际上，以语言为基础测定民族的国家已经成立。但是，这些国家缺乏纯正的生理血统理论。总之，在西欧同化已经成为一种规律。也就是说，在西欧任何有大分歧的地方，尽管它们的土地可能尚未安定，并一次又一次地受人征服，可大片土地还是会集中到一些国家。要么有人在种族占据地让其他人增加其种族相似度，要么新兴国家增加来自其他几个种族的元素。因此，现代法国人可以定义为：源于混合血统的主要说拉丁语的凯尔特人，其政体历史上主要由日耳曼人建立。也就是说，现代法国人既不是高卢人、罗马人，也不是法国人，而是第四种类人——从前三类人中吸取了重要的元素。到目前为止，现代法国这个新型国家已吸收他国的优点而使自己成为例外。弗莱明巴斯克的另一个地方，甚至占布列塔尼三分之一领土的重要地方，都以这种方式成为对一般民族来说纯粹例外的情况。如果进入岛屿，我们就会发现同样的规则一直在起作用。如果仅就英国而言，我们会发现，尽管方法不尽相同，但英国的最后收获几乎不亚于法国的最后收获。一切真正的政治目的都是因为涉及一国面对多国的情况，如英国跟法国一样彻底殖民统治他国。英格兰人、苏格兰人、威尔士人都觉得自己在一般性世界事务中是一个整体。独立的苏格兰或威尔士不太可能脱离诺曼底或朗格多克。威尔士岛的一部分地区没有彻底吸收语言，仍然说威尔士语或盖尔语，这种语言使用区域比现代法国的非法语使用区域比例要大。但是无论英国北部或西部会如何，英国也许会执行古文物政策，宣称反对撒克逊人，因为出于一切实用的政治目的考虑，英国人和撒克逊人是一体的。南方英语和北方英语之间的区别，在政治上对于洛锡安人和横笛人（请允许我以这个名字称呼他们）而言，没有民族学或语言学来得严密。如果法国不是兼并阿基坦，而是和后者一起成为两个在平等条件下的王国，那么，当进入爱尔兰，我们确实会发现另一个国家有更类似世界其他地区的一些现象。最不幸的是，爱尔兰没有十分坚定为英国所统一而作为英国的一部分。即使在英国出现分裂，我们仍会尽可能从地理和历史的角度去分析原因，就像从所谓种族隔离差别的角度去分析原因一样。如果爱尔兰不曾犯错，那么两大岛屿永远无法作为连片领土彻底联合。另一方面，就语言而言，英国不满意的地区比其满意的未彻底同化地区没什么特殊之处。爱尔兰语是爱尔兰的语言，当然，这跟威尔士语是威尔士的语言有程度上的不同。撒克逊语还得归咎于撒克逊人的口音。

在西欧的其他地区，如西班牙和斯堪的纳维亚半岛，其语言和国籍的巧合比在法国、英国，甚至在意大利都要多。除了在西班牙或西班牙殖民地，没有人说西班牙语。在西班牙，那些不讲西班牙语的人（即剩下的巴斯克人）少于在英国和法国的非同化公民。在此有两件事需要注明：第一，跟法国一样的现代西班牙已在大同化的过程中建立；第二，西班牙半岛上国家的实际布局完全是由于历史原因，我们几乎可以说这种布局是近代历史事件所造成的。西班牙和葡萄牙是独立的王国，我们把他们的公民视为单独形成的民族。然而，这只是因为卡斯提尔的王后在15世纪和阿拉贡国王结婚。伊莎贝拉嫁给葡萄牙国王。就像我们谈论西班牙和葡萄牙一样，我们现在应该谈一谈西班牙的阿拉贡，还应该把葡萄牙算作西班牙的一部分。比起葡萄牙，阿拉贡在语言、历史和其他方面都不同于卡斯提尔。卡斯提尔王已经涉及西班牙王国，并且就像阿拉贡一样把葡萄牙并入西班牙王国。另一方面，斯堪的纳维亚的同化程度一定比其他地方的来得小。在现在的挪威和瑞典王国，同化一定要有比欧洲其他任何地方更接近实际纯正血统的方法。人们不能想当然地认为：芬兰的血统已被同化；芬兰人就不会征服别国人；芬兰人定居晚于北欧人。

当进入欧洲中心，我们就会发现不同的东西。其种族差别似乎比其他地方的更长久；统一的德意志帝国比法国或英国更重要；法国、丹麦和波兰边境的三个地区不仅是其他语言的征服者，实际上也是不满分子的征服者。我们问其原因，它们会立刻回答说，这三个不满的地区在两种情况下确实都是最近被征服的地区。但是，这是它们的显著特征之一。统一后强大的德意志帝国很大程度上是同化的结果。这三个地区在最近被征服而未被同化时显得相当重要，因为在三个案例中，民族不满的领土地理位置上与不用该帝国语言的领土相连接。这并不证明同化不可能发生，但无疑会使同化的过程历时更长，变得更难。

所以，无论是对居住新兴德国境外说德语的人，还是对居住其境内不说德语的人，我们可以向他们问明情况，找到原因。如果深入探究，我们就会知道，德国出于政治原因被禁止直接吞并奥地利、提洛尔和萨尔斯堡；出于政治联合、地理位置、人种学等方面的原因被禁止吞并库兰、利沃尼亚和爱沙尼亚；出于某些或其他原因，人们可能希望一直禁止德国侵占像苏黎世和伯恩这样的城市，以达到更高的政治目的。边远的特兰西瓦尼亚和萨拉托夫兄弟地区施行"最低教区法"。在所有这些情况下，民族和语言的规则应该让步于不可避免的情况。但是，另一方面，法语、丹麦语、斯拉夫语或立陶宛语在新帝国境内的使用原则是：语言是民族的象征，没有群落语言的民族不可能表现出某种完美的状态。现代政策的主要目标是通过在群落中间传播德语，使例外地区执行一般规则。简而言之，无论何处都期望把权力建立在民族性上，本能地用语言测定民族是人类的同感。假设用语言测定民族，我们就不会对那个民族血统的物质纯度有任何怀疑。连片领土上的人生活在同一政府中，说同一种语言，出于实用的目的成立一个国家。如果这一国家的某些公民不属于原始血统，他们至少可以通过入籍的方式获得该国的国籍。

为什么世界各地那些不同种族和说不同语言的人如此栖息在连片的土地上，并在同样的政府领导下生活？现在问这个问题似乎合情合理。我们如何定义在此情况下的民族性？而在不同情况下答案会有所不同。那些人以某种手段将领土连片的不同国家的不同元素糅合在一起。他们通过自由意志法案联合起来，可能形成我之前所称的人为的国家。或者可能只是这样的例子：不同民族独特的一切可看作建立国家的条件；国家除了拥有独立的政府外，不管什么原因，随之而来的是其不同民族共同管理独特的一切。显然，前面的例子证明了规则的例外，尽管它完全以另一方式证明；后面的例子也证明了规则的例外。这两种情况可能更加需要定义。虽然国家的建立缺乏语言的不同要素，但是我们首先把它们糅合在一起，以人为地建立起国家。在西欧主要国家的发展中形成了这样使人自觉不自觉遵守的原则：国家应该标记出官方语言之外的任何其他语言。但是欧洲的瑞士，一个完全有政治意义的国家，正好是以一种与以上的原则相反的原则建立的。瑞士联邦由德国、意大利和勃艮第国的某些分裂地区联盟而成。实际上可以说，瑞士的形成已包含某种接纳入籍的过程，意大利和勃艮第的民族元素已经融入已经存在的德国。这样，那些曾经的臣服国、附庸国或保护国的部分地区，是其中被承认拥有全部种族基本权利的附庸国或自由国。这无疑是正确的，在很大程度上是同样真实的德国元素本身。瑞士已从联邦国、盟国和臣服国上升到同盟国。但是，其曾经的地理位置等构成元素就我们的目的而言并不重要。事实上，外国附庸国在平等的条件下都应允许进入联盟。毫无疑问，多数同盟使用的是德语，此外还有两种公认的罗曼语中的民族语言，而不是像英国威尔士人或法国布列塔尼人使用的那种碎片语言或残存语言，它们是大多数民族形成时在一般团体里可见的元素。德语和罗曼语中的两种语言都是公认的民族语言，尽管它们像是为了维持普遍原则而应该有的一些例外。联盟内仍然存在第四种语言，第四种语言的存在并非否认其他三种语言的存在，不过它只不过是一种支离破碎片的残存语言。像这样一个人为建立的团体能称之为国家吗？这样的国家显然没有血缘和语言的关系。它几乎无法通过入籍的方式建立而成。因为，如果我们有选择性地说，血缘、语言和入籍这三个条件都达到，同意一个人入籍成为同胞，那么他已经在无同化作用的情况下被接纳了。不过，可以肯定地说瑞士联邦是一个国家，其力量不容小觑——不同的国家聚集在一起，无论愿不愿意，都处于共同的联盟中，却不存在任何进一步联合的关系。从一切政治意图上说，瑞士联邦是一个国家，一个和其他国家一样拥有浓烈真实的民族情感的国家。它是一个纯粹人为的国家，一个无法通过血统和语言去界定的国家。它以两种方式证明了以上那些建国规则。我们马上感觉到这个没有共同语言、但每个地区说与其他国家一样语言的人造国，它和那些通过一般的方式或至少是语言的方式界定的国家不同。我们认为瑞士国的形成是一个例外，或者是不同于其他国家的情况。除了从语言的任何角度探讨这一人造国与那些通过语言界定的国家的相似度外，我们看到通过语言界定的国家设定了标准，而在标准模式之后，一个人为之国建立了。作为一个国家，瑞士联邦的声明情况和种族情况一样，如果存在这些情况，那么瑞士甚至不可能脱离一个扩展中的原始家庭而独自成长。但是，人造国存在这样的情况：它取代传统上的真正祖先，让自己成为收养家庭中的一员。

瑞士联邦是一个通过人造而形成的国家，但它无疑是一个需要面对其他国家的国家。我们现在想起了一些国家，在这些国家里，国籍和语言使它们和其他国家保持联系，可这些国家却没有一种强硬的方式去回应政府。我们只有进入欧洲东部才会发现，国籍和语言的概念标志着国家的感情，和政府的概念毫无相干。我们一定要牢记，这些东西不只限于早已或刚被土耳其统治的国家。土耳其扩展了国家领土或国家部分地区，这些地区建成了奥匈帝国君主国。其所有的土地由两股势力把持，而我们无意中发现地理、种族和语言方面的现象，这突出反映了我们用于西欧的任何东西之间的鲜明反差。如果认为这些东西在西方是荒谬的，我们就可以更好地理解这些现象是什么，但是它们在东方有自己的参照物。让我们假设在一次前往英国的旅行中，我们成功抵达市区、城镇或村庄，沿途我们会不断地发现，首先英国人说威尔士语，罗马人说拉丁语；然后撒克逊人或者霍格鲁人说着自己较古老的语言；随之斯堪的纳维亚人说丹麦语；接着诺曼底人说古老的法语；最后在弗兰芒人、胡格诺派或者巴拉丁伯爵的殖民者中仍有一些说自己语言的特殊群体。或者让我们假想一次前往法国北部的旅行,在沿途不同的路段我们会发现,原始的高卢、罗马、弗兰克、巴约的撒克逊和库唐斯的丹麦都有一些特殊群体,他们仍说自己最初引进本地的语言。让我们再假设,在许多情况下国家差异中增加了宗教差异。比如,即使我们想不起朱庇特和沃登崇拜者的任何遗产,我们也会想起罗马天主教的村庄、英国国教徒和其他各种异端邪教。这一切在西方任何国家看来都是荒谬的,并且荒谬透顶。西方的荒谬是东方现存的事实。我们发现英国所有的主要种族与众不同,仍然保持独立的语言,大部分地区说的是他们自己原始的语言。我们还发现,在现有或日后的土耳其欧洲领土中,作为历史发端的原始种族还会存在,其中两个民族保留着自己的原始语言。它们发展成三个不同的国家。第一个国家是希腊,我们没有把希腊语视为罗马帝国分支所使用的语言,但是东部半岛的人口有着最原始的元素之一。通过他们历史上所起的"罗马人"名字,我们认识到自己的时代,现在回溯古希腊名字时,我们听到他们对所起的名字做了明确的声明。如果现代希腊不是真正的古希腊,那么他们一定是一群聚居在一起的、被接纳的古希腊人,不过他们成了真正的古希腊核心。在希腊我们看到了这个古老的地方大部分最古老的居民,他们不同于幸存的凯尔特人和西欧的伊比利亚人。希腊人不是民族的幸存者,他们是真正现存的民族——国家的重要性及其人口的数字化极不对称。他们仍是自己古老独立的土地上主要的种族,是土耳其在大陆继承祖先部分土地后所得领土上的主要种族,是紧靠爱琴海和黑海海滨的主要种族。在希腊附近仍然存在另一个古老的普通民族——阿尔巴尼亚。毫无疑问,该民族代表古伊利里亚人。阿尔巴尼亚和希腊亲属关系的密切程度是无需深考的科学问题。但是,事实上,比起周边其他国家,阿尔巴尼亚与希腊的关系更为密切,并且展示出仿效希腊的特别力量,这种力量可以说是成为希腊人,或构成人为希腊一部分的力量,存在于实际发生的历史事件中。我们不应忘记,在这些具有历史意义的希腊独立战争中,真正高贵的不是希腊人而是阿尔巴尼亚人。传统的阿尔巴尼亚人极易成为希腊人,而伊斯兰教的阿尔巴尼亚人明显不同于土耳其人。阿尔巴尼亚人确实有强烈的民族感,甚至有时其民族感与其分裂的宗教相比占了上风。如果阿尔巴尼亚在半岛最尾部，其实差不多如此，那么那里就有不同宗教的人希望联合起来对付共同的敌人。

欧洲有两个古老种族——希腊和另一个种族，他们确实不那么先进、不那么重要、不那么广袤，但它们却都是可以同样保持国家真实存在的种族。当然，也有第三个古老种族，这个种族幸存下一些特别的人，尽管他们已经使用很长时间的外来语。欧洲还有瓦拉几人和罗马人，即我们所谓的色雷斯人或其他民族的人，他们是伟大民族生存的代表。随着伊利亚人向希腊人南部扩张，他们在历史初期就拥有东部半岛的大部分内陆地。众所周知，在现代罗马尼亚公国和奥匈帝国君主国的毗邻地区出现东部独有的现象：希腊人起罗马名字，既不说希腊语和土耳其语，也不说斯拉夫语和阿尔巴尼亚语，而说拉丁方言，这种方言和邻国的方言不一样，却类似高卢、意大利和西班牙的方言。任何对此现象关注的人都知道，相同种族的人可能分散在各地，即使他们是在牧羊人放牧的地区：斯拉夫、阿尔巴尼亚，还是在多瑙河南部的希腊。人们普遍猜想，正是罗马人的罗马特点促使罗马在图拉真皇帝的统治下殖民了达契亚。从这一点看，现代罗马人是使用罗马语和按罗马人的方式行为的图拉真殖民者和达西阶的后代。但是，我们记得达契亚是第一个被罗马放弃的行省（现代罗马尼亚是长期以来每个原始部落从东行到西的必经之路，其领土被占领、定居甚至遗弃了一次又一次）。如果这片土地上的人被遗弃在邻国时仍保持拉丁方言，这听起来一定很奇怪。事实上，这个观点经过现代调查被完全否定。在达契亚，罗马人出现于较晚时期——只始于十三世纪。瓦拉吉亚人、摩尔达维亚人和特兰西瓦尼亚的罗马人都被其他地方分散的罗马人遗弃、孤立。这几个民族的人代表拉丁所属半岛的部分居民——当然，希腊人仍旧是希腊人，伊利里亚人仍旧是野蛮人；他们所拥有的特称为色雷斯和达契亚的默西亚领地，是从奥古斯都到图拉真的不同时期被加入帝国的版图；他们应该逐渐接受拉丁语并不是那么漂亮的语言这个事实；对罗马人而言，他们的地位完全和高卢人和西班牙人的一样。在希腊文明已经根深蒂固的地方，拉丁语无论任何都不可被其他语言取而代之。在希腊文明默默无闻的地方，拉丁语战胜了野蛮人的方言。东方部分地区的做法自然而然与西方的做法不无二致。

东南部半岛三个国家显然从欧洲早期起就已存在，这三个不同国家说三种截然不同的语言。对西方出现的这种问题我们无法做出回答。我们无须证明，高卢人、西班牙人、凯尔特人和巴斯克人在西欧的说话方式，不同于希腊人、阿尔巴尼亚人和罗马人在东欧的说话方式。东方古老的居民仍然存在，他们不是作为被抛弃者或幸存者存在，不是天涯海角挥之不去的碎片，而是严格意义上像是国家现代政治问题的形成元素之一。他们有他们的记忆，有他们的抱怨，有他们的希望，而且他们的记忆、抱怨和希望都是现实的政治问题。无论我们怎么称呼苏格兰人、威尔士人、布涅塔尼人、法国巴斯克人和西班牙人，他们都有清晰的回忆，却几乎没有政治上的不满或希望。爱尔兰人可能怀有政治上的不满，当然也可能抱有政治上的希望，可他们的不满和希望不完全等同于希腊人、阿尔巴尼亚人和罗马人的不满和希望。我们必须让爱尔兰地方自治政府成立爱尔兰人独立的国王和议会，尽管这种国王和议会所使用的语言和表现出的文明仍可能是英国人的。北爱尔兰成立的政府在政治上可能站在大不列颠政府的对立面，但它仍然是个英国政府。希腊、阿尔巴尼亚和罗马成立的政府没有一个会采取与土耳其或奥地利政府一样的方式。

在欧洲，早期罗马征服领地上的部分民族可以是原始种族。那些战胜者在达尔玛西亚海岸接受拉丁殖民者，而该海岸所使用的拉丁语作为城市文化和生活用语，仍然保持着意大利文化和生活的多样性。它在政治上产生了很大的影响：使部分早期移民罗马化，还使罗马势力驻扎希腊城市，由此创立了一个国家，一个最终成为半罗马半希腊的国家。然后，国家徘徊时期到来，可我们不必细想我们自己种族的人。哥特人任意穿行边境内没有日耳曼殖民者驻扎的东罗马帝国，实际上日耳曼殖民者从未长期驻扎在边境。日耳曼在西方的部分民族受到东方的斯拉夫攻打。东方的斯拉夫犹如西方的日耳曼一样，我们称之为现代欧洲种族的典型代表，其历史始于罗马帝国建立后。这也正是这两个种族有不同地位的主要原因。在某种程度上，东方的斯拉夫有前罗马种族的支持，但是西方的日耳曼就没有这样的支持。日耳曼对希腊和阿尔巴尼亚的影响很小，而对罗马及其语言的影响却很大，可其影响远不及土耳其对西欧罗马国家和语言的影响。自从斯拉夫人到来，他们就以西方土耳其人仍会采取的方式坚定地支持种族。也就是说，斯拉夫除了支持希腊、阿尔巴尼亚和罗马，也支持保加利亚、匈牙利和土耳其这些在西方对斯拉夫没有回应的国家。斯拉夫民族一来，它就以殖民者的姿态强硬地对待日耳曼。如果西欧被一个晚于自身殖民行动的外来种族势力所控制，那么它的状况也是日耳曼人日后会有的状况。毫无疑问，斯拉夫是东部半岛人口组成的最主要成分，其人口曾经膨胀过。严格地说，斯拉夫人占领了从多瑙河及其大支流往南到希腊边境的所有土地，以此赋予了斯拉夫人名最广泛的意义。沿希腊或意大利海岸线的早期种族和在山区的阿尔巴尼亚都不受斯拉夫人的侵略。斯拉夫人占领了半岛的核心地区，而他们所占领的土地远超过这个半岛面积。他们平等地生活在奥地利和奥斯曼帝国的边界。的确，由于影响东欧的另一些原因，斯拉夫可能不断地从波罗的海到达……

所发生的这些事情是最终能够区分东、西欧历史差异的原因，尽管事情已经过了1200年，但是它们仍然鲜活生动，它们也是激发最后500年主要事件的原因。尽管在西欧我们有过多次政治上的征服，但是自日耳曼殖民时代起，我们就没有过国际性移民——如果有的话，至少我们可以接受在英国和高卢的斯堪的纳维亚殖民者。日耳曼人以牺牲斯拉夫和老普鲁士为代价紧抱东方。罗马和日耳曼之间的边界已有变动，但是没有第三个民族进入，这种情况和罗马、日耳曼和整个雅利安等民族的情况有着惊人的相似。匈奴人阿提拉表示他们在西欧只是短暂的入侵者，匈牙利人后来这样做，奥斯曼土耳其帝国在之后围攻并废弃维也纳大陆时也这样做了。但是，所有出现在西欧的图兰入侵时间都很短暂，而他们在东欧所扮演的角色与前者的相比却大不相同。在东欧，除了阿瓦尔人、佩切涅格人、库曼人和其他种族的短暂统治外，还有三个殖民时间更长的民族——分别来自保加利亚、匈牙利和蒙古，他们经过一条窄小的通道进入东欧。第四个殖民者奥斯曼土耳其帝国经过另一条窄小通道进入东欧。在所有这些入侵中只有一种彻底同化的情况。早期的芬兰人和保加利亚人像西方征服者一样，在斯拉夫征服者和周边邻国的统治下迷失了自我。匈牙利的地理位置将斯拉夫的两大民族隔开。我们除了可以将斯拉夫人的到来归因于其他原因外，还可以将其归因于巨大的历史差异，这种历史差异将波罗的海的斯拉夫和它的南方亲属分隔开来。我们对奥斯曼帝国的所有成就有所了解。后来的殖民者仍留斯拉夫人身边，就像斯拉夫人留在先前殖民者身边一样。正如我们在西方形成习惯那样，斯拉夫的保加利亚人是同化的唯一实例。其他所有新老种族——从阿尔巴尼亚人到土耳其人，仍然各自在东欧保持着自己的民族特性和民族语言。我们必须将不同元素加到古达契亚的一部分人身上。日耳曼的占领方式不同于我们在西方所见的任何民族的占领方式，它以特兰西瓦尼亚撒克逊人的占领方式呈现。

因此，我们可以具体地提出我们的观点。粗略地说，在西方每个国家定居的不同种族中，其中有一个已经同化了其他种族。所有的种族在土耳其统治下或聚居在被遗弃的土地上，或聚居在被解放出来的土地上。因此，我们踏上这片形成过奥匈帝国的君主国土地时，会发现并感受到长期以来多民族对西欧的共同统治与土耳其对其他国的统治一样，都遭到了强烈的反对。瑞士的例子使我们明白，从三个不同国家分裂出来的人造国可能远离分裂。但是，奥匈帝国的君主国不是一个国家，甚至不是人造国。它的成分不像瑞士联邦的三种成分那样以相同的方式组合在一起。它确实以匈牙利的方式建立起整个国家。如果我们认为捷克是一个独立的国家，那么可以说它其实包含两个国家。至于其他的成分，我们可以暂时抛开德国的匈牙利和达尔马提亚不可思议的联合成分。在君主国，严格地说，在东方国家——罗马和罗马尼亚，我们可能区分达尔马提亚说罗马语的居民与特兰西瓦尼亚说罗马语的居民。欧洲北部和南部的斯拉夫、匈牙利的征服者和撒克逊移民都来自不同的种族。土耳其人不属于匈牙利，而属于南方，只是因为被逐出匈牙利，只被允许定居南方。没什么比不坚持土耳其以武力吞并匈牙利大部地区并掌管马其顿和伊庇鲁斯更重要。这只是百年战争的结果，从斯基到约瑟夫二世解决了边界问题，而此问题过去对外交家来说还是悬而未决的，可现在看来却不复存在。因为布达曾经属于土耳其，贝尔格莱德曾经不止一次归属奥地利，所以边界线多次前后变动。包括奥地利、土耳其、喀尔巴阡山脉南面的独立国家在内的整个东南部，在几个占领它们的种族中间呈现出恒久的相同特征。这几个种族中可能出现这儿众多持续不断的移民，那儿少数分散的殖民者，但是他们都有自己的不同特性。他们有着热情高涨的民族感。但是，在西方政治体制很大程度上遵循民族的主旋律，而在东方体现民族感的唯一方式（不论是武装方式还是非武力方式）是反对现存的政治体制。仅就统治匈牙利王国的马尔扎民族而言，从未有过相同土地上说相同语言的人由不同政府统治这样的先例。即使在这种情况下，以这两种方式体现出的国家和政府特性也不完美。它之所以不完美，是因为匈牙利内部问题有独立的君主国政府在处理，尽管君主国不是匈牙利王国，而是形成欧洲其他势力之一的奥匈帝国君主国。另一方面，匈牙利政府的民族性也不完美。马扎尔人的民族性并非斯拉夫人、撒克逊人和罗马人的民族性。自保加利亚部分地区自由后，没有一个欧洲国家受控于土耳其人，没有一个东南半岛国家成立独立的政府。国家的一部分地区在政府的管理下获得自由，一部分地区受控于文明的陌生人，还有一部分地区受野蛮人的践踏。现有的希腊、罗马尼亚和塞尔维亚等国远不能占据整个希腊、罗马尼亚和塞尔维亚。在那些土地上，只有国家不回应任何现存的政治势力，才不难划分奥地利、土耳其和一些独立国家。

在西方民族和政府分离的情况下，语言比民族和政府一致的地方更能确定民族性，而东方种族和政府的不一致却有其他的原因，对此我们在西方也找不到答案。在许多情况下，宗教取代了民族，或者宗教和民族难以区分。在西方一个人信奉哪种宗教，或者从信奉一种宗教转而信奉另一种不会对他的种族产生什么影响，而在东方却恰恰相反。土耳其人背叛基督教转而信奉伊斯兰教是出于实际的考虑。即便如此，特尔克岛和波士尼亚的土耳其人虽然说希腊语或斯拉夫语，但希腊或是斯拉夫在他们的心目只摆在第二位。伊斯兰教的第一准则是，忠实教徒对异教徒的支配导致在两类教徒之间无法产生民族友谊。甚至信仰拉丁教的希腊人和亚美尼亚人也在种族分离和宗教分离上越走越远，因为信仰拉丁教意味着既信仰一种新教也信仰罗马主教。亚美尼亚人的例子和远东的例子十分接近，远东印度拜火教教徒和印度教教徒都声称自己有和英国人或法国人一样明确的种族，可他们所说的民族和宗教实际上却完全相同。在所有这类现象中，犹太人的例子无疑最突出。但是，我们在此讨论这些问题只为了给种族下定义，不过这个定义与我们为欧洲东南部的民族所下的定义确实很接近。什么是希腊人？确切地说，讲希腊语且信奉东正教的人就是希腊人。克里特岛上说希腊语的伊斯兰教徒和其他岛屿上说希腊语的拉丁人是最不合格的希腊人。至多只能说他们有成为希腊人的可能，而这种可能要取决于，他们是否可能回到原来的种族信仰，是否可能改变那些导致宗教差异或与真正民族友谊矛盾的东西。

因此，我们无论走到哪里都会发现这样的规则：用语言测定民族十分困难。例外很多，甚至可能比遵循这一规则的例子还要多，但例外仍然只是例外。语言群并不含有血缘体之意，而且语言的多样性也并不意味着血缘的多样性。但是，在缺少其他反面证据时，语言群可以推测血缘体。出于实际目的的考虑，语言群可以像血缘体一样作为某些东西的证据。"拉丁族"的说法在严格意义上是荒谬的。我们知道，所谓的拉丁族只是由那些使用拉丁语的民族组成。凯尔特人、日耳曼人和斯拉夫人等种族可能被认为是以人为的方式形成的。可假设归假设，如果这种假设曾经发生过，那么它一定发生在史前。凯尔特人、日耳曼人和斯拉夫人先于我们用语言测定的种族出现，这些种族再次以更严格的语言测定法标示出来。在种族中我们可能有明显相似的语言，可这种语言无需相互理解。在种族中只有方言是可以相互理解的，或者不管怎样，一个群体所使用的主要方言是为所有人理解的。我们之所以对种族和国家采取这样的标准，是因为我们清楚地意识到我们不可能对它们进行生理测试，但是为了达到所有实际的目的所采取的这种观点必须与自然血统观相一致。而且，在受种族和国籍影响的这些实际目标中，只要一个人是他自己，而不是通过某种新的科学模式重新创造出来，在目前感情状态下不压抑自己的慷慨情绪，我们必须开始将这类人凝聚成更伟大也更小型的人类群体。现在人类的同情心比我们所能想象的百年前人类的同情更泛滥。过去人类的情感只局限于家庭内部，而现在却扩散到部落或城市，然后从部落或城市扩散到整个国家，最后从国家再扩散到整个种族。在某些情况下，情感比其他东西更易扩散到整个种族。有时历史的原因使国家相同的种族成为死对头，却使国家不同的种族成为友好同盟。相同的事情早在过去就曾发生在同一国家的部落和城市中。但是当这类情感的阻碍物不存在时，种族感作为超越狭隘民族感的感情，在民族和国家的情感和行动中开始大行其道。波兰的斯拉夫和俄罗斯的斯拉夫之所以成为死对头，是因为侵略者或镇压者通过侵略或者镇压进行报仇，犯下无数共同的错误。没有什么能够阻止俄罗斯的斯拉夫和东南部的斯拉夫之间自然大方地交流。政治手腕只是权宜之计，智者只是拒绝回顾过去和展望未来，却无法理解我们这个时代的大事，而且他们也不知道自己嘲笑的是什么。但是，这一事实毕竟存在，与他们发挥自己的作用毫不相干。他们仍然发挥作用，因为有时同族关系唤醒同情心，尽管在生理专家和系谱专家看来根本不存在同族关系。历史或政治的现实观会接受这样那样的种族或国家的许多公民，这些公民不仅会被生理学家排除在外，而且也会被英国律师排除在外。但是，罗马律师会同意他们有嫁接血统的特权。从西庇阿斯到凯撒到安东尼……他们都通过接纳外族人延续了这项特权。实际上，世界上所有国家无不遵循其祖先所树立的典范。

交流的实质
Truth Of Intercourse
[英] 罗伯特·路易斯·史蒂文森

主编序言

罗伯特·路易斯·史蒂文森（1850—1894）出生于苏格兰爱丁堡，是英国小说家、散文家和诗人。他出身名门望族，祖上以建造灯塔闻名，其父母希望他能继承家族事业，当一名灯塔工程师，可史蒂文森爱好法律，却无果而终。最终，他还是投身于他注定要从事的职业——作家。

史蒂文森以写散文开始他的创作生涯，出版了两本饶有趣味的游记——《内陆航行》和《驴背旅程》，这两本书幽默风趣，充满睿智，富有沉思。后来，他把曾发表在杂志上充满神奇色彩的短篇故事整理成《新天方夜谭》。1883年，史蒂文森出版《金银岛》后，开始引起更多人的关注。这是他最优秀的一部作品，也可以说是英国儿童文学中最优秀的作品。史蒂文森最为轰动的作品是《化身博士》，他的其他作品《巴伦特雷的少爷》《绑架》和《卡特丽娜》虽有较高的文学水平，而且在一定程度上延续了司格特的创作传统，并将其写作风格发扬光大，但却少了司格特那种浑然天成的美感。史蒂文森还出了三本诗集，其中有些诗篇感情细腻，十分动人。

史蒂文森本质上是一位用文字进行创作的艺术家。现代人追求节奏的细微变化以及情感的细腻描摹，这些在史蒂文森的作品里都表现得淋漓尽致，他的作品极其注重风格，这既是他的优点也是他的缺点。但是，他的美德也常常为人所称道。他能把故事讲得惟妙惟肖，他抨击时事尖锐有力，对生活充满热爱。在《交流的实质》中，史蒂文森显得和蔼可亲；而在《塞缪尔·佩皮斯》中，他却深刻剖析自我，这种袒露自我本性的态度在整个文学史上令人叹为观止。

查尔斯·艾略特

世界上流传着许多脍炙人口的谚语，尽管有些主题掺杂着错误，说的道理也真假参半，或字面上看来就是谬误。在一些通俗易懂、广为流传的谚语中，有一条谚语传达一个大主题：说真话容易、说假话难。我衷心希望如此，可事实却是另一回事。首先我们要发现事实，然后公正、精确地将其表达出来。即使是用特制的工具——尺子、水平仪和经纬仪，人们都很难做到精确；而要做到不精确，那就容易多了。从标记刻度尺的刻度到丈量帝国边界到测量地球与星星之间的距离，人们也都需要做到精确，甚至在探测材料的精确度或确定对外部永恒事物的认识时，人们更要有一丝不苟、坚持不懈的态度。可是，描摹一座山的轮廓远比记录一个人容颜的变化要来的容易。人际关系实质上更加扑朔迷离，难以捉摸，不易把握，更难顺利沟通。你必须以一种并不严密的口头形式忠于事实——如果你连英格兰都没离开过，那你就不要对别人撒谎说你去过马拉巴尔海岸；如果你连一个西班牙单词都不会，那你就不要撒谎说你读过塞万提斯的原著。编造这样的谎言确实十分简单，在某种程度上，这无伤大雅，也并不重要。在不同的环境下，这样的谎言可能重要，也可能不重要，甚至从某种意义上说，它们可能是欺骗，也可能不是。惯以撒谎的人可能是很诚实的家伙，对待妻子和朋友能以诚相待；而一辈子连正儿八经的谎话都没说过的人，有可能本身就是虚伪说谎者——从表及里，从头到脚，没有一样是真实的。谎言会摧毁人与人之间的亲密关系。反之，忠于感情，善待交往，忠于心灵，真诚待友，永不欺骗，不玩感情，这些才会让你有可能爱别人，真正使人类获得快乐。

《说话的艺术》的读者如果只是读这本书，而不是运用书中知识还原真相，那么这本书只不过起到装饰的作用。文学作品的难点不在于写，而在于所写即所思；不在于影响读者，而在于准确地按作者所希望的方式去影响。人们在著书或宣讲时都能明白这番道理，即便下个决心或给某人写封信以明心意，要做到这点都十分困难，这是不争的事实。但是，有一个道理是不喜欢或不了解严肃文艺的平庸之辈永远无法理解的；有一个道理可能浮于表面，却像玄学一样难以捉摸。这个道理就是颇有难度的文学技巧得以维系的基础，一个人与他人的交流是轻松自在还是拘谨约束，是三言两语还是侃侃而谈，很大程度上取决于这个人掌握多少说话的艺术。我们相信，每个人都可以将所思所想用语言表达出来。我们还相信，人们可以表达自己的思想。举个例子，随手翻开我最近阅读的书——利兰先生的《英国吉普赛人》，第7页上有这么一句话："据说用爱尔兰当地土话与爱尔兰农民们聊天，谈美好的事物、幽默的话题、心中的疾苦，比起只用英语更能感受到这些农民们的思绪。"利兰先生这句话不无道理，因为我的所见所闻同样印证了这一点，在北美洲的印第安人中尤为如此。当然，在吉普赛人中，这一点更是毋庸置疑。总之，一个人如果不能熟练运用一门语言，其最显著的本性就将被深深地隐藏起来，无法为人所知；友谊与快乐、爱与被爱的智慧都有赖于"幽默和感伤这两个要素"。有这样一个典型，某人深谙幽默和感伤这两个要素，但是由于缺乏一种语言交流的媒介，在感情这个大集市上，他的摊位却空空如也。但是，同样一件事，用简单的外语说出来，和用小时候所学的母语说出来，其所反映的真实性有所不同。实际上，人们说不同的方言，有些语言丰富，描述精确；有些意义含糊，词汇贫乏。但是，理想的谈话者在说话时应该统一语言，还原真实——这有点像穿衣，不是斗篷下若隐若现的模糊轮廓，而是紧身衣下引人注目的清晰轮廓，清晰得就像运动员身上光洁的皮肤。若要问这样做有什么好处，那么我会告诉你，人们便可以更清楚地向朋友们传达心意，更明确地让朋友们知道自己的所思所想；更可能分享生命中真正有价值的东西。只有这样，才能做到与珍惜的朋友亲密无间。说话的人走错一步，便唠唠叨叨，语句荒唐，粗话连篇；话锋一转，便对几个顽固分子含沙影射；一开始说风，转眼就说马，接着又说牛。对此你没有流露一丝惊讶，因为你深知他说的话薄如冰面，那冰层随时会破。"哦，轻浮的心灵，如此傲慢无知！"这就好像一个人谈吐敏捷，至今却仍对某事耿耿于怀，想要为别人误解自己而辩解，竭力为显而易见的过错找借口，这些都会让他处于更危险的境地。这就像人们要自己少一些圆滑和雄辩，或朋友生气，或爱人猜疑时，要给他们进言绝不比给参会的政客们做发言容易半点。我们绝不可能给政客们做发言。那个发言的家伙老调重弹，他讨论的问题之前讨论过无数遍；他嘴里说出来的话千篇一律，照本宣科就是他想要达到的目的；他大说特说，说的全部是准备好的稿子。而你会不会在听他发言时酝酿小小的反驳。虽然你说的话不像莎士比亚的诗句一样感人，可你会不会充当一个文学改良者冲锋在前，冲进那个人们尚不知深浅的思想领域？也许这样做很难，因为哪怕相爱的人之间也会有冷嘲热讽，他们的一举一动都可能招致误解，说出一些不可原谅的话，可这一切都出于一种善意的情绪。若是受伤一方能够读懂你的心，你或许就能确信他会理解你，原谅你。但是，遗憾的是，心无法昭示路人，需要用语言表达。你还觉得写诗很难吗？为什么这么想呢？写诗不难，难的是把诗真正写好！

  我更要佩服有英雄气概的文学工作同行，他们耐心地用文字诉说所爱所想，他们日复一日地将自己的故事讲给妻子听。无论在什么情况下，这种工作难度都很高，而我向来对这些人的敬意丝毫不减。虽然生活多半不完全由文学维系，可是我们往往受制于充满肉欲的扭曲生活。因此，我们在生活中说话会断断续续，也会前后不一，说话的调子不知不觉会流露出高人一等的语气。我们的面容就像一本打开的书清晰可辨，那些我们难以说出的事透过眼睛不停地向外传递。我们每个人的灵魂并非锁在身体内，更像锁在地牢里；灵魂住在身体入口处，向外界发出引人注目的信号。

一吟一哭、一颦一笑，举手抬足之间脸上或飘着绯红或带着惨白，往往都是心灵明镜般的告白，这些信号能更直接地和别人进行心与心的交流。这些信号飞快地在人们之间传递、解读，在产生误解时就将信号掐断。用文字表达难免花费时间，还需要公正、耐心的倾听者，否则便会产生误解；而在关系密切的两人之间，感情达到高潮时，他们就无法耐心公正地避免这种误解了。但是，通过观察一个人的表情或手势，我们很快就能知道他在想什么，这些一举一动都在清晰地传达信息。不同于演讲的是，表情和手势不会"卡壳"。顺便说一下，一番斥责或一个暗示竟然可以让你的朋友们不接受真相。因此，表情和手势在交流中作用更大，因为他们绕过不诚实的大脑和复杂的思维直接将人们的所思所想传给外界。不久前，我写给朋友的一封信差点让我们发生争吵，可我们还是见了面，在聊天中，我把信中那些最不礼貌的语句又向他说了一遍，还说了一些更不礼貌的话，加上肢体语言的解释，无论是说出来还是听起来都不再显得那么不礼貌。事实上，用信件来增加人们之间的亲密度徒劳无益，缺乏直接接触的关系犹如走进一条死胡同。但是，两个充分了解对方、决心永远相爱的恋人，可能持有这样的爱情观，那就是他们可能会再次听到导致他们分手的言语。

盲人很可怜，因为他们无法看见别人的表情；失聪者很可怜，因为他们无法感知说话者的声音变化。还有一些人也值得我们同情，因为他们过于内向、不善言辞，缺乏行之有效的交流手段，缺乏生动活泼的面部表情，更不用说身体语言了，别人说话，他们无法回应，也缺乏让人一听即懂的演讲天赋：上帝用泥土造成的人，以及为了生活将自己装入袋子的人，没有人能拯救他们。他们比吉普赛人更贫穷，因为苍穹下的他们没有交流的语言。想要了解这些人，我们就要花时间留意他们行为的意旨，或用简简单单的"是"和"否"与他们交流，或把他们当作正常人来信任，当他们的思想迸发出闪光点时，一定会修正或改变我们对他们的评价。但是，这必将是一种极其难得的亲密关系，从头到尾都谈不上什么自由或具有什么魅力，要知道，自由可是自信的主要构件。有些毫无浪漫情调的人会鄙视自己的禀赋，只有厌世的人才会遵循无端的教义。对喜欢他的同类人而言，这么做肯定毫无意义；而对我来说，在我拥有荣誉、幽默与怜悯这些基本品质后，我觉得很少有什么比得上拥有以下这些东西：活泼而不冷漠的面容、心有灵犀的表情以及愉悦快乐的心情。因此，即使在不走运的时候，我们也应该表现出愉悦的心情。这样的绅士或淑女可能不会言辞粗鲁，也不会有意无意成为别人的笑柄。在所有不幸的生物中（我不愿把生物称作人），有一种生物的不幸引人关注。这种生物丧失与生俱来的表达权，说话总带狡黠的语调，掌握人们教其扮鬼脸的技巧，就像一只宠物猴一样，切断与同胞交流的途径。人的身体就像一座有许多窗户的房子：我们都坐在窗户里面，对外面的路人大喊：来爱我吧！但是，这家伙的窗户全都装上不透明的玻璃，还染上自以为高雅的颜色。人们可能会赞赏他这座房屋的设计，也可能会在他染色的窗边暂时停靠，可同时，这个穷困潦倒的房东却在屋里一天天衰弱下去，萎靡不振，永远过自己孤独的生活。

  实质性交流是比克制性撒谎更难以办到的事。免用不实之词和不说真话都可能做到。但是，这样做不足以回答正式的问题。以"是"和"否"的交流方式获得真理，这暗示提问者就像彼此相爱的人一样都有一种灵感。"是"和"否"这两个词不包含任何意义，其表达的意义必须与问题相关。一句简单的陈述必然用到很多词，可用这种简单句操练，我们却永远把握不准要领。随着时间的推移，我们或多或少只能指望用或长或短的箭头指明我们的目标到底在哪里。人们经过一个小时的谈论，东说西说，最终所表达的只是一个概念，一个要义。即便最干练的演讲者也会完全忽略一点：如果开场白过于啰唆，胡言乱语，同时还忙于解释，这样的演讲者会再三冒犯听者。这确实是一件微妙无比的事。英语似乎是用不同的手捏造、设计而成的，在它发明出来之前，这个世界就已存在。假设我们用音乐而不用词语交流，那么那些耳背的人就会感觉，商业街虽在隔壁，却像孤岛一样与世隔绝，在这个大千世界里，自己无异于外国人。我讨厌提问，也讨厌提问的人；这个世界上能不用谎话回答的问题真的很少。"你原谅我了吗？"女士们问："我们之间的关系还跟从前的一样吗？"为什么要原谅她们？我们之间的关系怎么可能跟从前的一样？答案是永远不一样。但是，如果你依然是我心中的朋友，我问你："你了解我吗？"天晓得。我认为,要了解我简直就是一件不可能做到的事。

  冷酷的谎言时常是无语的沉默。一个人可能会花上数小时坐在房间里,一声不吭,可一旦走出房间,他便成为一个对朋友不忠的人或十分卑鄙的诽谤者。有多少爱情因为骄傲、怨恨、缺乏自信、怯懦羞愧而使人不敢吐露情感,于是情感被蒸发殆尽。试想一对情侣在恋爱的关键时刻会低头默默不语吗?再者,谎言可以用真话说出来,真话也可以用谎言来表达。真理相对事实为真,相对情感就有所不同。一部分真话通常是回话,可能是最肮脏的诽谤。事情也许有例外,可感觉就如同法律,既不能歪曲也不能掩饰。一次对话的整个主旨是每段话大意的一部分。对话的开头和结尾决定了对话如何开展,同时也能歪曲整个对话。你永远无法与神对话,而你与同行讲话,就会富有自己的个性。要让听者能正确理解你陈述的事实,你无须说出这个事实,你要做的是向他传达真实的感觉。真实是精神上的真实,而不是文字上的真实,唯有精神上的真实才是真正的真实。

  为了挽救朋友,我们经常需要自由裁决权,倒不至像传达毫无偏见的事实真相一样召开友善的听证会。女人在这方面背有骂名,但她们生活在真正的人际关系中,从善良女人口中说出的谎言反应的是她内心最真实的善良。

  梭罗说:"我记得在现代作家[1]最受益的好文章中读过,有两个人说真话——一个在说,一个在听"。梭罗那时一定涉世不深,或者并不十分热衷于真理,不辨真伪。人要有一点愤怒或有一丝怀疑都会产生奇特的听觉效果,听起来不顺耳,总想做出反击。因此,我们一旦发现那些曾经吵过嘴的人与自己疏远,总是准备去打破沉默。老实说,道德平等非常必要,否则尊敬就无从谈起。因此,父母与孩子之间的交流趋于简化成一场语言上的拳击比赛,这样误解就更深。之所以会这样的另一个原因是,父母认为孩子年幼或年少轻狂,性格不健全。对此,梭罗只坚持与其预想相一致的事实。无论何时,一个人想象自己遭到不公正的评判,当时甚至最终都不会说出事实的真相。另一方面,在我们的择友中,更多的是在情侣

---

[1] "在康科德和梅里马克河上的一周",星期三,第283页。——著者注

之间（因为相互理解是爱的精华）真相会自然流露，对方理解起来也容易。一个暗示或一个眼神就会传达出冗长而微妙的释意，即使生活中的一些是非问答也能通过这种方式变得温馨无比。在所有的人际关系中，最亲近的莫过于爱情，爱情应该建立在平等分享的基础上，这种关系往往无需言语，因为言语就像在兜圈子、赶进程、办仪式，甚至就像在举行正式的礼仪。恋人彼此当面的直接交流只需飘几个眼神，说几句蜜语，就能共同分享彼此或好或坏的心情，维护彼此心中的喜悦。因为爱情有赖于物质基础，是自然的驱使，而不是个人的喜好。理解之情在某些层面超出了知识的范畴，爱慕之情也许始于相识，这与其他关系的形成不尽相同，因此也不像那些关系，让人烦躁不安，心情沉重。两个有情人的生活是靠信念来维持，他们相信这是一种自然冲动；丈妻之间的肢体语言在奇妙地增加，爱抚可以传达信息，言语则达不到这样的效果。唉，莎士比亚本人也只不过是位作家罢了。

就算爱情比其他任何感情都更为亲密，我们仍然必须不懈为真实的情感而努力。如果对爱情产生了怀疑，那就不要有什么感慨！之前所有的亲密举动和信心只是对被怀疑者的另一种控诉。"如果我受骗如此之久，如此彻底，那么这是多么可怕的谎言啊！"脑子里如果有了这种想法，你就好像在聋耳法官面前求情。你看一看以前吧：这明明是你的错！你瞧，什么事都要追根究底。唉！华而不实是你真实的写照。"倘若如今你也这样辱骂我，说不定你一开始就在心里痛痛快快地骂我一通。"

为了深爱的时刻，人们愿意支持他们的爱人，这种支持总能善终。你的支持埋在你爱人的心里，她用爱的语言诉说对你的支持，是她为你辩护，澄清对你的控诉，而不是你为自己做这些事。但是，在不甚亲密的人际关系中，情况是否就不是这样呢？事实上，这样做值得吗？我们都不为人所理解，只是在不幸时或多或少为人所关心。大家都在以错误的方式做正确的事，像哑巴也像被丢弃的小狗一样互相奉承。有时摇尾乞怜在我们生活的这个年代还挺奏效，给我们创造成功的机会。于是，我们苦笑地摇着尾巴，祈求一点怜悯。有人会问："难道这就是生活的全部？"假使你们知道其中的缘由，这就是生活的全部！但是，你们又怎么会知道？他们不爱我们，而我们却在那些冷漠者身上多么愚蠢地挥霍时光。但是，这其中的道义准则你是愿意听的，因为它真的很在理；因为你只有努力了解别人，才能让别人了解你。说到人情，仁慈的法官会成为最成功的辩护人。

塞缪尔·佩皮斯
Samuel Pepys
[英] 罗伯特·路易斯·史蒂文森

在最近出版的两本书里，塞缪尔·佩皮斯的个性和地位被戴上新的光环。迈诺斯·布莱特先生向我们展示了一本从未面世的塞缪尔·佩皮斯日记手抄本，内容增加了三分之一，同时还纠正了许多错误。他向我们介绍了塞缪尔·佩皮斯对一些事情表现出浓厚的兴趣，以及对一些关键问题的见解。唯一遗憾的是，他对待作者和公众的态度很随意。其实，编辑没有责任去裁决现存的经典对读者来说是否"乏味"的问题。这本书是一部历史文献，布莱特也许不是在谴责布雷布鲁克爵士，而是在谴责自己。对于"不适合出版"这句老生常谈的用语，我们犯不着那么气愤，不妨把它看作商业警示语，不考虑任何利益。当买下6本又贵又厚的书时，我们就更有资格被视为学者，而不再被视为孩子？但是，布莱特先生大可放心：即使我们抱怨的时候，我们仍然心存感激。惠特利先生把我们集中在一起，逐一分配任务。有时我们也许会要求多领到一点任务，可在我看来，我们从来没有要求任务少一点。事实上，惠特利的大部分理论可能被佩皮斯的优秀编辑精确地编在文本的脚注中，这正是读者想要的。

　　至少，我们可以根据这两本书了解作者。书中包含我们这么多年以来想学习的东西。现在，我们能够对历史大人物提出一些见解，其原因有三：第一，他了解戴有历史光环的同时代人，就像地下组织者一样十分熟悉他的后几代；第二，他在艺术或美德上胜过所有的竞争对手；第三，他在许多方面是一个非常普通的人，然而他在公众面前却如此高大，熟知细节，这些可能遭到像蒙田一样的天才妒忌。他不只是为了自己，可身为一个地位特殊的角色，他被赋予了独特的才能，在大众生活中放发出独特的光芒，绝对值得人们长期进行耐心的研究。

《佩皮斯日记》

　　这个世界上还存在一本像《佩皮斯日记》这样的东西，这本身就实在让人匪夷所思。佩皮斯生活在一个衰败的时代、一个无为的时代、一个人们必须费尽心思才能维护尊严的时代。尽管詹姆斯二世皇帝对民众恩惠不多，可就是这为数不多的恩惠让佩皮斯感受到，它对国王来说确实微不足道，而对臣子们来说却显得至关重要。佩皮斯逻辑清晰，思维缜密，这有几分要归功于大英帝国的海上实力。霍克、罗德尼、尼尔森能够取得如此的成就，已故海军长官佩皮斯做出相当大贡献的。在1666年那场可怕的瘟疫中，佩皮斯用行动为他自己赢得地位。他担任英国皇家学会会长，受到当时英格兰最优秀人物的爱戴和尊敬。他去世时，人们在送他最后一程的庄严时刻赞叹他的行为，其实不必多说，这就足够显示他伟大的一生。在世时，他步伐稳健庄重，卫兵有时陪他散步，他经过中尉面前时，后者向他鞠躬。他所说的话符合他的身份和职位。我们在他1668年2月8日写给伊芙琳的信中看到，他苦思冥想后来的荷兰战争，以及他对击退西班牙无敌舰队不同版本故事的一些看法："先生，对您给予的恩惠我万分感谢，现在送上回礼，请不必惊讶，数天前，当荷兰船只行驶在麦德威河上时，我告诉过你那儿的风景让我流连忘返，在我职业生涯中因失败受到的谴责，比起在迈克·安格鲁地狱中建立起的威信，带给我的不安要少一点。这同样给了我保持沉默的理由，与其促使我称赞他们还不如别让我发火。比如，我希望该故事中上议院的摆设从1688年的换成1667年（伊芙琳设计）的，直到有一天这般破旧的摆设能得到改善，以符合那个年代的气息。恐怕在那儿，全能的上帝发现他赐予我们的恩惠比他对我们的审判更起作用。"

这封信微言大义，令人读后对佩皮斯的敬佩之情油然而生。佩皮斯在日记中将自己无论是正面还是反面都展示在众人面前，将善恶的内心之语都流入笔端，将自己奉献给伟大国家的海上事业，唯人民马首是瞻，鞠躬尽瘁。他的大作《佩皮斯日记》两百年后才面世。《佩皮斯日记》开篇就像这封信一样尖锐，指出"下院行事不经思考"和"上院毫无效率的诉讼程序简直就是整个政府办事效率低下的缩影"。而随后笔锋陡转，写下这样的文句："像往常一样，我去了斯特兰德大街的那家书店，我买了一本法文书《女校》（平装本），出平装本的目的是避免某些读者买不起精装本，因为我在读这本书时早就决定，一读完就把它焚烧，绝不让它玷污我神圣的书架，更不想以后看到它时感到羞愧。"即使在我们这个时代，在这个十分理解责任的时代，写这样一封信的人是声名显赫的人。但是，这个人会怎么样呢？我指的不是买这本低俗书籍的人，而是那个本羞于此却付诸行动甚至做日记的人。

我们大家无论是谈话还是写作，当跟同伴交流时难免关注自己的内心感受，通常会下意识扬长避短。在某个特定的时刻，我们会以某种特别的方式理解自己的性格和行为。我们与某一个人在一起显得快乐，而与另一个人在一起则显得庄严，这完全符合人的天性和人际关系的要求。佩皮斯写给伊芙琳的信与他用化名戴普·迪奇写给科尼普夫人的信在内容上相去甚远，可每封信都很合乎收信人的胃口。说真的，作为一个变化莫测的人，佩皮斯随着周围人和环境的迅速变化而变化，而这些变化部分在于他接受过良好的教育。那个时代的文学家不可能像佩皮斯那样将自己的阴暗面公之于众（或只是留作自己玩味），也不可能像他那样一生笼罩在光环之下，更不可能企及他的高度。但是，他为了一时之快自毁形象的做法着实令人费解。这两封书信让我们不只了解到佩皮斯的一面，可同样令人费解的是，他只将前一封信收录《佩皮斯日记》。这是否有意而为之呢？这让我们不禁猜测：他是否真的买了那本低俗不堪的书？如果真是那样，他对自己的行为是否持肯定的态度？是否怀着如获至宝的心情猥琐地将这段文字写在日记里？我们试图追根究底，可有先见之明的佩皮斯早已为我们设下门槛，只为这次"不当行为"涂下些许笔墨。不过《佩皮斯日记》里的另一些细节还是为我们探究这位大师的怪诞行为留下蛛丝马迹。其夫人也曾暗自记录对佩皮斯的不满，虽文采平平，可字里行间无不透露自己的辛酸。佩皮斯见到她发泄不满的文字后怒不可遏，唯恐其公之于众，随即愤愤然将其毁掉。而接下来的事让你不敢相信自己的双眼：他用毫不留情的真相和最为冷酷的细节续写这个故事。佩皮斯似乎并不有意而为之，他保存这本私人日记以证明他确实不是故意所为。初看佩皮斯，读者或许会略微想到宗教日记的病态作者行为异常，然而细细思考之后，则会发现他们之间并无相似之处。佩皮斯只是记录自己的过失，并不是警示后人，也不是出于悔改自己的过失，因为他确实在忏悔的过程中给我们讲故事。这样做对他来说是公正的，不过随后常有些改进的地方。宗教日记作者的罪过在于其行文模式非常正规，文中充满精心设置的抱怨。但是，在佩皮斯的日记里，我们会看到他真实无邪的小小罪过、无意识的孤独眼神；动物本能的突然爆发、为他所用的可笑花招，而这些东西总是值得人们信赖与同情。

佩皮斯年龄尽管相对年轻，可他还是慢慢走进自己的内心世界，接近四十岁时还保持着童真和率性。因此，想要准确抓住《佩皮斯日记》的写作精神，我们必须想起自己大多在十二岁前所拥有的那份情绪。年幼时，我们对自身的存在充满好奇，对未知的生命充满幻想；即使最普通的东西也能在我们内心荡起涟漪；很多往事虽让我们心潮澎湃，可我们却又只能无言沉思；我们对自己的未来充满向往，却又过于脆弱。在我看来，佩皮斯就有这种情怀。这种情怀虽不是抽象理论上的脆弱伤感，可佩皮斯却对他自己温柔地抒发感怀。他的过去对他来说是永驻在他的内心。他受制于对过去的联想，不忍描述伊林斯顿这个他曾与慈父吃喝玩乐过的乐园，却能肆无忌惮地描写国王的窘境（他在日记中屡屡提到国王在正式场合种种让人颇为尴尬的无能表现），并且没完没了地写他自己的生活、房子、朋友和雄心壮志。他还满心欢喜地记录在埃普索姆一次愉快的散步，"当我与美丽的赫莉（普遍认为是佩皮斯的第一个情人）在那儿漫步时，我们有说有笑。谈笑中她第一次让我感受到爱情，感受到与佳人为伴的欢愉。当我紧握她的纤手，我突然觉得自己早已无法自拔。"《佩皮斯日记》中还有一篇佩皮斯陪人打捞沉入伍尔维奇附近海域的"保险号"的日记，他有这样一段插述："多么可怜的船只啊！这条陪我出征荷兰两次的船只。"但是，当他再次造访"纳斯比号"（现改名为"皇家查理号"）时，他却在日记中这样写道："我很高兴看到那艘为我的好运奠定基础的船。"他在日记中写道：他体内顽固的结石切除后，他视其为宝贝，决然将其放在一个小匣子内，手术后不久便带着匣子到特纳家（他的结石正是在特纳太太家取出的，当时这种手术的风险相当高），表达对他多年无尽关照的感激之情。即使当上了将军，佩皮斯依然每年在切除结石之日与特纳一家吃庆祝宴。从《佩皮斯日记》的这些内容来看，即便著有《忏悔录》和《直言集》这般大作的卢梭和哈兹里特悲天悯人，可他们也不曾在记述自己的生活时有像佩皮斯那样的兴致。倘若有，那也是为了彰显优雅而大加虚饰，不愿像佩皮斯那样与怀揣童真的人共享。比较自剖和说教，卢梭和哈兹里特两位偏重前者，而佩皮斯在以未泯的童心毫无顾忌地探索自己内心的同时，使其作品达到说教的高度却是前两位不曾达到的。

在这一点上，我很赞同佩皮斯，人们必须再次回忆自己的孩提时代。我还记得我不单在一本书的扉页上记录下当时发生在我身上某些事情的时间和地点，比如卧病在床、置身花园等等。那时我就想，时隔多年后，倘若我还能碰巧看到今日，那时我所写下的文字会使我特别兴奋地穿越其中去认识自我。如我所愿，时至今日，我看到了这段曾经写下的文字。读罢此文，我感到些许尴尬和局促不安，因为我不太光彩的往事尽留在纸上，让我猛然发现，原来我比塞缪尔·佩皮斯还要老。翻开《佩皮斯日记》，文中有很多小孩特有的"目中无人"和"狂妄自大"。比如，当蜡烛突然熄灭时，佩皮斯会感到无比懊恼："你越熄灭，我越要写！"或者"我今天就写了这么一点点，本打算再多写一些，可蜡烛又熄了！"再或者"好吧，你尽管熄吧！我今天就不睡了！正当我写这句话时，伴随着铃声，窗外传来了夜巡人'家家户户请注意，此刻凌晨一点，寒风刺骨、大雾弥漫'的声音。"这样的段落不为人所误解，毋庸置疑，佩皮斯为此受到人们的尊敬和爱戴，同时也给人们留下无尽的遐思和猜想：文本中为什么会有残缺不全的段落？那个夜巡人用什么语气在报时？那是个怎样寒冷多风的早晨？佩皮斯此时此刻心里想的又是什么？你会发现他在回忆——一种跳跃的快乐，他在安慰一些处于困境的人，又让另一些人充满感伤：如果你这么看的话，那么整本书可视为一件佩皮斯自我演讲的艺术品。

《佩皮斯日记》堪称人类文学史上的奇迹，因为它把作者非凡真诚的人生态度、执着得近乎顽固的可贵品质展现得淋漓尽致。对于自身存在的不足，佩皮斯心知肚明，还曾为此羞愧难堪、懊恼不已。为了弥补这些不足，他曾信誓旦旦，屡战屡败，屡败屡战。但是，无论怎样，他都是那个目中无人、自我陶醉的佩皮斯，那么独一无二、不可取代，那么让后人着迷。无论他过往做了什么、说了什么、想了什么、遇上什么，都丝毫改变不了他，那些往事早已铸入他的一生，与他不可分离。在他看来，自己的一生精彩绝伦，即使摩西和亚历山大的一生也会相形见绌。因此，他可以很自豪，无所顾忌地把将自己的一生如实记下，而无需任何的修饰和臆造。《佩皮斯日记》可谓是一件艺术品。日记中所写的那些荒诞不经的言辞以及冒失怪异的举动，完全可以作为设定小说或戏剧创作人物的素材，而创作者绝不会对其"出格"的言辞和举动有所收敛，反而会无所顾忌地"照单全收"。哈姆雷特的优柔寡断、奥赛罗的草率轻信、爱玛·包法利的卑鄙无耻、斯威夫特的反复无常，这些人物性格的刻画并没有给创作者招来任何负面影响。同样，佩皮斯也没因为喜欢某些负面性格极为突出的文学形象而产生什么不良影响。不过，佩皮斯有着宽广的胸襟，他从不盲目喜欢某个角色，而是对其深思熟虑，敏锐洞察结果。无论我怎么"吹毛求疵"，无论我怎么"鸡蛋里挑骨头"，在反复阅读《佩皮斯日记》的大部分内容后，我都会惊讶于其真实可信、真情流露的日记，丝毫没有虚伪造作之处。但是，通常情况下，人们在写日记时都会对内容有所加工、有所修饰，可佩皮斯显然不属于这样的人。佩皮斯的大脑结构与我们的应该没有什么差异，这一点毋庸置疑，可在他身上，一定拥有常人不曾拥有的东西。我们太在意自己的一举一动，以及自己留给别人的印象，为此，我们没少对周围的人撒谎，没少给自己找站不住脚的借口。如果有人不服，非要挑佩皮斯的不是，非要把他说成是一个混蛋、懦夫的话，那么这个人一定会比佩皮斯更"混"、更"懦"！世间凡人对自己内心身处的阴暗面总是遮遮掩掩，对自己曾做过的不光彩的事总是置若罔闻、视而不见，可佩皮斯却都大大方方地将它们如实记下，这一点不能不为世人所钦佩。

《佩皮斯日记》的写作不大可能秉承"如实记录"的传统。佩皮斯不傻，在写日记的过程中一定认识到自己写作的风格与众不同。作为一名善于思考的读者，佩皮斯对书籍的框架结构、谋篇布局等有着深入的了解。正如读者费尽心思解读书本内容背后的信息一样，他相信，日后定会有人对他的日记感兴趣，定会乐此不疲地去挖掘日记背后的信息，揣摩他的写作思绪，其中的酸甜苦辣也必将昭然于世。这样想来，佩皮斯便有一丝的安慰。佩皮斯知道，如此真实的记录日后不可避免遭到某些读者的抨击、质疑。为此他早就做好了思想准备。佩皮斯在社会和政治上遭到耻辱，请大家不要用旧眼光阅读他的日记吧！我们可以从下面两件事追溯到他日益增加的恐惧感。早在1660年，《佩皮斯日记》准备出版初期，他把写作构思、日记内容大致说给一位海军中尉听。9年后，当准备工作接近尾声时，正如俗话所说，他本可以咬断自己的舌头不说话，可他又把日记内容一股脑儿告知威廉姆·考文垂——佩皮斯的一位做事严谨的好友。从以下另外两件事我们可以推断，佩皮斯公开一些不为人知的东西是经过深思熟虑的，他并不害怕随之可能产生对己不利的影响。第一件事重要在于日记没有销毁。第二件事是他采取不同寻常的预防措施混淆了"流俗"段落，毫无疑问，佩皮斯这样做也考虑到其他读者。也许，当他的朋友感叹他临死前的壮举时，他还抱着那么一点能使自己永垂不朽的希望。他精选的座右铭说道：人的本质是思想，所思所想的就是他的自我。因为他把铭记脑海的每句谎言和每个缺点都写在日记上，所以他可能会觉得如此除去污点的人才是真正的自我。世上恐怕没有其他的例子能如此明显展现人类渴望永垂不朽的欲望。他的生命是否伟大尚未定论，可他却渴望向世人传达自己生命的渺小。当他的同辈在他面前鞠躬时，他很可能强迫自己和他的后辈谈自己的假发曾爬满虱子。虽然我不怀疑他有这种想法，但这种想法既非他最早也非他最深的想法。这种想法并不扭曲他在日记里写的一字一句。只要他保留着那本日记，一直保持它的本质，那么它会让他私下自娱自乐。日记里不仅有他内心深处的秘密，而且也给他的生活增添不少的乐趣。佩皮斯活在自己的日记里，也为自己的日记而活。当永远不写密友日记时，他也许会写下这样的庄重话语："我几乎至死都走在前行的路上，为了到达目的，所有不合心意的东西都将伴随着我，不过，靠着对上帝的信仰，我已经做好了思想准备。"

一个自由的天才

某个冬日的星期一，佩皮斯生病期间花了点时间创作一首赞美自由天才的诗歌。这首诗虽然写得不好，但是他的日记却写得很好。在某种意义上，这首诗作是他一直在寻找的诗歌类型。黑尔斯创作的一座佩皮斯半身塑像在迈纳斯·伯莱特版的塑像中得到极好的再现，这是对佩皮斯日记的一种赞同和认可。黑尔斯知道自己的创作会得以再现。虽然黑尔斯给自己的模特造成许多麻烦，但是为了使佩皮斯的塑像更具立体感，他几乎扭伤自己的脖子。黑尔斯不太在意塑像的生动性，却给塑像披上印度长袍以表现佩皮斯的特质。无论通过日记欣赏塑像还是通过塑像解读日记，我们至少赞同黑尔斯能带给我们惊喜。这尊塑像撅着嘴巴，那充满欲望、噙满泪水的眼睛向外突出，给人一副十分贪婪的感觉，与鼻子的特征及其大小十分相似，五官全部组合完整后的五官呈现出一张生动可人的面容。这张面容因为五官的协调变得十分引人注目。我用贪婪这个词来描述塑像，但是欣赏者一定没想到，作者可以将它改用非常相似的渴望这个词来描述，这是因为其中没有抱负，没有期望，有的只是动物般的欢乐。这张塑像的脸永远不可能是一张艺术家的脸，而是一张和蔼可亲、令人愉悦的寻欢作乐者的脸。有了各种不同的欲望，这个寻欢作乐者保证自己不是过度娱乐，而是知足常乐。人要是只有一个欲望，称之为贪求更为恰当，可欲望多了会使人健康，因为其中一个欲望能平衡并控制另一个欲望。

整个世界，无论是小镇还是乡村，对于佩皮斯来说就相当于阿尔米达花园。无论去哪儿，他的双脚仿佛装上热切期望的羽翼，无论做什么，他总带着汹涌澎湃的热情。对世界与知识的无穷好奇促使他迫不及待想出门远行，并在艰辛的学习中支撑着他。阅读或谈论自己做梦都想去的不朽之城罗马是他最高兴做的事。在荷兰，他怀着孩童般的好奇心观察一切陌生的事物；和朋友在海角的一所住宅聚会、唱歌。为此，他难以用笔墨表达出自己的愉悦之情，"尤其是因为身处异国他乡，享受着天堂般的快乐。"他得去看所有著名的刑事案件。他得给有着一道恐怖伤口的尸体做尸检，之后感叹道："那让我写字的手都哆嗦起来。"他学跳舞时"想成为一名舞者。"他学唱歌时，一边在格雷旅馆外走，一边哼着练颤音。他还学习演奏鲁特琴、长笛、竖笛和鲁特琴。如果他不打算学大键琴和竖琴，那也不是他的错。他学作曲，却把创作的曲目烧了，因为他认为自己的创作是"世界上从未出现过的音乐草稿和乐理。"他听到"有个人吹口哨像小鸟歌声，非常好听"时，他承诺总有一天他要给天使们上一堂艺术课。有一次他在日记中写道："伴着狂风巨浪，他漆黑的夜晚到达好望角，在水手们深情的歌唱中获得极大的快乐。"如果他发现自己对拉丁语语法反应迟钝，就立即像学童般开始学习拉丁语语法。他既是哈林顿俱乐部成员，也是英国皇家学会最早一批会员。博伊尔的流体静力学对他来说充满了"无限的乐趣"。我们发现，他参照《圣经》专心致志研究卡迪尔与亚里士多德深奥的哲学思想。我们还发现，他在一年内研究了木材与木材的测量方法，以及沥青、石油、绳索制作、数学、会计学、船体及其装备等专业，他带着愉悦的心情观察海军装备以提升自己。佩皮斯精神上的愉悦和雪莱的有所不同，可是前者在自己的生活中显得那么真实。只要模仿做些事就能带给佩皮斯极大的乐趣。猪内脏是"他喜欢吃的肉"。他不坐桑德维奇阁下的马车，可他一定会惊呼那辆马车"尊贵豪华"；参加晚餐聚会时盼望"狂欢"；买到一块新表时会说"我忍不住拿在手里不停地看时间"；去沃克斯豪尔时感慨道："听夜莺和其他鸟儿的叫声、小提琴声、竖琴声、口琴声、笑声以及人们的走路声,我发现它们各有各的特点。"夜莺是他特别珍爱的鸟儿。四月清晨的阳光穿透林间的薄雾,他漫步到伍尔维奇,又一次停下脚步,兴高采烈地听夜莺唱出的美妙歌声。

佩皮斯始终都在做令自己惬意的事,遇上特别惬意的事,一次可以做两件。他的房子里有一箱木工工具,两条狗,一只鹰,一只金丝雀和一只会哼曲的画眉鸟,他在充实的生活中偶尔有空余时间。如果他不得不等一盘荷包蛋煮熟,他一定会边吹箫边等待;如果布道期间感觉很沉闷,他一定会阅读《托比特》这本书,或者诡秘地把自己的思绪转移到紧挨他身边的女士身上。他走路时,口袋里一定会放一本书,以免夜莺不叫时打发时间;即使走在伦敦街头,有很多漂亮的脸蛋等着他去看,或有要人等着他去赞扬,他的足迹标记着"因为酒,片刻等"的小债务,可他还是不能忍受真正沉闷无趣的生活。他有一种理想主义的快乐,快乐得像童话故事中的公主。他能意识到一片令人不悦的玫瑰叶。虽然他很喜欢交谈,但当他认为他的穿着不适合时,他便无法享受交谈,也无法展现他的语言才华;纵然他爱吃,他也不知道如何独自享受食物;对于他来说,快乐一定要变得更快乐;他在自我陈述之前喜欢眼观六路,耳听八方。如果让他在一条破烂街道上的一家假发店里吃一份美味晚餐,他会大倒胃口,因为在轻柔的音乐声中食物都会变质。他拼命地追寻快乐,毫不厌倦。1662年4月11日,他说他上床休息时"感到很疲倦,我很少感到这么疲倦"。他已年过三十,为了看一颗彗星,也会高兴地熬上一整夜。但是,一个人耗尽体力寻求快乐,这从来就不会令人快乐,就像其他人一样,他这样做必定寻求不到快乐。他用一整晚休息时间换取一份微不足道的快乐,居然还很享受。我们发现,他饥饿时总是容易动怒;总是在争论后埋头探究。然而,没有什么东西可以转移他的生活目标。他乐于纠正错误,就像他喜欢繁荣的景象以愉快地摆脱忧伤一样。无论是嫉妒妻子还是躲避法警,他同样可以躲避在剧院里;那儿如果有品德高尚的伙伴、调节情趣的歌曲、非常出色的演员以及改编的话剧,那么这位秘密的《佩皮斯日记》昔日英雄——自我崇拜者——就可以瞬间治愈自己的忧伤。

一块手表、一辆马车、一块肉、一首小提琴曲以及一个流体静力学的事实同样让佩皮斯感到快乐；美好的事物、珍贵的东西、欢乐的事情，或只是同伴对生活的美好态度也会让他感到无比快乐。这些完全展现出他的人文思想。的确，他不是在一无是处的虚荣心驱使下爱自己，而是在浩瀚无边的知识海洋中爱自己。他有着最好的装备，他爱自己周围的人。可能从这种意义上说，慈善最应该从自己做起。一个人有什么品质不要紧：佩皮斯会因为品质欣赏一个人，珍爱一个人。他的双眼充满着卡斯尔梅恩女士的美；如果一个女士有漂亮的面容而没有化妆，他会徒步走上几里，只为再看她一眼；甚至如果有一位女士不小心弄脏他的衣服，当注意到那位女士很漂亮时，他会立即感到安慰。然而，另一方面，他很高兴看到比特夫人跪下来，这样谈论詹姆斯阿姨："她是一个贫穷、虔诚、善良，有着纯洁的灵魂的人，只谈论万能的上帝，她是那样的纯洁，让我感到十分愉悦。"他着迷于佩恩欢乐和自由的歌曲，对考文垂饶有兴趣。他很高兴跟醉酒的水手在一起，他很感兴趣耐心倾听着贵格会精神信仰的经典故事，就像自己穿行在艾克塞斯的路上。他用有判别力的耳朵聆听国王和公爵的演讲。他一整晚时间都花在沃克斯豪尔身上，他说："要想知道一个人的价值何在，就要了解其本性、说话方式以及生活方式。"当一个衣衫褴褛的男孩为佩皮斯打路灯回家时，佩皮斯询问那个男孩以及其他穷孩子的生计，这似乎是博爱的开始。不过，这只是一种社会风尚，因为当时佩皮斯可能是因为行善而为人所知。有时，他是因为这种过人的品德而显得自高自大；他不出于个人利益而对别人的恋爱感兴趣；他十分关心卡斯尔梅恩女士，虽与她只是面熟，却与她一道妒忌别人，为她的成功而高兴；他之所以爱斯尔梅恩的女仆珍妮，是因为斯尔梅恩爱他的男仆汤姆。然而，不管他的唐突表现看起来多么奇怪，可这种表现显得十分真实。

　　现在就让我们详细听听佩皮斯会说些什么："然后，我和女士们、伐木工前往唐斯，那里有一群绵羊，那是我见过的最快乐最纯洁白的场景。我们发现远离屋子的地方一个牧师正在给他的小孩读圣经，他们目不斜视，旁若无人。我让这个男孩读给我听听，他用尽力气高声朗读，读得非常好。我给了他一些东西，然后走向他父亲，与他聊了几句。当我说到他孩子的朗读时，他感到很满意，乞求上帝保佑他孩子。他就像我见过的某位老族长，其言语传达出这个世上所有老人的心声，牧师的话音随后几天一直萦绕在我的脑海。我们注意到，牧师穿一双双色混搭的羊毛针织袜，鞋跟和鞋尖包上铁，鞋底钉上大钉子，鞋子看起来相当结实。这位可怜的牧师留意到我们在注视他的鞋，就说：'我为什么穿这种鞋？你看这路面，到处都是石头，所以我们才穿这种鞋。至少石头砸到我面前，我可以把它踢飞。'我确实送给这个穷牧师一些东西，他十分感激，我试着用他的霍恩克鲁克扔石头。他非常爱他的狗，当他要把羊群关进羊圈时，狗不管怎样都能帮他把羊赶进圈里；他告诉我圈里有三百六十只羊，每星期要花四先令买食料喂它们。这时，特纳夫人正在公园里采摘漂亮的花朵，那些花是我见过的最美的花儿。"

这个故事就这样愉悦地结束了。佩皮斯记得那几杯牛奶、草丛中飞舞的萤火虫，还记得人们携妻儿走在夕阳下，他在回家的一路上还梦想着那"曾经的岁月"和那人最初的纯真。佩皮斯就这样生活，你可以看到他那双明亮的眼睛、随时都在倾听的耳朵以及自由舒展的双手从不握紧。因此，他可以用散文般的细腻和浪漫般的魔力观察生活以及他人的言行。

两三天后，他在日记里这篇文章加以扩展，其风格令人深思。人们普遍认为，佩皮斯作为一名作家，他一定将重要的部分安排在文章末端。但是，那种活泼生动、绘画一般的隽永风格贯穿六大卷有关日常生活经验的文章整个都在描写生活，很少令人乏味。作家虽然屈尊描写最易让人挑剔的细节，却也直截了当摒弃了以前所有的一般故事。这样的风格或许不合文法，或许不太优雅，或许漏洞百出，可永远不乏优点。作者始终履行他首要的真正职责。尽管他的表达方式有点幼稚、笨拙，但作者以其兴趣爱好真心地消化并转述故事。这么多年后，他的爱好还是那么强烈。至于佩皮斯与雪莱的不同，先回到他们的相似处——异想天开，而后他们的不同是质的不同而不是量的差异。佩皮斯在自己的文学领域感觉敏锐，他的作品是真正的散文诗——因为他的思想狭隘世俗，所以他的作品属于散文；可同时因为他朝气蓬勃，所以他的作品又属于诗歌。因此，在埃普索姆牧羊人这样的文章中，读者的内心感受是完全相信故事，并有一种纯粹的愉悦感。你是感觉到事情发生了，而不是感觉到别的东西。你不会再去改变故事，就像你不会再去改变莎士比亚作品的崇高性一样，因为那种崇高是平凡亲近的感动或是你自己偏爱的回忆。

几乎没有一个不懂艺术的人成了艺术家。当佩皮斯在海军花园漂亮小屋里为了我们的快乐而写作时，他的两三个堂兄踩着沼泽地，胳膊夹着乐器，正给乡村女孩弹奏音乐。但是，他自己尽管可以弹奏很多乐器，在众多艺术领域里做评论，可他仍然只是个音乐业余爱好者。要是没有较强的理解力，任何人都无法十分敏锐地欣赏佩皮斯的作品。佩皮斯不像莎士比亚那样成为一名为舞台而生的艺术家，也许这是个错误，可这并不意味他们之间无法进行对比或讨论。作为一名诗人，佩皮斯当然钦佩莎士比亚，除了无数士兵名单上的纯粹演员外，他是第一个用心铭记"生存还是毁灭"这句诗。对此他并不感到满足，因为这句诗俘获了他的心，他甚至将其引用到他的日记中，引入天使都不敢涉足的领域，还将其编入音乐。事实上，没有什么东西比这首诗的英雄品质更引人注目，以至于小巧可爱、戴假发的感觉论者选择将自己与凡人乐曲融为一体。当他坐着给他那把高档的琵琶调音时，来自伊丽莎白繁荣时期的一阵狂风定会吹暖他的心。"生死是否与高贵有关？""美丽的东西可以逝去，你我可怜地前进着。""这是命令，而不是你的命运，罗姆。"打开心扉，让你的声音变得高亢起来，让你的感情变得丰富起来，这并没什么不合适。"不要凝视天鹅"，我知道的就这几个字，可前景也似乎很好。然而，伯肯肖大师的作品不可能受到质疑，因为青年女子学校解散时的那些画是当初建校时教授送的。伯肯肖总体上对学生不满意。业余爱好者通常不能荣升为艺术家，世间某些潜移默化的影响仍在阻碍着他。我们发现，佩皮斯在写作教师面前表现得毕恭毕敬。他对戏剧十分热爱和理解，他对别人不但忠心而且慷慨。因此，他遇到莫瑞斯上校时说："他就像我一样理解和热爱戏剧，因此我爱他。"另外，他和妻子看了一场最荒谬平淡的戏剧后，他写道："我们很高兴特顿没有参加演出。"佩皮斯就是以这种为乐趣而作者的热情和诚恳，从业余爱好者变成了艺术家。我们必须记住，佩皮斯不仅在艺术上，而且在道德上，乐于承认和肯定他的长辈。在他善良的自我中心主义中不存在一点点妒忌。

名 望

当作家们猛烈攻击名望一词时，名望这个词的意义已经退化，有名望的演员通常被怀疑嗜烟好酒；他们的表演被认为来自戏剧《猫头鹰的巢穴》。然而，在他们眼里，比起对旧英格兰一年一度坐在百万人晚餐聚会上的无趣，他们对该词有更多的想法。佩皮斯做任何事都是因为别人而做，而不是因为这件事本来就很好。佩皮斯牧师仁慈、诚实，对自己的道德行为不加控制，辞去舰长职务，匆匆走向邪恶。我们对牧师微笑，可比起人们所称的社会领导者，我更愿意跟随牧师。没有什么比佩皮斯的生活能更好地诠释关于尊重生活的理论。因为在社会的关键时期，人们的习惯仍然易于改变，有什么比查理二世回归带来的彻底改革更不利的东西？整支英格兰舰队运用策略绕道而行。弥尔顿或佩恩靠星星和私人指南针孤独航行，佩皮斯一定是驾驶小舢板跟随大众淹没于"愚蠢的斯塔勒和高呼的万岁声"。可敬者不被任何人们赞美的欲望牵着鼻子走。一个人越是软弱虚弱无力顺从，他对某种支持的需求就越大。任何的优良品质都可以减少他对别人的依赖。佩皮斯强大到足以用多种方式自娱自乐，而不用考虑到别人。但是，他的优良品质在行为上就没有得以充分的表现；在生活的许多方面，他心悦诚服地跟随当代作家格伦迪夫人的足迹；在道德上，他尤其要看别人的脸色生活，从别人那儿感受到他自己比他们还要吝啬一点。当发现这一点时，他首先感到悔恨。你可以和佩皮斯这样的人谈论宗教或道德。佩皮斯凭自己艺术家的特质及其丰富的同情心和理解力，可以戏剧性地抓住你的话语的重要性。在宗教领域里，有超凡脱俗之称的东西在他的世界里却必须经过严格的筛选。但是，生活的规则应该使人善良，不管报告好坏只听从正义之声，这些对佩皮斯来说是愚蠢之举，甚至是生活的绊脚石。他经常陪伴朋友，因为没什么比他善待那个时代最有趣的人更有益处了。我已提过他骑马时是怎样与别人交谈的。当看见一些被捕者时，他会说："我要去上帝那儿替他们求情，他们要么顺从要么变得明智，是不会被抓的。"他对自己办公室的教友派信徒传授了一种胆怯却奏效的自我保护法。同时，他的邻居威廉·佩恩的天性变得越发善良。可奇怪的是，佩皮斯却谴责他过分讲究服饰，尽管你看到佩恩的肖像时觉得他足够自然，而且佩皮斯还嫉妒佩恩及其妻子。但是，故事的精华在于，当佩恩发表《桑迪基金动摇》时，佩皮斯让自己的妻子读这篇文章。"我发现，"佩皮斯说："这篇文章写得真好，对他来说写得太好了，不过，属于严肃类文章，不适合每个人阅读。"对于纯粹可敬的人来说，没有什么比与宗教狂热联系在一起的东西更令人烦恼了。佩皮斯虽拥有自己的基金会，从实际情况考虑，基金会对他很珍贵，可他却会带着灵魂的不安来读佩恩的这本书。考虑到书中一些故事令人生厌可能造成的打击面，佩恩想要改变自己的信仰。佩恩信仰一种与众不同的教义，他认为此教义于人于己都十分有益。"在我们的教堂，吉福德做了一次以'你们首先寻求天国'为题不错的布道。这是一次优秀突出的，极有说服力的道德说教。他像智者那样指出，通过正义致富比通过邪恶致富更可靠。"因此，可敬可亲的人希望自己强大的内心用温和的口吻告诉你如何做到两全其美；在缺勇气、不善良、常苦恼的情况下做一名道德英雄。因此，福音删除东方晦涩的隐喻，成了审慎世俗的指南，也成了佩皮斯以及成功商人的手册。

人们早已将佩皮斯的高尚和名望铭记在心。除了《佩皮斯日记》之外，佩皮斯对其他事情的真相一无所知。但是，如果真相大白，他不在乎结果会怎样。当他似乎除了打一场诉讼什么也没得到时，他继承了一大笔财产。当知道自己一直是那么吝啬时，他很乐意变得慷慨大方。我完全有理由说佩皮斯是一个名副其实的炫耀者。他从来不像佩恩那样过分讲究服饰，可他却用一种与自己地位相符的方式打扮自己。很长一段时间里，他非常郁闷自己老是戴那顶众所周知的假发，因为对一名公众人物来说，他穿得不应该比他同辈的要人奢华，也不应该邋遢，而应该符合流行的装扮。很长时间，佩皮斯不敢乘坐马车，以他的地位看，这是不合适的。随着他财富的增加，这种不得体的情况向另一方面转移，他"羞于被人看到坐出租马车"。佩皮斯为此说道："要么成为公谊会教徒，要么成为极度悲伤的人。"在我看来，我真想象不出还有什么比这件事更悲伤了，因为考虑一下这些问题，真的没有什么比这种想法更愚蠢了。但是，这种社会名望和社会职责一直困扰着他们可怜的追随者。生活中乍看起来非常平坦的道路却被证明像其他道路一样艰难崎岖。佩皮斯的时代到来了，就像所有值得尊敬的人一样，他不但必须呼吁人们要快乐，而且在当时还要公正忠诚地践行自己的职责。有些官员有直接逃避税收的欺骗行为。佩皮斯却有一种强烈的冲动，对这种不诚实的行为日益感到羞愧。于是，他决意自首漏税一千英镑，可发现并没人把他树立成榜样，"我们最能干的商人中没有一个人"似乎不太喜欢这种清白，他觉得这是"很不体面"的。他害怕此举会"被认为是虚荣"，自己非但不显得超凡脱俗，反而还会被视为小偷。得到一位能干的商人道义上的支持后，佩皮斯便敢于诚实地行动。如果能找到一种为社会所接受的勇敢精神，他本可能像信徒一样远走高飞。特纳夫人真可以让他完全卷入肮脏的丑闻，并且让他相信：与他的所感相反的是，佩恩的鹿肉馅饼像魔鬼般散发出恶臭味。但是，另一方面，威廉·考文垂先生可以通过给特纳夫人说些好话让他得到提拔。当佩皮斯和考文垂在一起时，佩皮斯总是以一位罗马老人的语气跟别人说话，还关心他们的职位、薪水等等。"感谢上帝，我有足够属于自己的钱买一本好书、一架精致的小提琴，而且我还有一个好妻子。"他说道。又有一次，当一个忘恩负义的人把他们从公共服务机构解散时，他发现考文垂夫妇的话在映射旧时代。考文垂退休后居住在一座漂亮的房子里，佩皮斯拜访他时说："可能会阅读一章塞内卡族的作品。"

在考文垂的影响下，佩皮斯继续热衷于自己生命中唯一的好职位。在一段时间里，他使自己的职位变得更光彩照人，做事更光明正大。假设国王所接受的东西不违反道义，那么他会说："他不会因为贿赂而变得不公，尽管他在拒绝收礼后不感到那么恶心。"他的新任务是在丹吉尔供应粮食，他诚实且自信地告诉我们，他要为王室保持增加一千英镑的粮食，即每年增加三百英镑的粮食储备。这一陈述准确表明了理性时代的发展进度。然后，我们无论怎么赞美他的勤劳和能力都不为过。对于佩皮斯来说，在阿尔米达这样的花园坚定履职就像在寻找自己的生活一样，是一场持久战。他经常违背誓言，可又非常勇敢地重立誓言，他在订立誓言方面的值得钦佩，而不该受到蔑视。

在考文垂影响之外的其他方面，我们发现佩皮斯没有什么顾虑，每天顺顺当当地过日子，慢慢变老。他写日记时有点循规蹈矩，有着清教徒般的严格。不可否认，几杯酒下肚就足以让他快乐，至今他仍记得马格达莱妮麦芽酒，以及他在剑桥的老相识安斯沃思夫人。但是，年轻毕竟是一个充满激情的花季，当一个男人嗅到春天的气息，那就是他容易出错的青春时光。佩皮斯的看法是，尽管青春是一个无序挥霍的人生阶段，可他赞同一个人应该追求更美好的东西，我们甚至可以说这一点应该严格遵守。在有"捉人游戏、恶作剧、截尾动物跳舞、唱歌和喝酒"的地方，他会感到"羞耻，并想逃走"，而当睡在教堂时，他会祈祷上帝原谅他。但是，一会儿之后我们发现，他和一些女士保持清醒的头脑，"以免相互伤害"，好像不在教堂睡觉就感觉很难，接下来他平静度过这个"服务"时光，看看自己，通过透明玻璃再看看所有漂亮的女士。他最喜欢突然大叫："天呐！"我在他的作品中观察到，"天呐！"这一词1660年出现一次，1661年没出现，1662年出现两次，1663年至少出现五次。之后"天呐！"这个词语可以说就像鲱鱼一样迅速繁殖，同四处可见的"该死"这个孤独的词语一起使用，而"该死"一词却像鱼群中的一只大鲸鱼。有一次他们夫妻俩因婚礼上出现一些天真无邪的自由人而怒火中烧，但很快甘愿取悦于我的主人布朗克的情人，据他自述她不是他最谨慎的情人。捉人游戏、恶作剧、截尾动物跳舞、唱歌和喝酒成了他的自然习惯，他的生活圈子中有男演员、女演员、醉汉们以及咆哮的侍臣,直到他痴迷于神农节礼仪及其伙伴后,他几乎毫无意识地卷入1668年国内大灾难。

多年来他因蹒跚的行走和信口的交谈而受惩罚,这符合情理。他在火药库叼烟斗长达半个世纪,这个男人最后发现自己是这场大灾难的发起人和受害人。我们的佩皮斯以及他的小过失也是如此。突然之间,当他还巧妙周旋于双重职业和双重危险时,他想应该不会犯什么大罪,自己哼着颤音,命运给他了进一步的打击,让他直面自己的行为所产生的恶果。多年后,一个人还爱着自己的爱人,自己的妻子,尽管她并不是他永恒的爱人;而且,一个人如此注重外表,他所暴露的不忠给他妻子以沉重的打击,使得家庭支离破碎。他落下眼泪,而他所承受的侮辱无法估量。一个粗俗的女人现在有理由愤怒,佩皮斯夫人一点也不同情他的痛苦。她非常暴力,用钳子恐吓他;她不在乎他的荣誉,逼他侮辱那个情妇——那个曾经驱使他背叛家庭、抛弃妻子的情妇;最糟糕的是,她在言语、思想和行动上都处于绝望的矛盾中,现在用和解来哄骗他,不久再次燃起最初的愤怒。佩皮斯没有善待妻子,甚至在背叛她时还猜忌厌倦她;他曾在衣着和娱乐方面对她十分吝啬,可他自己却很浪费;他曾谩骂她,甚至愤怒地向她挥舞拳头,再次把她打得鼻青脸肿。这件事是他奇怪的日记中最奇怪的细节之一。这次的伤害一旦提到,就不用提有关的场合和殴打的方式了。但是,现在他有错在身,没有什么能胜过对这个没耐心的丈夫的坚定感情。当他还在犯错却不被人发现时,他似乎没有一点儿悔意,这种念头不会强过让他带着妻子上剧院、去兜风,或给妻子买条新裙子的补偿。然而,他发现自己好像一点都有自称体面的行为。这也许是他外向性最有力证明。他的妻子可以做她喜欢做的事,尽管他可能会抱怨,可他永远不会因此责备她。除了眼泪和最可怜的屈从,他没有给自己留下任何武器。如果他没有如此彻底地放弃——最重要的是,在他妻子的命令下,如果他拒绝给他不幸受控犯罪伙伴威利特小姐写侮辱信,那么我们可能会更尊重他。但是,不知何故,我相信我们都会更喜欢原本的他。不久以后,他妻子的死一定将那一幕印在他的脑海里。他余生没写什么日记,所以我们无法更多地了解他,并且我们已经发现给他的重要信件施加的压力是多么小。但是，考虑到他婚后生活发生灾难性事件，考虑到他年岁已老以及他的名誉所产生的影响，对佩皮斯来说，在这勇敢前行的人生阶段他不可能结束自己的创作。毫无疑问，最后在风光惬意的晚年，他沉醉于书籍和音乐之中，与艾萨克·牛顿爵士的通信者交流，至少德莱顿的诗歌顾问就是通信者之一。这一期间他人生的秘密回忆，以及记载所有自己家庭矛盾及其越轨行为的那本日记被人虔诚地保存下来。他临死时似乎也没准备销毁日记。因此，我们可以认为他始终忠实于早期那些珍贵的回忆，记得埃普索姆树林里的赫莉，也记得在伊斯林顿善意递给逝者的一杯依然冒热气的饮料。然而，如果他再次听到曾经这么扰乱他的声音，那么回忆起他和妻子如胶似漆的那段爱情定会让他激动不已。

劳动阶级地位的提升
On The Elevation Of The Laboring Class
[美] 威廉·埃勒里·钱宁

主编序言

威廉·埃勒里·钱宁，美国唯一神教论信徒，1780年4月7日出生于美国罗得岛州的新港，1798年毕业于哈佛大学，5年后成为波士顿联邦街公理会牧师，终身任此职位，1842年10月2日逝世。

1785年，钱宁在波士顿皇家教堂里参与修订祷文时，废除了三位一体神论。在接下来的50年里，他继续参与这场运动，把三位一体论和唯一神教派分开。1819年，他应杰瑞德·斯巴克斯的邀请，在巴尔的摩布道演讲，他的道经被认为是唯一神论的信条，钱宁一生领导唯一神教派。

在当时的神论教义里，除了宽容、文明、新思想和个人美德的信条外，钱宁还加入了一种情感和精神品质以及对哲学的关注，这使他不仅成为最伟大的唯一神教领袖，而且也成为超验主义的重要领导人。"加尔文主义认为人性本恶；但唯一神论否认这一点，认为人性本善；超验主义者则认为人性是神圣的。"（葛德达）据此判断，钱宁属于第三类，因为他真诚地相信人性的神圣，这一思想体现在下面的演讲《劳动阶级地位的提升》一文中。在他的写作和讲道中，我们大体可以揭开他精神特质的神秘面纱，了解到他身上力量的主要秘诀。

查尔斯·艾略特

引言

　　下面的演讲是为两场机械学会议所做的,其中一场主要针对学徒,另一场的对象则是成人。因为自己缺乏足够的气场,所以只对前者做,可在准备时,我也考虑到后者。我发表这些演讲,主要是应机械学徒图书联盟的要求,这是一个充满希望的组织,不仅拥有先进思想的伟大工具,而且会员们的自尊不断在提升,这对他们的道德发展有所裨益。

　　起初我接手这一任务时,认为只要准备一场普通长度的演讲就行了。但是,很快我就发现,如果我的演讲面太狭窄,我就无法公正地表达自己的观点。因此,我决定详述自己的观点,并通过媒体传播我的这一成果,如果它们值得被宣传的话。有了这个想法,我就要介绍一些尚未发表过的主题,而且我认为,这些应该对那些没有听过我演讲的人会有好处。我虽然主要是为了劳动阶级做这些演讲,但同时也是为了整个社会发展做这些演讲。

　　这些演讲所体现的思想,与我去冬做的关于"自我修养"的演讲所谈的普通主题一致,这种情况在内心有思想大原则的人的作品中时常发生。尽管如此,演讲与作品中的观点、讨论模式和主题选择仍有很大区别。因此当这些演讲稿被媒体保留时,我心里十分难受。

这可能是我最后一次通过媒体与劳动阶级交流思想。所以，我应该能够表达我对他们幸福的真挚愿望，强烈地希望他们能够维护自己朋友的公正权利，通过他们的经历证明通过与劳动结合得到提升的可能性，这对我们的本性来说是大有裨益的。

威廉·埃勒里·钱宁
1840年2月11日于波士顿

（一）

能够参加这场演讲让我非常满意。这样一个过程是一个时代的标志，对时代的发展很感兴趣的朋友来说也颇有意义。我们听到许多关于推进我们这个时代的信息，圈子中每个人都在谈论工业机械带来的奇迹。但是，我承认，对于我来说，这个力学精英的聚会其主要纽带是图书馆，人们每周聚在图书馆，通过自己所能接触的从社会各地得到的最佳指南来更新和改善自己，这比所有机械师创造的奇迹都更令人鼓舞。在这次聚会中我发现，我最希望看到的是大众开始理解自己和真正的幸福。他们见证了人类伟大的工作和职业，并上升到社会的真正位置。本次演讲指出一个比蒸汽机发明或在大西洋航行两周更基础更重要的方法。处于底层的劳动阶级在一天工作结束后，应该在这样的一个大厅里聚集，听听那些自认为受过高教育的人最激动人心的关于科学、历史、伦理等话题的演讲，这是社会革命的证明，演讲没有设限，而且不可能有太多期待。我从中发现，针对大众堕落的讨论随着岁月的流逝而消失。我看到了新世纪的曙光，其中了解到社会的首要目标是激励所有人以谋求进步。我看到了即将成功的信号，人类的精神超越了物质世界和物质利益。这场演讲指出，劳动阶级渴求知识和升华后的快乐的渴求。我之所以认为这场演讲很有价值，不仅是因为其目的和产生的效果,而是因为现在的条件能够给予社会新的推动力。因此,我在这里演讲比我应邀去给国王和贵族发表演讲更让我高兴。这是一个动荡的年代,很多利益问题带给我们压力,所以我们没有理由为了自我炫耀或打发时间在这里浪费口舌。一个人如果不能发表赞同或有助人类伟大运动的意见,还不如保持沉默。

有了这种感觉和信念,我可以给你们讲一个能引起你们关注的主题,即靠自己双手劳作维持生计的劳动者地位的提升。这个主题我以前说过,而且一直在继续,也许以后还会补充,劳动者地位的提升迅速推进城市发展。我相信,在这片土地上,前进的精神已经深深扎根于那些用汗水换生活的人们。它能满足产权文化工会和辛苦劳作的自我尊重的需要。劳动卑劣的偏见已被抛开。这个主题就是我曾经提议过的,应该讨论一下。我们应该思考什么是劳动阶级的真正提升,可以提升到什么程度以及如何提升。我知道围绕这个主题有很多不同的观点。人们需要大原则的指引,他们的请求十分清楚。在此,我可能会面临一些严重的问题:恐惧感已经缓轻了,突如而来的希望也破灭了。我不敢认为自己对这个话题有把握,但我可以指出其中值得讨论话题的重要性和对其有浓厚兴趣的人的担忧。我相信,人们不会把这种感兴趣的演讲当作纯文字来记忆,或者认为它是某些人为了个人私欲而作的表演。政客们之所以承认他们要迎合人们的口味,是因为他们喜欢人们手中的选票。但是,一个人既不寻求也不接受任何地方任何人的礼物,也许是想被当作朋友一样倾听,作为朋友,我必须坦率地说,我不能做恭维的事。我看出劳动阶级的缺陷,我想,他们大多数人都没取得什么进展,很多人满腹偏见、愤怒,淫荡不羁,有自私自利的陋习,这些是社会进步的巨大阻碍。众人至今都还没清醒,他们应该努力澄清模糊的概念。我的希望不会因模糊概念的存在而让我盲目。没让大多数人对自己不足有十分清楚的了解,这让我深感内疚。至于他们的虚荣心,我指出他们有不足之处,这并不奇怪。看看我们,我们将发现所有阶级都应该受到责备;任何人想要做好,都应该说真话,要铭记自己必须言行一致,充分意识到并且牢牢记住自己的不足。

在给这些崇高的劳动阶级提意见时,我希望大家能理解,我经常说的前瞻性并非希望你们立刻或尽快完成变化，获得进步。这样说，我可能不会被认为是一个梦想家，期待世界会在一天之内重生。我害怕这样的解释不会使我免于受谴责。人的条件日益变化，即未来坚持作用于社会的新原则是旧原则的重现，而且是褪色的、不再发亮的重现。在不同的地方，要是我有什么特殊的地方，我也不会站在这里。如果我不期望人的本性会比我所看到的更美好，我就不会对目前的努力抱有希望，只会任由人们贫穷下去。我看到未来会更美好的迹象，相信依靠辛勤劳动的大众会在这个地球上崛起，这一信念就是我演讲的唯一动机。

社会中劳动者的提升：这就是我们的主题。我将首先考虑这个主题包含什么内容，然后再考虑它在实行中可能存在的缺陷，关于这一点，需要用很大篇幅来讨论。最后，我会为自己的信念提供理论基础，并且给予我们最广大的阶级同胞以希望。

怎样理解劳动阶级地位提升的含义呢？这是第一个主题。为了避免误会，我会先说对它的误解和其不该包含的内容。我认为，不通过劳动者地位的提高，劳动者会上升到无需劳动的阶级地位。我不希望劳动者的进步与提高是通过解除自己日常工作的方式获得；我更不希望让他们放弃工厂和农场的工作，扔下手中的铁铲和斧头，让自己放一个长假。我信仰劳动，因为上帝用心良苦给予我们唯一一个只有靠劳动就可生存的世界。就算我可以，我也不会改变人们遵循的自然法则而忍受饥饿和寒冷，继续与物质世界必然的、不断的冲突；就算我可以，我也不会改变这些因素，使他们只给予我们舒适的感觉，让植被繁茂以满足人们的期望，让矿物变得柔软易展以便我们轻易征服。如果真的能这样的话，这个世界只会造就一个可鄙的种族。人的茁壮成长并充满能量主要归功于战胜困难的决心和拼搏，我们称之为努力。简单愉悦的工作无法铸就人们钢铁般的意志，无法使人明白自己所拥有的能力，无法造就他们吃苦耐劳、不屈不挠、志强意坚的巨大力量，这种力量非常重要。体力劳动就好比一所学校，人在其中得到决心和性格的能源，这比在其他任何学校学到的都还重要。诚然，劳动者在残暴的主人压迫下，身心备受着煎熬，经受人世间令人恐惧的悲欢离合。但是，严厉的老师给予我们的教育没有哪个怜悯宽容的朋友能给予。而且，上帝会保佑那些以严苛的教育方式让劳动者得到真正的智慧的人。基于此，我坚信艰苦劳动的成效。物质世界的美有序地净化我们的心灵，可它对我们的种种沉痛打击更有助于我们成长。其顽固的抵抗只有耐心和艰苦可以战胜；其巨大的力量只有通过不懈的努力锻炼才能为我们所用；其危险需要我们持续不断地警惕；其发展趋势会日益落寞。我坚信困难对人内心的影响比援助更重要。如果我们想发挥和完善自己的性格，工作是必要的，即使我们不做体力劳动，我们在其他方面也必须忍受同样的艰辛。工作和学习如果没有受阻碍，那么它们对于人的自我完善、知识提升和意志坚定毫无价值。在自然科学中，一个人要是不努力解决难题，不集中所有的注意力，不致力于发现最先让他退缩的是什么，那么他就永远不会获得强大的内心。困难的价值已经超越现存的世界。劳动者一个不变的重要能力是，对其他将要发生的情况做最好的准备。当发现大量的难事需要人解决时，我就觉得它肯定与将来的生活有重要的关系；一个人如果已勇敢经历过这样的锻炼，他就为这个世界的进步、繁荣和幸福打下坚实的基础。在此你会发现，对于我们而言，劳动是多么高尚。它是使地球富足和美丽的重要手段，征服海洋的有力工具，营造舒适安逸、缤纷多彩的世界的重要法宝。不仅如此，它还有一个更为重要的作用，即赋予意志、效率、勇气、能力、耐力以力量，赋予长期计划以不懈奉献的精神。唉，那些还没有学会工作的人真可怜！他们不了解自己，依靠别人，却无法对别人的付出给了回报。别让他们觉得自己有专门享受和休息的权利。因为休息和舒适是辛苦劳动换来；不劳动令人烦恼，让人感觉自己是累赘，因为人在余生都无法增强自己的力量。

我没有让劳动者从艰苦中解脱出来的想法，这不是他们想要追求的地位提升。体力劳动真的非常好，这样说，我必须是从公正的角度为劳动者发言。工作成了生活的唯一，这样不好，会对劳动者造成极大的伤害。工作必须利用更先进的工具，不然就是倒退而不是进步。人有各种各样的性格，这种性格的形成需要各种各样的职业和纪律，同时，学习、思考、社交和放松都应该和身体的锻炼结合起来。这样人就既有智慧、感情、想象力、审美能力，也有强健的身躯。当人为了生存而被迫做苦力时，他会感到委屈伤心。人的工作应该是多种多样的,只有多样化的劳动方式才能使人动起来。不幸的是,处在现在文明时代的我们还远远没有想到这一点。工作能不断增加人们的体力劳作,可在非常时期,劳作对发展人们的精神文化十分不利。由于艺术的完善,把脑力和体力区分开来的劳动分工将削弱人的智力,因为它把个人活动缩小到一个狭小的范围。这样,体力劳动者从事各种各样的工作,在经历千辛万苦之后,其能力逐渐变强,而脑力劳动者却做着单调的、无需动脑的重复性工作。这种情况的出现很危险,一定不能永远这样。让各种体力劳动与各种脑力劳动结合以使它们变得强大,这是人类文明最主要的组成部分,也应该是慈善家们所追求的目标。正如基督教传播手足情谊应该一视同仁,劳动和学习之间更应该且必须均衡分布。那种危害健康、缩短寿命、降低智力的劳动体制必须大大加以调整和改变。劳动力比例适中对现在社会非常重要,这是使所有外在环境变得舒适并有利于其改善的条件,同时,可以配以更有效的手段使人保持活力,促进人的思想发展。对此我们不要加以反对。我们需要这种忠告,因为现在人们普遍趋向于逃避劳动,这是我们时代的不良现象。

我们这个城市充满了来自全国的冒险家和过多的自由职业者,他们希望逃离靠体力劳动生存的生活,挤入商业界,这不仅是对农业的忽视,更糟的是社会的堕落。商业导致过度竞争,也必然导致欺诈行为,贸易变成了赌博,疯狂的投机买卖使公众和个人利益得不到保障。因此,后来没有慈善家愿意提升劳动者的地位,把他们从单调的体力劳动中解放出来。事实上,明智的慈善家如果可能的话,会说服所有阶级的人将这种劳动的方式与其他工作结合起来。体力和脑力都需要尽情运用,甚至爱好学习的人会因为既思考又劳作而感到更快乐。让我们把体力劳动看作是一个人真正学习和锻炼的过程。不少的智者和伟人既从事脑力劳动也参与体力劳动。

我已经讲过,劳动者地位的提升不是让他们远离劳动。接下来,我要说的是,这种提升并不是要努力强迫他们进入所谓的上流社会。我很希望他们提升,但是我不希望让他们接受一般的教条,把他们变成所谓的绅士或贵妇;我不希望他们变成外在浮夸的人,而希望他们变成内在真实的人。我不希望给他们虚假的头衔或阶级,而希望给他们实在的改进和真正的尊重。我不希望他们穿着巴黎裁缝店的衣服，也不希望舞蹈学校教他们的行为举止。我不希望一天结束后看他们脱掉工作服，穿着盛装在交际圈中扮演另外的角色。我不希望他们接受奢侈的享受或享用华丽的装潢。在此没必要恶意评判众人简单朴素的衣食住行，尤其是在评判如此谨慎的国家。这个国家，对劳动力的需求很少中断过，新增企业数量较以往多，劳动者几乎也不例外，他们对自己的居住设施非常满意。只是要对美丽、秩序、整洁有更好的鉴赏力，为他们的住所提供一个精致、高雅、舒适的环境，他们中很多人就不提什么条件。在这个国家，大多数劳动者身体健康，他们的食物因有劳动赐予的美味调料而丰盛营养，总体上是比贵人的精致奢华的菜肴更健康甜美；他们的睡眠质量比没有劳动的人更好，更能让人恢复充沛的精力。很遗憾的是，我看到他们变成上流社会的绅士和淑女。名流时尚是一份糟糕的职业，懒惰是其特权，工作是其耻辱，这样的职业信条最要不得。名流时尚者没有深邃的思想、真挚的情感、坚定的意志，过着一种不真实的生活；他们以耗尽财产方式显摆地位，以做作取代自然，误导社会群众，以愚弄他人为乐，苦思冥想只为消磨时间。但凡自尊自重的人，或懂得人生伟大目标的人，是不会让自己受到名流时尚的影响。

我之所以运用尖锐的语言，是因为我要打击他们的性情——劳苦大众中常见的性情，也是因为我对所谓的上流阶级羡慕嫉妒恨。他们在上流社会的位置上以各种各样的形式表现自己。因此，当与上流阶级交往的次数增加时，他们就易于忘记熟人，忘记自己的工作方式。如果可能的话，他们就会进入更时尚的阶层。当然，他们会与聪明优雅、慷慨大方、真正荣耀的人结交朋友，他们对自己的环境做了本质上的改变。通常情况下，他们会被那些无所要求的奢华的人士接受，进入社交圈，接着以恩赐的态度高傲地看他们，然后与最初的交往者做交易，他们为了出人头地愿意做任何事情。这不是我想要的劳动者地位提升的方式，我不希望他们挣扎着进入另一阶层，不希望让他们变成其他阶级卑微的模仿者。他们的目标高于他们身体所能实现的，别让他们有某种内在的生活方式与外在的尊严荣耀结合的想法，我希望每个人站在自己的面前，按自己的天赋和价值而不按外在的附加物寻找自己的位置；我希望社会每个成员有各种各样的提升方法。这样，人如果忠实于自己，就无需用外在的附加物来吸引周围的人。

我说过，人不是因为逃避劳动或挤入不同的阶级而地位就上升。再次声明，我不是说劳动阶级的地位上升就是要成为妄自尊大的政治家；或者他们作为个体或集体都应该通过集中选票战胜更有钱人以掌权；或者他们应该成功地使政府管理部门满足他们的特殊利益。个人不靠参与公共事务或进入政府机关就可以提升地位。个人需要以地位的提升将自己从令人耻辱的公众关系中解放出来。控制自我而不控制别人才是真正的荣耀。基督教的伟大就在于用爱服务大众而不在于用爱统治大众。从政并不能使一个人变得高贵。最底层的人因无原则、人云亦云、见风使舵而被推上从政的道路。我很抱歉这样说，可真相就应该说出来。现在，政治行为在这个国家不会激励任何对其关心的人，因为政治行为违背高尚的道德行为。政治的真正意义是对真理的探究和学习，是一个经久不衰的社会美德，是不变的重大原则在处理公务中的体现，是一种高尚的思想和行为。然而，在现实中，政治要么被认为是变化无常的发明，要么被认为是一场狡猾的游戏，要么是政党获取权利和腐蚀政治的策略，要么是让自己出人头地的计谋。所以，在人们一般人看来，政治是毫无价值、低贱卑微，无关紧要的东西。劳动者有时受刺激去寻求阶级的权利，这就是他们提升自己地位的想法。但是，没有什么劳动者能像这样接受我们之间制定的规则。社会的所有事情都该由政府代表和保护。任何事也无法预料，除非个人的耻辱和国家在任何阶级中成功掌握了垄断权。

我绝不会阻碍人们对政治的关注。他们应该认真研究我们国家利益，机构原则和公众判断的倾向。然而，遗憾的是，他们并不研究，即使研究，他们也无法以政治行动提升自己的地位。我们本来可以花费大量的时间塑造文明的群体，可时间已经浪费在报纸和谈话上，这些报纸和谈话煽动民众情绪，不择手段地歪曲事实，谴责独立思想阻止背叛，煽动民众战胜对手而不提高自我。正因为如此，民众被贬低为英雄崇拜者或愤世嫉俗者，成为野心家的愚弄对象，或是小集团的走狗。为了提升自我，人们必须以思考代替激情，除此之外别无他法。我说这些并不是想谴责我们国家的人民有自己的激情。所有的劳动者或多或少都有些狂热的激情，而且因为这种狂热而贬低自己的人格。狂热的精神不局限于某个社会角落。一个人在会议大厅里胡乱说了一通话，然后，其他人就把这些话当作真理般的东西在国内传开，可劳动者们却不为所动。政见分歧如疾病般强烈爆发，在交易场所，在酒吧，甚至是工厂里蔓延开。然而，这种分歧并没使我气馁，因为我看到，它就算未被治愈也已经在缓和。我坚信我的这些演讲以及其讲演稿的来源已公之于众，将会通过给提供更好的精神消遣减轻政治热度。我希望演讲能带给人们日益增长的自我尊重，帮助缩小愤怒——被利用后成为盲目的游击队员而毫无思想的愤怒。我也更希望人们早晚能发现，他们对政府的重要性评价过高，政府不值得这般赞扬，因为在此我们对赢得人类幸福有更强有力的有效手段。政治体制越来越少被神化，它退缩到一个狭窄的空间，我们只需要相应地对政府的存在做明智的评价。目前，我们发现政治兴奋的狂潮将成为一种耻辱。

劳动阶级地位提升不是外在环境的改变，不是远离劳动，不是为了另一社会阶层而挣扎，也不是为了政权。我把它理解为一种更深层次的东西。我知道个人的地位提升也是灵魂的提升。如果没有灵魂的提升，一个人在什么位置或拥有什么都无关紧要；如果有了灵魂的提升，一个人可以高飞，就是上帝的贵族之一，不管他在社会上拥有什么地位。对于劳动者或其他所有人只有提升，可并不是不同阶层的人都有尊严。人类的提升包括锻炼、成长、更多精力和人的力量的加强。一只飞鸟也许会在天上受外力冲击，但是它飞起来了，是真正意义上的飞，只有那时鸟才真正伸展羽翼，靠自己生命的力量高飞。因此，一个人可能会被外力推到一个引人注目的位置，只有在这样的情况下他才能发挥自己，展示最佳的才能，经过自己的努力上升到思想和行动的高度。这才是我想要的劳动者的提升。确实，这种提升是外在条件改善的结果，可反过来，也大大提高了劳动者的外在，如此联系起来看，外在的东西才是真正重要的东西。但是，外在与内在的发展假如处在分离的状态，那么就都一文不值，这样的话，我也不会费力去推广。

我知道有人会说，我所说的这种提升是劳动群众不会也不能达到的目标，因此他们不该为实现这样的梦想而受诱惑。有人说，人的主体明确旨在为了获得良好的物质资料而工作，那样的话，精神不可避免无法超越物质。这一说法值得思考。但是，如果反对者认为拥有物质财富的人是为自己的思想精神掘坟，那么他们肯定没有认真研究过我们的物质世界。物质是为精神而存在，身体则为心生。人的精神是肉体、骨骼、神经和肌肉等组成身体的终极目标，也是海洋、陆地、天空等组成的自然体系的目标。太阳、月亮、星辰、云朵和季节的无限创造不仅为了人体吃穿，而且也首先唤醒、滋养和发展人，给予人以智慧，培养人思维和想象力，提供活动的地盘，带来上帝的启示，它们成了我们社会联盟的纽带。我们被放置在物质创造的世界，不要成为物质世界的奴隶，而要掌握物质世界，让物质世界成为我们最高权力的服务者。观察物质世界为人类智力做了什么是一件非常有趣的事。大多科学、艺术、职业和生活源自我们与物质的联系。自然而然的是，哲学家、医生、律师、艺术家和立法者在物质中找到自己的对象或场合。诗人借去对物质的美好想象，雕刻家和画家通过物质表达自己高雅的概念。物质唤醒了世人的活动。物质感觉器官，尤其是眼睛，唤醒了头脑中无穷无尽的思想。为了继续生存，大多数人必须沉浸在物质里。他们的灵魂无法得以提升，这与他们和物质相联系的伟大目标相互矛盾。我认为，哲学没有看到外在自然的现象和法则，其唤醒心灵的方法可悲其肤浅。社会中，大多数人的灵魂在为物质过分的操劳中受剥削和摧残，这样的社会状态与上帝的意旨背道而驰——本来解放发展的灵魂却变成束缚人的灵魂。

　　灵魂的提升是每个劳动者必须历经的过程。这意味着什么？这样问我知道十分含糊，它通常只适用于大型演说。让我表达一下对这一问题的明确看法，在表达时我会用让听众参与必要思考的语言。这个主题属于精神层面的东西，它把我们带入我们本性的深处，所以我要给你们思考的任务，让你们做些脑力劳动就能直接听入耳的内容。我知道这些演讲更多是消遣而不是脑力劳动。但是，就像我对你们说的那样，我对劳动者抱有极大的信念，除了给听众一些有力的鼓舞外，我已经无法做得更多了。

　　灵魂的提升包括什么呢？要是没有哲学般精确的目标，我就应该通过讲述它包括什么的方式提出十分明确的意见：第一，包括用思想获得真理的力量；第二，包括单纯、宽容的力量；第三，包括道德意志的力量。这三点中的每一点都需要一场演讲才能阐释清楚。我必须先谈第一点。从第一点你可以了解到部分我对其他两点的看法。在正式开始探讨这一点前，我做一个初步的评论。每个想让自己的尊严上升一个层次的人，不管是贫穷还是富有，是愚昧还是聪慧，都有一个基本条件、一种努力和一个目标，要是没有条件、努力和目标，就无法采取任何步骤。他必须意志坚定，努力把自己从错误的思想和生活中解放出来。习惯让他处于已知犯罪的边缘或做出不道德的行为，实际上，是阻止自己向更具智慧更有道德的生活迈进。在这一点上，每个人自己都应该诚实地对待自己。如果他不听从自己的良心，也不斥责自己不履行简单义务的行为，那他就不要再梦想自我提升，因为他缺乏自我提升的基础。如果他非要这么做的话，那么自我提升也只能是海市蜃楼。

  我现在继续探讨主题。我曾经说过，一个人的提升所要寻找或包含的首要内容是用思想获得真理的力量。这一点我需要你们认真对待。首先，思想是心智最基本的特点，是生命最大的杰作。所有人表面上做的不过是表达和完成自己内心的想法。为了有效地工作，他必须为此做清楚的思考。为了有高贵的行为，他必须为此做认真的思考。智慧的力量是生命的要素，应提议每个人把智慧的力量作为自己生命所要达到的首要目标。区别智慧与道德，思想与美德司空见惯。在思想与道德的力量中，可以说道德行为比强烈的思想更有价值。但是，在行动和思想之间划清界限会毁掉我们的天性，因为行动和思想本来就是亲密无间，牢不可分。头脑和心灵的联系比起思想和美德的联系就显得不那么重要？作为内心的一部分，良心难道就不包括高尚的智力和理性的行为吗？我们怎么不把它降低到只是一种感觉呢？良心是不是还包含更多的东西呢？有良心的人不是对美好事物有着明智的辨别吗？除了美德中的思想，什么又是一个人的价值？一个人还能在世上留下什么有意义的东西呢？崇高的美德不比盲目的直觉重要吗？难道崇高的美德不是基于人的品质和行动中对美好事物清楚的认识吗？要是没有思维能力，那些我们称之为责任心或做好事的东西都是幻想，具有极度的危害。世界上，最残忍的行为曾经是出于良心而做出。一个人出于责任感痛恨甚至杀害另一个人；最大的欺骗却出于虔诚而实施。思想和智慧是一个人的尊严，一个人除非学会清楚地、认真地思考，或指令内心的力量去获得真理，否则就无法得到自我提升。每个人无论在什么位置上，都应该成为学习者。不管他拥有什么职业，他最主要的工作就是思考。

我说过每个人都要成为学习者，思考者。这不代表他要在房间里封闭自己，弯曲身体专心读书。人类在图书出现之前就有了思考，一些思想家从来不沉迷于我们所说的学习。自然，《圣经》、社会和生活为人们思考呈现源源不断的主题；为了得到真理，有人不断收集、集中这些主题上，发挥自己的才能。到目前为止，他们还是学生、思考者、学者，并正上升到真人的高度。现在，我们不能只把那些从事专业的学者称为思想家或哲学家，因为无论谁何时何地用一颗诚挚的心寻求真理，都属于知识分子。从更宽泛的角度看，所有的人都可以说是在思考。一连串的观念穿过他们的头脑。但是，在被动接受的范围内，未受指导或受控制的人都只是受偶然外在的推动；对必须承受或顺从外在虐待的人来说，思考对尊严和地位的要求只比残酷的经历多一点。这样的思考如果还能叫作思想，那么思考者就没有目标，思考也毫无用处。这就像一只看不见的眼睛毫无方向感，在天地之间乱看，看不到任何独特的美景。思考真正的含义是知识的能量。人在思考中，头脑不仅接受着从外到内的印象和建议，而且在思考者身上做出反应，集中注意力及其力量，打破印象与推翻建议，然后就像在实验室一样分析它们，再将它们重新组合，追溯它们的联系。

我们所生活的地球清晰体现出上帝的思想，这种思想就像我已描述的那样唤起人们的思想。那些神秘的难题只能靠集体的智慧看穿并加以解释。每个事物，甚至在自然、社会和生活中最简单的事物，都是由多种要素巧妙结合在一起。因此，为了了解其中任何一件事物，我们必须把它分解成各个要素，仔细观察它们彼此之间的关系。每一件进入我们头脑的事物不仅有着不可预知的神秘感，而且与其他事物又有着千丝万缕的联系。宇宙并不是无序不连贯而是完全协调统一的整体。没有什么东西能够独自存在。世上万物都交织在一起，每个事物都为其他所有事物而存在，反过来，其他所有事物也都为每个事物而存在。最微小的物体也有无穷无尽的联系。今天你在饭桌上看到的蔬菜，它从上帝种在土地上的第一株植物再到你面前，是阳光雨露六百年的产物。如此一个大宇宙需要思考才能加以破解；我们因存在世上而思考，用思考的力量揭开事物表层下的东西，探索十分特殊的事物和行为的原因和结果，寻找它们的动机和目的、相互之间的影响、多样性和相似性、比例与和谐性，以及它们结合在一起的普遍规律。这就是我所说的思考。因为有了如此的想法，所以精神就上升到相当的高度。谦逊者代表神的智慧，他提升的地位越高，就代表人们的意见越一致，其目的都是为了扩大一般原则，传播普遍真理，建立有序、和谐、无限的神的体系，从而达到对无限上帝深深崇拜的目的。不要惊慌，我所坚持的精神提升绝对不会让人们失望，因为所有思考的目的都在于认真了解事物的本来面目、它们之间的联系，把头脑中松散、冲突的想法变得统一和谐。所有这些想法无论在什么领域，都能达到我所说的珍贵。你们都能进行我所说的思考。事实上，你们都已在一定程度上熟练地思考。一个小孩好奇地看着一个新玩具，把它拆成一个个零件，那样他就可能发现玩具转动的神秘原理。他的这种行为其实就说明他已开始我所说的思考，已成为思考者，同时开始探索未知世界，寻找思想的连贯性和和谐性。既然他已经开始思考，那就让他继续思考下去。让这种思考成为他一生最伟大的事业，让他探究他在自然、社会，乃至内心中所发现的东西，了解其要素、联系和原因。不管处在什么环境，他都会逐渐提升自己，拥有自由和思考的力量。视野宽广和观点统一会为他得到的伟大思想带来启示和希望。

你们可能会注意到，说到思考的力量作用于劳动阶级和人类的提升时，我一直希望思考的目的是获得真理。我希望你们不要忘记这一目的，因为思考代表知识分子一种必不可少的尊严。思考也许会出于其他目的，比如为了满足私利而聚敛钱财，为了个人需要而超越人权，为了盲目他人而编织谎言，为了为非作歹而弄虚作假，为了干出坏事而寻找理由。但是，思想的能量如此受束缚，是自我毁灭的表现。智者变成恶习的迎合者、激情的发泄者、谎言的拥护者，变得不仅败坏而且堕落。智者丧失了在真假、善恶、是非中辨别真理的能力，变得无法区分颜色和形状。缺乏热爱真理的思想真是悲哀啊！因为人要是缺乏对真理的热爱，其天赋变成世人的灾难，这就像人呼吸有毒的气体，毒气将诱惑变成瘟疫和死亡的途径。真理是无穷智慧的光源，是上帝在其创造物中的形象。除了真理之外，没有什么东西能够永世长存。人们想用来取代真理的梦想和理论都会很快消逝。要是没有真理作为指导，人们的努力都是徒劳，希望也毫无依据。因此，人们要坚定热爱真理、渴望真理、寻求真理的意志，紧紧抓住真理，我认为真理就是人类文明和尊严的基础。思想可贵，对真理的热爱更可贵，因为要是没有真理，思想就会没有目标。失去真理本身就会使人感到内疚、悲伤。让我用这种精神鼓舞劳动者，让他们学会把自己视为以思想的力量获得真理的人；让他们学会把真理视为比每天的面包更宝贵的东西。真理的春天和永久的提升他们触手可及。他们开始成人，也成为自己民族的选民。我对劳动阶级的提升并不绝望。不幸的是，他们几乎未采取什么爱真理或爱生命的行动，也未采取给予人类灵魂以鼓励和尊严的激励行动。那些贵族跟劳动大众一样，几乎缺乏这方面的行动源泉。我认为，事实上，奢华时尚的生活方式比劳动者的艰辛生活方式还要危险。在先进文化的影响下，无论在何地，这一原则将会在所有阶级中得以唤醒，也将会塑造出著名的哲学家和思想家。在我看来，这些评论特别重要，因为它们表明道德和智力间存在着多么亲密的关系，两者一开始就应该结合显得多么必要。所有的人类文化依赖于道德基础、公正无私的精神以及为真理牺牲的愿望。要是没有这一道德力量，只有思想力量对于我们的提升起不了什么作用。

我知道，有人会告诉我，我一直在坚持的工作十分困难，而为了真理，使自己保持镇定并集中注意力比用自己双手劳作更加困难。就算是吧。但是，难道我们会脆弱到不希望劳动就希望自我提升吗？不管什么人，也不管他们是不是劳动者，他们是否都希望不积极努力就能获得身心健康？难道小孩不是在自己的劳动中克服困难，战胜激烈的冲突而成长起来并获得力量吗？难道生活没有了困难就不会变得平淡无奇吗？浓厚的兴趣不能变困难为愉快吗？让我们唤醒对真理的热爱，使其成为克服路上障碍的磨砺，而不成为精神发展的障碍。头脑会在它获得的东西里激发起新的喜悦。

迄今为止，关于思想的力量我都是大体上做解释。我的观点经过思考后会更透彻更明确。接下来，我会阐述这种力量运用的客体。这种力量可分成两类——物质力量和精神力量，即我们眼中的物质世界和精神世界。我们尤其需要呼吁劳动者重视自己的学习，因为他们的工作是对他们的学习起作用；他们的工作更具智慧、更为有效、更令人振奋，也更值得尊重。从这点看，他们知道自己所作用的客体，明白自己所利用的法则和力量，了解自己做事的原则，解释自己所看到的改变。当劳动者把思想融入劳动达到身心合一时，劳动就成为一件完全不同的事。每个农民都应该学习化学，以便了解进入土壤、植被和肥料的物质成分，了解把它们化合分解的规律。因此，机械工应该懂得机械力学、动力学和他们工作的物质来源和构成。我要补充的是，农民和机械工应该培养对美的认知。如果农民给自己的土地和小屋增加吸引力和新价值，他们就会成为有品位的人！机械产品无论是大是小，也无论是房子还是鞋子，如果能按比例赋予美感，那么它们就都有价值，有时甚至更有价值。在法国，教机械工画图是很普遍的事，这样就会使他们变得眼疾手快，还会使他们的作品具有美的吸引力。每个人都应该志在传授这种完美的东西给他们的工人。我们在劳动中思考得越多越好。要是没有思考的习惯，一个人工作起来就更像一台机器或一只野兽，而不像真正的人。要是有了思想，人们的灵魂在自己的辛勤劳动中会显得更有活力；他们也会集中注意力观察自己所做的事，注重减轻劳动负担的细节，发现重大问题，而且有时还能完善自己的技能。即使到了现在，我们的时代因各项发明已经充满荣耀，我们也很少怀疑工人阶级才能的发挥，以及自然科学是如何用于改造机器。

但是，我并不就此打住。自然是吸引我们思考的力量，这不但为了自然能在我们的工作中给予我们知识和帮助，而且为了一个更高的目标。我们应该为了自然而研究自然，因为自然是上帝精彩绝伦的杰作，因其完美使我们印象深刻，因其美丽、宏伟、智慧和德行而闪闪发光。劳动者像其他所有的人一样是要接受公平的教育，那么他们就会获得知识，这不仅为了他的生存，而且也为了他们的生活、成长和智力提升。有人问，我是否期待劳动者掌握所有的自然科学？当然不是，我也不希望商人、律师和传教士那样做，这也不是灵魂提升的所有必要条件。物理学的真理给予头脑极大的尊严，这种真理是世界的一般规律，它需要很长时间才能发现。但是，积极的心态决定于自我发展，我们可以学习和理解，解释自然在我们周围不断发生的变化，发现宇宙中神奇力量的运用，以及所有创造的无穷智慧。

这使我看到了思想的力量作用上的第二种客体。这个客体是伟大上帝子民的思想、精神、理解和智慧的产物。这是我们称之为形而上学和道德科学的主题，属于宏大的思想领域，因为外在世界——物质世界——是精神的影子，服务于精神，属于一个大范畴。这一范畴涉及神学、形而上学、伦理学、政治学、历史和文化。为此我们可以列出一张长长的清单，该范畴可能包括大量的知识，必然超出劳动者力所能及的范围。但是，有趣的是，理解各种各样的科学关键在于个人的天性，因此人可以获得这些知识。我是怎样得到我对上帝、我的同类和构成世界历史的行为的看法？我就是通过自己的意识理解这一切。在我看来，人的意识代表人的本性，因此我理解一切。我的关于聪明、公正、善良、上帝权利的概念来自哪儿？那是因为我自己的精神源自这些属性。他们的想法首先来源自己的本性，所以我理解他们的存在，因此，所有科学的基础存在于每人的心中。高尚者在其事业和家庭中锻炼能力，培养情感，这和神学使人超大的能量有相似之处。因此，人们在研究自己，学习最高原则和灵魂的规律时，事实上就是在学习神学、人类历史，以及使古代圣人和现代圣人永恒的哲学。在每人的心灵和生命中，其他人的心灵和生命或多或少得到描绘和包装。为了研究其他事物，我必须进入外在世界，也许还会走得很远。为了研究科学的精神，我必须进入自己的灵魂。曾经写得最深奥的书只是阐明你们内心已经领会的东西。靠近你，在你内心的东西才是最重要的真理。

确实，我不希望劳动者十分理解与心灵相关的各种学科。任何职业者几乎都不是这样理解他们，也没有必要这样理解他们。如果可以限制时间的话，人们可以深入研究自己特别感兴趣的某一学科，发现其有很大的实用性。自我提升所需要的不要求一个人了解所有关于精神本质的思想和著作，也不要求一个人像百科全书一样，而要求理解和感受作为所有发现的结果，总结所有科学家及哲学家从无穷细节中提炼出伟大的思想。心灵的高贵不是由知识的量而是由知识的质所决定。知识渊博的人可能因缺乏广泛综合的观念而不如目不识丁却掌握了真理的劳动者。举个例子来说，我不希望劳动者用古语学习神学、神父的著作、历史的宗派等，这没必要。所有的神学原本就是无数分散的理论，现在汇总成神学思想，让这种思想在劳动者的灵魂中大放异彩，因为他们掌握所有神学资料的精华部分，比那些拜访过无数神学家的人拥有更高智慧。伟大的思想是由一些伟大的想法形成的，而不是由无数零散的细节组合。在我看来，大学问家智力并非过人，因为他们没有伟大的思想。如果一个人无法把自由、美丽、英勇和精神的伟大思想转变成灵魂里熊熊燃烧的火焰，那么什么又能让他详细研究古希腊和古罗马的历史呢？一个时代的启蒙不是由其所含知识的量组成，而是由为知识奠基并引发其发展的一般原则组成。最勤奋的优秀学生将真理的研究浓缩到某些上帝的著作中。但是，这种受限的知识可能仍然启发人们提升灵魂的普遍法则、丰富内容和伟大思想。有些思想、原则和观念通过其本质支配所有的知识，并且它们本质上光芒四射、生机勃勃、广泛全面、永恒不变，我希望用这些东西丰富劳动者和人类的心灵。

为了说明其义，我举些例子来说明关于科学研究精神的崇高思想。当然，最伟大最全面的首先是上帝的思想、父母的心灵和原始的无穷智慧。每个人的自我提升都要先受这种存在的大概念的检验；思想的最高目标是快速获得对其公正的明确认知。事实上，研究宇宙、神学和生活的最大目的是让我们认识并发扬上帝的思想。我们应该看到这种无限的存在本身所拥有的大量关于真诚、宽容和勤劳的思想，我们要改变激情、自私、偏袒和周围粗俗世界给予我们关于神学的低俗看法，不断提升自己。这里有一种上帝的观念特别适合自我提升。我的意思是，作为我们的精神之父的上帝以其巨大的力量创造了我们，使我们趋于完美，规定所有外在的东西服从并有助灵魂的发展，总是激励我们，使我们变得更强，唤醒我们的内心世界，评判并谴责我们的错误，在我们与邪恶的抗争中寻找喜悦，渴望上帝与我们的内心永恒交流。这种想法在劳动者的内心里蔓延，它是自我提升的萌芽，比所有的科学都富有成效，尽管科学那么博大、那么深奥，可它只处理外在世界的有限事物。你所听说的那位伟大神学家只是徒有虚名，如果他所处的环境就像这样，那么他已经通过思考和服从的方式净化和放大了上帝的观念。

我从上帝的观念进入另一个大观念，即人的本性。人的本性应该是我们严肃认真思考的对象。迄今为止，几乎没人知道人是什么。人们知道自己的衣服、肤色、财产、地位、罪恶和外在生活，自己内心的想法及其高尚的人性几乎无人知晓。但是，他们能过着人的生活，却不知道人最特别的价值是什么？观察人们对自己的想法有多真诚以及如何行动是一件十分有趣的事。以自己的勇气感染别人才是真正男子汉的概念，多少男人至死也没达到这种标准。因此，人的概念便在劳动阶级中产生，这使该阶级超越任何缺乏此观念的其他阶级。我是不是问起自己对人的尊严的概念？我应该说尊严包括：在精神上，有时称为理性，有时称为良心，这些称谓超越狭隘无常的思想观，看到永恒不变的正义观和真理观；在不完美中找到完美；它们是普遍的、公正的，与人性偏执自私思想对立；它们庄严地告诉我，我的邻居和我一样珍贵，他的权利和我的一样神圣；它们要求我接受真理，真理不管怎么，都与我的傲慢相矛盾；它们让我对美丽、善良、神圣的幸福感到快乐，不管这些幸福来自何方。这种原则是人性中的神圣曙光。我们不知道人的确切含义，但仍可看到人类灵魂中的这一原则所呈现的神性庄严。关于这点，我还要补充另外一个要点。虽然补充的要点实际包含在前面提到的概念中，但它仍然值得特别关注。人是自由的存在，造物者让人能按其内心的波动为人处事，从而塑造自己并掌控自己的命运；使其与大自然紧密相连却不受制于大自然；使其与上帝联系甚密却不成为神的奴隶，反而有能力实现或拒绝上帝的旨意。人虽然为种种冲突事件纠缠，为种种苦乐的客观因素困扰，受可见和不可见的危险威胁，也受充满诱惑和罪恶的世界影响，但是同时，人也拥有上帝赋予的战斗力量，正是通过与这些企图吞噬人类的势力做斗争不断完善自身。这就是人的含义。认真思考让这一含义得到充分体现，这是多么令人欣喜的事呀！

我要有时间的话，一定很高兴谈谈关于人类精神科学的其他思想，总结这些思想让我们认识到明确的表达和时人的推测。有真正伟大目标的人类生活的思想、绝对至善的美德思想和自由的思想都是政治学上的最高思想，隐藏在人脑中，是我们国家崇高生活的主要来源——所有这些思想都有可能被扩大。我可能证明这些思想也许在劳动者中被唤醒，也许给他们一个人上之人都想要的提升机会。但是，要是离开这些思想，我只会谈论另一种思想——科学的精神最重要的结果，这一结果每个劳动者甚至每个人都能接受，这种思想在其他思想的影响将变得更为强大。这就是人作为社会人的重要想法。一个人之所以明白自己有价值，不是因为他属于某个团体而做了对团体有益的事，而是因为他完全依靠自己的力量。他不是一个机器的一部分。一台机器的零件拆散后变得毫无用处，而只有在整台机器中才能发挥作用，这是它们存在的唯一用途。人却不是这样。人不是简单的工具，而是为了达到自己个性、自我完善和个人幸福的目标而生存的个体。确实，每个人都在为别人工作，可都不是奴隶，也都不是残缺的灵魂，并不想降低自己的身份。每个人为别人工作，是建立在有自尊、公正善良原则和实践自由意志和智慧的基础上的工作，并以此完善自己的品质。每个人的个人尊严不源于出生，不源于成功，不源于财富，不源于外在的展示，而在于不容打破的灵魂原则——这应当进入个人的习惯性意识。我说劳动者应该自尊地对待自己，这种自尊不同于那些高傲的统治者凭外在等级所拥有的自尊。我这样说不是在吹牛浮夸也不是在胡言乱语，而是表达我经过深思熟虑的坚定信念。

  我已经举例说明了什么是提升心灵的伟大思想。伟大思想的价值和力量不容夸大。它们在这个地球上产生极大的影响。伟大的思想注入一个人的头脑时，就可能会使人获得新生。古代和现代共和国的自由思想，以及各种宗派的灵感——永恒的观念，都战胜了世俗观念！这些思想塑造了多少英雄和烈士！伟大的思想比人类的激情更强大。唤醒人们是教育的最高职责。迄今为止很少有人想到这一点。民众的教育已存在于培养他们的机械习惯中，存在于打破他们目前的思维模式中，也存在于教授他们传统的道德信仰中。是用理性文化代替机械方法的时候了；人们应该学习，在思想上和原则上采取行动，减少一点盲目的冲动和愚昧的模仿。

在此是否很多人都在不断反对我的观点，认为我们现在谈到的伟大思想是大多数文化程度有限的人所无法期待的，这倒是一个难题。我会在接下来的演讲中对此加以回答。但是，我想说明一个事实，即我们自然的法律。这对那些几乎没手段却仍渴望进步的人来说令人兴奋，我热烈欢迎他们进入这一领域。伟大的思想更多来自间接的影响和与生俱来的内心意识，而不来自外界直接的、费尽心思的教学。所以，那些缺乏学习途径的人不能中断这种伟大思想的学习。因此，艰难的教学可能以上帝、美德和灵魂多年来在指导着我们，我们可能一开始就对它们一无所知。然而，当被上帝的思想点亮的人在易感季节来到我们身边时，他的一言一行都会影响到我们，唤醒我们，把伟大的思想传播给我们。他们像灯一样用天上的光芒照耀着我们。一个人要是习惯于自己内心的道德和真理的标准，那么他就会发现自己比别人接受更好的教育。灵魂的启示——上帝的存在、伟大的创造、无私的荣耀、犯错的瑕疵、公平的尊严、道德的力量和永恒的真理——是内在幸福永不枯竭的源泉；这种启示将唤醒人们拥有比现在或曾经拥有的更强烈的渴望，使自己成为自我提升的谦卑者。有时大自然最常见的场景将用明亮的、丰富的、以前的未知打开自己。有时这种思想创造生活新纪元，改变整个未来的道路。这是一个新创造。伟大的思想并不局限任何阶级的人。劳动者接受伟大的思想和心灵的交流，对于他们来说，接受劳动比享受奢华的生活有益。劳动活动甚至比专心学习更有益，因为学习会培养人爱慕虚荣、骄傲自大和嫉妒竞争。充满童趣的单纯者比自私自利的文化人更能接受上帝的启示，也许我们应该谨慎对待这些意见。说到伟大的思想，它们有时如雨后春笋般自我涌现，有时让人豁然开朗、明了事理。我不想过让人们被动地等待伟大的思想，也不想不假思索就放弃我们的想法而受控于伟大的思想。我们必须忠诚于自己的权利，利用已经获得的文化知识准备好自己。再者，这种启发如果出现，就不会是清晰的，完整的和美好的，而会是给我们看一看，暗示我们，给我们带来光芒，就像外在世界的所有启示和影响一样。我们需要耐心地深思熟虑，我们的智慧与行动使伟大的思想与我们的其他思想建立起联系。要是不经思考，伟大的想法可能会使人晕头转向，破坏人们内心平衡的比例，导致更多的危险。激励个人内心和学习外在世界给予人类的思想，其目的在于使我们意识到自己的力量，并将其自由充分地发挥，把我们从被动的活动或生活中唤醒。

　　我已经大量阐述了劳动者寻求真正自我提升的思想，并以阐述这种力量所作用的客体或目标结束这个主题。有一目标自然占优，即对生活职责有更明确清晰的理解。思想不能限制在太宽泛的范围。但是，它的主要目标应该是，我们每个人在所处的关系中获得更公正、更明晰的概念。你们别以为我因习惯的缘故说得太专业或不自觉滑向讲道似的说教。职责这一主题同样属于所有的职业，具有所有的条件。自我提升的过程排斥道德和宗教原则，就像不用呼吸就能生存或不用看就知道一样。我之所以这样说，是因为你们认为进步只是获得知识。当知识无助于美德时，它就失去其最重要的目标。我不是说我们永远不用思考、阅读、学习，而是说我们要了解自己职责的明确目标。心灵一定不能为僵硬的规定捆绑。好奇、娱乐、天生品味可能无意间就把阅读和学习搁置一边。然而，即使在这种情况下，我们也得提高自己的道德和智力，通过寻找真理以拒绝谎言，排除所有人类生产中固有的污染。要是没有道德力量，什么又能使智者产生影响呢？如果道德的伟大无法让我们对有道德的作者充满崇敬，如果道德上的仁慈无法让我们对同胞产生手足之情，那么道德又怎么能帮助我们了解外在世界呢？如果过去无法让我们懂得现在所面临的危险和职责，那么过去又怎么帮助我们研究历史呢？如果我们无法从逝者的遭遇中学会忍受，如果我们无法从他们的善行中学会如何表现高尚，如果不同时代、不同国度的人的精神发展无法让我们更好地了解自己，那么它们又能给我们什么呢？如果文学作品中所充满的生活、人性的缩影，宽容的感情，无私的精神和工作的宣言都无法激励和引导我们，使我们的行为更明智、更单纯，更高尚，那么它们对我们又有什么益处呢？如果使我们的想象焕发光彩的美感无法温暖净化我们的心灵，那么我们从诗歌和佳作中又能得到多少实质性的好处呢？又如何提升自己对人性和生活中的平等、完美和崇高产生热爱之情与赞赏之情呢？让我们竭所能利用我们所处的环境，使我们的学习和研究范围更广，让伟大的思想成为我们学习的最高目标，指导我们履行职责，追求幸福，完善本性，真正享用生命，极大发挥我们的作用。那么，智慧的文化和纯粹的善良被郑重用来启发良知，点燃慷慨的火焰，在共同的事业中完善自我，在共同的行动中给人慈悲，让我们天真快乐的源头和内心神圣的影响，在突然的变化、巨大的诱惑和生命的试验中，给予我们一股勇气、一份力量和一种安稳。

（二）

在我最后的演讲中，我请你们关注社会中劳动阶级的提升这一主题。我建议你们思考以下几点：第一，提升的内容；第二，在提升中可能存在的阻碍；第三，自我提升的有利条件，我们取得越来越多的成就会给予我们更多的希望。在思考第一点时，我将开始说明劳动阶级的提升不包含什么，然后继续从积极方面说明提升的是什么，其所包含的内容。我需要时间回忆我们所掌握的知识，以探讨劳动者地位的提升，尽管在解决这个问题时我已说明他们的尊严、道德、宗教和社交等方面的进步。我刚才说了，劳动者在成为劳动者的同时要成为学生、思想者和智者，并且建议，他们要想获得这种真理，就需要从事特殊的职业，即日常从事的体力劳动。我现在正在思考许多人提出的异议，即对劳动者命运提出自己的意见。这就是我们需要思考的第二点。

首先，人们会提出这样的异议：劳动群众无法掌握各种书籍，或者他们无法在阅读上花很多时间，他们又如何得到在先前那个演讲论述的思想力量和伟大思想，这一异议的产生是一种普遍现向，它混淆书本知识和智力提升这两个概念。有些人似乎认为书本有一种魔法，可以比其他资源给予我们更多先进的知识，所以他们视阅读为智力提升的捷径。这种想法我本来不予理会，可它已经俘获了很多人的心，所以我不得不对它有所重视。我并不想尝试以诋毁书籍价值的方式反驳这种异议。真正的好书对了解它的人来说不仅是一座宝库，而且是过去时代的伟大灵魂。天才在书籍中是不可遗忘的，这正如我们有时说它在书中永恒存在一样。但是，我们无需用很多书来证明阅读的极大好处。好书毕竟少，大多数书都是平庸之作，我们只要花一点时间认真研究一小部分好书就足以让我们活跃思维、丰富内心。最伟大的人并不是书呆子，就经常有人说华盛顿不是一个伟大的读者。从书中积累知识的价值比我们在经验和沉思中得到的真理要少得多。事实上，在学习书本知识时要是不经过思考或很少思考，甚至几乎没有反思并实践，这样得到的知识多半是徒劳无用的。经历过的事可能刺激我们认真思考，并积极运用其资料，这样比我们目前做的多数研究更能对人起到提升作用。我们读的书可以说几乎都不值一读。事实证明，它们多数在刚面世时就已过时。要是作者不是思想家，他们怎么能唤醒读者的思想呢？我们很大一部分阅读都在做无用功，我也曾经说过这样的阅读几乎很要命。我很遗憾地看到，我们的劳动者不劳动，却去研究那些年轻男女当作娱乐的书籍。那些所谓的小姐、绅士把阅读当作消遣，探讨那些毫无意义、不能激活思维的沉闷主题。因为他们对高深的知识毫无感觉和，却在肤浅的阅读上浪费时间，所以我觉得他们没有资格要求比劳动者有更高的优越性。劳动者们至少对一件事了解得很透彻，因为了解那件事就是他们的职业，而且他们能对自己和同胞做有用的事。书的巨大好处在于唤醒我们思考问题，让我们致力于伟人努力了几个时代解决的问题，为我们提供进行判断、发挥想象、感受道德的物质材料，给我们带来比我们自己的精神境界更高的道德生活。而且，这也是那些没时间进行独立研究的人可能很喜欢书的好处所在。

有些人无法长期学习书本知识，对劳动阶级地位的提升失去信心，他们一定不会忘记真理的智慧之光是心灵提升的最大源头，真理不是来自图书馆，而是来自我们内在和外在的经验。人类的生活有其苦乐，有其轻重负担，有其善恶，有其深刻的内容，有其庄严的变化，也有其因果循环，它们都对我们提出不同的要求。这样的生活是一个多么好的图书馆！每个人都是一部值得研究的书，谁又不想研究这样的一本书？书籍通过社会自由的传阅给我们留下人类生活的画面。我们知道如何阅读书中主人公取得多大进步吗？劳动者总是将这一画面展现在我们面前；他们每天都写上一卷——我是说他们自己的生活——比人类的产物多得多的说明。崇高的天才也无法教给我们这么多关于人自然提升的方法，这些提升法就在我们自己情感的流露中，在我们自己智慧的应用中，在伴随我们好坏事迹的因果循环中，在我们对现状的不满中，在我们每人对传记部分的无意识的想法和愿望中。我们研究自己成长史、发展的所有阶段、困扰过我们的好坏影响、情绪和决心突变以及如何面对未来的苦乐，种种研究都让我们变得高尚，变得聪明。我们中间有谁没接近过永恒真理的源泉？又有谁没向劳动者学习过，也没了解过他们心中写下的篇章？

在这些演讲中，我已经想方设法消除劳动者持有的错误观念，他们之所以认为自己几乎无法做些什么，以获得力量和丰富思想，是因为缺乏书籍。我将接下来转向探讨更多只限于其他阶级的缺陷。常见的是，很多人之所以不被呼吁去思考，学习，提升自己的思想，是因为少数特权有意将上帝的思想灌输给那些人。据说，"上帝让卓越者的头脑开窍，上帝的职责就是为其他人发现真理。头脑思考和手工劳作并不意味两者必须联系在一起。劳动分工是伟大的自然法则。一些人用自己的头脑为社会服务，另一些人用自己的双手为社会服务。让每个劳动者维持自己应有的工作。"我反对这种理论，拒绝任何个人或任何阶级僵化这种思想。僵化思想就像少数人要求垄断光线、空气、视力和呼吸一样。难道智慧就不像视觉和呼吸器官一样属于所有人类吗？难道真理就不像大气一样流动，像太阳一样照耀吗？我们想象上帝赐予我们的智慧、想象和道德力量只是为了满足人类的低级需要吗？难道这就是用来拒绝劳动的自然方式？难道人们为了生存不整日劳累就会活不下去吗？难道我们就要把大众训练成缺乏思想的怪兽吗？难道就要让劳动者只发展一些感官技能，在其他方面无所作为吗？还是要让他们掌握人类所有的力量，特别是那些强大的力量呢？任何人——哪怕是最低等级的人——都不只是由四肢、骨骼和肌肉组成的生物体。心灵对于人性来说比四肢更重要，更持久，难道心灵只隐藏着的东西吗？难道思想不是一切的正义和职责吗？难道真理不是像其他任何东西一样珍贵吗？难道真理不是大脑的天然养料，就像谷物是身体的有益养料一样吗？难道大脑就不适合思考问题，就像眼睛不适应光线，耳朵不适应声音吗？谁敢阻止大脑的自然行为，否认大脑的自然元素呢？毫无疑问，一些人比另一些人更有天赋，注定要更辛苦地生活。但是，这些人的工作不是为别人思考，而是帮助别人思考得更积极有效。伟大的思想就是要让其他人变得更伟大，其优势应该为大众所用，而不是削弱大众力量，以让大众成为知识的奴隶；不是在大众头顶上建立精神暴政，而是将他们从昏睡中唤醒，帮助他们为自己做判断。一个人灵魂中出现的光亮和生命应该得到广泛的传播。没有人比人类的叛逆者更糟糕，因为后者挖空心思控制自己不太喜欢的兄弟姐妹们的思维能力。

有些人认为劳动者不愿思考，他们坚持强调，劳动者就算会学，可也学不到什么，这样对他们可能有害无利。他们告诉我们："一知半解是件危险的事。""半桶水"比无知更糟糕。据说，大众在学习中不会追根究底；刺激他们思考的结果只会让他们一知半解，这岂不很危险。依我看，这种论点太宽泛，以至于会造成麻烦，因为如果这一论点成立，那么它证明没有任何人需要思考。我不禁要问，谁能探究事物的根本？谁的"学问"不是"一点点"积累起来的？谁对知识的"理解"不是"肤浅的"？我们谁能彻底了解自然界中事物的深度或历史上某一事件的深度？我们谁没被一粒沙中的奥秘困惑过？最大的智慧所包含的往往是最小的学问！但是，我们的知识却少而又少，所以就没有价值可言？难道我们能轻视宇宙的边边角角给我们带来知识，也能轻视人类这个狭小的经验圈所包含的知识，是因为我们周围的世界无边无际，以至于我们无法去探究，在此地球、太阳和星球仿佛小如碎末？我们应该记住，已知的东西虽然可能很少，但它们与无限未知的东西和谐一致，让我们迈入无限未知的世界。我们也应该记住，最严肃的真理也许聚集了来自非常狭小罗盘上的信息。上帝发现他最小的工作就像他大的工作一样真实。人性的原则可能在家中比在世界历史中让人学得更好。有限是无限的表现。我以前说过自己较大的想法：每个人都在渴求真理，专心致志地探索自己力所能及的东西。我只补充一点，谴责劳动阶者对知识的理解过于肤浅的说话应该遭到驳斥。许多劳动者比古代哲学家更了解外在世界；基督教已经向劳动者揭示精神世界的奥秘，而国王和先知们都没有了解精神世界奥秘的特权。劳动者是不是注定在精神上无所作为，就像他们没能力进行有益的思考一样？

　　人们有时说，民众可能思考共同的事业与共同的生活，而不可能思考更大的主题，尤其不可能思考宗教的问题。据说，宗教必须由权威者来断定；这时，一般人无法做出自己的判断。但是，这是我要探讨的最后一个主题，在宗教上个人应该愿意屈服于别人，不能有强烈的兴趣，因为从未有什么能让个人为己着想。历史表明，没有什么能如此可能将个人误入歧途，好像虚伪的政客是为每个人着想一样。宗教是对所有人的内心开放的主题。其伟大的真理在人的内心就有其基础，我们大家都会在宗教上提出各方面的意见。上帝不是将自己拥有的证据用外语隐蔽地写在少数几本书里，然后将书锁在大学图书馆里或哲学家的书房里，而是把自己的名字刻于天地间，甚至刻在小小的动植物身上；上帝的圣言不是由耶稣基督教给书记或律师，而是教给大多数穷人；上帝的话语传遍千山万水、天涯海角，无处不在。别告诉我，大众确实是从权威人士或他人口中接受宗教信仰。我要说，这样接受信仰对我来说几乎毫无价值。穷人的信仰所包含珍贵的、活跃的和有效的部分在他们看来是合情合理的那部分；是自认可有智慧、有良心和有勇气的那部分；是满足自己灵魂的强烈欲望的那部分；是见证自己内心和外在经历的那部分。信仰中的其他部分——那些让他盲目笃信以至于看不到真理和高尚的那部分——对他毫无益处，相反常常对他有害，甚至常常把简单的道理复杂化，用杜撰、虚假的理论取代仁爱、公平、谦卑和对上帝笃信的朴素观。只要设想宗教是以铺设限制，呼唤恐惧，扮演警察的形式让世人受益，这是自然而然就是依靠权威的传统传播手段。但是，既然学宗教的真正目的是唤醒纯粹的高尚情趣，以理性的忠诚和文明的仁爱为上帝团结人类，那我们就应该意识到民众的思想和学习范围与传授宗教信仰的差异。

　　接下来，我谈谈另一种偏见。有人不同意等级差别是社会秩序的关键，我们如果呼吁大家积极思考，就会使这种秩序不复存在。这个反对意见确实在欧洲十分盛行，虽在我们这里却几乎消失殆尽；可其残余仍在我们中间徘徊，值得我们思考。对此，我的回答是，这种反对意见是对社会秩序的诽谤，想以此证明社会秩序会因其获得支持，而想使民众退化到无知和奴性的程度。这一想法极不合理，十分可怕，以至于不得不让人加以驳斥。无论是为了社会秩序还是为了其他任何目的，我都看不出有等级的需要。当有条件真正需要追求等级时，人们应当凭借自己的天赋，以每一种有用的方式提出他们的权利。我不想要一个单调的世界，因为我们现在过着太单调的生活。时尚的附庸品是等级的一部分，持续阻止人权的自由扩大。让我们拥有多样化的职业。但是，这并不意味着我们这里需要把社会分成等级或团体，或者某些人应该独占优势而成为单一种族唯一传人。人可能在不同的领域工作，然而他们必须承认自己的兄弟关系，尊敬彼此，彼此和睦相处。毫无疑问，人宁愿和自己最想支持的人做朋友或同伴。但是，这种交友结伴并不形成等级或团体。例如，智者想与智者交友人；虔诚的人愿同敬畏上帝的人在一起。但是，假设智者和有信仰的人因明显的差异与社会上其他人区分开而组成小团体，拒绝知识和品德低下者加入，尽可能不与他们交流，那么社会作为一个整体会起来反对这种傲慢的排他性吗？如果智力和虔诚不能成为团体的基础，那么人要是毫无特性，只有财富、衣着高档、其房子奢华的精致，以什么为基础和别人区分开，组成更高级的团体呢？有些人比其他人更富裕，只能靠权力阻止别人对自己的严重侵害，以让人随意动用自己的权利；有些人比自己的邻居积累更多的财富。但是，成功者并不意味高人一筹；他们不应该在世间形成人为的障碍。人们不该不假思索地认为资源应该保证富裕者的个人利益。他们应当承认，区别成功者和富裕者的唯一标准是人类的灵魂、不变的原理、完全的正直、有用的东西、有教养的智力以及求真的诚心。一个人相应因有这些要求，应该在任何地方受到尊敬和欢迎。我不明白，为什么这样的人无论多么粗俗，如果穿着整洁，他们就不该在大多数贵人和最华丽的会议中成为受尊敬的客人。人的价值无可限量，远远超过酒吧、服饰和宇宙中的奇观。他们应该把所有这些东西都抛到脑后。从人性的角度看，让人觉得耻辱的是现在人们对衣着和服饰的过分讲究，似乎他们感觉丝绸、织布机、剪刀和针线能产生出比人还高贵的东西！每个好人都应该反对以外在繁荣为标准的社会现象，因为它把外在提升置于内在提升之上，让物质超越精神；因为它肤浅和短暂，让人萌生令人可鄙的骄傲；因为它离间人和兄弟姐妹之间的关系，切断人类社会的共同纽带，滋生嫉妒心态、藐视情绪和彼此恶感。这些东西是社会秩序所需要的吗？

在多数人无知奴化的国家存在令人尊敬的更高的等级制度，这种制度倾向于让人远离残暴。它给人注入敬畏的情感，这种情感或多或少避免对武力和惩罚的需要。但是，值得一提的是，维持社会秩序的手段会成为另一种不满和混乱的主要诱因，这是上层社会或更高等级制度真正独有的现象。鲁莽的时代让人们失望；当人们渐渐意识到自己的权利与其他种族的人平等时，他们对等级制度的敬畏感会自然消退，转变成怀疑、嫉妒、受伤和反抗的情绪。正是这种制度曾经受到限制，现在却迅猛发展。通过这个过程，古老的世界正在消逝。那种认为出生时口里"含着金钥匙"的人就是更高等级的人的奇怪想法正在消失；社会必须经历一系列的改革、和平的或暴力等运动，直到更自然的秩序代替因武力造成的混乱的秩序。因此，贵族不会带来社会秩序，而会使社会骚动不安。所以，专制的人类等级制度不可能永远贬低人性，也不可能永远颠覆公正自由的思想。

我知道有人会说："底层社会对高尚的礼仪和品味的需要必然让其成为低等阶级，即使所有的政治不平等都不存在。"我承认，在民众中这种礼仪的缺失，我也承认，虽然话说得有点夸张，但这种缺失真的成为民众与先进者交流的障碍。但是，这道障碍必须而且将要顺从我们这个社会的文化传播手段。我们没必要把不好的东西与人类生活的任何环境联系在一起。一个很聪明的旅行者告诉我们，挪威这个既缺乏许多优势又缺乏良好习惯和礼仪的国家通过发展，使得"粗野的交流和生活方式这种英国底层社会的特征不复存在。"几百年前，欧洲上层社会者的交流存在粗俗和粗暴的现象，可随着时间的推移，这些现象渐渐消逝，同样，人们还有一个使命，那就是要消除那种对靠双手劳作的人反感的现象。我不相信，粗俗的风气、喧闹的交谈、邋遢的衣着、肮脏的习俗、粗暴的言语以及卑劣的行为必然会在这个社会任何一个阶层中一代代消失。我不明白，为什么整洁、礼貌、优雅、从容以及尊重别人的感受已经不是劳动者的行为习惯。风俗的变化一定发生在他们当中。我们希望这将是个良好的改变；他们将不再接受那些社会沉淀下来的错误观念；他们将不仿效空空如也的虚伪奴性，也将不用外在的浮夸本质上代替内在真正的礼貌。不幸的是，他们只是以不完美的榜样塑造自己。不仅一个阶级需要利益方面的改革。我们大家都需要建立新的社交，这种社交将真正使人变得高尚，结合自尊和对别人权利和尊重两大礼貌要素，获得不再粗野的自由以及不再独断的诚意；这种社交也将使人变得十分优雅，彼此之间以人为善，其中交流将变得真诚、顺畅、充分，不再有虚情假意和矫揉造作的东西，远离无情的嘲讽。我相信这样的重大社会变革即将到来，它将给社会生活带来鲜为人知的幸福；这样的变革从何而来呢？社会上所有的智者和公正无私的人都要促成这一变革。我不明白为什么劳动阶级不能参与这项变革工作。其实，考虑到他们极端简朴的生活和相当开放的基督精神时，我就无法确定。但是，这一风俗"黄金时代"已在对其希望的那些人中拉开序幕。

在这些言论中，我已把那些关于等级和阻止人们必要思考的观点称之为"偏见"。但是，我们要承认这些观点在现实中有一定的基础。试想等级制度成为优雅举止必然要设的一道高墙；试想一切时代最幸福的事就是封建阶级贵族所享受荣华富贵的生活，而贵族高于律法，他们可以横行霸道，其一年的违法勾当可能比民众二十年的违法之举还要多。试想劳动阶级最好的事就是在缺乏思想的无知中度过一生。承认所有这些观点，回首往事，我们有理由羡慕。十分清楚的是，往事已经一去不复返，封建的城堡已拆除，阶级与阶级之间的距离已大为减小。这或许是一种不幸，可人们毕竟已经开始思考，也开始寻求自己为人处事、受苦受难和信仰宗教的原因，并且通过回顾历史解释原因。古老的咒语已破除，同时人们对往事已失去信任。人们可以不再为荣誉、权力、形式以及外在的炫耀所控制。虽然社会靠民众的力量在衰退是再好不过的事，但当处在社会底层被人踩在脚下时，民众将不再默默忍受，他们会迫不急待地追问：为什么他们不能同样拥有社会的幸福？就是这样的事态我们才必须充分利用而不能加以阻止。人们将会思考什么是对错，他们应该思考，难道这不重要吗？我们应该让他们热爱真理，教他们如何寻求真理？我们很清楚，在世界上的实际情况来看，除了民众的真正进步外，没有什么能有益于我们。除了人类的灵魂外，没有什么能为我们的社会奠定扎定的基础。虽然这一真理令人惊讶，但是我们应该知道，外在的制度体系现在无法保护我们。比制度更强大的力量已在我们中发挥作用——民众的判断、民众的意见和民众的情感。如果不依靠民众的进步，所有的殷切希望都肯定破灭。但是，在此还有一个尚待思考的异议——劳动阶级的能力提升。

这一异议具有强大的力量，适用于欧洲，在我们国家也不是没有价值。但是，它无法阻止我对其进行探讨。对于这一异议，我的回答首先是，它通常源自怀疑者，源自享受安逸的富人，源自那些考虑自己利益多于他人利益的人，源自极少关注自己同类的人，源自乐意他人承担所有生活负担的人，而任何社会秩序都应继续确保人们自己得到安慰和满足。自私自利的享乐者和财运亨通的生意人容易找到保持该状态的必然性，即在自己身上堆积生活的快乐，在其周围人身上堆积所有的不幸，这是件很自然的事。但是，没有人能够判断什么是好的，什么又是众人所需要的。然而，我却同情他们，他们在公正和仁慈方面的所有优势为一些人所垄断，所有的劣势为另一些人所垄断，这种想法可能令人震惊。我等待知识渊博的思想家和诚心诚意的慈善家对这一点做出判断——在他们耐心研究政治经济学、人性和人类历史后做出判断；在他们权威的判断下，我也不会对我们的民众感到失望。

下面要思考的异议更多是老生常谈，即什么是必要的；人们将来一直在重走过去走过的路。但是，现在有什么比前所未有的条件更让人明白呢？新兴的力量和新订的原则起作用了吗？应用科学与艺术完成了一次了不起的改革吗？劳动者的地位在很多地方有了很大提高，这有助于他们智力的增加吗？恶习一度被认为是社会的必然存在，似乎与所有的恶行纠缠在一起，那么恶习消除了吗？民众是否还站在他们的祖先几百年前站过的地方？新形势如果会让我们感到恐惧，也同时让我们远离绝望吗？未来不管可能变得怎样，将不可能与过去一模一样。现在我们面临新的情况，必须在工作中既要享受幸福又要忍受祸害。我们没有权利以事物不变为由阻止新生事物的产生,直到我们有了力量,看到社会进步的希望。

另一点需要考虑的是,对拒绝改善生活的回答不仅有历史的一般原因,而且也有某国的特殊原因。工人阶级的地位在我国已经上升,其智力也在提升,我们没有看到饥饿的迹象,劳动者也没变成世界上最贫穷的人。迄今为止,众多工人的工作环境在我们这个国家成了一道最美丽的风景。除了思考人格的力量和被历史和制度唤醒的民众自尊,我们没有什么更值得旅行者关注了。我们的富人就像国外上层阶级,尽管我们希望伟大的劳动者有更纯洁的道德,但是他们远远落后于其他国家的劳动者。人要是没有知识和德行,却能表现出的强大且合理的智慧和真正的思想,那么与这样的人交谈能不为所动,不为所乐吗?谁被授权限制这方面的进展?改革的第一步最为艰难,其难就难在唤醒人们的灵魂,改变他们的行为。多一点光明多一分力量都能有助于他们获得一种崭新的东西。

此外,我要考虑的是答复异议。迄今为止,社会没有认真地为提升其成员的地位做工作,因此可以预见的东西仍有待确定。到底该给予劳动者的言行多大的自由也没尝试过。最伟大的社会事业还处在起步阶段。伟大的思想者尚未严肃提出解决民众如何提升这个问题。考验即将到来。况且,民众无法清楚地知道进步的真正含义,也无法慎重严肃地解决问题。然而,伟大的思想渐渐向他们开放,注定要创造奇迹。他们必须学会自救。其他人对他们无能为力,直到思想的萌芽触动他们的内心。这件事一定要做,而且只能成功,不能失败。历史向我们展示过,人能够在伟大思想的影响下创造出奇迹。在国家的关键时刻,他们为了信仰做了多少事并受了多少苦!他们自我提升的崇高理念仅仅开始自我展示。他们一旦清醒地抱住这种崇高的理念,将给自己带来新鲜空气。在这种理念的影响下,他们会为伟大事业而创造时间和力量,这不仅会提高自我价值,而且也会改革整个社会。

在此我要再次声明,当想到思想的力量及其影响时,我不会因人们的异议而气馁,即使鼓励劳动者花时间和精力提升思想会使自己挨饿,也使国家变得贫穷。宇宙间最强大的力量莫过于思想,这种思想创造出天地,变荒野为丰田,把遥远陌生的国家团结成一个互助互利的整体。它不是人类历史上应该掌握的蛮力或体力，甚至也不是艺术、技能、智慧和道德的力量，而是征服物质的精神力量。对于恐惧，我们通过呼唤人的内心使人变得贫穷和挨饿。我相信，随着社会上智力和道德能量的日益增长，社会生产力将得到提高，工业也将变得更加有效。聪明绝顶的经济学家会懂得积累财富，超乎艺术家和自然学家想象的资源也会被发现。我还相信，人的生存手段会变得更容易，民族相应的一部分人会变得更文明、更自尊、更坚强、更公正。肉体上或者物质上的力量可以为人所测，可灵魂的力量深不可测；精神力量增加的结果也不可预言。如此的社会将会迈过现在似乎不可逾越的障碍，化阻力为动力。内在决定外在，内在塑造外在。人们的力量在其精神；这种精神如果得到加强和扩大，其自身将会给外部事物带来和谐，也将会在其周围创造出与其自身和谐的新世界。但是，如果我弄错了信仰，如果没把握民众进步的时间和方式，工厂和资本就不会变得更多。我还是会说，宁可牺牲财富也不要玷污人的灵魂。我不相信社会的物质利益会以这种形式受到损害。由于对文化知识和道德的普遍重视，国家财富的缩少将会产生不同的结果。因为懒惰、放纵和无知使得生产效益锐减，所以这样的国家确实会减少生产。但是，人的精神及其品质将会使未来社会生产物品得到更公平的分配；社会的幸福感更多取决于分配，而不取决于其所创造的财富数量。在针对未来的这种演说中，我不要求得到什么特殊的礼物。照例，没人能清楚地预见任何重大社会变革的最终结局。但是，对于眼前的情况我们不应该表示怀疑。我们应该坚信，如果国家不能让其所有阶级成员得到提升，那么国家就不能持久繁荣，其国民也不能真正获得幸福。质疑这一点近乎是罪过。

> "如果这一点都做不到，
> 　天顶的梁柱就会腐烂，
> 　世界就会建在残渣上。"

据我所知，在答复所有的东西是否都能利于劳动者自我提升这一问题时，令人沮丧的事可能源自我们日常生活的经历。可以说，在我们这个国家有众多人肩负压力，需要靠十分努力的付出才能生活下去，他们无法获得文化知识。一旦这种情况发生，那么在更加拥挤的人群里我们未来又会期望什么呢？我承认我们国家有大量沮丧的劳动者，他们的健康状况不利于思想教育。但是，当我们探究这一不利状况的原因时，以上的说法就失去其说服力。我们应该看到这种状况不是出自外部需要，也不是出自外界不可抗拒的阻碍，而是出自受害者自身的错误和无知。因此，劳动者思想和品质的提升将会减少。重要的是，这种提升在强烈的反对声中听到支持声。为了确认这种观点，请允许我指出许多劳动者消沉的原因，以显示劳动和自我完善并非息息相关。

首先，有多少事的发生是由于放纵？民众得到多少时间、精力和金钱，以通过严格节制来获得自我提升？廉价的药和纯净的水能治愈许多贫穷无知家庭成员的病。如果把重点放在为民众的提升做贡献上，我们将生活在一个多么崭新的世界里啊！过度放纵不仅浪费钱财，而且还危害人的身心健康。多少人如果把自己所谓的适度饮酒换成饮水，他们就会惊奇地发现自己从前一直处于半麻木的状态！劳动很少使人筋疲力尽，而较少劳动需要自己的支持。劳动者对节制欲望的活动比谁都有兴趣，他们把那些传播酗酒的兴奋者视作是他们种族的公敌，而且是他们最大的敌人。

其次，劳动力因缺乏富国严格的经济体制而造成了浪费，这种情况已经殃及劳动大众。个人随意花费在许多国家已被称为奢侈行为。确实，不同阶级的生活水平应该提高十分重要。但是，他们要是放纵自己，那么又有多少收入可以浪费，有些浪费也许难以幸免。因此，他们不得不过昏暗的日子，总是徘徊在贫困化的边缘！不必要的开支总是让许多穷人无法自我提升。对较成功的劳动者来说，这种情况也经常干扰到他们的精神文化生活，乃至他们的家庭生活。他们中有多少人在欲望中前行！他们中又有多少人在爱情游戏中前行——在凌驾于他人并破灭他人的欲望中前行，支出的习惯在永不满足的情绪中养成！在我们这个如此蓬勃发展的国家，劳动者处于无限欲望的危险中，为了自我满足，他们在积累中完全让卖自己，而为了得到物质财富，他们甚至出卖出自己的良心。我们空前的繁荣一直没给劳动者带来纯粹的好处，它使贪婪加剧，使梦想病态，追求无尽的物质成功使民众陷入过度劳动、狂热竞争和精疲力竭的窘境中。劳动者要是已经有了干净整洁的家和健康有益的食物，他们就不应该要求更多的感官享受，而应该把自己的闲暇时间和剩余的收入投入自我提升和家人教育——买最好的书籍，接受最好的教育，进行愉悦而有益的交流，完成人类道德建设的使命，欣赏自然美和艺术美。不幸的是，如果劳动者把成功当作是渴望模仿富人，而不是努力提升自己，也不是通过培养自己高尚的品格去超越他们，尤其是年轻人，学徒和国内的女性只注重时尚的品位，那么，他们在祭坛中往往牺牲自己的浩然正气和几乎所有的进取精神，让自己毁灭在不是无知的罪恶就是无用的浮夸中。难道这是不治之症？人的天性总要牺牲于外在的装饰？人的外在总是战胜人的内在？高尚的情操从来没有在我们内心涌现过？难道在我们这个特殊的社会中，劳动阶级就不能进行革新，因为革新就会让贵族阶级感到失望？难道劳动者因其环境要求简单的生活品位和习惯就不能表明自己的立场，以免民众热望奢华的内心受损害和腐蚀？劳动者无法拒绝以外在成功的方式衡量人，也无法完全蔑视所有重在炫耀外在的虚伪者？我敢肯定，如果为了真正自我提升而穿简单的服装和过朴素的生活，他们现在就会在智力上、品味上、素质上，幸福感上很荣耀地超越自己，大部分成功者会变得放纵自己或被迫虚张声势。劳动者通过这种自我否定怎么可能减轻负担，以时间和精力换取自我提升！

　　造成不只几个劳动者抑郁的另一原因，正如我认为的那样，是他们对健康问题的无知。健康是劳动者的一笔财富，他们应当比资本主义大投资家更注重其身体。健康可以减轻人的身心痛苦，使人能在小小的领域做很多事。要是没有了健康，一个人即使干得精疲力竭，最终也得不到什么。由于这些原因，我不得不把它看作是一个好兆头，廉价的产品在报刊上反复出现，而这些产品给出许多其结构、功能，以及适用人体的指南。身体疾病及其虚弱很大程度上是我们轻率的行为所导致，而治愈方法就包含在知识中。一旦让劳动者在自己的环境里接受指导，以知道疾病不是意外，而是有特定的原因，其中许多能够避免，那么，大量的痛苦、欲望和随之而来的智力的消退将会消除——我补充以下内容时，希望不会离题太远，也就是说，如果民众在这些方面会更受启发，他们将学以致用，不仅有助于改变个人习惯，以及治理我们这座城市，而且还有助于执行政府所制定的一般健康规则。他们应该将做到这一点归功于自己，也应该为净化这座城市采取一系列措施：无论动用公费还是由私营企业负责，都要为城市提供纯净的水；禁止建筑物或出租屋滋生疾病。可悲的是，在这座大都市，上帝十分眷顾人畜用的空气、阳光和水，可许多家庭的用水却如此有限，而且水中混入杂质，以至于伤害人们的健康，让他们情绪低落！欧美的城市拿什么来炫耀自己的文明，在他们的土地上，无数的人因接受不到上帝最自由、最大方的礼物而堕落。有些人缺乏自然给予的恩惠，期望野蛮人享受的欢愉，我们能期望未受恩泽的人有所进步吗？在这座城市因缺乏明媚的阳光、自由的空气、纯净的用水和清污的方法，有多少健康者和活生生的人正死在酒窖和不通风的房间里！我们禁止在市场中销售腐烂的肉，为什么不禁止出租腐臭潮湿的房子，有害的蒸汽机正为确保销毁最差的物品而工作？人们是否了解他们就像吃腐烂的肉和受污染的蔬菜一样在这样的居住地点被毒害，他们能不能像委任真正的市场专员一样委任自己的住宅委员，不出租不宜租用的房间，那么一大群人挤在一个简陋的房间里必然会引发疾病，可能还会感染邻居。我已经详细叙述了这一点，因为我相信，道德、举止、礼貌、自尊和智力提高，和一个人的身体健康和舒适一样取决于外在的环境，同时也取决于他们居住房屋的质量。其补救方法不在抱怨和陈述谎言，而在于人本身。劳动者必须要求，城市的健康应该是政府管理的当务之急。只有这样做，他们的身心才能立刻得到保护。

我会提到更多关于劳动者抑郁的原因——那就是懒惰，"原罪最易困扰我们。"这里有多少人不情愿工作，一小时的工作成果几乎没有让大众受益，他们在本可以激励自己的困难面前退缩，让自己处在贫穷的状态中。因此，这注定使他们的家人变得无知，忍受贫困。

在这些论述中，我已经努力证明，劳动阶级进步的巨大障碍在于他们自己，不过这些障碍还是可以由他们自己来逾越。他们除了没有意志外不缺任何东西。只要他们努力进步，只要他们头脑中有自我提升的想法，外在的困难在他们面前就会变得越来越少，乃至消失。也许很多人会对此建议一笑置之，可为了使劳动者变得高贵，他们可能会厉行节俭和克制自我。但是，多疑者从未体验过伟大思想的力量或为人慷慨的目的，也从未听取过别人的判断。然而，他们尽可放心，热情不完全是一场梦，而且个体或集体将获得比他们过去所获得的更伟大崇高、更令人振奋的思想也不是完全不可能的。

  现在，我已对待劳动者自我提升的异议做了思考。最后，我将考察一些鼓励民众进步的、充满希望的时代环境。由于能力所限，我只能浅浅谈一谈。首先，我们所处的这个环境是一个令人鼓舞的环境，劳动者日益受到尊敬，或者说人们对手工劳动者不抱传统偏见，劳动者低人一等或干下等活的想法正在消失，对了解这种观念改变的原因人们充满了希望，因为他们可以在智慧上、宗教信仰上和自我提升上找这一原因，大家都大声呼吁反对旧阶级之间的障碍，要求对此负起重任，并对为他们的生活创造舒适环境者深表赞赏和敬意。我曾经说过，轻视劳动是旧时贵族遗留下的偏见之一。贵族们从前禁止交易，认为交易不是绅士应该做的事，所以我们应该让这种偏见与诸多类似的偏见统统见鬼去，其结果是劳动者一定会幸福。让得不到周围所有人尊重的人尊重自己十分困难。一种职业早期被人看作有辱人格，于是那时就有了手工劳动者低人一等的种种想法。有一种让宗教虔诚者都为之震惊的想法是，上帝赋予大众的职责对任何人毫无意义，甚至对最高尚者也是如此。确实，有一种不能不存在的职业倾向于降低可能对其认真的程度。我应该说，这种职业应当由所有种族的人共同从事，由上级部门分解而不是取消，将其作为唯一的职业让一个人或少数人承担。千万别让人的精神在外表繁荣情况下遭到人为的摧残。体力劳动者现在不再受到蔑视和怠慢。这样，人们就将发现，体力劳动者如果与真正的精神文化相结合，就能比其他任何职业者有更公正的评价观、更敏锐的观察力、更强大的创造力，更丰富的想象力，更纯粹的品位。人思考的东西少而又少，而上帝思考的东西数不胜数。人们在其力所能及的范围内最终能够找到通往成功的良方。

  另外，我们可以鼓励我们这个时代创建一个大众知识的环境，让劳动者触手可及，都能在其所希望的任何领域得到掌握知识的手段。在廉价的书籍中，他们也可每天发送单纯的娱乐新闻，而各出版社为了读者的利益出版价值连城的书籍。无可估量的真理向所有思考和学习如何解决问题的人敞开胸怀。如今，文化已经使自身适合所有想要提升的人。我并不怀疑，文化将出现一种针对劳动者的新模式。它有其目标，证明各种有用的艺术都在发展，保存其创建者的记忆，让人们记住那些以伟大的发明让世界繁荣昌盛的人。历史上，每个行业在都享有其响亮的名称。一些行业出了很多伟人，以及跟随其后的真正哲学家、诗人和天才。我会建议协会会员是否开设演讲课程，讲述更重要行业的历史，可能不会太多涉猎它们给予社会的深深祝福、曾培养同时提携过自己的知名人士。这样的课程将引导劳动者走进过去，为他们提供许多有趣的信息，给他们介绍可能为其所效仿的人物。我会深入下去。我应该很高兴见到，重要的贸易成员纪念那些靠自己的美德找到贸易并曾使其繁荣的人。荣誉应比左右过去时代的判断赋予更高原则的时代到了。当然，让人类背负债务主要是新闻发明者、指南针发明者和蒸汽机发明者，而不是血腥的种族征服者，更不是乐善好施者。历史把第一个培育小麦和其他有用植物的人，以及第一个锻造金属的人奉为神灵。在这个世界较为成熟的年代，我们仍然能用美名赞扬历史记载中使人受益的艺术。让历史永远记住这些艺术，并让历史的记忆在已进入艺术领域的劳动者的心中燃起熊熊的效仿烈火。

另一种情况是，劳动者开始教育自己子女采纳公正的意见，从中我们看到鼓励劳动者进步的希望。事实上，我们对所有阶级的希望必须以此为基础。所有的人主要以关心青少年的形式达到自我提升的目的。我有时会贸然地说，只有年轻人才能自我提升，可是我不想这么说。我仍然对任何年龄段的人自我提升抱有希望。30岁或40岁的人不会觉得进步之门已在他们面前关闭。每一个渴望进步的人都希望自己的劳动不会白费。任何人都可以活到老，学到老。从我们出生到死亡，这个世界总是我们的学校，而每个人一生都有而且只有一个伟大的目标，那就是教育。孩子要是至今还没堕落，其思想还未硬化，那就是最有希望的事。而且，我认为，我们今后为孩子们做的事要比过去多得多。我们要逐渐在他们当传播简单朴素的真理。也许会有人认为，朴素的真理过于简单，根本无需解释。然而，时至今日，这一点还是被人轻易忽略，也就是说，教育如果不是由有能力、有学问的老师从事的话，那么这种教育就是在欺人，十足地欺人。教师职业的尊严开始为人所理解，而这种理解让我们开始明白：没有什么职责比培养小孩更严肃重要；所有科学艺术的技能赋予年轻人以精力、真实和美德，这些都是颇有价值的知识；优秀教师的天职就是鼓励学生，这就社会本身而言至关重要。我说真理正在到来，可真理必须有路可走。对不同阶级小孩的教育，尤其是劳动者小孩的教育，实施得过于笼统，以至于小学生对教育无从准备，变得陌生。当然，学校大体上也只是一个名称而已，其所有的价值都在于老师。你们能够为教学购置最昂贵的仪器设备，可学校要是没有充满智慧的、颇有才华的老师，那么这样的学校比垃圾场好不了多少。应该说，要是有好老师而没有好设备，学校就可能培养出最快乐的学生。我们大学引以为荣的是图书馆、试验室和科学仪器，这些都是没有生命的设备，除非能加以使用而产生效果，否则毫无用处。一些名人拥有理解、影响并加快学生思想发展的技能，这些名人值得学校请来做校外导师。我之所以这样说，是因为人们通常认为劳动者的小孩不可造就，其理由是小孩的家长无力提供各种书籍和学习用品。但是，教育的最好条件不是拥有各种书籍和学习用品，而是拥有高水平的老师。

事实上，教育的目标不是要教授一定量的知识，而是要激发小孩子的能力，让他们学会用自己的头脑思考。如何教好一本书比我们阅读图书馆的书更有价值。很多知识应该在年轻时教授，一些内容应该生动活泼地讲解给孩子们听。例如，小学生没必要熟识世界从洪荒时代到当今时代的历史。他们可以在老师帮助下自己精读一段简单的历史，把史学论据运用到对历史的陈述中，以探索事件的因果关系，深入了解事件人物的行为动机，观察人性在人们所从事的工作和所遭遇的境况中的作用，公正地评判人的行为和品格，赞扬高尚行为，从自身出发探究时代精神的不同表现形式，理解蕴涵于细节中的伟大真理，在历史变迁中领悟上帝的精神和因果循环关系。要是让小学生学会阅读简单的历史，他们就会懂得阅读所有的历史。当以后有时间时，他们就能有所准备地去研究整个人类活动的进程。所以，他们学好这样的一本书比用语言讲述的所有历史教学效果都好。我们想要的是，拥有一群深谙心理发展基本原理的老师，以及有天赋的男女学生，尊重儿童的天性，努力接近他们，慢慢挖掘、开发他们最大的潜能，并把这件事作为生活的伟大目标而全身心地投入。我相信，我想要的东西终将到来，不过还得慢慢来。标准学校的建立证明了人们开始意识到教育的必要性。人们所需要的这种良好教育被社会作为其最高利益和责任加以认可。社会要求学校把教育青年放在优先的位置，而不靠教育赚钱，时尚女士应该远不及女教师。教育要求父母不应该炫耀财富，吃喝玩乐，而应该尽力帮助和指导自己的孩子。不是开出较高的薪资就能培养出好老师；好老师都必须在个人具有积极推动力的情况下培养而成，只有这样他们才会对教育真正感兴趣。但是，积极的推动力是由外部环境决定的；教育的手段总会受到一部分人的尊重，即教师因其职责在社会上所受到的尊重。

可喜的是，在我们这个国家，教育的本质性和重要性的观念正在慢慢起作用，并有了一定基础。我们有些人回首半个世纪的往事，见证了学校和教学标准的真正的大改革。国家鼓励这种改革活动需要的是，给孩子们提供思考问题的动机，让他们早早掌握公正且深入思考问题的技能，除此之外，劳动者智慧的提升不缺什么，因为我们已经做好了准备，未来的生活环境将基本上得到改善。良好的环境将不断推动人们智慧的发展，也不断加速发展人们的思辨能力，这就是自由教育体系不可估量的益处之一。同时，整个人类开始关注时事，并以之为基础进行反思、推理、评价和行动；人们的思想不知不觉通过不可抗拒的共鸣，使人们从中获得广博的文化知识和智慧力量。因此，这样的教育阵地会永葆生机。心灵如身体一样有赖于存在的气候和呼吸的空气；自由的空气令人心旷神怡，而且正弥漫在全社会，让每一个都能呼吸到，这是专制环境下人们永远也想不到的结果。这种自由的激励机制除非存在于人们已学会思考并获得真理的地方，否则在其他地方毫无用处。

希望劳动者自我提升的最后基础——也是最主要的和最持久的——就是更明确地弘扬基督教精神。宗教对未来的影响不是通过对过去的判断。迄今为止，宗教已经成为政治发展的助推器，可在其他方面却显得没落。

但是，宗教的真正精神——兄弟情谊和自由的精神——正开始为人们所了解，这种情况有力回击了盛行多年的对立思想。信仰基督教是有效治疗现代文明顽疾的唯一方法，也是教徒抓住一切机会提升自我以出人头地的人生伟大目标。蔑视他人的权利，欺骗和压制他人，贸易中投机取巧，鲁莽地冒险行动，商业中尔虞我诈，所有这些行为都有可能使劳动者变得贫困，使每种环境变得不安全。人类将要得到救济，而这种救济只能来自基督精神、普世正义，以及对社会体制、商业贸易和积极生活的重新理解与应用。这种应用已经开始，而劳动者比其他任何人都更能感觉到这种应用的快乐及其震撼人心的影响。

以上就是一些我希望激励劳动者自我提升应该具有的环境条件。这些条件可能会增加其他鼓励的充分理由，我们将发现这些理由可能存在于人性的原则中，可能存在于上帝的完美和深谋远虑中，也可能存在于上帝对世人的预言中。但是，这些我都略去不谈，却从中获得内心强烈的希望。我不明白，也无法明白，为什么手工劳动和自我提升这两者就不能和睦相处。我不明白为什么劳动者就不能养成和其他人一样真正的优雅习惯。我不明白为什么简陋屋檐下的交谈就不能得到智者的激励和好评。我不明白为什么劳动者在劳动中就不能把目光投向上帝伟大的造物，从中获得能量，变得强大。我不明白为什么那些提升人性的伟大思想——关于无限的宇宙理论、对上帝的信仰崇拜，以及人类的伟大目标，就不能让劳动者内心变得更明亮更强大。我相信，社会正朝着无视或歪曲人类力量的方向发展，可人们将来回顾现在，一定会感到万分惊讶。在更大的慈善事业发展中，在基督教兄弟情谊的精神传播中，在每个人权利平等的认同中，我们对未来更美好时代的到来充满希望。到那时，除非因为自己的过失，没人会失去自我提升的机会；到那时，撒旦的邪恶教条，即维护社会秩序要求民众委靡不振，会像恐惧和轻蔑一样被人们抛到脑后；到那时，社会的伟大目标会为唤醒和扩大各阶级的强大力量而积累经验；到那时，人们会更多地把精力放在提升思想上，而不放在身体上和物质上；在那时，非凡的智者会为了同胞的教育，把智慧力量带到人们生活的每一个角落；到那时，宽敞的图书馆、艺术的收藏、自然历史的橱窗，以及可让人提升的公共机构，都会对所有民众敞开大门；到那时，由于有了这些巨大的影响，生活艰辛者会成为人类进步的好助手。

这是我对劳动者在智慧、道德、信仰和社会等方面的提升所抱的希望。但是，我不应该过于自信，因为我充满希望的同时也忧心忡忡。我没时间详述这一点。但是，如果不详述的话，我又无法让你们了解整件事实。我不会对自己或他人隐藏我们生活的这个世界的真正面目。人类的缺点让未来世界充满了不确定性。社会就像自然世界一样自身充满许多令人担心害怕的因素。谁会相信，咆哮了几百年的风暴已耗尽地球所有能量，劳动者很可能以其鲁莽、愤怒、对富人的嫉妒、对政党及其领袖的屈服，把自己的一切光明前景变得一片黑暗，却对珍视神圣的幸福和社会的仁慈不抱希望。也有可能的是，在这种令人困惑的状态下，不幸者与邪恶者会从那些他们认为只会带来好处的所谓的事业中向他们伸出魔掌。目前的焦虑和普遍的愿望都是为了让这个国家富裕起来。因此，人们理所当然地认为，社会增加的财富必然对多数人有益。但是，你们能确信得到这个结果吗？难道就不会出现这样的结果：国家富裕了，可还有很多人却处于完全绝望之中吗？在英国这个世界上最富有的国家，农民阶级和工人阶级却处在如此悲惨、如此卑微的境地！人们认为，这个国家的制度保证不断增长的财富会平等促进所有国民的进步。我希望如此，可我不敢确信。

现在，我们周围的环境正发生着重大的变化。蒸汽航海的改进已侵占了欧洲和美国的一半领土，发明的进步使这两个大陆越来越靠近。我为这个技术的胜利欢欣鼓舞。我们期待即将到来的春天，我们这个大都市靠轮船与英格兰连起的那一刻，将成为我们历史上骄傲的时刻。毫无疑问，工厂会迎来令人兴奋的一时发展，我们的财富会增加，劳动者队伍也会壮大，可这些都是小事。重要的问题是，劳动大众在生活的舒适方面，甚至在智慧和品质方面，以及在能力和感情的培养方面，能否持久进行与发展？如果我们的进步与其他人口大市的人一样，那么这远还不够。不管是步其他大城市的后尘，还是走过去或现在的老路，都不如按我们现在的样子，要么发展，要么倒退。我相信，在上帝的眷顾下，欧洲和美洲的靠近最终对双方都是幸福美满之事。但是，如果我们不加谨慎的话，这越靠近的结果越可能成为灾难。不容置疑，一段时期后，我们很多人，尤其是那些资产阶级，将越发感受到外国的影响，越发支持旧社会的体系，越发习得落后旧世界的思想与行为习惯。作为一个民族，我们需要独立的精神。如果我们屈从于其他国家"先进的一面"，我们未来一段时间将逐渐成为模仿的奴隶。然而，这样做虽很糟糕，但可能不是最坏的结果。我倒想问，让欧洲的劳动阶级与我们的之间距离再拉近两倍，那会产生什么结果？那会使我们的劳动阶级意气消沉而缺乏竞争力，我们却要面临这样的危险吗？欧洲处于半饥饿状态的无知的工人，会为了报酬做任何工作而从不用时间，哪怕用一小时的时间，思考一下自己的提升吗？我们的工人能坚持反对处于半饥饿状态的、无知的欧洲工人吗？因为他们会为了报酬做任何工作，却从不花时间，哪怕花一小时思考自我提升的问题吗？随着与欧洲交流的增加，我们能否危险到接受一些可怕的，分裂民族的十分惊人差异？我们的劳动者很快就会变成欧洲的民众，所以，在情况发生之前，稍微明智的人几乎都会希望来一场飓风把船只吹走，让这两个半球完全分开。如果与欧洲的不断靠近所带给我们的预期利益，会让我们生活在欧洲大都市的肮脏之中，并在欧洲工厂里过度劳累的工人身上，以及在欧洲愚昧无知且野蛮粗鲁的农民身上感受到倒退，那么，上帝一定会保护我们，宁愿不去获得这种利益。一切都应该为了把我们从过去世界扭曲社会的罪恶中解放出来，并在此基础上逐步建立起一个充满智慧、富有正义、自尊自爱的国家。如果这一目标要求我们改变自己目前生活的模式，要求我们缩小外交范围，要求我们停止自己的商业和工厂与欧洲的竞争，要求我们的大城市应该停止发展，要求我们从事商业贸易的大部分人应该回到劳动中，那么，所有这些要求应当得到满足。有一件事很清楚：我们现在的文明具有强烈的倾向，即社会中大部分人的智慧和道德有所退化。因此，我们要以不畏牺牲的坚定信念形成一股力量，去思考、研究、观察并抵制这种影响。

或许现在表达我的恐惧感毫无根据。我不要求你们接受他们。如果我能引导你们积极地、概括地研究变化情况和所采取的措施，及其对劳动者的品质和环境所起的作用，那么我的目标就实现了。没有什么主题比这一目标更能让你们的大脑转得更快更频繁。很多人常常忙于思考其他问题，例如下一届选举总统的结果可能怎样，或这个那个政党的前景又可能怎样。但是，这些问题比起下面这样的大问题——我们的劳动者是否注定成为欧洲最无知、落后的下层阶级，或者他们是否能够确保自己在智慧和道德方面的进步——就显得微不足道。然而，当你原谅那些政治家为了私利把你卷进去，不让你思考这个重要的问题时，那你就上当受骗了，并且是自己骗了自己。你应该首先思考这个问题。在刚才的演讲后，请你随即思考这一问题，与他人一起讨论。当你个人学习这一问题时，请你尽可能多花时间去思考，要下定决心让自己学到一点东西，以便可能保证自己和追随者的幸福。

在演讲中，我已经对社会劳动者充满浓厚的兴趣，可我希望他们别认为自己只是劳动者。我的内心之所以为他们所吸引，是因为他们是我们当中最大的群体。我最感兴趣的是人性，而劳动者是大众的代表。有些人以蔑视或完全不信任的眼光来看待人性，他们所用的语言可能只是一种形式，而这一形式可能被解释为想象力超群和只凭感觉判断的标志。不管怎样，我对这些怀疑只能表示遗憾。他们对我的轻信表示惊讶，这远不及他们对自己民族命运漠然的态度让我悲伤与诧异。尽管他们对人性抱有各种怀疑和嘲笑的态度，但人性对我来说无比珍贵。当我看到人性在基督精神里的完美展现时，我只能把它敬如真正的神圣殿堂。当我看到人性在各时代表现出伟大与美好时，我祈求上帝赐福于那些不断成长和强大的人好运。当我看到人性伤痕累累，受压于无知和恶习，也受压于不公正和辛苦的劳动时，我为人性而哭泣，觉得每个人都应当准备好为人性救赎，经历磨难。我愿意，也必须希望人性在进步。但是，在说这句话时，我不是对人性面前的危险视而不见。我不确定乌云是否密布在这个世界的上空，风暴是否随之刮来。当回首人类神秘的历史时，我们看到上帝已经以可怕的改革为手段阻止破坏时代的行为，以及改善人类目前的状况。我不知道，我们这个时代是否做好这种革命的准备。基督世界的现代文明向人们提出许多问题，以唤醒他们的思考与怀疑。现代文明直接与基督教伟大思想为敌。现代文明显得自私自利、唯利是图、世俗的。这样的文明不可能永世长存。如何取代这种文明，我无从知道。但是，我不希望现代文明之火像古罗马文明的一样注定要用鲜血浇灭。我相信，时代的工人不会被吞噬一切的暴力、掠夺、利剑所击退。我相信，现在的社会形态包含一些比它已呈现的更好东西。我相信，更加光明的未来即将到来，不是从荒凉中来，而是从当前逐渐提升的变化中来。在这些变化中，我寻找着拯救现代世界的方法，其中之一就是劳动者智慧和道德的提升。加快改革和发展社会的推动力即将到来，不是从其明显的阶层中来，而是从更隐藏的阶层中来。在这些推动力中，我很高兴地看到，人们开始主动寻求新需求、新思想、新抱负。让我们已赢得的胜利赋予我们勇气！让对上帝的信仰赋予我们勇气！如果我们对现在失望，那就让我们别怀疑人性的长远利益！在伟大全能的上帝眷顾下，我们还是感觉十分安全。

在论述第三点，即说到这个时代一些令人鼓舞的环境时，我可能已经陈述了劳动者在这座大都市独有的优势和手段。我相信，世界上不可能发现另一座城市像这个地方一样，劳动者得到大幅度的提升和多方面的帮助，受到与其他阶级所受到的一样多的尊重，产生一样大的影响。我应该追求这个目标，做我想做的事；我还应该对我杰出的友人詹姆斯·萨维奇先生谈谈我们城市的使命，感激那些孜孜不倦的工作者，主要因为他们建立起两个强大无比的机构，即有着先见之明的储蓄机构和小学；前者给予劳动者以在压力中维持生计的手段，而后者几乎在自己家门口设立孩子早期教育的机构。在我们这个城市，小学、中学和大学联合构成任何国家都无法比肩的公共教育体系。我很难给一个个教育机构命名，因为它们对我们城市的贡献远超过未开化的野蛮人。在我命名的一个教育机构中，已故的伊莉莎·蒂克纳先生曾经加入并参与其协助工作，他的名字同样与公积金制度和小学联系在一起。这些使我想起了蒂克纳先生提出的一个计划，即建立一个农业和机械技术的教学机构。他相信男孩都可能成为真正的农民，不管在理论上还是在实践中，他们可以同时学习贸易，通过熟练掌握两种职业技能，他会变得更为有用，增加他们过舒适生活的机会。我对这一计划很感兴趣，而且，蒂克纳先生真正的智慧让我相信他的计划一定能实现。

诗歌原理[1]

The Poetic Principle

[美] 埃德加·爱伦·坡

---

[1] 本文原为一篇演讲稿，坡于1848年秋天在罗得岛州的普罗维登斯县根据这篇演讲稿发表演讲，坡去世之后，于1850年将该演讲稿发表在《萨廷文艺联合》杂志上。

主编序言

埃德加·爱伦·坡（1809—1849）出生于波士顿，其父母均为演员。他们在坡很小时双双离世，于是约翰·爱伦先生收养了他，并送他去英格兰一所学校学习，五年后坡去了里士满，中学毕业后就读于弗吉尼亚大学。在那里，爱伦·坡出版了几部诗集，可因不喜欢自己的商务专业，没多久就离开学校应征入伍。养父爱伦先生让他离开部队，转而将他送到西点军校，而他最终却被学校开除。于是，爱伦·坡全身心投入文学创作，并在接下来的数年间供职于文学杂志与期刊，以其独特的风格成为小有名气的文学评论家。因工作需要，坡常往来于巴尔的摩、费城、纽约等大城市。1835年，爱伦·坡与时年仅十三岁的表妹维吉尼亚·克莱姆在巴尔的摩完婚。1845年1月，他出版了诗歌《乌鸦》，这首诗表现出他非凡的诗歌创作才能，并让他名声大噪，很快成了一位文学大家。然而，两年后他的妻子去世，在接下来的生活中爱伦·坡逐渐走向落寞。

爱伦·坡的著作主要分为三个部分：诗歌，小说和评论文章。其诗歌以令人惊叹的技巧著称，韵律强，运用绝妙元音和辅音，用精炼的语言表现诗歌的意境以表达情感。在小说中，坡是怪异故事大师，他常常运用超自然和令人毛骨悚然的暗示拨动读者的神经，在这方面还没有其他作家能够超越他。就像在诗歌中一样，爱伦·坡在小说故事中表现出格式不同凡响的意义，产生了轰动震撼的影响，而且给读者的想象情感带来了相当大的冲击。

在评论文学中，爱伦·坡如果算不上是一个博学多才的评论家，至少也算是一个鼓舞人心、循循善诱的作家，他有着听觉灵敏的双耳和视觉敏锐的双眼。他的著名散文《诗歌原理》就是他对诗歌信仰的自白。在这篇文章中，他明确提出自己的诗歌观点，并为之辩护；这种观点不仅包括他对许多伟大诗歌的看法，同时也用丰富的例子阐明为什么他会持有这种观点，就像他在自己最喜欢的诗作中所阐述的一样。他对这一观点的解释有赖于诗歌的一些基本元素。

值得注意的是，没有哪一个美国作家像爱伦·坡一样在欧洲大陆享有如此巨大的声誉。

查尔斯·艾略特

谈到诗歌的原理，我不打算论述得既全面又深刻。下面随意讨论我们称之为诗歌本质的东西时，我主要的做法是要引用一些最合我口味，或按自己喜好，或给我留下最深印象的英美小诗。我所说的"小诗"当然是指篇幅较短且精致的诗。首先，请允许我简单谈及一条有点特殊的原则，不管是正确与否，这条原则一直都影响着我对诗歌的评价。我认为长诗是不存在的。我坚持认为"长诗"这种说法只是一个自相矛盾的惯用语。

无须多言，诗之所以为诗，不仅因为它可以启迪智慧，而且还因为它可以刺激智慧。诗的价值是与这种启迪的刺激成正比的。但是，所有这些对智慧的刺激时间都很短暂。所以，这种使诗称之为诗的刺激在一定程度上不可能在任何鸿篇巨制中持久。读者只要阅读十多分钟，这种刺激的强度便会慢慢减弱，直至消失殆尽，以至于逐渐产生厌恶感。于是，诗在效果和本质上也就不再为诗了。

《失乐园》整篇都值得人们衷心赞赏，这是评论界的权威定论。但是，读者在读这部作品时却绝对无法保持评论家所要求的那种热情。所以，很多人发现评论界的权威定论与实际阅读效果难以相符。事实上，只有当忽略《失乐园》中所有艺术作品的统一性，视它为一系列短诗的组合，我们才能把《失乐园》看成是诗。如果为了保持这部诗作的统一性必须把它一口气读完，那么我们只会时而兴奋时而抑郁。在读了一段我们认为是真正好诗句之后，不可避免会出现一段令人乏味的诗句。没有什么评论家可以逼我们去欣赏。但是，如果读完之后回头再读，这次可略去第一卷（也就是说，从第二卷开始读），我们就会惊讶地发现，之前我们认为是乏味的诗句现在却值得赞美，而之前值得赞美的句子现在却变得有些乏味，不值得赞赏了。由此可知，即使世界上最优秀的诗也不可能从根本上具有完美的政体效果——这就是事实。

关于《伊利亚特》，虽说没有绝对的证据，可我们至少已有充分的理由相信，它是一系列诗的组合；但是从史诗的内涵看，我只能说这部作品的艺术感还有些许缺憾。现代诗歌效仿古诗的形式，也只不过是盲目的生搬硬套。不过，这种艺术上的异常现象已不存在，产生这种现象的时代也已过去。如果真有什么长诗盛行于某个时期（对这一点我表示怀疑），那么我也会说，以后长诗绝不会再盛行——短诗将会广泛流行。

如果我们规定其他条件不变，一首诗的长度就是衡量其价值的标准，这看上去是一种十分荒谬的说法——不过还是要感激《评论季刊》①让我们看出这一点。就一部诗作而论，它能长期受到读者的青睐，当然不可能是纯形式上的原因——不可能只因为其篇幅的长度！的确，一座山不仅让我们感觉其高大，而且也会给我们留下其巍峨的印象——即使像《哥伦比亚德》②那样的巨著也不会让人用这样的方式感觉它。甚至《评论季刊》也不会让我们对它产生如此印象。迄今为止，这份季刊也没坚持我们评价拉马丁③时必须凭其诗作的长度，评价波洛克④时必须凭其诗卷的分量。但是，据该刊对"长期不懈的努力"没完没了的称赞来看，除了长度和分量外，我们还能想到什么呢？倘若某位可爱的先生经过"长期不懈的努

---

① 《评论季刊》是于1809年创刊的一份英国文学评论杂志，其政治和艺术主张与《爱丁堡评论》相对立。
② 《哥伦比亚德》是美国诗人巴洛（1754—1812）所著长诗，全诗共9卷。
③ 拉马丁（1790—1869），法国诗人。
④ 苏格兰人波洛克以一部宗教教诲长诗《时间之道》（1827）而知名。

力"完成一部史诗，那就让我们真诚地称赞他的这种努力（如果这种努力真值得称赞），可我们得有所克制，别因为他努力就称赞他的史诗。希望不久的将来有识之士能根据作品的艺术性判断作品优劣，还能通过作品造成的影响，而不通过作品产生影响所用的时间，或造成影响所必要的"长期不懈的努力"来判断。事实上，坚持不懈是一回事，天赋又是另一回事。所有信奉基督教的国家都不能将二者混淆。不久以后，这个我一直强烈提出的这一建议将得到人们的认可。虽说其间我的建议会被笼统地斥之为谬论，可从本质上讲，这些斥责将不会妨碍它作为真理。

另一方面，一首诗也会因为简短而显得不当。过于简短的诗往往会变成格言警句。一首极短的诗偶尔会产生一种良好、生动的影响，却从不会产生一种深远、持久的影响。我们必须知道，在蜡上盖印章要有持续稳定的压力。贝朗瑞[①]已写了不少辛辣尖锐、扣人心弦的诗。但是，他的诗都因分量太轻而没能在读者心中留下深刻的印象，就像许多吹上天的精美羽毛在嘘嘘的风中飘落一样。

诗歌过分简洁很容易削弱其影响力，下面这首精致可爱的小诗就是一个很好的例子，这是一首不怎么受大家关注《小夜曲》：

从夜晚第一阵香甜睡眠中，
从梦见你的睡梦中醒过来，
当身边的微风轻轻地吹过，
头顶的星星在天空中闪烁；
从梦见你的睡梦中醒过来，
此时附着在我脚底的精灵，
不可思议地一直带领着我
来到你窗下，我的心上人！

四处飘荡的歌声渐飘渐远，

---

① 贝朗瑞（1780—1857），法国歌谣诗人。

> 消逝在那条寂静幽暗小溪；
> 黄兰浓郁的芳菲早已消散，
> 就像我梦中那甜蜜的思绪；
> 夜莺如泣如诉的声声哀怨；
> 终将在它自己的心底消失，
> 就像我在你心中消失一样，
> 唉，虽然我深深地爱着你！
> 哦，请把我从草地上扶起！
> 我早已虚弱无力消瘦憔悴！
> 让你的爱和吻都化作细雨，
> 让细雨落在我的唇和眼眉！
> 我的心怦怦直跳难以抑制，
> 我的脸颊已冰凉面如死灰；
> 哦，请你再次把我拥进怀，
> 我的心最终应在那儿破碎！[1]

这首诗可能鲜为人知，然而该诗的作者却是大名鼎鼎的诗人雪莱。诗中那种热烈却不失优雅和缥缈的想象，谁也无法体会得细致入微，除非他也曾从梦见心上人的美梦中惊醒，随之又沐浴在南方仲夏夜馥郁的香气之中。

威利斯[2]最好的诗之一——依我看是他写过的最好的一首诗，无疑也是因为过于简短而未能在评论家笔下和读者心目中占得应有的位置。

> 阴影覆盖了百老汇的大街，
> 天色已晚，渐渐接近黄昏，
> 人们看到一位美丽的女士

---

[1] 雪莱这首诗原名为《印度少女的歌》，后来又改名为《印度小夜曲》。
[2] 威利斯（1806—1867），美国编辑及作家，在主持编辑《纽约明镜晚报》期间曾雇爱伦·坡为该报文论版编辑（1844）。

慢悠悠地，却十分骄傲地，
独自一人走着走着；但是
精灵悄无声息伴在她身边。

从容使她脚下的街道入迷，
声誉令她身边的空气陶醉，
所有的举动让她显得友善，
全都在赞美她善良又美丽；
因为上帝赐予她所有东西，
全都能得到她的细心照料。

她很珍惜自己娇美的容颜，
远离热情且真诚的追求者；
因为她的心里只装有财富，
而富人还没有来到她面前；
但是沿街卖笑也受人尊敬；
只要花魁女神也干这营生。

刚走来的是另一美丽女孩，
瘦弱纤小像百合一样苍白；
她身边也有看不见的精灵，
这精灵想让她也沿街卖笑；
她在渴望与轻蔑之间徘徊，
可是却没有人能够帮助她。

怜悯未舒展她紧锁的眉头，
她为这个世界的和平祷告；
当爱的祷告声随风而去时，
她那女人心也一去不返了；

> 虽然上帝原谅了她的罪恶,
> 可她却永遭地上男人诅咒!

威利斯写过很多"社会诗",可从这篇作品我们却很难辨认出其作者。诗句行间不仅充满想象,而且富于活力,同时饱含真挚感情———一种显而易见的真挚感情,而这种真情在作者的其他作品中却都感受不到。

过去几年,人们对史诗过分热情(认为诗必冗长),可它由于自身的荒谬而逐渐在公众头脑中消失,我们却发现一种异端诗,这种诗因过分虚伪而让人无法长期容忍,可却在短暂的鼎盛期完成了对诗歌创作的侵蚀,其对诗歌创作造成的危害比其他因素加在一起造成的危害还要大。我指的这个异端诗就是"说教诗"。不管是直接断言还是间接默认,所有诗歌的最终目标都是赢得真理。据说,每首诗都应该向读者灌输一种道德思想,而这种道德思想用来判定诗歌的价值。美国人特别支持这种观点,而波士顿人则更倾向于让这种观点发挥到极致。我们总认为,写诗只是以诗为目的,承认这是我们的初衷就等于承认自己欠缺诗歌的尊严和力量。然而,事实上,只要愿意审视自己的内心,我们立刻就会发现:世界上不存在也不可能存在任何只以诗为目的、与诗本身相比什么也不是的无上崇高的作品。

尽管人们对鼓舞人心的真理深表崇敬,不过我仍然或多或少限制真理性语言的使用。为了使真理深入人心,在一定程度上我会慎用真理,而不会以滥用的方式使其衰弱。真理要求语言严谨,而不要求表现对花草树木有恻隐之心。诗歌必不可少的一切正是与真理毫不相干的一切。要是用宝石和鲜花围绕真理,那真理只会成为炫耀的悖论。要使真理深入人心,我们需要的是语言的严谨,而不是语言的华丽。我们写诗必须做到语言凝练、表达精确、言简意赅,还必须沉着冷静、不动声色。总而言之,我们一定要尽可能处于一种与写诗时的心态截然相反的状态。要是察觉不出真实诗句之间抒发的方式不同,那诗人一定是在盲目写诗。要是不顾此差异仍固执调和水火不容的诗理和诗论,那诗人肯定是疯狂的理论家。

精神世界可明显分成纯智力、审美观和是非观三部分。我之所以把审美观排在中间，是因为它在精神世界中就占据中间的位置，与左右两部分保持亲密的联系，可把它与是非观分开的理由在于，它们有非常细微的区别，所以亚里士多德毫不犹豫把审美观的某些作用归于美德。不过，我们发现这三者的作用有明确的差别。正如纯智力本身涉及真理，审美观告知我们美丽，而是非感是对责任心的敬意。当是非之心教我们责任义务，智力教我们利弊得失，审美观却满足于展示美感——邪恶造成残缺，破坏均衡，仇视一切均匀、适度、和谐的事物，而审美观却向邪恶发起攻击；一言以蔽之，就是邪恶在仇视审美观。

因此，在人们内心深处，天生的本能就是看到事物后所产生的美感。美感以各种方式存在于人们当中，带给人们快乐，包括声音、味道、情感等。诗歌正如倒影在湖水中的百合花，或让阿玛瑞丽丝[①]的眼睛在明镜里闪耀一样，用语言或文字再现形状、声音、色彩、气味和情趣等，它也是快乐的源泉。但是，这种纯粹的再现还不是诗。如果一个人只是用诗来再现他和世人一样感知到的那些景象、声音、气味、色彩和情趣，不管他的感情有多炽热，不管他的描写有多生动，我都得说他还无法证明自己配得上诗人这个神圣的称号。因为在某种程度上他还没触及某些东西。我们还有一种难以割舍的渴望，而他却没能给我们指出解渴的那一泓清泉。这种渴望伴人类左右，永不消失，是人类不断繁衍生息的结果和标志，就像飞蛾向往星星一样。这种渴望不仅是我们对人间美的感悟，而且是对天国美的疯狂追求。预见天国壮美令我们心醉神迷，正是在这种预见的启迪下，我们才通过时间所包容的万物与我们所具有的想象结合，竭力要去获得一份那种壮美，尽管那种美的每个元素也许都只属来世。于是，我们借助诗歌（或借助最富诗歌情调的音乐）发现自己感动得哭泣流泪——可不像格拉维纳神父所认为的那样是喜极而泣，而是必然发生且难以抑制的悲哀，因为尚活人世的我们此时此刻还无力完全持久把握神圣的极乐与狂喜，而只能通过诗歌或音乐隐隐约约对它们瞥上一眼。

---

① 阿玛瑞丽丝是古希腊诗人忒奥克里托斯和古罗马诗人维吉尔、奥维德等人的田园诗中歌咏的一位牧羊女。

一些极有天赋的人为领悟那种超凡之美而做出的努力，已为这个世界带来世人能理解为诗并感觉为诗的一切。

　　当然，诗意变浓可以通过各种艺术形式——绘画、雕刻、建筑、舞蹈、音乐，这种情况在园林风景构成的独特而宽广的领域尤为如此。然而，我们目前只关注文字的表达。在此让我简单地说一说诗的韵律。我自己感到满意并能够确定的是，音乐是各种形式的韵律，旋律和节奏对于诗歌来说至关重要，可我们却不能骄横地摒弃韵律；音乐是诗歌极其重要的辅助手段，拒绝借助音乐写诗的人就是傻子。我现在仍然坚持认为音乐在诗歌创作中具有绝对的重要性。也许正是由于音乐，心灵受诗情启迪时才会最大限度地接近诗人努力想要实现的伟大目标——创造超凡之美。这一伟大目标可能有人实现过。我们经常感到一阵颤抖的喜悦，因为一柄人间竖琴也能奏出天使所熟悉的曲调。毫无疑问，通过诗歌与音乐的结合，我们将会找到诗歌发展最为宽广自由的领地。古代游吟诗人[①]有我们不具备的优势——托马斯·穆尔[②]正在用最合理的方式唱自己的歌，使这些歌像诗一样的完美。

　　综上所述，诗创造韵律美。诗的唯一裁判是审美力。诗与理解力和道德感只有间接的关系。除非出于偶然，诗既不涉及道理也不涉及责任。

　　对于上述的总结我还需要阐释一下。我坚持认为，那种曾经是最纯粹、最高尚、最深刻的快乐源自对美好事物的凝视。正是在这种凝视中我们才发现，美可以使人的快乐升华或使人的灵魂跳跃，我们认为这种升华或跳跃就是诗情诗意，它们极易区分道理和激情，或区分理智的满足和凡心的激动。之所以我把高尚归到美的层面并把美归到诗的领域，完全是因为有其显而易见的艺术规律，即应该让结果尽可能直接产生于其原因。没有人能否认这种特殊的升华极易在诗中获得。不过，以上所述绝不是激情的煽动，对责任的教规或对真理的教诲就无法在诗中引用，因为它们可能

---

① 这种吟游诗人携竖琴漫游，沿途自编自弹自唱，多吟诵英雄业绩和爱情故事。
② 托马斯·穆尔（1779—1852），爱尔兰诗人，著有《爱尔兰歌曲集》。他的诗情感真挚，极富乐感，许多诗本身就是作为歌词创作的，其中《夏日的最后一朵玫瑰》最为著名。

不经意间以不同的方式帮助作品实现整体效果。但是，真正的艺术家一直设法使艺术品色调显得柔和，恰如其分从属于美，美才是诗的氛围和精髓。

下面我介绍几首值得大家一读的诗，并且我认为最好的一首莫过于朗费罗先生《漂泊者》①的序言：

> 一天结束，黑暗
> 从夜的翅膀降临，
> 夜幕就好像羽毛
> 从翔鹰身上飘落。
>
> 我看到村中灯火，
> 闪耀在雨雾之中。
> 突然间悲从中来，
> 灵魂却无法抗拒。
> 悲伤和渴望感觉，
> 完全不同于疼痛，
> 它们只似悲与愁，
> 正如雾似雨朦胧。
>
> 来吧，请读一首，
> 简单诚挚的诗歌。
> 它将舒缓恐惧感，
> 驱除一天的悲伤。
>
> 别读前辈诗圣作，
> 别读他们的华章，
> 他们足音虽回响，

---

① 《漂泊者》是朗费罗编的一部多人诗歌作品集，于1845年出版。

穿过时间的走廊。

因为诗词像军乐,
伟大思想在提醒,
生活无尽辛劳作,
今晚我渴望安静。

读普通诗人的吧,
他们的诗出自心,
如夏雨降至阴云,
如泪水流至眼眶;

他日日辛苦劳作,
他夜夜难以入寐,
可是他依然听见,
心底美妙的旋律。

这歌曲可除焦虑,
这歌曲可解忧思,
如赐福祈祷之后,
上天给予的恩赐。

就读这一珍本吧,
就读你喜欢的诗,
把你优美的声音,
添入诗人的旋律。

因夜晚充满音乐,
侵扰白日的忧虑,

像阿拉伯人一样，
卷起帐篷默默走。

这首诗没有丰富的想象力，却因措辞的精美而受到公正的评价。诗中的一些想象让人印象深刻：

前辈诗人的足音
穿过时间的长廊

最后一节的想象也令人难忘。不过，从整体上看，这首诗之所以受到读者的赞赏，主要是因为与全诗情调一致、优雅自如的韵律，特别是因为诗歌整体风格自然。相当一段时间以来，把这种文风的自然只看作表面上的轻松已成一种时尚，因为许多人认为写诗难以做到自然真切。但是，事实并非如此，只有那些循规蹈矩者和矫揉造作者才有自然的风格。有人认为，个人创作风格永远都应该是那种已为大多数人习惯接受的风格（当然永远都必须随机应变），而这种看法恰是凭理性或直觉写诗的必然结果。如果根据《北美评论》①时髦的看法，那么可以肯定的是，这位随时都该"温和"的诗人多半是个傻瓜或白痴，而且他绝没资格享有自然派诗人的称号，就像装腔作势的花花公子或蜡像馆的睡美人没资格被认为是自然一样。

布莱恩特②的短诗给我印象最深的一首诗莫过于他的《六月》。在此我引用其中四节：

在那儿，穿越夏日漫长的时光，
应该能见到金灿灿的阳光；
那儿绿草茵茵，繁花簇簇

---

① 《北美评论》是1815年创刊于波士顿的一份文学批评杂志。
② 布莱恩特（1794—1878），美国诗人。

娇嫩新艳地长在一旁；
金黄鹂应该紧挨我的坟墓，
编织又讲述它的爱情故事；
那慵慵懒懒飞来飞去的蝴蝶
应该歇那儿，那儿应该能听到
蜜蜂嗡嗡声和蜂鸟鸣叫声。

即便中午有欢闹声从村子传来，
可那又有什么关系？
即便月光下有少女的欢歌笑语，
可那又有什么关系？
即便晚霞已消退，暮色已低垂，
有未婚的情郎走近我的墓碑，
可那又有什么关系？
希望在这片可爱的墓地四处
不会听到更令人悲伤的声音。

我知道，我自己再也见不到
六月绚丽烂漫的自然景象；
六月的阳光再也不为我照耀，
再也听不到六月的风声；
可如果在我长眠墓地的旁边，
当我所爱的朋友们前来悼念，
那我就不会急匆匆离去。
阳光、歌声、清风和繁花
会令他们在墓旁流连忘返。

这番景象使他们变软的心头
又回想起往日的事情，

并谈起一位朋友无法再分享
　　这道欢乐愉快的夏日美景；
　　他已告别这片群山环抱的地方，
　　告别充满这片地方的壮美景象，
　　却只剩下这座青青的墓冢；
　　这时他们心头会无不乐意
　　再次听见他在世时的声音。

　　此诗流畅的节奏颇能给人听觉以快感，可以说格外悦耳动听。这首诗总能以一种奇特的方式让我感动。诗人表面上乐滋滋地笑谈他的坟茔，可从这表象下却涌动一股浓浓的忧郁。于是，我们感到自己的心灵在颤抖，而诗歌真正的高尚就存在于这种颤抖之中。我们最后得到的印象是一种令人喜悦的悲伤。
　　接下来，我准备继续为大家介绍几首诗。如果这些诗或多或少都有点与以上的诗相似的情调，那么容我在此先提醒诸位，尽管我们还不知其原因和方式，但是这种悲伤的情调与美感的真正展现不可分割。不过这种情调是：

　　一种悲哀与渴望，
　　此情不同于悲哀，
　　它只与忧愁相仿，
　　如烟雨恍若雾霾。

　　我说的这种情调在平克尼①的《祝她健康》这首充满光彩与活力的诗中也清晰可辨：

　　我为一位女士斟满酒杯，

---

① 平克尼（1802—1828），美国诗人。

她是用可爱造就出来的女性，
在天下柔情似水的淑女中，
她应算是十全十美的佳人；
优裕的环境和仁慈的命运
赋予了她那婀娜多姿的体形，
风姿绰约宛如无形的清风，
不是来自人间而是来自天庭。
她说话的声调就像那音乐，
酷似清晨那百鸟婉转的啼鸣；
而她字字珠玑吐出的话语
比那美妙的歌声更悦耳动听；
因为那肺腑之语发自心底，
都出自她那两片可爱的嘴唇，
好像一只只采花粉的蜜蜂
刚刚飞离一朵朵玫瑰的花心。

对她来说爱心就是思想，
就是那用来丈量时间的尺寸；
她的感情具有花的馨香，
具有花儿刚刚绽放时的清新；
时常变化的高尚的激情
是如此盈盈充满她那颗芳心，
她似乎就像往昔的女神——
就像那种高尚与激情的化身。

谁要见过那张美丽的笑脸，
一定会久久难忘而铭记在心；
谁要听过她那悦耳的话语，
心中定会久久回荡她的声音；

但是，我对她的回忆怀念
　　更会是天长地久，绵绵不绝，
　　我临终时的最后一声悲叹
　　也只会在叹息她的香消玉殒。

　　我为一名女士斟满这酒杯，
　　她是用可爱造就出来的女性，
　　在天下柔情似水的淑女中，
　　她应该算是十全十美的佳人；
　　祝她健康！但愿这个世上
　　还会有更多像她那样的身影，
　　这样生活也许全部都是诗，
　　而厌倦将只不过是一个名称。

　　不幸的是，平克尼出生在遥远的南方，假如他生在新英格兰的话，也许早就被那个宽宏大量的小集团封为美国的头号抒情诗人，因为长期以来，那个小集团凭借对《北美评论》的操纵而实际上掌握美国文学的命运。刚才列举的那首诗十分优美。但是，说到它所唤起的高尚感，我们还得归因于我们与诗人都在热情似火的内心产生共鸣。我们大可原谅诗人的夸张，因为那些夸张中也不乏真诚。
　　然而，对于要为大家介绍的这些诗，我并不打算细说它们的优点，因为优点总是不言而喻的。博卡利尼[①]在他的《帕耳纳索斯山传闻》中给我们讲了这样一则寓言：有一次，佐伊鲁斯[②]请阿波罗看一篇自己就一部颇值赞赏的诗作所写的异常尖刻的评论，随后阿波罗要他说一说那部诗作的优点，可他却回答说他只忙于挑错。阿波罗就给了他一袋脱粒后尚未簸过

[①] 博卡利尼（1556—1613），意大利讽刺作家。
[②] 佐伊鲁斯公元前4世纪希腊修辞学家及批评家，因其对荷马史诗的严厉批评而闻名于世，他还对伊索克拉底和柏拉图的理论进行过批评。

的麦子，叫他挑出全部秕糠作为奖赏。

如今，这则寓言很适用于讽刺那些过于吹毛求疵的批评家。但是，我个人无法断定阿波罗的做法是否正确。我也无法断定世人是否就没大大误解批评家真正的职责。文学作品的优点，尤其是诗的优点，可视为一种自明之理，只需适当时提及即可，然后让诗歌自己不证自明。如果优点还需要加以论证，那它也就不堪为优点。所以，过分强调一篇作品的优点不就等于承认那些优点并非无可挑剔。

在托马斯·穆尔的《爱尔兰歌曲集》中，有一首歌最具严格意义上诗歌的高贵特征。但是，这似乎一直以来莫名其妙地为人所漠视。我是指他的《来吧，我罹祸的爱人》那首歌。若论其语言表达的生动有力，拜伦的任何一首诗都无法将其超越。这首歌中有两行歌词体现了神圣爱情的真谛，因为这两行所表达的感情，与迄今为止用语言表达的其他任何一种感情相比，也许一直在更多人心中唤起更为强烈的共鸣：

>来吧，我罹祸的爱人，倚在我的怀中吧！
>尽管众人都想避开你，可这儿仍是你家；
>这里依然有那张乌云也遮盖不住的笑脸，
>这颗心这双手依然属于你，一直到永远。

>啊！若不能荣辱与共，那爱情又有何益？
>若不能同甘苦同患难，相爱又有何意思？
>我不知晓，也不想问你是否你心里有罪，
>但是我知道我爱你，我不管你究竟是谁。

>欢乐的时候你曾一直称我是你的小天使，
>我应该做你的天使，在这恐怖的时光里，
>勇敢地紧跟随着你，哪怕上刀山下火海，
>庇护你，拯救你——我要与你一道长眠！

最近流行这样一种看法，那就是穆尔富于幻想而缺乏想象（幻想和想象的区别最初由柯尔律治提出，而没人比柯尔律治更充分地了解穆尔的才智）。实际上，穆尔的想象力比他其他方面的能力都要强，并且比其他所有人的想象力也都要强，这样，就很自然使人认为他只拥有幻想力。然而，天底下还从未有过如此大错特错的事，从未有哪位真正的诗人在名誉上蒙受过如此大的伤害。在所有用英语写成的诗中，若要论真正意义上的想象丰富和深刻，我想不出有哪首诗可与《我多想在那阴暗的湖边》相媲美，而《湖边》的作者正是托马斯·穆尔。遗憾的是，我无法背诵整首诗。

托马斯·胡德是最杰出的现代诗人之一。就幻想力而言，他也是幻想力最奇特的诗人之一。他的那首《美丽的伊妮丝》一直对我有一种难以言状的吸引力。

> 你可看见美丽的伊妮丝？
> 她已去了遥远的西方，
> 去让另一个世界惊叹，
> 当那儿夕阳隐隐西下；
> 她带走可爱的微笑——
> 带走属于我们的阳光，
> 带走胸前那串珍珠项链
> 和那泛着红霞的脸庞。
>
> 回来吧，美丽的伊妮丝，
> 趁那夜晚还没有降临！
> 我怕今夜星光灿烂，
> 月色会变得格外清明，
> 星月下的某位小伙子
> 会因夜行交上好运——
> 我甚至不敢往下写——
> 他挨着你说爱谈情。

我多想，美丽的伊妮丝，
我就是那殷勤的骑士，
快活地陪伴在你身边。
在你耳旁悄声低语！
难道这儿没有忠诚情郎，
那儿没有漂亮的少女？
不然他为何漂洋过海，
来此寻觅最美的佳丽？

我曾瞧见你走向海滩，
唉，美丽的伊妮丝，
身边有高贵的绅士簇拥，
前方飘着一面面旌旗；
还有快活的少男少女，
全都长着雪白的翅翼；
这原本是一场美丽的梦
——虽然梦境已经消失！

唉，美丽的伊妮丝，
她走时有歌声陪伴，
有音乐为她送行，
还有人群为她欢呼；
可偏偏因这歌声乐声，
有人觉得肝肠寸断，
因为对他所钟爱的姑娘，
歌唱："再见，再见！"

再见吧，美丽的伊妮丝，

那条搭载你的木船
不曾载过如此美丽的姑娘,
也不曾摇得这么欢快——
唉,为那大海上的欢乐,
还有这海岸上的悲叹!
那曾使人心欢的微笑
如今却让人倍感心酸?

就是这样同一位诗人写的《鬼屋》,成为迄今为止在主题和技巧上都最纯粹、最完美、最艺术的一首,而且极富理想——极富想象。遗憾的是,这首诗的篇幅太长,不宜在这次演讲中引用。为了弥补这一缺憾,请允许我向大家介绍他那首脍炙人口的《叹息桥》。

又是一个不幸女人
厌倦了自己的生命,
终于还是迫不及待
匆匆了结自己一生!

轻轻地把她捞出水,
小心地抬她上了岸;
她身子是那么纤弱,
又那么年轻、美丽!

瞧她那一身的衣裙
恍若裹尸布缠住身;
从那浸透的素布衫
水珠还不断往下滴;
赶快把她衣服拧干,
要疼爱,不要厌弃!

碰到她请别去轻蔑，
想到她应感到伤悲，
应该显出高贵仁慈，
就别去想她的罪孽；
你看如今在她身上
就只剩下女性的美。

大家无须过分追究
她离经叛道的罪过；
她的死亡已经抹去
她身上耻辱和污垢；
你看如今在她身上
只有美丽依然存留。

她虽曾经误入歧途，
可仍是夏娃的姊妹；
请从她冰凉的嘴唇
擦去还在渗的水滴。
就请替她绾好头发——
那满头散乱的秀发，
那满头浅褐的秀发；
好奇的心还在猜测
何处曾经是她的家？

她的父亲究竟是谁？
她的母亲究竟是谁？
她是否有兄弟姐妹？
或是否还有一个人

对她比谁都更亲切,
对她比谁都更靠近?

唉,基督大慈大悲
可却难以普度众生!
金光闪闪阳光之下
却是一番悲惨景象!
在一座繁华的都市,
她竟然会无处栖身!

父母双亲不认女儿,
兄弟姐妹反目成仇;
只凭着不贞的证据,
爱神竟然也被推倒;
就连那上帝的庇护
也要与她隔离疏远。

但见一江平静春水
泛着倒映粼粼光波,
那高楼低屋的窗口
透射出万家的灯火;
夜深人静却无家归,
她感到迷茫又困惑。

三月吹来料峭寒风
使她冷得瑟瑟发抖;
可不惧桥洞的阴森,
也不怕幽暗的急流。
这一生的不幸遭遇

使她变得精神失常；
她宁可跳进河水中，
宁可探究死亡因果；
只要能够逃离人世，
不管被水冲到何方！

她勇敢地纵身一跃，
全然不顾冰冷流急——
河岸上的男人们哟，
那些放荡的男人们，
看一看，想一想吧！
要是你们能跳下水，
就下去浸泡上一趟，
尝尝那河水的滋味！

轻轻地将她捞出水，
小心地抬她上堤岸；
她的身子那么纤弱，
她又那么年轻美丽！
趁着她冰凉的四肢
还没有完全变僵硬，
请怀着宽容的心胸，
把她四肢摆好放平；
然后请再替她合上
那双茫然的大眼睛！

那令人生畏的眼睛，
眼珠上还蒙着淤泥，
仿佛在最后一瞬那，

她曾用绝望的目光
　　勇敢地凝望着来世。

　　虽然她悲观地自杀，
　　却只是因侮辱欺凌，
　　又因人情世故无情
　　以及她错乱的神经
　　才把她逼到了绝境——
　　你看一看她那双手
　　像默默祈祷时那样
　　谦恭地交叉在胸前。

　　承认她身上有污点，
　　承认她曾犯下罪孽，
　　可是仍应宽宏大量，
　　把她留给上帝裁决！

与诗歌本身哀婉的情调一样，这首诗的深情也给人以强烈的感受。虽说诗的韵律节奏略显不足，诗人的想象也显得脱离现实，可却与"疯狂"这一全诗主题极其吻合。在拜伦的短诗中，有一首还未曾从评论家那儿得到它本身应得的赞赏。

　　虽然我走运的日子已经一去不返，
　　虽然我的那颗命运之星早已陨落，
　　可你那温柔的心儿却拒绝去发现
　　那么多人都能看得出的阴差阳错；
　　你的心虽早已知道我遭遇的不幸，
　　可却毫不畏缩地要与我共苦共难；
　　我心中所描绘的那种真正的爱情，

我从不曾找到，除了在你的心中。

当身边的大自然朝着我微笑起来，
我决不会相信那笑容是在欺骗我，
因面对如今唯一向我露出的微笑，
我禁不住想起你那张堆满笑的脸；
当狂风正在与大海进行激烈搏斗，
就像我信任的心灵与我搏斗一样，
倘若掀起的波涛激起一阵阵情感，
那是因为波涛把我从你身边带走。

虽然我最后的希望早已化为泡影，
希望的泡影早已淹没在茫茫大海，
虽然我觉得我的心已经交给痛苦，
但是我绝不可能成为痛苦的奴隶。
虽然有那么多的痛苦在追逐着我，
但是痛苦尽管可能把我碾成齑粉，
却绝不可能把我轻视，把我征服——
因为我思念的是你，而不是它们。

虽然你也是人，却不曾令我失望，
虽然你是女人，却不曾把我抛弃，
虽然你被人爱，却避免让我悲伤，
虽然你受信赖，却不曾将我背叛，
虽然你遭诽谤，却从不胆战心惊，
虽然你与我分手，却不为了逃避，
虽然你关注我，却不为损我名声，
你不愿保持沉默，以免世人瞎猜。

然而我并不想责怪我的这个世界,
我也不鄙视这场敌众我寡的战争——
既然我的心不适宜珍重这个世界,
那么若不尽快离它而去就是愚蠢;
虽然说离去所要付出的沉重代价
远远超出了我当初所估计的代价,
可我发现无论它使我失去了什么,
都绝不可能把你从我的心中夺走。

于是从已经毁灭的过去遗骸之中,
我至少可以回忆起许许多多往事;
它们使我认识到过去爱过的东西
比失去的一切都更值得我去珍惜;
于是干涸的沙漠中涌出一股清泉,
于是茫茫荒原上依然有一棵绿树,
于是有一只小鸟孤立在那片荒原
对我的心儿把你的事情娓娓道来。

  虽然这首诗的格律处理得不甚理想,但其遣词造句却几乎无可挑剔,而且诗歌体现出崇高的主题:只要逆境中的男人仍然坚定守护着对女人的爱,他就不被认为有权抱怨命运,这是一种对心灵升华的信念。
  至于阿尔弗雷德·丁尼生,尽管我自己真心把他视为世界上最高尚的诗人,可时间只允许我引用他很简短的几节诗。我之所以把丁尼生看作诗人中最高尚者,不是因为他给我们留下最深刻的印象,也不是因为他给我们带来最强烈的刺激,而是因为他的诗总显得十分空灵,或十分高雅、十分纯粹。他比这个世界上的任何诗人都更少一份世俗之气。下面我介绍的是从他新近出版的长诗《公主》中的几节:

泪水哟,泪水,不知因什么缘故,

从某个神圣的绝望深渊喷涌而出，
涌上我的心头，也涌出我的眼眶，
当我眺望金秋时节那欢乐的原野，
当我想起那些一去不复返的日子。

鲜艳得犹如那清晨的第一道曙光
照亮那条从远方载友归来的帆船，
朦胧得恍若夜幕下最后一抹红霞
带着我们所爱的那一切坠落天边；
鲜红又艳丽，一去不返的日子呀。

哦，让人感到那么的伤感又陌生，
犹如在黑沉沉夏夜后的破晓之际，
弥留者听半睡半醒的鸟初展歌喉，
临终者看着熹微的晨光爬上窗扉；
伤感又陌生，一去不复返的日子。

亲切得就像人死后记忆中的热吻，
甜蜜得犹如在无所可望的幻想中
偷偷地亲吻本不应该亲吻的芳唇；
深深的吻堪比狂热却惆怅的初恋；
一去不复返的日子哟，生中之死。

  到现在为止，虽然我的论述显得十分粗略且不甚全面，但我已竭尽全力向大家阐述自己对诗歌原理的看法。我的目的是想说明，诗的本源是人类对超美的渴望，总是在灵魂升华的激动中得以证明——这种激动与激情无关，因为激情只能使凡心激动；这种激动也与道理无关，因为道理只能使理智得到满足。说到激情，唉，激情倾向于使灵魂堕落，而不让其升华。与此相反,爱情——那个真正的神圣的厄洛斯①,那个有别于维纳斯的乌拉尼亚②,才是所有诗歌中最纯粹、最理想的主题。至于道理,诚然我们若要探明一个道理,就会在其引导下感觉到一种之前并不明显的和谐,从而立刻体验到真正的诗歌效果,可这种效果只能归因于那种和谐,根本不能归因于那个道理,因为它只是有助于清晰显现那种和谐。

关于什么才是真正的诗,我们无论如何也无法更直接得到清晰的概念,而只需借助一些可在诗人心中唤起真正诗歌效果的普通要素。比如发光的天体、绽开的鲜花、低矮的树丛、起伏的麦浪、倾斜的大树、遥远的青山、聚集的乌云、潺潺的小溪、奔腾的大河、偏僻的静湖、月下的深井——诗人从这一切中发现滋养自己灵魂的精神食粮③。鸟儿的啼鸣、埃俄罗斯④的琴声、悲泣的晚风、呼啸的森林、浪花对海岸的抱怨、树林清新的呼吸、紫罗兰的芳菲、风信子的馥郁芳泽、傍晚时分越过神秘莫测的茫茫大海从远方荒岛飘来的幽香——诗人也从这一切中感知滋养自己灵魂的精神食粮。在所有高尚的思想中,在所有超凡脱俗的动机中,在所有神圣的冲动中,在所有慷慨无私、自我牺牲的行为中——诗人都能获得滋养自己灵魂的精神食粮。在女性美中——在她们优雅轻盈的步态中,在她们明亮清新的眼睛中,在她们悦耳动人的嗓音中,在她们温和柔美的笑声中,在她们悲哀伤心的叹息中,在她们衣裙和谐的窸窣中——诗人感觉到滋养自己灵魂的精神食粮。在女性迷人的爱抚中,在女性燃烧的热情中,在女性慷慨的施予中,在女性温顺且富于献身精神的忍耐中——诗人强烈地感觉到滋养自己灵魂的精神食粮。但是,更重要的是,女人忠诚的爱、纯洁的爱、强烈的爱、崇高的爱和神圣的爱——诗人对这些滋养自己灵魂的精神食粮无不顶礼膜拜。

请允许我再向大家朗诵一首短诗作为演讲的结尾。这首诗与我以上

---

① 厄洛斯是希腊神话中最古老的神祇之一,是爱情的化身。
② 古老的希腊神话把爱之女神一分为二,一个是司崇高理想爱情的阿佛洛狄忒·乌拉尼亚,一个是司世俗爱情的阿佛洛狄忒·潘得摩斯(维纳斯)。
③ "神粮",本指希腊神话中奥林匹斯山诸神所食之物。
④ 埃俄罗斯是希腊神话中的风神。

引用的任何一首诗同属一类。它的作者叫马瑟韦尔①,诗名为《骑士之歌》。因为我们现代人都理性十足地认为战争既荒唐又邪恶,这首诗的情调也许不易在我们心中唤起共鸣,这样我们就难以欣赏此诗真正的上佳之处。为了充分欣赏这首诗,我希望大家把自己想象成古代的骑士。

勇敢的骑士,立刻上马吧!
请赶快把你们的头盔戴上;
死神的信使:名耀和荣誉,
又开始召唤我们奔赴疆场。

当我们手中紧握快刀利剑,
眼中不应流下英雄气短泪;
离去得义无反顾无牵无挂,
别还想着身后的粉黛红颜。

让乡下的情郎泪水长流吧!
也让胆小鬼们悲哀哭泣吧!
使命就像男子汉一样战斗,
或就像英雄一样马革裹尸。

---

① 马瑟韦尔(1797—1835),苏格兰诗人。

漫步
Walking

[美] 亨利·大卫·梭罗

主编序言

亨利·大卫·梭罗1817年6月12日出生于马萨诸塞州康科德镇，1862年5月6日逝世。他是美国历史上才华出众的哲学家和学者，其成就使马萨诸塞州名不见经传的康科德镇闻名于世。

梭罗出生在一个法国裔的家庭，曾就读于哈佛大学。"他有教养，"他的朋友爱默生说："他没有职业，从未结婚，一直独居。他从未去过教堂，也从未参加过选举，拒绝向国家交税，不吃鱼，不喝酒，也不知烟草是何滋味。虽然他是一个自然主义者，但从不诱捕和枪杀动物。"隐含在这些事实背后的个人主义是这个了不起人物的最大特点。梭罗坚持"一个人的富有与他能独自承受事情的数量成正比"的观点，他只花一小部分时间制铅笔，做木工，测土地，这些完全满足他简单的生活需求，并使他能够在剩余的充裕时间里自由自在地观察自然、思考和写作。

1845年，梭罗在瓦尔登湖畔建了一座小屋，在那儿独居两年，完成了作品《康科德与梅里马克河的一周时光》。期间他坚持写日记，后来把这些日记整理成册，将其命名为《瓦尔登湖》。这些是他生前出版的仅有的两本书。他去世后，其手稿和发表在杂志上的文章共约八卷。

尽管这位隐士的作品所渗透的哲学思想十分有趣，但是读者更喜欢他书中对大自然的细微观察，以及对朴素自然生活方式的详尽描写。以下的散文就是关于《漫步》所描写的三方面的内容。在漫谈中，没有任何固定的结构束缚作者自由的畅想，作者能够自由表达自然的种种环境和微妙变化，这些都是作者情感表达的一大特色。

查尔斯·艾略特

我希望为自然和绝对的自由说句话，为公民的自由和文化呼吁——把人当作自然的居民，是不可或缺的居民，而不只是社会的成员。我想做一次陈述，这样可能会强调文明：部长、学校委员会以及每个人都将会热爱文明。

在我人生的道路上，我只遇见过一两个人理解行走的艺术——漫步。他们可谓有漫步的天赋：漫步这个词非常优美，它源自"中世纪的乡间漫游，以及借口前往圣地乞求施舍的闲人"，直到孩子们呼喊："哪儿来了一位朝圣者"——漫步者。他们在漫步时从来不像假装的那样去圣地，他们只是游手好闲、无所事事的流浪汉。但是，在我看来，到达圣地的人却是我所说的褒义的漫步者。还有一种说法，"漫步"一词源自圣地，人们没有土地也没有家庭，从某种意义上说，他们居无定所，四海为家，这就是成功漫步的奥秘。终日静坐屋里的人也许是所有人中最漂泊不定的。然而，漫步者并不比蜿蜒的河流更漂流不定，因为河流始终孜孜不倦地寻找奔向大海的最短路途。不过，我更偏爱前者的说法，事实上前者有最为可靠的词源出处。因为每次漫步都类似于十字军东征，先由人们心中的某个隐士彼得布道，然后出发前行，去征服异教徒手中的这片圣地。

可是，我们只是胆小的十字军战士，如今甚至连那些漫步者都没有毅力，缺乏进取心。我们的远征只是白天旅行，到了晚上回到我们出发时的老锅炉旁。我们在漫步的过程中，有一半的步行只是原地返回。我们应该从最近的道路出发，带着不朽的冒险精神，绝不回头——准备把我们涂着香料的心只作为遗物送回荒凉孤寂的王国。如果你正准备离开父母、姐妹、妻儿和朋友，再也不想见他们；如果你已经还清债务，立下遗嘱，并把一切事务料理妥当，而且成为一个自由人，那么你就可以准备好漫步了。

谈到我自己的体验，我和我的同伴（有时候我会有一个同伴）乐于幻想自己是当代或古代的骑士——既不是骑手、爵士，也不是朝拜者，而是漫步者，漫步者属于更古老更光荣的阶级。侠义精神和英雄气概曾经属于骑士，似乎现存于或沉淀在漫步者的精神里——不是骑士而是云游四海的漫步者。漫步者属于第四阶级，他们的生活远离教堂，国家和人民。

我们已经感受到，我们几乎是独自在实践这门高贵的艺术，不过至少说实话，如果他们的主张为人们所接受，那么我的多数同伴都会乐意像我一样接受步行，可他们却做不到。财富买不到必要的空闲、自由和独立，财富只是上帝的恩典。要想成为一个漫步者，你们就需要上帝的直接恩赐，即必须出生在漫游者的家庭，因为漫步者的性格与生俱来。我的一些同伴确实还记得向我描述过他们十年前的漫步，在一次漫步中，他们很幸运在树林里迷失了一个半小时。但是，我很清楚，他们的漫步仅局限于在大道上步行，而他们可能做出的伪装也都属于上流阶级。毫无疑问，他们在回忆以前的生存状态时有过短暂的提升，即便他们曾经是林农或当过逃犯。

> "当他来到绿林的时候，
> 是一个愉快的早上，
> 在那儿他听到微弱的鸣叫声
> 是鸟儿愉快的歌唱，
> '我上次就在这儿，'罗宾汉说，
> '那是我最后一次在那儿；

我还有点想要

暗褐色的鹿射箭。'"

　　我想，我保持不了自己的健康与灵魂，除非我每天至少花四小时漫步在树林、山丘、田野，绝对自由地远离一切俗务。你可能有把握说，你的想法一文不值或价值连城。有时我想起机械工和零售商，他们好多人整天都待在自己的店里，双腿交叉坐着——好像上帝造出的腿就是为了坐着，而不为了站立或步行，可我还是认为，他们应该受到称赞，因为他们至少没有早早地自杀。

　　我要在房间里待上一整天就会生锈，有时一天快要结束时或下午四点，就会偷偷地去散步，可这种散步远不及花一整天进行的漫步。当夜幕已经开始与日光交融时，我总感觉自己似乎犯了某种无法弥补的罪过。我承认，我邻居的忍耐力（不是说他们的道德的麻木）让我惊讶不已，他们可以连续好几周或好几个月，甚至好几年，整天将自己关在店铺和办公室里。我不知道他们被灌输了什么样的行为观——下午三点钟坐在店铺和办公室犹如凌晨三点坐着。波拿巴可能谈过凌晨三点的勇气，而这种做法无关勇气。你可以在下午三点兴致勃勃面对已熟悉一上午的自己坐着，跟随联系如此紧密的同事击败驻军。我想知道，这个时间或午后四、五点，读早报嫌太晚，读晚报嫌太早，巷头巷尾听不见普通声响，好想让陈旧过时的家长里短的胡思乱想因一次外出兜风而统统过去，只有这样，邪恶就可以不治而愈了。宅女仍然多于宅男，我不知道宅女们怎么受得了，可我有充分的理由怀疑，她们大多数根本承受不了。一个夏日的午后，我和同伴抖落衣裙上的尘埃，匆匆走过多利安式或哥特式房屋，一切笼罩在安详静谧的气氛中，我的同伴悄声耳语，大概这时候房子里的人都已入睡了吧。我十分欣赏那些华丽的建筑，它们自己从不歇息，永远矗立在那儿，一直守护着那些入眠者。

　　毫无疑问，性格与年龄有特别大的关系。人随着年龄的增长，其静坐室内的功夫也随之增长。人到了垂暮之年，其作息同样接近尾声，而人直到日薄西山时才出来露一露面，在半个小时之内完成其每天所需要的步行量。

但是,我所说的漫步,似乎也不采取像所谓的病人需要在规定时间吃药,或像摆动哑铃或电梯一样的行动,因为漫步本身就是一天的事业与冒险。你如果想得到锻炼,那就去探寻生命的源泉。想象一下,人们为了其身体健康而挥舞哑铃,可生命的热泉却在他们到过的远方草原上冒着气泡。

此外,你还必须像骆驼一样行走,因为,据说骆驼是唯一边走边思考的动物。当旅行者们让华兹华斯的仆人为他们展示其主人的书房时,仆人回答:"这里是他的图书馆,他的书房在室外。"人在生活要多出门,经风吹日晒,才可能造就一种粗野的性格,使我们的脸和手上天生细腻的皮肤变得粗糙,就像重体力劳动会让人手的柔软触感消失一样。然而,待在房里可能让人的皮肤变得柔软和光滑,我不是说皮肤变薄,而是说皮肤对特定映像的敏感度增加。也许我们主要在智力和道德上应该更容易受到影响。但是,对风吹日晒少了些敏感度是否使皮肤变得厚薄或均匀合适这个问题,在我看来,可能是因为皮屑掉落的速度够快——自然的疗法是在夜晚与白天,冬天与夏天,思想与经验之间来做比较。在我们的思想里会有这么多的空气和阳光。劳动者坚硬的手知道自尊的一面和阳刚的一面,比无所事事的慵懒的手更刺激心脏。相比那些体验过阳光、皮肤黝黑、手长老茧的人,躺在床上自以为纯洁的人只不过是多愁善感者罢了。

漫步时,我们自然要去田野和树林。如果只是在花园里或商店中行走,我们会变成什么样的人?甚至某些学派的哲学家都已感觉到待在树林里的重要性,因为他们之前没去过树林。"他们自己种植果树和法国梧桐。"在树林里,哲人们能让自己置身于大自然中。当然,如果这样做无法让我们到达目标的彼岸,那么叫我们去树林也毫无用处。我很担心,是否有一天我走了一公里,进入了深林,精神却到达不了最终的目的地。午后散步,我会欣然忘记上午在职业和社会上的所有职责,可我有时却无法轻易忘掉村庄。一些工作上思考的问题确实会在脑子里转悠,而我已不在自己身体所在的地方——我已超越了意识,因为漫步中我很喜欢回到意识中。如果我一直在思考树林之外的事,那么我在树林里会有怎样的事情呢?要是发现自己被所谓的好工作缠住时,我就会怀疑自己,内心也会不寒而栗——因为这样的事可能时有发生。

我家附近有许多散步的好去处，虽然多年来我几乎每天行走，有时甚至一连好几天都在行走，可我还是没有对行走产生厌烦。人要有全新的希望，这是莫大的幸福。无论怎样，我还是可以在下午腾出我想要的时间。二三小时的行走将把我带入一个我曾期望看到的奇异地方。我以前从未见过一间单门独户的农舍有时看起来会跟达荷美国王的领土一样美。事实上，方圆十英里地也能显露出潜在风景之间的和谐，这种潜在的风景或许是一次午后散步所到之处，或许是活了七十年中某次去的地方，而绝对不是你十分熟悉的地方。

如今，几乎所有的人所谓的改建房屋其实就是砍伐森林和大树，轻易破坏风景，让风景变得越来越乏味越廉价。人们从燃烧围栏开始燃毁森林！我亲眼看见他们烧掉了一半的篱笆，篱笆的尽头就在大草原深处。一些俗不可耐的守财奴带着勘测员勘测自己的地界，其实天堂早就在他周围出现，可他看不到天使在其中穿梭，却还在寻找天堂的入口。我又看了一眼，只见他站在阴暗的沼泽中间，被恶魔包围。毫无疑问，他已找到自己的地界，用三块小石头打了一个小桩。我凑近一瞧，才看清那个黑影王子就是他的勘测员。

我可以轻轻松松步行十步，十五步，二十步，无论多少步都不在话下，步行从我家门口开始，不经过任何房子，不横穿任何一条道路，除非有狐狸和貂鼠出没：我首先沿着河流，接着沿着小溪，然后走过草地和林边。我家附近几十英里地无人居住。从众多的小山岗上，我可以看到文明的痕迹和远方的住所。农民及其庄稼并不比土拨鼠及其洞穴更明显。男人忙于在教堂、学校、贸易场所、商业店铺、工厂和农田忙于他们的事务，甚至忙于令人吃惊的政治——我很高兴看到他们也构成了一道小小的风景。政治不过是他们关注的一个小问题，远方会有更狭窄的公路通向他们的政府机构。我有时会领游客到那儿。如果你想去看一番政治世界，那就沿着大路，跟着当地的人，一路上尘土飞扬，然后他们会直接带你到那儿，政府机构也有自己的地盘，可不占太多的空间。我经过这块地盘，就像从一片豆田到森林，立马就把它给忘了。我花半小时可以步行到地球表面的某个地方,在那儿我一个人不会逗留上一整年,那儿不存在政治,因为政治就像一个人抽雪茄吐出的烟雾一样。

公路通向村庄,因为有了村庄,人们才修建公路,这就像湖是河的延伸物一样。村庄好比是一个躯体,道路就是其四肢——旅行者在三岔路口或十字路口选择大道,看到小店。"villa"(郊外别墅)这个词源自古拉丁语"via"(道路),或更古的拉丁语"ved","vella"和"varro"(搬运),因为"villa"就是一个把东西带进带出的地方。靠运输谋生被说成是"vellaturam facere"(做运输的)。显然,拉丁语"vilis"(廉价的)和英语"vile"(可耻的),"villain"(坏人)等词是同源。来来往往的旅行者让村民疲惫不堪,可村民自己并不旅行,从村民的疲惫不难看出,他们已经退化到什么程度了。

有些人根本不走路;有些人只在公路上走走;有些人在散步时走捷径。道路是为马匹和商人建造的。相对而言,我不常在公路上行走,因为我既不赶赴什么酒馆或商店也不赶到马行或车站。我是一匹旅行的好马,所以从来不用选择轻便跑车。风景画家能用人的身影画出道路,可他无法用我的身影画出道路。我走进大自然,也走进像摩奴、摩西、荷马和乔叟那样的古代先知和诗人的内心世界。你可以称我去过的那个地方为美国,但是它不是美国:发现它的人不是韦斯普奇,不是哥伦布,也不是其他人。那个地方有比我见过的所谓美国历史更真实的记载。

然而,有些现在几乎不通的老路以前可能还通往商业中心。这里有一条老马尔伯勒路现在已经不通往马尔伯勒了,我想,除非它是真的把我送往马尔伯勒。我大胆地在此发言,因为我猜想在每一个城市都有一两条这样的道路。请看以下《老马尔伯勒路》这首诗:

  他们曾经掘地寻钱,
  马夏尔·迈尔斯
  还有伊利亚·伍德有时走过;
  却一无所获,
  我担心没有用,

没有其他人，
拯救伊莉莎·杜根——
噢，这里有个野人，
也有鹧鸪和兔子。
他无牵无挂
只会设置陷阱，
终身孤单，
贫困潦倒，
生活在最甜蜜的地方
小事接连不断。

春天让我热情澎湃
不由自主地去旅行，
在老马尔伯勒路上
我可以捡到足够的砾石。
没人修路，
因为没人损坏路；
旅行是一种生活方式，
正如基督徒所说的。
很少有人会
进入其中，
只有爱尔兰客人奎恩。
那是什么？那是什么？
在那儿的每一个方向
极少有可能
通往哪儿？
有石制的路牌
却没有游客；
城镇的纪念碑

以他们的帝王命名。
那是值得去看一看的
可能到达的地方。
什么样的帝王
做着这样的事,
我仍然很疑惑;
纪念碑如何又何时建起,
由哪些市政委员负责?
古尔加斯还是里奥?
克拉克还是达比?
他们都尽了最大的努力
他们应永垂不朽;
有的旅行者可能会去那儿吟诵,
用一句话
凿刻所知的一切;
有的旅行者在其需要时,
可能会去读。
我知道一两行诗句很适合
雕刻在这片土地上,
人们就可能记住,
待到下一年十二月,
在春天冰霜融化后,
再次阅读。
如果随着幻想展开
你离开你的住处,
那你就可以环游世界,
经过老马尔伯勒路。

现在,我附近最好的土地不是私有财产,最漂亮的风景也不是私有

财产，这样漫步者享有相当的自由。但是，总有一天土地和风景可能会分割成所谓的游乐场，在游乐场里有些人只会狭隘地抱着占有性的乐趣——随着篱笆的增多，人为挖出的陷阱和其他的机械将成为行人在公路上的障碍，而行走在地球表面也将被解释为擅闯某位绅士的领地。为了完完全全享有某件事，人们通常将这件事置之脑后，以不影响自己真正尽情地享受。让我们在坏日子到来之前增加我们步行的机会吧。

究竟是什么让我们难以确定自己会往哪儿走呢？我相信，自然界中有一种微妙的磁场，如果我们不自觉的屈服于它，它就会正确地指引我们。在我们选择走某一条路时，它不可能无动于衷。我们所选择的是一条正确的道路，可我们很可能由于自己掉以轻心而愚蠢地走错路。我们欣然地走我们所选择的那条路，那是一条从未在这个真正的世界中走过的路，它完全是一条我们内心和理想世界里象征性的路。毫无疑问，有时我们发现选择方向很难，因为我们理想世界中所存在的方向并不明显。

当我走出屋外散步，我不确定自己的脚步迈往什么方向，于是，我就顺从本能做决定。我知道，这听起来可能很离奇，甚至有点异想天开，可我毅然决然选择了西南方，因为那个方向有一些特别的树林和草地，还有荒凉的牧场和小山。我心中的磁针虽然缓慢地稳定下来，可它不会一直指向西南方，说真的，而且这样的变化总会带来良好的结果，可心中的指针总是停在西方或西南方。对我来说，未来就在那条路上；那个方向的土地似乎很少，几近枯竭，可比其他方向的土地富饶。我散步时必然会觉察大体方位，不是绕着圆圈行走，而是沿着抛物线或更像人们认为的彗星轨道不回曲线行走，在这种情况下，一直向西，我的房子坐西朝东，每天都面对太阳。有时我转身踌躇，徘徊不定，直到我最终决定向西边或西南边散步。只有在强迫自己的情况下我才会散步到东边。但是，向西边散步让我感觉很自由，因为不会有什么东西在引导我。我会在东边地平线上发现美景或足够野性和自由，这令我难以置信。我不因不走向东边看风景而兴奋。然而，我相信，自己在西边地平线上看到森林朝夕阳不断延伸，而且那儿没有城镇打扰我，让我居住在我想住的地方，一边是城市，一边是荒野，离城市越来越远，返回到荒野。如果我不相信这样的事情是自己同胞目前所处的状况,那么我本不该这么强调此事。我必须走向俄勒冈州,而不走向欧洲。俄勒冈州正在向欧洲的方向移动,我可能会说人类的进步由东到西。近几年,我们目击了人们从南向东迁移,在澳大利亚定居;这种迁移作为一种倒退运动影响到我们。从第一代澳大利亚人的道德和物质判断,尚无法证明迁移是成功的。东部的鞑靼人认为西藏以西什么都没有。"世界就在那儿终结,"他们说:"什么也没有,却只有无边无际的大海。"他们居住的地方确确实实在的东部。

我们走向东方去领悟历史,研究艺术文化作品,追溯种族起源;而我们带着进取心和冒险精神向西走就像走向未来。穿过大西洋时,我们有了一次忘记旧世界及其秩序的机会。我们如果这一次没成功,可能在到达冥河岸前还有一次机会,那就是在比大西洋宽三倍的太平洋遗忘河中。

我不知道,让人感觉微不足道的漫步与种族迁徙保持一致是一种意义非同凡响和奇特现象。但是,我知道类似于鸟和四肢动物迁徙本能的某种东西。据说,在某种情况下有些感染疾病的松鼠群,会展开一次大型的神秘行动,穿越宽阔的河流,在各自的木片上竖起尾巴做帆,还用它们中的死松鼠筑起一条小溪,它们就像得了狂怒症一样在春天里骚扰牛群,这与其尾巴上的虫有关——影响国家和个人,要么长久,要么短暂。一群大雁在我们镇上不是鸣叫,而是在一定程度上搅乱了房产价格。如果我是房产代理商,我应该考虑采取这样的干扰措施。

"这时人们也就渴望朝圣,
朝圣者也渴望去异地他乡。"①

每次看着日落都会激起我去西方的愿望,去夕阳西下那遥远的地方。太阳似乎每天都向西移,是西部开拓者的先锋,引领人们去追随。我整夜梦见地平线上的山脊,虽然它们可能只是披上金色光芒的水蒸气。亚特兰蒂斯岛屿、赫斯帕里得斯小岛及其果园都是地球上的天堂,它们看起来像

---

① 出自杰弗里·乔叟:《坎特伯雷故事集·序诗》。

古代伟大的西方，笼罩着一层神秘的面纱，富有诗意。当寻找落日时，谁没在想象中见过金苹果园，以及所有那些需要用语言所表达的东西。

哥伦布感觉向西的愿望比以往任何时候的人都强烈。于是，他顺从自己的感觉，为卡斯提尔和里昂发现了一个崭新的世界。当年的牧人就闻到飘自远方的新鲜草香味。

"太阳已照过所有的山丘，
渐渐落入西边的海湾；
最后他站起身，拉起蓝色斗篷；
明天他要去新的树林和牧场。"①

地球上哪儿可以找到与我们国家面积相当就像这里的土地，富饶肥沃，物产丰富，同时适于欧洲移民居住？对此颇有研究的米修说："在美国大树种类比在欧洲多得多；美国有一百四十多种高度三十英尺以上的树；而在法国只有三十种树能长到三十英尺高。"后来的植物学家证实了米修的说法。洪堡德到美国来实现他年轻时关于热带植被的梦想，他看见"亚马孙原始森林中那最伟大的完美杰作——地球上最大的荒野"时做了如此形象的描述。欧洲地理学家盖奥特说："这里越走越远——远远超过我准备行走的路程"，在出发前他曾说："正如植物是为动物准备的一样，蔬菜的世界是为动物的世界准备的，美国是为旧世界的人准备的……旧世界的人出发，开始走自己的路。离开了亚洲高地，他一站接一站朝欧洲方向行走。他每迈一步都标志着行走靠的是一种伟大的动力，也是一种超越前人的新文明。抵达大西洋时，他在这未知的海岸边暂停，不知其边界，只好随便行走了。"当走完欧洲肥沃的土地，他给自己注入新的活力，"然后，重新开始他早年就立志向西行走时的冒险生涯。"盖奥特如是说。

这次向西行走的冲动使他们接触到大西洋的天然屏障，从而兴起近代

---

① 约翰·弥尔顿：《利西达斯》。

商业和企业。米修在其1802年所著的《阿利根尼群山西行记》中说到，在西方新落户的人中最常见的问题是，"你来自世界哪个地方？"好像这片肥沃的土地自然而然成为聚集地和全球居民共同的家一样。用一句过时的拉丁语谚语来形容，那就是既来自东方也来自西方。

佛朗西斯·黑德是英裔加拿大总督秘书长，他告诉我们："新世界南北半球的大自然在他的作品中不仅几乎无所不包，而且用比他描绘和美化旧世界更明亮，更高贵的色彩勾勒其全貌……美国的天空似乎更高更蓝，空气更清新，气候更寒冷，月亮看起来更大，星星看起来更亮，雷声更响，闪电更亮，风更强，雨更猛，山更高，河流更长，森林更大，平原更宽。"这一描述至少不亚于布冯伯爵[①]对这个世界及其产物的描述。

不久前，林奈[②]说过："我不知道美国有什么令人既平静又快乐的动植物。"我认为几乎没有，或者说很少有罗马人所谓的非洲野兽，在这个方面美国尤其宜居。我们得知，在离新加坡东印度城市中心不到三英里的地方，每年都有居住者被老虎吃掉，而在北美的任何地方旅行者都可以夜间躺在树林里，却不用担忧野兽的袭扰。

这些都是听起来令人鼓舞的证据。如果这里的月亮看起来比欧洲的大，那么这里的太阳看上去也应该比较大。如果美国的天空看起来更高，星星更亮，那么我相信这些象征着其居民在哲学、诗歌、教会等方面应该上升到的高度。最后，也许精神天堂在美国人的心中显得更高，也暗示着他们的星星一样显得更亮，因为我相信人们对其气候会做出反应，其山上和空气中的东西会滋养我们的精神，并赋予我们灵感。在这种气候和自然物的影响下，人们的身心发育能更不健康吗？或者在人的生命中有多少迷茫的日子显得很不重要呢？我相信，我们的想象将更加丰富，我们的思想将更加清晰、新奇，就像我们的天空更加空灵一样——我们对事物的理解就会像我们的草原一样更加全面、更加广泛，我们的智力将有更大的提

---

① 乔治·路易·勒克莱尔·布冯伯爵（1707—1788），又译蒲丰、比丰，法国博物学家、数学家、生物学家、启蒙时代著名作家。布冯的思想影响了之后两代的博物学家，包括达尔文和拉马克。

② 卡尔·冯·林奈（1707—1778），瑞典自然学者，现代生物学分类命名的奠基人。

升,而且我们的心胸也将像雷电、河流、山脉、森林以及大海一样宽广深厚。有些游客可能会认为,没有什么比每张面上流露出的快乐和平静更重要。要不然,世界会走向哪儿?美洲为什么会为人所发现?

"对美国人我几乎无需说什么——
帝国之星引领西行的路。"

作为一个真正的爱国者,我自己应该觉得很惭愧,因为伊甸园的亚当比这个国家落后地区的人处于更得天独厚的位置。

对马萨诸塞的同情并不限于欧洲人,尽管我们可能远离南方,向西靠拢。可能会有一些斯堪的纳维亚的小伙子把家迁到海边。虽然他们学习希伯来语为时已晚,但理解,哪怕理解日常俚语也显得十分重要。

几个月前,我去莱茵河欣赏了其全景,那景色好像让我做一场中世纪梦。我顺着超乎想象的历史河流飘然而下,经过罗马人修建的、后来由英雄们修复的桥,也经过史上著名的城市和城堡,沿途每件事对我来说都堪称一个传奇。有我所知道的史上有名的艾仑布来斯坦、罗兰德塞克和科布伦茨。最吸引我的莫过于那些城堡的废墟,那儿似乎还有十字军向圣地出发的奏乐,这奏乐越过海洋,像蔓藤一样弥漫在山丘和溪谷。我在这令人陶醉的奏乐中心旷神怡,好像被送到英雄的时代,呼吸着具有骑士精神的空气。

此后不久,我又去密西西比河看风景,在朝霞中我沿着河流往上游前行,看到蒸汽船在运木材,数着新建的城市,凝视着淌过溪流往西行走的印第安人,这就像我以前在摩泽尔河上看到的情景一样。我仰望俄亥俄和密苏里的天空,倾听迪比克的传说和薇诺娜悬崖的传奇——仍然多想未来的事,而少想现在和过去的事,我看到的是另一条不同的莱茵河,河边城堡尚未奠基,河上桥梁尚未建成。我觉得这才是英雄时代的莱茵河,虽然我知道它不是,但是英雄通常鲜为人知。

我所说的西方其实是荒野的另一种说法,而我想说世界上存在原始的东西,这些东西其实保留下荒野的痕迹。在每棵树之间来回散步,我可以通过其纤维种子寻找原始植物。城市不惜一切代价引种这种原始植物。人们为了寻找原始植物驾船出海，乘风破浪。医治人类疾病的各种草药和树皮就是来自原始森林和荒野。我们的祖先曾经也是野蛮人。罗慕洛斯和慕洛斯被狼养大的故事不是一则毫无意义的神话。每个国家的原始人从类似野性的源泉中吸收营养而增强活力。正是因为帝国的孩子是喝狼奶长大，他们才有足够的勇气对抗来自北方森林的部族。

我相信，在森林中、草地上，玉米地里生活时，我们需要在我们的饮用茶中放入铁杉、云杉或乔木。纯粹的暴食和为了获得力量的饮食是有差异的。霍顿督人生食羚羊的骨髓以获取力量。我们一些北部印第安人生食北极驯鹿的骨髓及其身上各部位，包括鹿角尖，只要是软的他们都吃。恐怕这种吃法已经超过巴黎厨师的吃法了，因为后者通常吃熟食。北极驯鹿可能比棚养的牛肉或屠宰场的猪肉对人更好。然而，没有什么文明人能够接受这种原始的自然生吃法，仿佛我们是靠生吃羚羊的骨髓而生活。

在画眉林的尽头有片空地连接荒野，我打算搬到那儿，住在无人定居过的荒野中，我想我肯定能适应那儿的生活。非洲猎人告诉我们，大羚羊以及大多数其他刚杀的羚羊的皮，有着最美味的香草味和树皮味。我希望每个人都像野羚羊一样成为大自然的一部分。那样，他们应该向我们宣称他们的出现，提醒我们他们最常光顾大自然哪些地方。我无意去讥讽他们，但是，当闻到捕猎者衣服上发出的鹿鼠皮气味时，我觉得它比普通商人和学者的服装散发的味道更香甜。当打开他们的衣橱，触摸他们的衣服，我想起的不是他们时常出没的平原和草地，而是尘土飞扬的商品交易场所和图书馆。

皮肤晒得黝黑的人更加令人可敬，橄榄色比白色更适合树林中的常客。对"淡白色人"，我并不感到奇怪，非洲人会同情他们。自然学家达尔文曾说："一个在塔西提岛海边洗澡的白人，与一个生活在户外、有着健康自然的黑色皮肤的人相比，就像是一株被艺术家漂白的植物。"

本·琼森惊叹——
"公平是多么接近善良！"

因此我会说——
野性是多么接近善良！

生活要与自然保持和谐一致。最具生命力的东西才是最自然的东西。未被人类征服的存在会使人重新振作。不停向前、不停劳动的人以及快速成长、对生命无限需求的人，都会在新成立的州或新发现的荒野发现自己为物资生活所困，不得不翻越原始森林。

对我来说，希望和未来不是在草坪与耕地上，不是在乡镇和城市中，而是在深不可测的沼泽中。我从前打算买下一座农场，自信分析自己对它的偏爱，发现自己纯粹被几平方米深不可测的沼泽所吸引——一块令我目眩的宝石在沼泽一个角落自然下沉。我从沼泽中而不从村子花园中得到更多自己赖以生存的东西。在我眼里，没有什么比覆盖在地表柔软处丛生的侏儒仙女——地桂花床更美了。植物学家只告诉我长在那儿的灌木的名称——高灌蓝莓、香山柳、山月桂和杜鹃花，加拿大杜鹃都站立在颤抖的水藓中。我常想，我家门前应该有大量的暗红色灌木丛，我不想用其他的花替代云杉和整齐的花盆，甚至是碎石路——我窗下这片肥沃的土地，没有进口手推车拉来的沙子，只有在挖地窖时取出的沙子。为什么把我的房子和客厅安置在这小块地后面，而不安置在我随意组合的古玩后面，因为那是我称之为有名无实的自然与艺术的前院？木匠和石匠都已离开，虽然他们为路人做的和为居民做的一样多，但他们离开后我自己清理，做些得体的外表工作，感觉很有成就。最有品位的前院围栏是不适合研究的对象。它就像箱子盖一样有精美的装饰或什么都没有，很快就让我感到厌恶。让你的窗台靠近沼泽的边缘（虽然这样的地方可能不是干燥地窖最好的地方），那样就没有城里人到你窗前。前院不是前口，而是通道，你可以去后门进入院子。

是的，你可能认为我这样做有错。如果有人推荐我住在设计精美的大花园或阴气沉沉的沼泽地，我会毫不犹豫的选择沼泽地。一切设计者所做的东西对我来说都徒劳无功！

与外面世界的景色相比，我的内心世界在不断发展，变得充实。请给我海洋、沙漠和荒野吧！沙漠中纯净的空气和荒僻能弥补我对沃土和水分的需求。旅行者伯顿说："你的魄力增强了，你变得坦率、亲切、好客、专一。在沙漠中酒精只能激起人的厌恶感，这儿只有四肢敏捷的动物。"在鞑靼草原上旅行很久的人说："一旦重返耕地，人们的激动、困惑和躁动会使人感到压抑而产生窒息；空气似乎在舍弃我们，我们仿佛感觉每一刻都将窒息而死。"我自己想消遣时，就去寻找最黑暗的树林，这样的树林对城里人来说就是最阴森的沼泽。我进入沼泽，就如同进入神圣之地——上帝的住所，散发出一种自然的力量和精华。野生树木覆盖肥沃的处女地——这样的土壤对人和树都十分有益。一个人的健康需要尽可能大的牧场，就像农田需要尽可能多的肥料一样。一座城镇之所以能保存下来，靠的不是其中的正义之士，而是其周围的森林和沼泽。城镇周围若有一片原始森林在地上摇曳，同时又有一片原始森林在地下腐烂——这样的城镇不仅适合培植玉米与土豆，而且还适合养育未来的诗人与哲人。荷马与孔子等哲人正是在这样的土地上成长起来，也是在这样的旷野上走出了吃过蝗虫和野蜜的改革者。

为了保护野生动物，人们通常需要造林为它们提供栖息之地，以让它们有所依靠，人也是这样。一百年前，人们从树上剥下树皮，将其拿到街上卖。对于这些原始的树木，我认为应该出台能加强保护树木的惩罚性政策。噢！我已经对我家乡相当没落的时光不寒而栗，在那儿你收集不到又好又厚的树皮，我们再也生产不出焦油和松脂了。

文明的国家——希腊、罗马、英国——的生存有赖于以前在它们国土下腐烂的原始森林。只有当土壤取之不尽，人类才能生存。唉，我们都是有文化的人！当植被的土壤用尽，人类被迫用父辈的骸骨做肥料时，就没有什么可期待了。到那时，诗人只能靠自身多余的脂肪来维持自己的生命，而哲学家则只能向自己的骨髓索取所需的能量。

据说，美国人的任务是："开垦处女地"和"使这里的土地具有其他地方不具有的规模"。我认为，农夫之所以取代印第安人，是因为农夫赎回自己的草地，并让自己变得更强大，在某些方面也变得更自然。不久前的一天，我在为一个人丈量一条穿过沼泽的一百三十二杆长的单线，沼泽入口处可能写着但丁在地狱入口处诵读过的话——"放弃所有的希望,你们才能进去"——但丁所说的希望就是重新出去的希望;同时我看到,我的雇主正在他那水快淹到脖子的池子学习游泳逃生,尽管那时是冬天。他还有一个类似的、我根本无法测量的沼泽,因为它完全在水底下,然而,至于第三个沼泽,我已在远处将其测量。他对我说,按他的直觉,考虑到沼泽所含的泥土,他无论如何也不会放弃它。他打算花四个月时间挖一条环形沟渠,以铁锹般的魔力改善沼泽。我只能把他看做是那批开垦者中的一类。

我们已取得最重要的胜利就是得到武器,这武器应是父亲作为传家宝传给儿子,不是剑和矛,而是在沼泽地上使用的割草机、大镰刀、铁锹和锄头,这些武器被众多草地的汁液所锈蚀,并被众多挖过的田野尘土所损坏。同样的风把印第安人的玉米吹倒在草地上,指明他们无法追随的道路。除了贝壳机外,他们没有更好的器具为自己的土地挖沟渠。但是,农夫们却有铁犁和铁锹作为挖沟渠的武装。

文学作品吸引我们的只有野性,沉静是驯服的另一个名字。在《哈姆雷特》和《伊利亚特》中,所有经典和神话中不文明、自由和野性的思想都不是在学校里学来的。因为野鸭比驯养的鸭更敏捷更漂亮,所以野性——野鸭——思想也如滴落的露水一样飞快掠过沼泽。一本真正的好书就像西部草原上或东部丛林里的野花一样自然,显现出意料之外的完美。天赋就像闪电一样光芒闪耀,可能打破知识本身的殿堂,是一盏在黑暗中可见的明灯——而不是在伙伴火炉边点燃的、在光明尚未来时就已黯淡的小蜡烛。

英国文学从游吟诗人到湖畔诗人——包括乔叟、斯宾塞、弥尔顿,甚至莎士比亚——都没流露出特别清新自然的气息——从某种意义上说是野性文学,而实际上是驯服文明的文学,映现出希腊和罗马的文明。野性文学的荒野就是绿树,其野人是罗宾汉。其中充满对大自然温暖的爱,却没有太多自然本身。当大自然中的野生动物几近灭绝时,生物编年史会告知我们,可当大自然中的野人绝种时,生物编年史却没告诉我们。

洪堡德的科学是一码事,诗歌是另一码事。现代诗人即使掌握了所有科学和人类积累的知识，也不会比荷马强。

表现自然的文学在哪儿？如果一个人能让风雨在自己作品中抒发对自然的感情，那么，从大自然的角度看，他就是一位真正的诗人；诗人用的词汇忠实于它原始的感官，就像农夫在冰封雪冻的春天打桩一样；诗人每用一词要都究其来源——连根带泥地转移到自己的描写中；诗人的语言如此真实、如此清新、如此自然，就像嫩芽一样在春天来临时不断生长，虽然它们半窒息地躺在图书馆两瓣发霉的叶子上——但是，它们每年却在那儿为忠实的读者开花结果，与周围的环境和谐一致。

我不知道去哪儿引用诗歌以充分表达对野性的向往。从某个角度说，最好的诗歌就是驯化。我不知道在古今一切文学中，哪儿能找到什么令我满意、我所熟知的对自然野性的描述。你可能会感觉，我所要求的东西不在奥古斯都时代和伊丽莎白时代，总之是一种文化无法给予的东西。神话比任何东西都接近我所要求的东西，因为大自然赋予希腊神话的东西远比赋予英国文学的东西要丰富得多！

在旧土壤耗竭而使想象力和幻想力衰竭之前，神话还是旧世界的产物，在其原始活力未减的地方神话仍然硕果累累。所有其他文学的存在只是为我们的房子遮阴而存在的榆树，这就像西部群岛的龙血树和人类一样古老。不管怎样，我们都要坚持为其他文学作品提供蓬勃发展的土壤。

西方人正准备将自己的传说添加到东方的传说中。恒河的山谷、尼罗河和莱茵河已经出了自己的传说，现在就看亚马孙河流域、普拉特河、奥里诺科河、圣罗伦斯河和密西西比河能出什么传说。在时代发展的进程中，当美洲的自由已成为古典小说——其实在某种程度上是现代小说——的时候，全世界的诗人都将从美洲神话中得到启发。

野蛮人最伟大的梦想事实上并非更不真实，尽管他们可能不会让自己接受最常见的英美人士的日常感觉。并非每一条真理都能为常人所通识。自然为野铁线莲和甘蓝都留有一席之地。有些真实的表达让人怀念先知——有些真实的表达十分明智，比如成语。某种疾病的类型甚至可以让人预测健康的类型。地质学家发现，老蛇、狮鹫、飞龙以及其他奇特装饰的图腾，在上帝造人之前灭绝的化石中拥有其原型，因此，"暗示了关于有机生物原型的朦胧知识"。印度人幻想地球在一头大象上,大象在一只海龟上,海龟在一条老蛇上。最近,人们在亚洲发现了一只化石龟,大的足以支撑一头大象,虽然那可能是一个无意的巧合,可并非无稽之谈。我承认,我偏爱这些超越时间和野性的幻想,这些幻想是高智力的消遣。鹧鸪爱豌豆,而不爱那些与其一起进锅的豌豆。

简而言之,所有的好东西都是野性而自由的。有些音乐的旋律,不管是由乐器发出还是人发出——比如夏夜的号角声——毫不讽刺地说,正是由于其野性,才让我想起原始森林中野兽的嚎叫声。我可以理解为何有如此野性的人能与野人为邻却无法驯化。野蛮人的野性只是暗示可怕的野蛮,这说明了好人才能与其爱人相遇。

我甚至爱看家畜坚持与生俱来的权利——它们尚未失去原始的野性。我邻居的牛群早春时逃出牧场,勇敢游过二十五至三十米宽、漂浮着未融化冰块的河流,这些牛可是穿越密西西比河的牛。在我眼中,这群的勇敢之举让我将某些尊严赋予兽群——兽群本来就是有尊严的。野性的基因隐藏在厚厚的牛皮和马皮下,就像埋在泥土深处的种子不期发芽一样。

牛的任何嬉戏都会出乎人们意料。有一天,我看到一群牛,其中十多头公牛和母牛跑来跑去,笨重地跳跃着、游戏着,它们既像巨大的老鼠,又有点像小猫,摇头摆尾,在小山上冲上冲下,我为它们的牛角和它们的嬉戏所感动,想象着它们与野兽部落的关系。但是,唉,一声响亮的"喔"声马上就制住它们的热情,把它们从野兽变成温驯的小牛,使它们的肌肉僵硬得像机车一样。除了恶人,还有谁会对人喊过"喔"?牛的生活确实像许多人一样只是一种机械的活动;它们每次运动一块肌肉,而人的机械运动几乎接近马和牛的机械活动。鞭子要是抽到人的任何器官,随后被抽的器官都会感觉麻痹。当谈到牛时,有没有人会想起灵活的猫科动物呢?

我很高兴的是,马和公牛在成为人的奴隶之前就被驯服,而人们自己在为生计所迫之前也有过怡然自得的田园风情。毫无疑问,所有的人并不是都适合屈服于文明,因为大部分人像狗和羊一样通过遗传性情而被驯服,放弃其本性,失去其野性,可这没道理。人与人大致相似,可他们要是按顺序各自造出来的话，就有可能造出形形色色的人。如果从事一般的工作，一个人将做得几乎或完全和另一个人一样好；如果从事高级的工作，那就要考虑个人的优缺点。任何人都可以挡风遮雨，可并不是每个人都能像插画家一样适合做如此罕见的插画工作。孔子说："虎豹之鞟，犹犬羊之鞟。"但是，驯养老虎并非真正文化的一部分，就像把羊变得残忍也不是真正文化的一部分一样。把老虎和山羊的毛皮鞣制成鞋子并非它们所起的最大作用。

细细阅读用另一种语言写的人名表，如军官的名字或曾写过某主题的作者的名字，再一次提醒我，名字在人的一生中不起任何的作用。如曼西科夫，这个名字在我听来不比胡须更有人情味，它可能是一只老鼠的名字。波兰人和俄罗斯人的名字对我们而言就如同我们的名字对他们而言。在我看来，他们的名字是用孩子们的胡言乱语来命名的。我的脑海中仿佛有一群野生动物在陆地上滋生，而牧人在他自己的方言中给每只动物都署上某一粗野的声音。人的名字就像各种狗的名字一样一文不值、毫无意义。

如果像他们所知道的那样成批给人命名的话，依我之见，这是一种基本原则上的优势。我们只需知道人的种属或种族就能了解一个人。我不愿相信，每只罗马军队的士兵都有自己的名字——因为我猜想他们并无自己的个性。

目前，我们唯一的真名其实就是自己的绰号。我知道，一个男孩因为其罕见的力量被伙伴叫作"破坏者或重型炸弹"，这一绰号理所当然取代他的教名。有些旅行者告诉我，印第安人刚开始不能取名字，而是要赢得名字，因为他们的名字就代表自己的荣耀：在有些部落人们靠每次立功而赢得新名字。如果一个人只为方便而取名，那他既没赢得名字也没赢得荣耀。

我不承认，一个人仅仅靠名字就会让我对其另眼相看，我仍然将其看成人群中的一个人。一个熟悉的名字不会让我对某人少一点陌生感。人们可以给一个野蛮人取名，而他却神密地留在树林中赢得自己的头衔。我们的内心都有一个野蛮人，野蛮人的名字恐怕就在某地被记录成我们的名字。我看到我邻居有大家耳熟能详的名字——威廉或爱德温，我就把他的名字连同他的外套一块脱掉。当他睡觉时，发怒时，或被任何激情和灵感唤醒时，他的名字并不与他本人相符。我仿佛听到他的亲属用某种拗口却动听的语言在某一时刻称呼他野性的名字。

我们心胸广阔、性情狂野、嗓音粗吼的母亲——生性自然，无处不在，她如此美丽，就像美洲豹一样如此爱护自己的孩子。然而，我们早就离开母亲的怀抱，迈入社会，那个完全是人际交流的文化社会——一种同血统繁殖、最多只产英国贵族却迅速受限的文明社会。

在人类社会最好的机构中，我们很容易察觉到人某种程度上的早熟。当我们还是成长中的孩子时，我们就已经是小大人。我把从牧场进口大量的肥料施在富有文化的土壤——靠的不是发酵肥，也不是改良的农具和耕种方式。

我听说，许多穷学生的眼睛常常酸痛，甚至可能患严重的散光，如果不是熬夜到很晚而是老老实实按时睡觉，那么他们的智力和身体会发展得很快。法国人涅普斯发现了"光化作用"，即阳光引起化学反应；花岗岩、石建筑和金属雕像"在几小时的曝晒后，就会产生毁灭性的后果，要不是自然提供同样神奇的预防措施，人们轻微接触宇宙最微妙介质后就会很快灭亡。"但是，他指出："人们白天接触这种变化的物体而不受刺激时，到晚上就能恢复其原来的体力。"他推断："数小时的黑暗对于无机物是必需的，就像我们懂得夜晚和睡眠对有机王国是必需的一样。"甚至连月亮并非夜夜发光，有时也处于黑暗的状态。

我不愿让每个人或每个人在每个方面都有教养，那跟我不愿让每块土地得到耕种的没什么两样：一部分地是耕地，可更大一部分地是草地和森林，这大部分地不但可作为满足眼前利益的开发地，而且还可作为每年植被的腐烂地，以便在长远的未来准备好松软沃土。我们除了有卡莫斯发明的字母外，还有供儿童学习的其他字母。西班牙人表达对这种野性的隐晦认识用了一个很好的术语——豹色，这一术语源自我前面提及的美洲豹的天赋智慧。

我们常听说社会需要有用的知识传播。据说，知识就是力量。在我看来，社会同样也需要有用的无知传播。我们之所以称无知传播为美的知识，即更深意义上有用的知识，是因为它已成为我们大多数人引以为荣的所谓的知识。还不是我们以为自己无所不知的狂妄自负就可以摆脱真正的愚昧无知？我们所谓的知识往往是我们的无知；由于长期坚持不懈的工业发展和阅读报纸——研究科学的图书馆不是成卷的报纸又是什么？一个人积累无数的事实，将它们储存在记忆中，然后在生命的某一个春天让它们漫步在思想的原野上，可以说，它们就像马一样到草原上去驰骋。对于有用知识的传播，有时我会说——那就请到草原上去吧，因为你已经吃干草很久了。随着春天的到来，青草纷纷长出。就连牛群也要在五月底前才能被驱赶进旧牧场。我曾经听一个不顾自然规律的农夫说，他把牛群关在牛舍里，一年四季都喂它们干草。因此，社会有用知识的传播常常就像这位农夫对待他的牛群一样。

人的无知有时不但有用，而且显得美丽——但是，他所谓的知识不仅比无知更糟，而且还十分丑陋。一种人对极其罕见的主题一无所知，同时也知道自己一无所知，另一种人真正知道一些东西却自以为无所不知，在以上这两种人中，你更愿意与哪种人打交道？

我对知识的欲望断断续续，可我自始至终对未知世界的渴望却永不间断。我们能够主动获得的东西不是知识，而是对理智的赞同。当我们过去一切所谓知识的不足被指出时，除了异常的痛心外，我不知道还有什么更有把握的东西能算得上更高级的知识——发现天堂与人世之间存在我们哲学之梦不可企及的东西——太阳的拨雾之光。人类无法在比这更高一层的意义上知道，自己顶多可以面对太阳，沉静安详，泰然自若地看着它。"你无法像理解一个特定的事物那样去理解它。"迦勒底[①]神谕如是说。

在追求我们可能遵守的法则中有一种奴性的东西。我们可在方便时研究它，可成功人士却不知道法则。当然，不幸的是，我们过去受到法则的束缚，而现在法则又在我们双眼看不到的地方束缚着我们。自由生活是雾霭之子——在知识方面我们都是雾霭之子。自由生活的人凭借其与立法者

[①] 迦勒底，是一个古代地区的名称，属巴比伦尼亚南部，即现今伊拉克南部及科威特。公元前625年—前539年期间开始有部落进入该区居住，这些部落就是迦勒底人。

的关系，能超越所有的法则。"那是积极的义务，"《毗湿奴往世书》①一书说："那不是约束我们，而是解放我们的知识；其他所有的义务只是有益于困倦者；其他所有的知识只是艺术家的聪明之作。"

值得注意的是，我们历史中的重大事件或转折关头十分罕见；我们很少锻炼大脑，所以我们所拥有的体验显得多么贫乏。我愿意确信，我正在快速地茁壮成长，虽然我的成长搅动了沉闷的平静——虽然在漫长而闷热的黑夜或黯淡的季节我还在奋力挣扎。纵然我们的一切生命都是神圣的悲剧，而不是零碎的喜剧或闹剧，那也总会令人满意。但丁、班扬及其他人锻炼大脑比我们更多：他们受制于地区学校和大学教育。至于穆罕默德，虽然许多人一听到他的名字就会大声尖叫，但是他为之生死的东西比人们通常认为的要多得多。

偶尔，人们想到一个人时，可能会担忧这个人正在铁道上散步，火车驶过时都没听见。但是，很快，由于某个无情的法则，我们的生命经过火车时，那辆火车又回来了。

"微风，悄无声息地漫游，
在暴风雨中，环绕卢瓦尔，
多风幽谷里的旅行者，
你为何这么快就离开了我的耳朵？"

几乎所有的人都感觉到社会对他们有诱惑，而少数人则受大自然强烈的吸引。在我看来，大多数人在与自然的关系中尽管有技术，但是他们比动物显得更低级。他们不像动物那样能与自然和睦相处。我们中没有多少人能感受到大地的美丽！从小就有人告知我们，希腊人称大地为美或秩序，可我们却不明白他们为什么这样说，总认为美充其量只是一个奇特的

---

① 印度古代著作，是毗湿奴教派的主要经典。全书是梵文的诗体作品，中间夹杂片断散文。这部书也是往世书中符合标准格式的一部，内容包括宇宙起源、帝王世系直至对未来的预言。

语言词汇。

对我而言，我是以一种尊重自然的心态过边缘化生活，只是偶然且短暂地停留在世俗世界，而我对入境国的爱国精神和忠诚态度却显得粗暴。在我自己所谓的自然生活中，我很乐意跟随鬼火，穿越难以想象的沼泽和泥潭。但是，月亮和萤火虫都没为我指引过道路。大自然如此广阔浩瀚，可我们却从未窥得她的一丝容貌。熟悉的田野在我家乡的小镇上四处蔓延，漫步于其中的人有时会发现，自己仿佛置身于无拘无束的另一片土地中，宛如在康科德边界的某一遥远出野上，该区域管辖权到此为止，而由康科德一词所能联想到的概念也不再引发联想。我自己勘测的农场以及设置的界限看起来朦胧得像透过薄雾一般。但是，这层朦胧的薄雾却没起化学反应，也没凝固在玻璃上，而是在玻璃的表面渐渐消失。然而，画家绘画的图案则在玻璃下面若隐若现，要知道，我们通常所熟知的世界并不留什么痕迹。

有一天下午，我在斯波尔丁农场散步，看见斜阳照亮对面庄严的松树林，金色的光芒散落在林间小道上，仿佛斜阳洒入某一宏伟的厅堂。我肃然起敬，就像某个杰出得令人钦佩的老家族已定居在那个名为康科德的土地上，他们对我来说是未知的——太阳是其仆人——他们没融入村庄的社会，未曾有人拜访过他们。我看见他们的公园和游乐场在那边的树林中和斯波尔丁的小红莓地上。松树成为他们成长的一道墙，他们的房子并不清晰可见，树木生长其间。我不知道是否听到欢闹声。他们似乎斜倚在斜阳洒下的一道道光束上，有儿有女，看上去相当健康。农夫推车行走的小道直接穿过他们的厅堂，却丝毫不影响他们的生活，就像透过倒映的天空不影响看清满是泥土的水塘底一样。他们从没有听说过斯波尔丁，不知道斯波尔丁人是他们的邻居——尽管我听见斯波尔丁人推着车经过屋子时吹口哨的声音。没有什么能和他们宁静的生活相比了。他们的族徽只是简单的苔藓形状。我看见他们在松树和橡树上画画，他们的楼阁就建在树顶。这里没有劳动的噪音，因为我没见到人们在编织或纺织。当风停下时，我真的还听见想象中最美丽、最悦耳的音乐般嗡嗡声——宛如五月的蜂群在远处飞，恐怕这声音是他们思考问题的声音。他们没有空闲的想法，也没有人能看到他们工作，因为他们的工作场所被篱笆围着。

但是，我却觉得很难记住他们。即使现在谈论他们，努力回忆他们，他们还是无可避免在我脑海中消失。只有经过长久的努力回忆，我才能再次意识到与他们同住一处。如果这不是我想要的家，我想我会搬离康科德。

我们习惯说，在英格兰每年拜访我们的鸽子越来越少，因为我们的森林无法为它们提供食物。似乎它们想拜访人的想法也一年比一年少，因为我们脑海中的小树林荒废且出售，树木被投到不必要的野火中，或被送到磨坊，几乎没有剩下一根树枝让鸽子栖息。它们不再和我们一起建筑房屋，也不再和我们一起繁殖后代。在某个稍微宜人的季节，我思想的翅膀在春秋迁移，心中的风景恐怕只有微弱的阴影掠过。但是，仰望天空，我们却无法察觉思想的主旨。我们带翼的思想变成了家禽，它们不再翱翔高飞，只是取得到达上海和交趾支那①的辉煌。你们所听说的只是格拉夫式的思想和格拉夫人！

我们拥抱大地，却很少攀登大地！依我之见，我们可以稍微提升一下自己，至少可以爬树。我有过一次爬树的经历，爬的是小山顶上一棵高高的大白松。虽然摔得很严重，可我还是得到丰厚的补偿，因为爬树时我发现地平线上还有我未曾见过的山——天地之间还有这么多东西。我本来有可能在树周围散步七十多年，也应该还没看见它们。然而，最重要的是，我大约六月底发现树枝顶枝梢上几朵纤弱的锥形小红花，白松的雌花仰望着天空。我立刻把花拿给走在街上的陌生陪审员们看——因为那一周是开庭周——还给农夫、木材商、伐木者和猎人看，他们中居然没有一个人曾见过那种花，却猜想那是坠落的星星。接着说一说古代建筑师，建筑圆柱顶端的雕塑和底部清晰可见的雕塑一样完美！建筑物上一尊尊雕塑就像森林中自然绽放的小花，一开始就朝向天空，可在人们的头顶上却没人注目。我们只会看到自己脚底草地上的花朵。每年夏季，松树在最高的树枝上开出精美的花朵，那些或红或白的花朵不但开得自然，而且其形状很像小孩的脑袋。但是，几乎没有一个当地农夫或猎人曾见过这种花朵。

---

① 是指位于越南南部、柬埔寨之东南方的地区。

综上所述，我们无法承受不活在当下的负担。上帝会祝福所有珍惜现在生活的人。除非我们的思想能感受到每次视野内的谷场里有鸡鸣声，要不然就为时已晚。那声音通常提醒我们，我们正处于自己惯性工作和思维状态中，人变古板，思想老化，脑袋生锈。上帝的哲学降临到一个比我们的时代更新的时代，暗示一项新圣约——根据此刻的福音：上帝不甘人后，早早起床，快快跟上，在那儿就是何于其令，走在时间前面。新圣约是自然、健康、稳定人心的表达，它向全世界呼吁——像刚刚向上萌发的谷芽和缪斯女神的泉水一样清新茁壮，让我们庆祝自己这个时代最后的一瞬间。上帝居住的地方没有《逃亡奴隶法》，从我最后一次听到新圣约开始，谁没背叛过主人几次？

鸟鸣旋律的优点在于摆脱哀伤。歌唱者可以轻松地让我们流泪或微笑，可能激起清晨纯粹喜悦的人又在哪儿？可怕的寂寞就在破损的人行道上，或在丧家的守灵人身边，而我就在顷刻寂寞时，听见或近或远的鸡鸣，自我思考"无论如何我们中有一位还好"——又突然回过神。

去年十一月最后一天我看到激动人心的日落。那是寒冷阴沉的一天，我正在小溪源头的草地上行走，太阳西下前挂在地平线上清晰的一层。最柔和、最明亮的晚霞映在地平线另一头的干草和树茎上，映在山坡上低矮橡树上，而我的影子在草坪上向东拉长，好像我是夕阳余晖中唯一的尘埃。晚霞的余晖在前一刻根本无法想象，空气也是如此温暖和宁静，以至于什么也不用我就可以在那片草地上建造一座伊甸园。这种幻想不是一时独特的景象，而是会在无数的夜晚上演，而且新生儿走到那儿时，肯定会觉得景象更辉煌。夕阳落在僻静的草坪上，在那儿看不见房子，晚霞把所有的荣耀和辉煌赠予城市，仿佛夕阳从未西下——一只孤独的鹰，它的翅膀镀上晚霞的金色；一只麝鼠从房间向屋外张望；沼泽中央有一条黑脉般的小溪正蜿蜒而流，缓缓的小流绕过腐朽的树桩。我走在这纯净而明亮的夕阳余晖里，镀上枯草和树叶的金色，枯草和树叶显得那么柔和安详。我在想，我从未在这条金灿灿色的河水中沐浴过，河水没有荡起一丝涟漪，也没有细声低语。没有树木的西侧就像极乐世界的边界一样在闪现，身后的夕阳看起来就像一位和蔼的牧人傍晚得赶我回家。

我们漫步走向圣地，直到有一天太阳的光芒比以前更明亮，也许这光芒将照进我们的大脑和内心，用其伟大的觉悟之光照亮我们整个生命，这就像我们站在秋日溪岸边那样让自己感觉温暖、宁静而珍贵。

亚伯拉罕·林肯
Abraham Lincoln
[美] 詹姆斯·罗塞尔·洛威尔

主编序言

詹姆斯·罗塞尔·洛威尔，诗人、散文家、外交家和学者，1819年2月22日生于马萨诸塞州的坎布里奇。他就读过哈佛大学，曾攻读法律，但很快就弃法从文。1844年，他创作的诗歌《当前的危机》是真正意义上的名著，为此给人留下深刻的印象。在其后20年动荡不安的政局中，人们不断引用其作品中的语言。1848年，洛威尔创作了4部作品——《诗集》《批评家的寓言》《比格罗诗稿》和《朗法尔爵士的眼光》等。其中《批评家的寓言》体现出作者的智慧和批判精神；《比格罗诗稿》使其成为一名政治改革家；第四部作品《朗法尔爵士的眼光》充满神秘感，充分展现了洛威尔的诗歌创作才华。这些作品从不同侧面反映出他的个性，在其一生中不断起着重要的作用。

1854年，任职于哈佛大学艺术学院的朗费罗退休。之后，洛威尔便接任朗费罗，在随后的两年里以写作的方式在欧洲专心研究现代文学和语言学。1857年，担任新创办的《大西洋月刊》的第一任主编，1864年，他与查尔斯·艾略特·诺顿合作主编《北美评论》。战争期间，洛威尔写了大量关于南北统一的散文和诗歌，其中登载于《北美评论》散文主要是以文学评论为主。

洛威尔极具文学天赋，我们很难确定哪部作品是他的代表作。但是，可以确定的是，他将永远受到人们的尊重。他的散文充满魅力、生动活泼、畅快淋漓，向世人表达出伟大的美利坚民族的伟大思想及其独有特性。他的观点主要反映在《亚伯拉罕·林肯》和《论民主》两部作品中。

查尔斯·艾略特

南卡罗来纳州由于激进，使得十个原本繁荣的联邦州卷入了一摊政治旋涡。人们早晨一翻开报纸时，就会担心自己的爱国热情在逐渐减少。不管这种感觉会带来怎样的后果，还是会有一种不可言喻的情感在心中澎湃。尽管如此，这种情感对人们的意识却毫无益处，十个州不计代价的联合所带来的结果将不会理想地再现，而那种赋予人们勇气并从中收获的美德将消失殆尽。我们必须放弃过去，依靠可能给予我们机会的新环境，以调整毫无头绪的生活目标。

我们必须承认甚至怀疑，民众的爱国思想是否太过狭隘，以至于他们无法面对民族的危机。研究人性和人类历史的人可能会意识到，当战争消退了人们的节日热情后，人们的反应会很快出现：现在的涣散精神和过往的紧张程度不无二致，人们在社交中的行为总是表现得非常极端。就像他们逞一时之勇一样，他们甘于堕落，更愿意过低贱的生活。他们是更自信还是更气馁，这只是一个概率问题。欺骗导致的不信任比自欺欺人带来对原则的质疑好不到哪儿去。衣服之所以可以久穿不坏，经风雨而不褪色，是因为它们经强力防腐剂固定后织造而成。激情是演说家的原料，但是政治家需要一些更能持久起作用的东西——他们必须依靠深思熟虑的推理和人们坚定的支持，要是没有人们坚定的支持，政治家们在关键时刻无法沉着冷静，而且这种支持在物质和道德危机时期都显得非常重要。自由州的这种优势会继续存在吗？人们感受到的宪法规定的自由价值能否扩大这种优势？这种优势能否强大到足以防止阻碍、倒退和延误将带来不可避免的消沉？我们的民众能否有足够的智慧在秩序和混乱之间做选择——政府是通过法律维持平衡还是在宣言与暴政之间做选择？战争只需忠诚于客观原则而无需激起怨恨和掠夺就能持续吗？这些都是十分严肃的问题，而且没有先例可供借鉴。

事实上，战争伊始存在着最为令人担忧的恐惧感。人们受政治异端邪说的传染，有一个同情南方叛国者的人成为南方同盟者的总统。如果已经屈服于这种感情的话，那么我们要与继任者谈的是混乱而不是权力，而这位继任者只是个长期站在反对方一边却毫无行动的政党代表而已；国库空虚，却要求提供财政上前无史例的巨大支持；树木尚在成长，铁矿还未开发，却要求在此基础上建立武装军队；毫无纪律的军官，却要把一群乌合之众训练成一支军队；欧洲大集团反重强调的、带有模糊暗示和矛盾观点的公众舆论，要么是轻蔑的怀疑，要么是过激的敌意。在居家市民和战场士兵都关心时事的国家里，很难估量使这一国家瓦解的要素和力量。北方的谣言传播者是谋反者最强有力的同盟军。一个民族应该为其潜在的背叛负责，但是更应该为电报负责，这个民族用电波每小时向全社会，哪怕是最偏远的角落，传播着恐慌，直到其计谋得逞，那种激发起来的幻想使得真正的危险出现。

尽管我们只看到更多的困难，可是南北战争仍然要解决很多大问题，既有当时南北关系的问题，也有将来发展成果的问题；解决这些问题的环境如此复杂，很大程度上取决于难以估量与控制的突发状况；不管是因为恐惧还是因为希望，由于问题的新奇，太多的事情在无数历史先例下无法整理，以至于那些最信政府的、民主至上的理论家感到危机四伏，他们可能会在这场难以预料的战争面前屏住呼吸。我们的政治、哲学老师以一些小城市——这些城市包括希腊、意大利、佛兰德等国家和地区的小城市——为例开展严肃的辩论，他们长期高贵的统治不时被暴民打断；他们告诉我们，民主总是能赢得忠诚者的情感，我们只要坚持不懈的努力，具有深知的远见，民主就能实现。这些教授专心于物质方面的利益，对常规的甚至是特别的约束显得很不耐烦。他们既缺乏科学知识，也缺乏力量，总是身处南北战争的边缘，然后退进腐败政府的救济院，最后躲在军事独裁的保护伞下。事实上，有一些前途悲观者不是终其一生去了解民主，而只是从书本上认识民主。美国人仅仅通过一些英国人的报道就认为自己前景堪忧，而那些英国人只不过在美国吃了一顿难吃的晚餐，或掉了一个包，就写投诉信给《泰晤士报》，要求赔偿，为此得出悲剧性的推论：认为美国的民主无法让美国稳住阵脚。我们当中也不乏这样的人，他们沉浸在伦敦文学的研究中，以至于错把伦敦特色当作欧洲文化，因此蔑视本国人的世界观。还有一些人把自己所拥有的成就归功于民主，认为自己可以加入我们的队伍，为我们唱哀歌。

但是，除了那些胆小和沮丧的人令我们灰心失望外，我们仍然可以防止任何人对希望过度自信。不管我们的广阔领土怎么受到威胁，人民怎么被迫参战，还是我们想让思想达到什么境界，战争可能被认为是现代社会最重大的事件；战争将会由一个分裂的民族在国内挑起，可在一个毫无经验和声望的行政首脑带领下，50年的和平岁月让这一民族失去战斗力。这个最高领导人的每一项措施，都注定受那些充满嫉妒的、肆无忌惮的少数分子阻挠。而且当首脑处理国内从未遇过的复杂情况时，他必须寻求敌对国的中立力量，等待他们找到借口，从而发起战争。所有这些都毫无预先准备。可同时，一场政治改革正在拥有四百万人口的国家进行，通过减少偏见，消除恐惧和逐渐赢得不情不愿的解放者的合作，改革得以完成。当然，如果存在这种情况——历史学家能以夸张的想象力预见命运之神干涉人类事务，那么还真有一个问题需要命运之神来解决。也许，从来没有一个政府会像我们的政府一样，过去三年在不断努力寻找一种品质；也从来没有一个政府会自我表现得如此强大；从来没有什么力量能直接追溯到人们的美德与智慧，追溯到普遍的教化和工作的高效，而这些或许只能在像我们的政府一样的政体影响下才能实现。

我们发现一种难以理解的情况是，外国人怎么可以无视这里正进行的伟大思想斗争，无视一个民族的英雄精神、努力坚持和自力更生，以证明他们知道品德的高尚比仅有的能力要伟大得多；我们不可能得到这个问题的答案，因为我们想到了美国人的精神和道德现状——他们哪怕是作为这些品质和成就的旁观者，也不让自己的精神提高，道德升华。那些互相倾轧的武装力量早就有一个明确的目标，且不会改变，他们在战争开始阶段就在讨论计划；如果战争真能结束的话，这些计划只能变成很重要的东西；一种大众感情逐渐强化成严肃的国家意志、强烈的民族意愿；一种似乎不切实际的道德情感已通过潜在的工具转化成可行的道德目标；暗敌的不忠、对手的猜忌和盟友不智的狂热无助伤害，却有益善行；英格兰对国内冲突的谨慎与灵敏，使其没有从国内战争转化为国际战争——所有这些结果中的任何一个结果都足以证明一个领导者的伟大，主要归功于这个默默无闻者的良好判断、友好性情、真知灼见、开放思想以及无私正直；这个人虽命运悲惨，却从众人中勇敢地站出来，挑战现代社会最危险、最困难的任务。一个人在面对难以预料的突发事件时能够沉着冷静，其真本事就能得以检验；一个人要高瞻远瞩，无所畏惧，真诚地接受反对意见中的任何道理，以便在揭露隐藏于反对意见背后的谬论时显得更有说服力——通过这种方式，理论家才能最终为陈述事实获得雄辩的力量；政治家要证明其在治国方面的才能，要通过明智的预测，让不可避免的敌对势力转化成为己所用的力量，尤其要以温和引导公众的情绪的方式进行预测；他可以以怀疑的方式在重要方面表现出坚定的信心，而且可以在妥协中不做让步就获得优势；地方行政长官之所以逐渐意识到赋有智慧的自由，是因为他们对民族特质的了解，这种特质可以证明他值得做一个自由联邦的首领，并且因为有了像这样的特质，我们坚信，历史会让林肯先生成为史无前例的、谨小慎微的、勤俭节约的政治家，以及最成功的国家管理者。我们想感激他，想一想吧，如果是一个愚蠢的首领代替了他的位置，我们很可能陷入不可避免的混乱状态。

　　挪威谚语说："赤裸回来无兄弟。"选出的行政首脑也有同样的道理。一个世袭统治者在千钧一发时刻可以倚赖无穷的资源，如自己的声望、人们的感情、超然的迷信、随从的利益等等。但是，一个毫无背景的新统治者，必须慢慢辛苦地在其不利的客观世界里创造出一切——优秀可靠的人格魅力、一心一意的耐心和毅力、对发展趋势的睿智预言、对民族性格的感受等等。林肯先生所要完成的就是其中一项特别艰难的任务。长期的习惯已经让美国人形成了一种观念——服从执政党，而且把总统看作是创造者。可更重要的是，行政者只是暂时代表政府的理论观点，这是一条凌驾于所有政党和个人利益的亘古不变的原则。但是，这一原则却逐渐为人所淡忘。人们看到，公共政策或多或少受到政党，甚至常常受到个人思想的左右，所以就怀疑主要领导人的动机。历史上首次感到自己是伟大民族的首领（即执行者）的人都按照基本原则执政。所有法学家断言，政府的首要职能是维护其存在。由此，很有必要给予反对方强有力的武器，因为管理机构把旧真理运用到新关系中。但是，这个反对方不是他最危险的唯一对手。

共和党人持这一观点推动国家继续前行——道德与政治之间的结合比以往更直接、更明显。他们的领袖被训练成运用雄辩家，更多靠道德而不靠理解来达到他们的目的。他们更多从经验而不从普遍的是非观得出结论。当战争爆发时，他们的系统还是行之有效的，因为人们的推理是通过感情激发出来的。他们持续提升和净化人们心灵时，只给了人们诸如国家、人权和民主这几个词而已，其背后的深刻意义在于冷静而具有逻辑性的论据。他们在逻辑上受到一股强烈热情的保护。这股熊熊似火的热情迅速燃烧，唤醒人性，使得他们的内心有所依靠。所谓的公民意识被唤醒，这种难以解释的公民意识根据环境而定，可能成为他们最大的动机，也可能成为他们最残忍行动的理由。但是，这股热情一旦冷却，需要重新加温的话，它只能变成一种伪善。在法国大革命给我们的教训中，没有什么比这个更悲哀更震撼了——你可以在大众中创造出任何东西，可除了能发挥作用的政体之外，没有什么能把真情变成无情和残酷。情感要是扩大到根本无法合理控制的范围，那么这一问题将令人沮丧。也许林肯先生最艰巨的任务就是让他人支持自己的愿望，使他们保持协调，同时针对反对者做出明智的政治决策。

近三年的变化不太寻常，且不好一概而论，它带给我们的东西十分重要，以至我们不能不将其放在心上。从来没有一位总统像林肯先生那样，上任时得不到任何有力的支持，但是他以其沉着的内心和强大的理解力鼓励人民，赢得自己的地位。大家都听过他的故事，他是一位出众的巡回演说家，因为聪敏才干而获选——他毫无背景，又持极端的观点，却被反对党推上总统的位置。我们可能会担心，一个年过半百的人一定缺乏男子气概，也缺乏坚定的原则和坚强的意志，充其量只能代表政党。即使代表政党，他也没法真正地代表，可能无法得到政党乃至大众的支持。而且，从来没有人像林肯那样有如此多的不利条件。即使在承认他是总统的那些联盟里，仍然有很多危险分子。他所做的一切会被一方恶意说成极端主义；他所未做的一切也会被另一方污蔑为冷漠和堕落的标志。可同时他要利用双方的力量发动一场真正的大战；在不受双方协助或阻挠的情况下，他在任期内要利用对人民的信任，以安全的手段使国家摆脱前所未有的外交纠纷。他已经计划实施这一计划。也许，自华盛顿以后，没有一位总统会在三年的任期内如此坚定地相信人民。

  林肯的政策是暂时的，而且也是合适的。林肯自己不会制订那种前后矛盾的计划；他也不会制订严格的规则，使得环境必须适应这些规则，或使其他东西在目标的实现中变得毫无价值。不过，他在不断成长，直到有一天世人相信他代表了一种杰出的个人品质和处事能力。时间是林肯的第一位老师，并且我们开始认识到，在某一时刻时间也是他的领袖。刚开始他很慢热，以至于让人看不到他进步的曙光。然后，他进步的速度在加快，使那些认为在火星四溅的逆境中奋力顺行的人大为惊叹。上帝是唯一有足够时间的人。但是，一个精明的人知道如何抓住时机，努力改变以实现其愿望。在我们看来，林肯有时让我们等得不耐烦，可换个角度看，他像一个智者在等待恰当的时机发挥其所有的潜能。有真才实学的人确实知道自己尚未做好充分的准备，而当他准备好时，他有能力抗拒一切的诱劝，忍受一切的侮辱。

  大体赞同林肯的一些人评论过林肯所制定的发展计划，可能会认为，政治家的主要目标是宣告其对某些信条的坚持，而不是通过默默完成目标的方式赢得胜利。在我们看来，没有什么政客会比思想僵化的教条主义者更危险；没有什么会像不懂变通的政策那样注定以失败告终。诚然，大众心里都有一个虚构的领袖：在他的一双创造性手里，人类卑微的命运得以改变；但是，在现实生活中，我们通常认为自己能成为掌控环境的人，懂得考虑进退，并有胆识把进退的时刻变成幸福的时刻。林肯的艰难任务如同在急流中摇筏掌舵，一旦把握机会，他就会认准方向摇筏掌舵而行。人们应该庆幸，他没有把直面危险当作是一种义务，而是慎重确保自己的立足点，也就是说找准主流，然后顺势而行。他仍在激流中，但是我们相信他出众的能力和精确的判断最终会让他到达目的地。

我们不妨把林肯和法国的亨利四世做一个对比。亨利四世的一生可能比较独特、传奇，正如我们那位勇敢大胆的船长一样。但是，从伊利诺伊州某个乡镇上的代理人到一个伟大民族的领导的历史变迁中，没有什么比一个突如其来的变化更罗曼蒂克了，就像阿拉丁神灯缺了一个口一样。这两个人的性格和所处环境在很多方面都十分相似。亨利四世继承的是一个深处叛乱的国家而不是华丽的王冠，他的主要依靠力量是胡格诺派，可胡格诺派用教条压制他，让他厌恶狂热分子。亨利国王只是名义上的法国最高权威的代表，可是他们阻挠他。那些更具远见的人乃至天主教派的人渐渐清楚地认识到，国王是法国重整秩序和合法权威的唯一核心人物。那些相信君权天授的布道者让巴黎的教堂回荡着支持民主的宣言，而不让其屈服于一个异教徒走狗——这种情况就如我们中自诩的民主人士一直宣传奴隶制的神权天授，并且声称独立宣言是异端邪说——亨利四世起初将两个党派都统揽在手，直到后来他意识到，只有一种途径才能将个人利益与民族利益结合起来。我们看到一些人轻蔑林肯，把他比作桑丘·潘沙，这些人不懂欣赏最具浪漫、最深奥的智慧，也就是说，虽然堂吉诃德在空谈的幻想中是一个无可匹敌的政治家，但是桑丘·潘沙用他无穷的箴言以及珍贵的人生经验，使这个有能力的政治家变成真正的统治者。亨利四世和林肯一样，拥有无穷的智慧和现实的经验，可在所有智慧和经验的背后却是一个深思熟虑的人，他有真才实干的、仁慈而十分真挚。在亨利四世的带领下，法兰西重新凝聚起力量，直到成为欧洲星系中一颗最耀眼闪亮的行星。在某些方面，林肯要比亨利幸运。无论什么人怎么说林肯缺乏热情，可就连那些最狂热的人在林肯的计划实施中也找不到任何问题；那些最尖锐的控诉者也找不到他以个人利益左右国策的迹象。

这两人最大的不同在于他们所处的环境。亨利让自己顺利走向民族，而林肯按自己的所思所想发展。一个使得法兰西统一，而另一个我们相信将会让美国重新凝聚。我只是指出大家都能想到的他们大致相似点，余下的异同留给读者自己去寻找。我们只会谈论大家感兴趣的令人悲伤之事。一些英国人认为，美国人完全缺乏类似维多利亚女王时期的趣味，而且他们还认为林肯既不英俊也不优雅。这不关我们的事，也不影响林肯担任最高领袖。但是，如果我们查阅同时代的一些资料，那么在表面上看，林肯必定和亨利四世一样幸运。一些评论家们指责林肯满口美国腔。我们不可能顺他们意思这么说。即使林肯再糟糕，我们也会喜欢他，或者我们也会找理由说明他为何不能管好美国。

那些比较敏感的组织可能会感到震惊，但是我们却感到很高兴，在这场把我们从旧世界永远解放出来的真正的独立战争中，有一个人在前面领导我们；他是美国造出来的，正如亚当是上帝从泥土里捏造出来的一样；他没有高贵的出身，贫穷，默默无闻，但是却向我们展示了：只要我们相信上帝的公正和人类的价值，我们就有机会凭借人性的勇敢唤起多少的真理和治国之道。规则用在合适的地方才是最好的，但是当规则用于人性时，它们就像火堆里的残木一样消失殆尽。以专制改变民族的天才人物对我们而言不值得敬畏，而让我们敬佩的是，那些在完整民族的本能和信仰中不断自我丰富和强化的人。独裁统治也许能起到比这个更具戏剧性的作用，但是它却十分缺乏人类的价值及其利益。

虽然我们不相信政治是一门科学，如果政治无法对人的特殊才能和巨大的权力做出解释，那么它至少也应该要求人掌握其重要原则，以便长期稳定地发挥自己的才能，可是经验却使我们内心产生一种对治国之才的强烈不信任感。令人好奇的是，在一个自诩聚集天才的国家里，竟然有人持这样一种观点——不假思索就能做出人类最复杂的发明，还能使每天变得更加复杂。

称林肯为现有领导人的典例是再合适不过的了，因为他公正，智慧过人。当律师积累的经验使他不仅看到每个现象中存在原则，也认识到每个问题都有两面性。律师如果懂得欣赏对手的优点而不看到其弱点，会更占优势。没有什么比林肯在与道格拉斯辩论中所采用的完美对策更具凡响，我们在政治策略方面也从未上过这种更令人震惊的课程。事实上，一个不该为达目的滥用偏见和固执的人——把一群市民变成暴徒，应该在由人民组成的审判团的裁决中获胜。林肯绝不是一个即时性政治家。他的智慧存在于他对事物的了解，他的睿智来源于他对困难的清楚认识和诚恳的面对。困难让他明白，政治观的持久胜利不是建立在任何抽象的理论上，而是建立在无数的公正上，建立在处事中所能达到的最高目标上，建立在保持相互妥协的平衡上。毫无疑问，他有一个理想，但是这个理想却是建立在实际基础上——梦想最好的，实现较好的，如果幸运的话，两者皆得。勇敢和智慧让他明白，先例仅仅是对往事的另一种称谓，而且它对于引导集体生活的价值远大于引导个人生活。他不是那种认为发展国民经济比将其推翻重建更好的人。林肯对上帝的信仰受他不太信任人类智慧的态度所制约。正因为如此，他赢得人民的支持。他在战争中所制定的谨慎平稳的策略跟罗马军队所制定的策略一样。他指出一条坚实的道路，让人民可以自信地走下去。他使美国如他所愿地发展下去。他的特别之处在于其朴实无华的精神。他日常的朴素穿着更显王者风范。从来没有哪个领袖像他那样纯粹，也几乎没有人意识到这一点；他天性的敏感和亲切的悲伤，无论谁看到都会为之感动，仿佛是自己在伤痛，可在他的演讲和行动里，却绝对找不出一点感伤的情绪。他似乎只有一条行为准则——行之有效的政治是让事实引导自己，尽管事实可能会通过一些不切实际的幻想，放弃可行的东西，抓住幻想的东西，使得政治这条路变得更加漫长，但是，他还是确信事实还是会把自己带往自己所期望的地方。

毋庸置疑，政治活动的最大作用是逐渐调整集体的行为，使之符合道德法规，并使相互冲突的利己主义转向关注更高尚、更长远的事物。但是，所有可靠的法规都是建立在对一个民族的理解而非感情的基础上。伏尔泰曾说过："对细节过分考虑会终结伟大目标的实现"，这对于个人来说可能正确，但是绝不适用于政府。虽然单独看这些细节会让人觉得考虑细节是很浪费时间的闲谈，但是综合起来看就觉得细节非常重要。所以，通过对细节的多方考虑，政策制订者独自也可做出实际而明智的决定。每个思考周全的政治家和坦率的思想家都有可能使自己陷入自相矛盾的境地。也只有那种固执的人才会死守自己的观点。伟大政治家的创业道路就像一条通航的河流。他们要学会适当让步，避开阻碍，采纳更多的观点，听取更多的意见，使人们以最快的速度稳下心来，长久地坚持下去；他们要学会仔细观察影响民族发展趋势的细微要点，顺势而行。不过，这就要求他们始终如一地瞄准前进的目标，汲收全新的力量，有时还要从看似永久的前进障碍里找到人类进步和成功的道路。他们需要大众忠诚于伟大的目标，而不是不切实际的固执己见，即使是目标的实现需要将不同的人联合起来；之所以如此，是因为那些不可行的目标不管多么诱人，但在政治方面绝对不明智，要知道，健全的政治既要谨慎地指导公共事业，又要安全地引导个人事业。

毫无疑问，奴隶制是林肯需要解决的最棘手的问题，而且，无论谁处于他这个位置，持什么观点，都无法逃避这个问题。虽然在某些方面林肯不支持其他人的观点及其要求，但是由于种种原因，林肯还是得做出妥协和退让。

有人认为我们废除奴隶制的目的不明确，还认为这场战争是为了保存民族的综合实力，为此解放黑奴是形势所迫，是必须要做的事。我们绝不否认这一点。我们承认，目前我们确实逐渐不承担宪法的义务。我们所说的政府机构是为整个国家的利益而设立，决不逾越正常的界限。当然，也有一些人热情而真挚，把此事看得如同跳维吉尼亚舞一样简单。但是，他们忘记了在我们这一体制下最不能忽略的东西，即我们现在的行政机构不仅代表选民中的多数派，而且也代表选民中的少数派——在这种情况下，他们显得十分强大，因为他们对解放奴隶的事业毫无心理准备，以至于反对战争。林肯虽然未被选为反奴隶制社会的总代表，但是作为美国总统，他有权依法执行某些职能。无论他的愿望是什么，制订不让国家四分五裂的政策也是他的职责所在。他要以提出一些问题的方式让大家对此加以重视，而且为了解决问题，他得不断思考，以使问题简单化。

同时，林肯还得解决新斯芬克斯之谜。虽然林肯在这一至关重要的事件中所采取的政策还不至于这样——满足即便在最微不足道的事件中也想英雄般待遇的要求，除非他们是能借到阿特洛波斯剪刀，否则就不量体裁衣服的人，或者是一味讲条件，否则就不行动的顽固分子，但是他们不知道精明的伊萨卡国王会那么做。林肯有巴塞尼奥为其提供的选择——在下面的三个箱子里，哪个装着可以解救未来这个国家的礼物。第一个闪闪发光的金色箱子代表华而不实的东西，最易使虚荣者上当；第二个银色箱子代表妥协，它只能提供紧急情况下的缓兵之计；最后一个铅色箱子颜色灰暗，外表一般，正如一个谨小慎微的人，然而，它却装有某种能吸引智者的东西。林肯漫不经心地做出决定，这一刻对那些须承担神圣使命的人来说也许太长了，一旦他做出决定，他谨慎稳妥的分析理解就充满意义。斯芬克斯谜语的深刻寓意就隐藏于解决方法的纯粹简单中。那些没猜出答案的人之所以会失败，是因为他们聪明过头，他们不是通过对事物本身的理解，而是通过对事物重要性和自我价值的个人理解去找寻答案。

问题最终需要通过公共舆论来解决，因双方意见分歧和愤怒而引起骚乱，只好通过健全的公共舆论才可加以解决。所以，普通公民最好是想方设法通过论证和说服坚持推广自己的信念。但是，行政官员要想得民心，其决定必须付诸行动，进而由包括全国人民在内的行动者完成行动计划；官员们必须等待民众的观点和自己的观点一致时，才会得到支持，而不会造成新的分歧。人们热忱地投身于拯救国家的行动中，坚信奴隶制是他们唯一真正的敌人，因此，自然而然，他们要求出台能让所有爱国者团结起来的政策，这对一个富有实干能力的领导人来说是最明智的事业。但是，民众仍然处于不稳定状态，他们中有很多人内心上谴责奴隶主的叛乱，甚至行动上有所反抗，这样做不仅是愚蠢的，而且是违法的；也许有一部分人可能惯于遵守宪法，他们认为，宪法赋予南方人可依据他们自己的判断制订政策并享受权利，正因为如此，他们开始怀疑自己的忠诚是因为国家本身还处于奴隶制；也有一部分值得尊重且有影响力的人，仍然坚信存在说服的可能性——林肯做了一个深谋远虑的判断，即在制定保护一部分人的政策时，他必须给另一部分人提供寻求出路的支点。

处在他这一地位的人必须头脑清醒，忽视那种误人的常用手段，牢记自己担心的不是谎言而是谎言与真理混淆时的是是非非——撒谎者不是想诱导领导者说谎，而是想诱惑忠实的追随者，这样撒谎者就可聚集起罪恶的力量。林肯至关重要的职责之一是，不要任何可能帮人进行战的论辩，而要忘记战争的真正起因。

国家权力极易操纵在狡猾煽情的政客手中，让无知者徘徊于自由与违法之间，使无知者总是受到某些话语的影响，而不是认真思考蕴涵真正意义的思想和原则。各州在意见不一的情况下无需任何仲裁人，之间可能达成让步的保证条约。那些创建政府的人不知道联邦统一意味着什么，这肯定有违常识；认为阻碍宪法的运作主要基于一种争论，即宪法不承认那几个州的独立权利，这会使它们的独立变得合法合理，因为奴隶制是已普遍接受的权利，人们可能会从直接攻击（尽管只是自卫）到自然反抗得出推论，这肯定是在歪曲历史。现在，大部分人这个时代的社会秩序烦恼不已，无暇顾及事件发生的顺序会对争论产生怎样的影响。虽然林肯十分睿智，没有给予反对联盟任何煽动的机会，但是战争伊始，他们就混淆了战争的起因和目的，把对祖国本能热爱的忠诚者拖进旧政党之间争辩与憎恶的旋涡中。而那些完全被煽动起来的反对者宣称奴隶制是自由体系的一块基石，过度炫耀他们认为十分合理的教条："奴隶制原则上是正确的，而且与肤色无关"，他们认为，这代表保证真正民主思想的一条正确的道路和一种伟大的努力。已建立的政府为保存自己免受危险的进攻，做出合理的努力，承担最小的责任，却一直被狡猾地利用，从而变成一个狂热党，为迫使那些受压民众接受其教条而做出邪恶的努力。

虽然很久前林肯不相信这次危机带来的危险性，可是他试图说服自己南方的大部分民众维护统一，希望能赢得和平——他还是坚决执行《逃奴追缉法》，认为无论分裂会如何使那些州逃脱责任，也不能让他们逃避宪法的制裁。当时奴隶主在叛乱中独自享有特殊的待遇。正在这时，那些自由政府的反对者正试图说服人们，这场战争是一次废除奴隶制的革命。然而，无条件反抗属于人权之一，政府的首要职责是镇压违反叛该条例者，却不使他们遭到谨慎的秘密执行。所有来到这个国家的坏人都归类为废奴主义者，尽管很难辨别一个党派能如何长久保持强大的力量，但是要保持强大只有两种方式：一种是依靠思想上的伟大真理，另一种是依靠与其对立的党派行为。试想一下，国家之船正航行在其宪法保护下的平静海面上，突然被一只不知从哪儿跳出的废奴主义巨大怪兽紧紧包围，然后被怪兽顺滑的胡须紧紧缠住。这正如用彭托皮丹的眼光看这个世界的自然历史。要是认为南方反对者首领害怕废奴主义者带来危险，这就会让我们否定他们。但是，务必注意他们会利用这激起轻易上当的同伙的愤怒和恐惧。他们之所以会愤怒和恐惧，不是因为他们认为奴隶制很弱小，而是因为他们认为奴隶制很强大，他们不是利用奴隶制来推翻政府，而是使奴隶成为自己政府的主人。因此，他们想以叛乱作为革命的一种手段，这种目的越来越明显。如果他们得到革命的结果，即使结果不像他们所期盼的样子，那么美国人民会以自己的生存为代价，把他们从革命中解救出来？他们肯定会竭力阻止林肯的当选，但这仅仅是他们反对的借口，而非真正的原因。废奴主义在一两年内仍被部分热心人士轻蔑地视作异端邪说，其重要性还不如选举一个社区的警察。而且，他们的基本原则尚未统一，因为他们深信，在联邦里奴隶制的地位不可动摇。尽管有过上文所说的名言，可大成果不是出自小事件，更不是出自不成比例的小事件，而是出自在某种特定环境下所进行的大事业。就像辛苦的妈妈为给孩子创造奇迹而付出所有代价一样，橡树种子为孕育橡树不断伸展树上细长而强壮的枝条。但是，真正的奇迹存在于能聚集自然万物的力量中，帮助种子完成其使命的强大联盟中。

过去十年，每一事件在反奴隶制的事业中都起到作用。但是，作为传道者的加里森和菲利普斯一直以来比奴隶主自身还差，因为他们自己越来越做作，对自己的侵权越来越无知。他们拒绝让守护者了解自由和民主，通过这种方式他们强迫自由州的每个选民都要思考这个问题。即使在堪萨斯州的暴行事件过后，北方民众决心抵抗他们，但是大家普遍不愿发起攻击。3年前人们支持战争的一致意见一定程度上只是反奴隶制情绪的结果，这种情绪远低于对废奴主义的热情。不过，战争中自由州的奴隶主联盟每刻都使成千上万人变成废奴主义者。任何民族的公众，不管他们多么智慧,都很少为关于人性和公正的抽象思想原则所感动,直到这些思想原则和尖锐评论使他们明白自己的权利受到侵犯,从而激起他们的本能和愤怒。这样,他们实际上从更高的思想、严苛的惯例中获得无穷无尽的前进动力。援助不可能形成政治力量,除非他们个人意识到自己的错误和眼前的危险。最后,他们命中注定要和西西拉斗争。如果那之前任何人怀疑人类固有的权利是单一的,全世界的压迫是一样的,不管受压迫者是什么人,如果人们无法看到这场斗争的实质是什么,那么我们中间倡导奴隶制的人就会设法让人怀疑《独立宣言》的基本原理,而且基督教的根本信条就无法让人看明白。

人们越来越接近那些一开始就推断出的必然结果,林肯的政策很明智地与具体事件联系起来。在这个国家,所有知识渊博、思想深邃的人往往是政治管理的最佳人才。迄今为止,总统先生制定的一系列措施所体现的智慧已经得到事实的证明;那些措施的实施不断产生更加坚定、更加统一的公共舆论。林肯总统在公共演讲中让人感觉亲近的口吻尤为令人敬佩,这是只靠说话风格很难达到的成就,毫无疑问,这也是林肯个性的表现。一个民选的领袖本质上应该有些高贵的东西,能屈能伸,有一种令人信任的舒适感,从而不减人们对他的尊重;他身上应该有一种能量,有一种能冲破传统所要求的礼仪,而且他相信自己有智慧,值得选民的信任。没有什么比赞美和简单的信任更高贵了,林肯通过简单直白的演讲说服美国民众。事实上,他才是一个真正的民主主义者,他把自己的理论建立在民众也可思考的假设上。"来吧,让我们一起来分析这个事件。"这是他对民众做演讲的一贯口吻。由此,我们从未有过一个最高行政官在为自己赢得国民好价的同时还赢得这么多的国民爱戴。

对我们而言,林肯的追随者对他的单纯信任十分感人,而且这成功验证了我们始终支持的理论——人民可以自主管理自己。林肯从不埋怨民众的情感,也不提及自己出身的卑微。事实上,他从没想过有什么比勇气更好的出发点,把自己和演讲对象放在同一位置,而不是屈尊接近他们,他只是认为他们同样有思想。在最近刊登在《国家报》一篇文章中,拜雅特·泰勒先生提到,最令人震惊的是,在五点区最肮脏的地方居然发现林肯的肖像。被迫安居在那儿的可怜人曾经都给林肯投反对票，然而，他们却本能地颂歌林肯善良的本性。他们的无知迫使他们出卖自己的选票以挣回金钱，但是，他们身上留存的勇气使他们认识到自己崇高的道德精神和殉道精神。

林肯从不说"这是我的观点"或"我的理论"，而是说"这个结论是根据现有的条件，我想该结论对我们来说更好，所以可以下这样的结论。"他制定的政策往往是公众的政策，而且是在充分讨论的基础上对过去事情的及时领悟，形成对未来事件有特色的预测。

林肯最成功的秘诀之一是他那种忘我的精神，这种精神使他即便在必要的条件下也不会用大写的"我"来称呼自己，任何时候他从不会以自我为中心，这一点牢牢抓住公众的心。世上没有什么人需要下如此不同的工夫发出单元音。一个人似乎应该隐藏在其真实演讲的后面，或如果要站在演讲的前面，他应该只用一种令人愉悦的个人腔调来演讲；另一个人则应该为了自我满足而挑衅其听众，而且毫无理由地侵犯每个人自我的重要性，就像干燥的东北风吹进逆风者的血肉一样，刺痛他们浑身虚荣的毛孔。林肯从未学过怎么演讲，可他的个性化演讲中却有着一种朴素自然的美国主义的东西，这种演讲胜过其他所有的演讲。他在演讲中完全不用"我"字，而用能赢得听众赞同且具有信服力的"我们"，来表达他伟大国民的强大力量。他如此真挚地代表人民，以至于当他演讲时，人们感觉好像是自己在倾听自己思考时内心发出的声音。他的思想之所以高贵，不是因为他运用什么华丽词汇，而是因为他坚定目标，勇敢行动。在克里昂将军和诡辩家亚德身上，完全找不到林肯公众演讲的表达方式，他们无法用他们煽动性语言来贬低林肯。林肯总是在演讲中赞美别人的智慧，而不是提他对别人的偏见、愤怒，也不觉得别人无知。

在林肯遇刺的当天，一个朴素的西部律师被另个党派称为粗俗的小丑，同时，这个律师的支持者被遣责为空想家，说他缺乏政治管理的一切要素。然而，他却是基督教国家中最完美的领袖，他只坚持他的好性情，让他的人民学会理解，懂得高瞻远瞩。不仅如此，他除了调动自己的臣民外，也使全人类都站在他一边，支持他。他真的是勇气十足，无需任何传奇般的虚假感情！在这个时代，一个平民百姓显得如此笨拙（因为他不讲究什么正式的礼仪），但他却给世人留下一种无可比拟的美誉；他留给世人的记忆比任何公众人物留下的还要高尚；他留给世人的不只是具有深远意义的绅士气质。在那个令人震惊的四月的一个早晨，从未出现过这样的一幕：大家都为一个从未谋面的人的逝世痛哭流涕，好像恶魔夺去他们最亲的人，使他们陷入更冰冷更黑暗的深渊；从未有过一首哀歌比那天陌生人遇见时的悲伤表情更意味深长。之所以如此，是因为他们失去了一个共同的伟人。

论民主[①]

Democracy

[美] 詹姆斯·罗塞尔·洛威尔

[①] 1884年10月6日在就任英国伯明翰和米兰德学院主席时的演说。

他一定生来就是领袖，或率众而为，或领入歧途。他来此世间既不会协调关系，也不能平衡各种利益，也就是说没有处事的幽默感。然而，他虽已年迈，仍如年轻时一样，对自己所持理念自信满怀，并坚信其所持信念能为世界带来和谐。在此纷繁变化的世界中，一切皆如海市蜃楼，唯有区分现实与表象，是我们恪守坚持之事，作为年长者，他的确具备常人不具的坚定意志和行之有效的能力，可以肯定，他能明辨是非，审时度势，不愧被人称作智囊，虽然这都是他的过去，但现在当他阐述个人观点时，他仍能辨析明理，击中要害，让人信服。在这个平凡的世界里，几乎每一小时，各种报纸杂志都充斥着关于种种聪明人的报道，有的人自作聪明，有的则是公认的睿智。报道中这些聪明人能简明扼要，论述关于人类思想的所有话题，对他而言这些话题看似雷同，而其他寻常人等却根本想不到这样的话题，这些话题展示出人们想要表达的思想。但是，这些说辞不过虚妄，和其他空洞的言论别无二致，只是贴上了公众许可的标签，这样看来，一直唱的老调上又怎能在单弦琴上弹出新曲。在此关键时刻，人们不禁会想，如能将字典中成堆的词汇推倒重来，说不定会意外发现让更多人接受的表达和意义组合，将这些词组精挑细选，重新整合，我们有可能会在其中发现一些犀利的建议，它们具备新锐的思想或言论。可天知道！这似乎只有伟大的诗人才有此天赋异禀，他们有着如潮思绪，能文采觅新，立意宏远，话题不断。其余人等，不过只是在一遍遍重复以前的话。凡读过亚里士多德写的书，人们都会认为，万事万物普遍应用之理皆需运用观察之法，才能得出最后结论，而反之，凡已经攀登上柏拉图之塔的人，如想从中寻求真理，将永不会想登上另一座利用重重推理之利的高塔。仅此而已，如若不然，人们怎会保持沉默，干吗还要说出让大家迷惑不解的话呢？然而，让人沮丧的是，人们往往期盼能在有限的时间内，完成使命，提出新的观点，仿佛人的思想就是沙漏，只需要摇几下，倒过来又倒过去，不管在什么情况下，都能精准无误运行，按时分配六十分钟的时间。我重又想起已故著名的自然主义者艾格西曾说，当他第一次作为教授进行授课时（我认为是在苏黎世），他顾虑重重，担心不能讲完一小时四十五分钟的既定课程。他没用讲稿，不时焦急地看着摆在他桌子上的手表。"我已说了半个小时，"他说："已经说完我在这个世界上知道的所有一切，一点不剩！然后，开始重复自己所说的话。"接着他又恶作剧地说："从那以后我没有做别的事了。"在这夸张而又幽默的故事背后，我似乎看到了一张非常严肃的脸和高尚的品质。然而，如果一个人说他只能说这么多，然后就打住了，他的听众一定会觉得他骗取了他们的信任。让我们以法国人的勇气为例，法国人出口的波尔多葡萄酒与日俱增，而种植葡萄的葡萄园的土地却越来越少。

在我看来，一想到这些事，就让人多少有点绝望，可岁月流转，不能延误。因此，我觉得自己身负使命在此发言。在我之前，虽曾有众多更为博学之士在此说过同样的话，但是除了出于动机，如审美动机和判断动机之外，以我作为国宾的资质，从处理各种紧急问题和关注国内时事出发，我认为这大概是最明智的，至少是最谨慎的做法——选择一个比较抽象却饶有兴趣的话题，或者期待你们的谅解，对我已有的经历和知识做出较为宽泛的评价。这些经历和知识都来自于大自然恩赐，所见所闻使我能从中得其要领。最易现身的话题往往都关乎精神，涉及各种生活和政治的观念的运行规律，这些观念往往混在一起，纠缠不清，不管是责骂还是褒奖，都是冠以于民主的名义。经过保守倾向的锤炼和教育，去年我亲眼见到了神奇的阿卡狄亚，一个世纪前，法国旅行者为能一睹其芳容，而兴奋惊叹。如今已面目全非，（对我来说，这是悲哀的）从一个世外农庄变成了最糟糕的贫民窟。巴兰的预言只能相信一半。伴随着我们国家政治体制的成长，我从一名年轻人变成了一位老人，我见证了它的进步，如冰川融化，缓慢却无法抵挡，但对某些反对者则视其为堕落。我还曾亲耳听各种智者、能人、怯弱之人做出的预言，并亲自见证了这些预言随事情的发展成了不实之言，我所说的一切都揭示了事情的本质，没人会在乎这些预言家的名声，只不过是笑料一场。1840年我曾听到一个睿智的老先生说，如不取消对选举人财产资格的审查，二十年后马萨诸塞州必会荡然无存。他还说到，资格审查制度将使公共信贷和私人房产都置于煽情的政治家掌股之中。二十多年过去了，我活生生的见证了一切，看到的却是联邦政府还在为其黄金债券支付利息，尽管这耗费了政府近乎三倍的财力但这样做却维护了国家的公信力，此外，政府还耗费了空前大量的人力和财力，以维持国家的团结和尊严。

　　普遍选举权在较大的城镇不能顺利施行，这种情况的确存在，但我想这也是因为行使投票权的人没有受过培训，不知如何行使权力。而公众财产托管人的选举往往被最无知、最恶毒的人控制。这些人群从别国来到我们中间，他们从没体验过美国人自我管理的模式，也不能接纳美国的生活习惯和思维方式。我们城镇虽仍在当地传统势力的控制中，但各项事务都由公众集会商讨定夺，财务管理总的来说公开公正，井井有条。即使在制造业发达的城镇，大多数的选民仍仅靠他们每日微薄的工资艰难度日。因此，不计后果得调整公众开支几乎是不可能的事，但稍微的调整却让守旧的观察家们惊讶不已。"乞丐最终都会掌权，"他们意味深长地叹道："以所有先知的名义，这难道不是乞丐骑到魔鬼头上了吗？"就是因为乞丐敢骑在魔鬼头上，他才不再是乞丐了，他们拥有了一份自己的财产。我们最不该担心的就是财产。它总有朋友，或者说，它总有办法结交朋友。如果财富能长出翅膀飞离它的主人，那财富也能插翅逃离险境。

　　我有时会听到美国人开玩笑地说要把所有的风暴都送给你们，我也有回避控诉的习惯，通过申诉我们能够做到这一点，因为凭借我们的保护系统，我们比其他人更有能力让坏天气变好。一些欧洲国家仁慈心善，给我们送来施舍，而我们向来达不到这种水平制造这种施舍，那么，怎样才能更为高明地利用这一国家体制？而不至于为了施舍，将自己体制出卖给别国。但坏天气还不算我们家门前最糟糕的事。一位法国的绅士，不久以前，忘记了伯克关于控诉全体人民最不明智的忠告，只要他发现有违背道德标准和行为规范的事，他就会控诉指责我们的种种不是，然而他依据的标准却是他自己国家同胞的道德标准或行为规范。要是左拉或者其他一些有力证人能进入证人席就好了，他们能告诉我们那些所谓的道德和规矩，早在我们之前就败坏了。但是，我不得不承认我对这种来自他国的抨击，所谓公开发表地"你是另类"的言论，既没有半点兴趣，也没得到多少教诲。

总的来说，这份长长的犯罪清单或多或少是对我们的严厉控诉。实际上，那份清单上的罪行还不止于此。我们的罪行还在于我们正在让旧世界感染民主这种全新的病毒，生活在所谓轻松环境之中的人们总会找空闲时间，让自己尽情抱怨一番，一旦他们发现滥用那些闻名于世的希腊先哲的名字，情况又会有所变化。这多少也算是一种慰藉，奉承一下他们自己的尊严，吹捧一下他们个人的狂妄，而这些尊严和狂妄都会在我们不安于平凡的意识前，自然而然的退缩，他们都认为我们成了受害者，忍受了前人未曾遭遇的苦痛。因此，他们发现，在一个宽泛的话题之下进行分类会更容易些，只要他们发现任何人或事触犯了他们的神经、违背了他们的品位、兴趣以及挑衅了他们认可的观点，他们都会将其划为民主一类，就像医生将所有诊断不出的病症都认定为痛风，也像倔强的人总将他们的坏脾气归咎于天气。但它真的是一种新的疾病吗？如果是，那美国就不能对此作答吗？即便民主算是一种疾病，难道葡萄虫，口蹄疫，收成不好，英语差，德国乐队，波尔人还有所有生活中的不愉快，以及日后他们兵戎相见的烦人之事，这一切的问题都要归结于这个疾病吗？虽然我已经看到美国的民主都成邪恶的典范，即民主充当了各种事端的源头和肇事者，它被列为异端，同任何因果关系都扯不上关系。当然，这样任意发挥一件事，也算不上什么稀奇。几个世纪以来，一直都是这样运转的，而我们对此更加在意是因为我们生活在一个舆论公开的时代，新闻报纸为所有愤愤不平的人提供了讲坛，给予他们梦想，不管是美丽的泡沫，还是浮云，都被民主一概推到表面，引来人们更多关注时事，与以往沉默岁月相比，沉默和压迫就像盖子，紧紧盖住了装满蒸汽的高炉。伯纳多曾谈起1546年奥地利的低等省份，告诉我们"在那里有五等人：牧师、男爵、贵族、公民和农民。其中，最低等人不在这五等人之列，因为'他们在国会没有话语权'。"①不是农民具有破坏性，也不是错误的信仰让他们起身反抗。教堂的一个神父说，蒲鲁东出生前，财产已被盗窃了好几个世纪。布尔达卢也证实了这点。孟德斯鸠最早提出了国家机器这一概念，他在理论中提出国家应为民生服务。然而，这样说来，教会本身难道不是第一个有组织的民主政府吗？

几个世纪前，人们生存的首要目的是保持自己的灵魂活着。此后，宗教以此为拓展核心，让其充分发挥作用，这带来了巨大变革。即使在宗教统治的世纪，像查理五世一样有远见的人竟看见了政治和社会革命的萌芽。既然人们主要目标似乎就是能让自己活下来，那人们就想尽可能生活地舒适些，这也是整个政治和社会生活的目标。但是，变革之前和变革之时社会也必将发生剧变，尤其是日耳曼人的社会。改革为一直已经存在的不安局势找到了发泄的出口，并指明了方向。以前大多数人也就是我们的兄弟姐妹，只知道他们自己的痛苦、自己的想法和自己的心愿，而现在他们渐渐知道自己的机会和权力。所有能看穿表面，深入本质的人宁愿为此感谢上帝，也不愿苦苦傻等民主的降临，因为穷人拉撒路的脓包里满是疮毒，而财主们对此无药可解。毫无疑问，在大西洋彼岸，伟大而成功的民主美好前景定会深深影响存在于旧世界人们心中的政治报复和理念，这些东西根本无法在旧世界中找到。但是，榛子不论善恶，都是在英国的榛树上发芽成长，不该被忽视。各种思潮相继出现，都出自于原有的共识，这

---

① 应该记住，在农民之下，是另一个更加绝望的阶级，农场的奴隶。相同的证据告诉我们，按照农民的估计的财产比例，农民支付的特别的税款近乎是男爵、贵族、市民共同财产的两倍。而且，上层阶级自我评估价值，而农民的财产却由他们随意设定，关键的问题就是农民没有发言权。——著者注

源于人的本能，我不妨称其为一种遗传的本能，这些思潮或多或少就是彻底地民主形式。在我看来，事实就是如此，它似乎告诉我们，不管用上多么谨慎的言辞或庄严的仪式伪装，英国宪法的本质就是民主。的确，英格兰可以被称为具有民主的倾向的君主政体，因此美国民主制度也有保守的本性。人们常说美国有民主的氛围，我也乐于这样接受这样的说法，因为这意味着人类的权利和义务有了更明确的概念，并开始广为接受。然而，在一些利于施行民主的地方，一种对现行秩序的不满情绪却在渐渐蔓延，就像很久以前，哥伦布力图寻找亚洲的后门，未曾想，他发现自己敲开了美洲的前门。所以，我认为不要在乎各地条件是否有利，如同疾病传播，只要能做好最基本的卫生预防措施，疾病的病毒就不能继续作乱或找到地方繁殖病毒，继而传播疾病，危害人类。皮洛尼尔曾经说过："因此，效果不尽如人意，都是有原因的。"这种言论的目的纯粹就是煽动人们犯错，借此证明，所谓人类的权利都会导致社会动荡，危险重重。然后，他们竟然还想用三段论法论证民主不被接受的事实，这不是危险的无知引发的暴乱，而是高智商的人挑起的反抗——

邪恶的背叛和虚弱的反抗都是徒劳，
只有自己强迫自己，才会成为奴隶。

如果18世纪的法国统治阶级能像关心他们的享乐和礼仪一样，留心一下该做的正事，断头台绝不会用来处置有序且长期稳定的传统精髓。在正常构建的政府中，通过传统的文化精髓，政府首脑与各方势力可以达成一致意见，而政府的意愿和诉求也可传递各个阶层。只有当合理而实际的要求被否决后，人们才会做出无理而不切实际的行为；只有当可能之事遇到阻碍，人们才会认为不可能是容易的。童话故事都是穷人们编造的梦想。不，是情感，它深藏于民主的根基，并不新奇。我始终谈及的是情感和精神，而不是政府的形式，因为政府形式仅仅只是其他副产品，并不是真正的起因。而情感完全表达了人民与生俱来愿望，希望能参与政治，如有必要，还希望能参与政府管理，管理人民自己的事务。这就是新气象，人们获得了越来越多管理政府的权力，并越来越懂得怎样做才可行。我们常提到称此为趋势或潮流，不知从何时起，民主随大势所趋，已朝着稳定的方向发展，说得更明白点，这就是我们早知道的万物进化过程。对肯定要发生的事进行争论是没有必要的。如同刮东风时，唯一有用的说法就是穿上你的外套。因此，在这种情况下，谨慎的人都会为自己做好各种打算，以应付各种不可预测之事的发生。有些人建议我们应该刹车，不要操之过急，就像火车冲下坡时，我们会感到运动时刹车的阻力。但比喻这种修辞手法不能解释什么道理，虽然有时候，比喻发挥着炮弹的威力，可以把人赶回家，可以给人留下深刻记忆。但是，我们深深不安，关心我们的人和其他有经验的人称此为成长的烦恼，不安源于此烦恼，所以不必对我们严厉的警告。我们之前的每一代，当然是印刷术发明后的每一代，都曾或多或少历过这种好事来临，这种好事敲响了每一代人大门。但它不会造访像考特爵士和他妻子的那样的家庭，这些人做事不留名，所以他们从不胆战心惊。最坏的情况就是，这些好事结果都和穷人有关，他们都希望走近屋内取暖，不想在外受冻。看门人却不停地抱怨，缓缓地打开门。"谁在那里，是恶魔吗？"他颤巍巍地问道。然而，人类的管理没有一点好转，但凡明智而善良的人们都赞成这点，——市议员们也赞成这样的预言，认为世界将会醒来，但他们认为民主管理危害社会，世界终会发现自己被割了喉，没了生命。事实上，正好相反，世人醒来，揉揉眼睛，打打哈欠，伸伸懒腰，四处转悠，做自己该做的事，像什么也没有发生一样。制止奴隶贸易，废除奴隶制，解散工会——所有这些优秀的人沮丧地摇摇头，低语叹气。但是贸易公会现在是在讨论而不是在搞阴谋，我们都带着安慰和希望解读他们的讨论的意见，可以肯定他们渐渐明白了公民权的使命和实际立法中的困难。

　　这些人尽干些破坏民主的事，其中最让人费解的就是反对解放犹太人。几个世纪以来，各国政府都有一共同的特点，不愿重用最有能力的人，当然能力最强的人一定是最固执的人。一直以来，人类的生存完全靠这些人——因为这些人，我们有了宗教，有了最纯净的精神世界，在这些人创作的文学作品中，我们的心灵得到了慰藉——还有一种人，他们似乎具有世代相传的天赋，鼻梁曲线优美，血液中偷偷融入了欧洲最高贵的血统，但性格固执，不肯轻易就范。我们将他们逼到了角落他们也开始复仇反击，就像错误迟早会被人发现。他们就在那个角落边设立了柜台，将此设为世界银行，用更加卑鄙金融手段，掌控财政，统治我们大家。你们的祖父曾围攻普里斯特利只是因为你要为他立雕像，让伯明翰成为英国集权制的总部。我们有时也会听到有这样的说法，说这是一个过渡的时代。这样讲似乎点明了问题所在，但如果有人能指出这个时代并非如此呢？如果他能，他将告诉我们这是一个停滞不前的时代。对于我们来说，如我们眼前的所有问题一样，这个问题就是要平缓而顺利地过渡，这样可以证明我们的观点是正确的，不至于使这趟列车误入悲剧的歧途。我们都应该记住，对于轻视教育的人来说，在命字前加上"革"字是个最自然的事。一个一直和命运风暴作斗争的伟人被世人称为高尚，但毋庸置疑，一个人若能同诞生的新势力不断斗争，最终掌控这些势力，使其为正义服务，这样人则可算是崇高。这样做并不危险，如果真有此事，那它仅仅只是更好的教育了人类，应以更加宏观的视野追求理想。

我曾暗示过了，对于民主，人们所担心的并不是民主本身，而是担心民主会导致的必然的联系和结果。人们很多人认为民主会降低人类素质，个性和文化传统将从此变得平庸，最终消失殆尽，人们对生活的理解将变得平淡无奇平庸，继而并因此影响到人类的道德、举止和品行——最终危及财产和财产所有权。但我认为人们愤愤不平，真正想要控诉的不平事应该是民主的习惯，即无论处于何种困难时刻，不管当权者具备怎样的权力，都必须接受民主的质询。因此，民主的自我机制使其自身得不到广泛的支持和认可。如果当权者能在某种情况下，对这不可避免的问题，可能给不出满意答复，这使得当权者们对此感到非常不满，其实他们根本不用这样。很少有人会花时间力图探索民主的真谛。可是这样做将大有裨益，以前因为我们总认为民主是违背法律，不可确定的，无法准确地用语言来表达，人们认为民主属于黑暗的世界，无论是精神或是肉体，民主的世界里满是各种妖魔鬼怪。然而，民主无非是政府的试验，在新的土壤中焕发出更多生机更容易成功，也它也必将在所有的土壤中尝试栽种，有了滋养的土壤，民主必会屹立不倒，将其优点发扬光大，一如在民主进程之前的其他形式，因为这是政治运动发展的永恒方向，没有捷径可言，更不是机械运行。

　　林肯总统定义民主为"民治，民享，民有"，这是一个对民主政治运行的最精炼的表达。西奥多帕克说"民主不是说'我和你一样好'，而是你和我一样好。"这就是民主的伦理道德观，这个解释是其他解释的必要补充；民主概念可以轻松地解决年老的斯芬克斯提出的关于政治和社会经济的所有谜题，一开始斯芬克斯就一直坐在路边向人们提问，可是人们虽才能非凡，却只能给出错误的答案，而民主概念却给出了一个真实而可行实际答案。在这个意义上，基督算得上是第一个真正存在的民主主义者，就如剧作家德克尔说他是第一个真正的绅士。这些人物都很容易被复制，在他们之间，都有很多相似之处。波斯寓言诗人杰拉拉丁（Jellaladeen）告诉我们一个美丽生动的故事："一个人敲响了爱人的门，从里面传来一个声音'是谁在外面？'他回答'是我'，然后里面传来声音'这座房子装不下你和我'；然后，房门没有开启；这个人走进了沙漠，独自斋戒、祈祷，一年后他回来再次敲响了门；再一次传来一样的声音'是谁在外面？'他回答'你自己。'最后门开了"。但是，你也许会说那是理想的世界，这个世界完全是现实的。我也承认这一点，但是我也是一个相信事实并非一成不变的人，理想是民主的基石。以前人们曾认为，民主只可能拥有很小的疆域。毫无疑问，民主的确是还被严格界定，因为在民主范围内所有公民都能在大会上直接决定公众关心的每一个问题。在领土狭小的瑞士阿彭策尔州就有这样的情况。但是，这种人民直接干预自己事物的做法并不是民主的本质，而且这种办法根本不是必要的手段，对于大多数情况，这种办法完全不切实际。林肯先生对民主政体的定义已经相当足够应用于现行政体，而且现在这种民主政体正在运行，在这一个政体中，虽然最高权力机构居于人民之上，但各权力机构只能间接作用于国家政策。我们这代人已经见证过皇室操纵下的傀儡民主，在这种政体下，现行的政体并不属于其统治疆域里的所有居民，只有少部分公民享有参与公众事务的权力，而这种公民资格又因各种限制条件受到进一步约束，这些条件有时候是财产,有时候是出生,而年龄和性别,则一直被作为限制条件。

美国宪法的制订者不想也不愿用严格的词义界定民主,尽管如此,严格界定民主却是大势所趋,政府已经详细阐释其民主政府的发展扩张计划,每一个计划无不是朝着民主的方向前进。但是,总的来看,这是缓慢发展的结果,而不是一时的理论创新。事实上,宪法制定者对理论深有疑惑,可他们却作出英明的决策,没干蠢事,与过去完全决裂。立宪者们没有也被法国人的谬论蛊惑,法国人认为全新政府体制的制定如同定制一件新衣。当然,美国的立宪者们也想到定制一件拥有全新血肉皮肤的新衣。就在织机轰隆隆运转的时候,原材料被织成衣服,衣服里织满了他们深思熟虑后的想法和总结的经验。但是,他们充分地意识到传统和习惯的价值,认为它们是伟大的盟友,可以永久相伴,关系稳定。他们都厌恶属于他们种族的大变革,其中的大多数人都不相信人的天性来自于信念。情绪激动的一天过去了,人权从没有被如此高度赞扬过,也没有被如此精细分析过,他们无从利用和参考。这就成了一个实际的问题,所以他们致力于解决这个问题,因为有知识、有判断能力的人就应该做这样的事。他们的根本问题就是如何调整英式的原则和前人就有的习惯,以适应美国生活的新环境,并以他们非凡的判断力解决这些问题。他们设置了尽可能多的障碍,不是为了阻碍人民的意志抒发,而是为阻挡人民的各种古怪想法。排除其他可能性,立宪者可能已经认可了早就广为接受的三段式推理逻辑——民主、无政府和专制。但是,这个公式是构建在某些小国的经验之上的,这些国家封闭在狭小的空间里,人们生活水生火热,只有相当少的一部分居民是公民和市民,在这样的国家里,每一份热情都伴着谣言的集结,在每家每户人人相互传递,直到每次热情的冲动汇聚在一起,最终变成不理智的行为,每一次群众集会的作用就是向人们灌输煽情的诡辩思想,结果集会成了暴乱,整个局势更加危急,因为集会得到授权,符合法律程序。①幸运的是,美国立宪者们的情况完全不同。他们曾打算为四下

---

① 电报的作用就是复制这些群体的情感,也许是需要权衡的观点。作为人道主义的粉碎机,达尔文主义也需要考虑在内。——著者注

分散的民众和各联邦州制定法律，各联邦州已在部分独立的原则下开始行使权力。他们拥有无与伦比的机会和许多好处。他们必须准备的材料已经具备民主的习性和本质。经过近一个世纪以来的独立政府的教育，民主在他们的手中已得到驯化。他们唯一能做的就是给柔弱的大众群体一个永久和保守的民主形式。在给予他们新机构动力和方向同时，尤其是为其提供支票和账目平衡时，他们帮助和保护了联邦组织。好几个州都同时存在不同体制，有时甚至是相互冲突的利益和社会体系，它们结合成联邦体制，成为联盟，组成一个联邦国家，构成该联邦体制基础就是不断地调和和妥协。瓦解这一体制的各种因素成了政治培训中的最佳导师。他们的子女很好地学会了妥协这一课，并将妥协用于解决根本的道德的问题，结果其后的代价就是内战爆发。我们曾因妥协学会制造一把很好的保护伞，但伞顶却不够牢固；它是一种暂时的权宜之计，这是党派政治斗争中的明智之举，但对安邦定国而言，却愚蠢至极。

整体来看，这样能证明美国的民主的试点是失败的吗？如果已经失败，那旧世界又怎会焦虑不安，担心感染到美国的民主呢？如果民主试行的群体是同一个种族、使用相同语言、拥有一样的文化传统，那么践行民主就不会面临严峻的形势。然事与愿违，美利坚合众国素来不得不接受和同化大量外来人口，这些外来群体千差万别，他们不接受自己的国家，更别说接受法律保护。过去，这种状况经常发生在传统的爱尔兰人身上，他们登上了纽约海岸，当被问及持有什么政治观点，或被询问爱尔兰是否有政府，或有人说，爱尔兰有政府时，这些爱尔兰人会嗤之以鼻，反驳说，"thin I am agin it!"（我反对政府）我们的移民来自欧洲最贫穷的，最无知的，最骚乱的人群。现在我们已经使他们转变成为良好公民，他们为我们创造了财富，为捍卫我们的国家和制度做好了牺牲的准备。因为他们知道他们值得为此牺牲。当然也有例外，那就是聚居在大城市里的无知贫民。（他们也是额外可怜的族群）。但是，这个社会体制仍然力图寻找的系统，看起来并不像大家眼中狼一样可怕。另一方面，就在此时此刻，爱尔兰农民悉数买下美国马萨诸塞州所有的破旧农场，过去他们勤奋而节俭，为英国的祖先们创造了丰厚的利润，但英国人却将他们抛弃，如今同样凭借他们的勤奋和节俭，爱尔兰人让马萨诸塞州的这些农场重获新生，重新开始生产。对于这些已有的成果，甚至是平凡的成果，（如果你选择这样称呼它们），来自各方的势力，哪怕是最不和谐的势力——我认为应该是最顽固的势力——都认为在现行系统中某种仁慈的美德能起这样的作用，这不可能单靠运气。

卡莱尔轻蔑地说，美国这两个字的意思就是每天给每人烤只火鸡。他忘记了这是联邦制的国家，正如培根描述的战争一样，国家就是将各个州吞进了他们的肚子里。至于财产的安全，它应该会被安全的存放在这个国度里，一切无虞。虽然只有为国家创造财富的人才能有资格拥有财富，但这个国度却给了每个人获得财富的梦想和希望。让最大人群拥有保留财产的利益，让最小的受众也享受到利益，对解决任何事来说，这难道不是最安全的策略吗？实际上，有远见的人认为财富力量的增长以及这些力量的联合，将在不远的将来，成为威胁美国联邦体系的主要危险。毫无疑问，个人拥有财产的权力是理解迄今文明的基石，可有人告诉我，财产所有权应排除在考虑范围之内，因为财产承担了国家的所有负担，这样的说法，我都听得有些不耐烦了。的确，财产支撑着国家运转，这是财产最经常担当的重任，但贫穷的代价却是给国家带来战争、瘟疫和饥荒。财富不应该忘记这点，因为贫穷已经开始不时想到它。不要误解我。我和所有人一样，都想尽可能弄明白这事，都高度推崇财富和财富继承的价值，认为它应受到严密的保护，它滋养了各种艺术，生活变得高尚而美丽，人们安居乐业，认为值得在这个国家长久定居。众多英格兰人的祠堂成为孕育这种文化的摇篮，并成为民主文化的样本，让所有人受益匪浅。旧黄金时代总有一个让人受教的美德，因为新的黄金时代必会成长变老，才能激发下一个新的黄金时代，我不应该在你面前想到未来，以捍卫或批评任何形式的政府。所有的政府都有他们的优点，也有他们的缺陷，这一切只是阐释一个种族历史发展的一个或下一个阶段，它传递了人文精神。关于世俗，没有几个人能经受得住经验老到的刑事辩护律师的盘问。除了绝顶睿智，善良无比的专制君主，除了那满头白发的布朗宁国王。

> 很久以前
> 在世界的早晨，
> 那时地球比现在更接近天堂。

如果英国人没有通过讨论就发明了政府这种形式，至少在实践中，英国将政府这种形式带到了离完美最近的地方。它似乎是一个安全合理的发明，得到了全国上下的关注，比起通过打斗来解决问题，这种办法肯定更胜一筹。然而，如果有人要喋喋不休地问，这为什么应该被称为政府，它不得不在口袋中摸索好一会儿，直到它找到那个能给出答复、充分说服人的零钱。由此看来，它也开始怀疑议会和国会是否坐落在威斯敏斯特还是在华盛顿，或者是在某重要期刊的编辑室中。所以，在权威和可靠的结论没有成立之前，每一件事都将经过透彻剖析。那么，大多数的人又是怎样评价我们提及的政府呢？一个生活在18世纪的人称自己是一个公正的观察员，只是数量上占有优势似乎是得出真理的笨办法，和以前的能想到的办法别无二致。但是，经验明确显示这将会是个便捷途径，在任何给定时间内，确定什么可能是权宜之计，什么是值得参考，什么是实用可行，真理毕竟总戴着不同的面纱示人，或许它觉得过得乏味，以至于没等所有人都接受它。据说，真理就躺在井底，也许因为某个原因，任何人探头望向井底寻找真理的人，只看到井底有自己的影像，这些人不断说服自己，说他不仅见到了女神，而且此女神比他想象的更美丽。反对普选的观点同样无法说出真理。"是什么"，我们惊呼："让汤姆，迪克，哈瑞应和我在天平上有了同样重量？"当然，这再荒谬不过了。比起设计一个更精妙的选举制度，普选是更明智的选举手段。大会成员可以全由神圣的艺术家和医学大师组成，当然有时，这些人也会在投票过程中，稍稍显露出他们的爱好和偏见。

如果尊贵的权威和开明的阶级坚定不移地开拓人类的事业，是不是就没有必要付出更小的代价去尝试新办法？民主理论指出，宪法拥有最广泛的基础，宪政体制是最稳定的政体，而选举权就是由所有选民打造出来的安全阀，所以，教一个人学会怎样选举的最好的办法就是给他实践的机会。这个问题已不再是学术问题，无需再问"给予每个人选票是明智的吗"这样的问题，而应该问一个更实际的问题"剥夺整个阶级的选举权是谨慎之举吗？"根据推论，从长远来说，振奋人心比压制民意耗费更少，对社会而言，人民手中的选票远不及人们头脑里的错误观点危险。但是，无论如何，这都是两难的局面，对此人们思绪万千，民主又在某个时刻困扰我们，在政治上这种进退两难境地就像紧握住了牛的犄角，这比用耳朵找到狼，更加难以控制。有人说，如果不加鉴别，随意授予普选权，普选权就没有价值。就这一点而言，此话是有一定道理的。据我观察，人类最在乎权力就是特权，哪怕特权是葬礼上的丧主，距离死亡最近。但过高估量特权的作用，就没有危险了吗？若否决特权，人们必会力图寻找某种非法途径，以弥补人们对特权的渴望，这难道就没有危险了吗？在公众事务上有话语权的人会立刻联合一个或者是其他大的党派，在各党派间，社会由此分为不同群体，有话语权的人会将他们个人的希望和想法融合进特权，使其处于更为安全的范围内，进一步概括地说，由于特权的约束，人们的希望和意见都受到规范，在某种程度上，这就意味着要学会具备军人遵守秩序的品质。他们不再属于一个阶级，而是属于法人团体。至少有一件事我们可能确定，在一个尽可能设计方法让人出错的体制下，最终将找到那个能拥有神圣权力、统领四方的人，对大多人而言，最高的特权所能激发的就是让最睿智的人来管理特权。

在改革的理念下，美国的普选有时成为一种变化草率的工具，这个观点源自误解，没有理解全民政府的真正意义。其中一个误解就是很多州用全民选举代替了公务员选拔，用以挑选法官。人们早就用次体制挑选军官，结果在内战时期引发种种罪恶，所以我相信，事事都用普选选拔必将会被废止。但在关乎国家政策的重大问题上，普选制却又是完全正确的，在关键时刻，它保留了审慎的态度和自由量裁权，可以让大多数人接受更明智的决定。从长远来看，民众申述的理由都是正确的。也许民主总得不到正确理解才是真正的实情。人们废除了绝对服从的原则，其后果就是民主就不得不放松了尺度，放纵了纪律约束的弹性，虽然这一原则对"联邦的统一和各州关系的和谐共处"至关重要。但是，我相信经验和实行必要的措施将治愈好这个恶疾，有迹象表明他们似乎能治愈其他恶疾。那么在什么样的政策框架下，这些恶疾能找到根治的办法呢，在怎样体制框架下，人们会不再容忍这些恶疾的存在，抛弃掉他们好逸恶劳和无动于衷恶习，并产生惧怕感呢？有人告诉我们民主的必然结果是破坏个人独立的基础，削弱权威的原则性，减少对杰出人物们应有的尊重，人们将不会在乎这些杰出人物是否有身份地位，是否品性纯良，是否天赋异禀。如果事情的确如此，社会不可能一并容忍。也许孕育坚强个性的最好温床就是公众观点趋于权威专横，因为这样的人肯定具备英雄气概，会在人生最鼎盛时期，头戴软帽，信步走在皮卡迪里繁华大街。至于权威，在这个时代的表征之一，就是对宗教权威的敬畏在各地都呈衰落之势，但是出现这种情况的部分原因是因为治国之道已经不在被看作是一个谜题，它是一项事业，另一部分原因就是迷信势力减退在我看来，这种迷信就是一种习惯，尊重我们被要求尊重的东西，而不是尊重本身值得尊重的东西。一言以概之，与其说美国的民主符合人们敏感的神经和精致的习惯，还不如说美国民主较为粗糙而草率。所以，人们轻松容易地承担起自己的政治责任。这种责任就像一个穿得既不自然也不得体的年轻巨人。民主制度和我们其他人一样，都不能跳出自己的影子。毫无疑问，民主制度有时候也会犯错误，向不值得尊敬的人致敬。但是他们这样做是因为他们相信那些事和人，值得他们去做，事实的确如此，民主这个偶像是崇拜者的度量衡，然而在民主体制内，对民主的崇拜却包含了更神圣的宗教萌芽。但错误仅仅归咎于民主吗？

我曾见证，通过民主程序，提议为铁路大王哈德逊的树立雕像，也曾经听到人们视拿破仑为世界拯救者，向其致敬，当然，可以肯定的是，这些人不属于任何民主组织，也没有经过民主教育，所以，我不会认为错误应归咎于民主。和其他事物一样，民主也有更卓越的天赋。我也见过我们这代人中最高明的政治家和最富有才华的演说家，这样的人出生卑微，举止庸俗，没有多少文化，但这无法掩盖他天赋才能，最终他拥有绝对的权威，超越了这个时代任何一个王权，凭借其老实、智慧、真诚、对上帝和人类忠诚、高尚的人性和朴素天性，他赢得举国上下的尊敬。我记得还有一个人，他受人敬仰，头顶光环，有经纬之才，尤为朴素亲切，有最独立的思想。不管他走到哪里，人人都认识他，他所到之处，邻居和朋友都以他为傲，他成了他们装饰的门面和炫耀的资本。这个体制能容纳和培养像林肯、艾默生这样的人，他们一定都有某种有某种巨大的能量。但不是这样的，在此世上有无数的喧嚣和失败，它们皆无果而终。如果有这么一件事，人们对此坚定不移，那此事必有成功之势，如果有这么一件事能使乐观主义都对自己产生莫名其妙的怀疑，那么这都是人们内在的天性所致，因为人们总是热爱、推崇那些比自己更为美好、更出色的人或事。检验政治和社会机构的试金石就是这些机构有能力为他们自己提供这样有价值目标的情感，这是文明和进步的根本。似乎没有更现成的方法，为此提供成长和保持活力的环境，唯有社会这样的组织能让人们尊重他们自己，并昭示大众应尊重他人。

除了公开地民主宪法体制，在所有民主体制下，这样的结果都是非常有可能的。因为我认为拿破仑一世也充分界定了民主真正的实质，他说过法国大革命的意思是"有识之士都有用武之地"——这是一条通向所有美好的坦途。我应该可以这样解释，称民主为全社会的民主，无论对民主有何种政治分类，在民主体系下，每一个人都有机会，而且每个人都知道他拥有民主权力。在此体系下，每个人都能向上攀登，并不断受到鼓励继续向上，他会从一个煤窑最低层向上达到适合他最高位置，他每上一个台阶，政府都会授予头衔，但无论是怎样的头衔，他都不能为名利所动。米拉波伯爵的儿子让·安托万，就是这样的一位长老，拥有政府赋予的头衔，却因保护公众权利而使名声更盛。1771年，他曾写道："在我看来，英国的动荡不安和不幸是阿尔及利亚人的一百倍，因为他们不知道，也将永远不知道，直到他们的过度膨胀的权力瓦解毁灭。我相信这个时刻不会太远，无论他们实行的是君主制、贵族制，还是民主制，希望这三种制度都能发挥作用。"

英国的形式尚未遭遇如此紧要关头，实现安托万的预言，也许民主与名声无关，它只关乎民选政府的实质，关注尽可能发挥事物本身的作用及其能力，利用所有影响人的动机，为每个冲动指明方向，这一切重要因素成就了民主伟大和影响力。也许有一个不成文的宪法是幸运的，因为人们乐于自己改善自己的工作，同时他们会更加甘心用时间和境遇修补时间和境遇所带来的一切。所有自由的政府，无论它们有怎样的头衔，在公众看来，都是现实中的政府，它的成功取决于公众舆论的品质高低。因此，政府的首要职责就是净化人们生存的必需环境。因为更底层的地方也是更加污秽不堪痢疾横生的地方，解决卫生问题就是迫在眉睫的事，这里不时挥发出的有毒气体，将会腐蚀民主的氛围。民主能做的仅仅只是让光线和空气进来，也许这就是最好的解释。主舍布鲁克，用他一贯简洁的警句，盼咐你教育你未来的统治者。但是只有民主，能提供足够的保障吗？要用民主教育那些精英，就需要放大他们的欲望和想法。这样做很有必要。但是这样的精英团队还必须做得更多，只要那些欲望和想法是合法的，他们还应该为满足那些欲望和想法铺路搭桥。如果我们不能平衡条件和命运的差别，也就更不可能均衡人与人之间脑力的差别——一个非常有见地的人曾经说过"两个人骑一匹马，肯定有一个要坐在后面"——可能我们还可以做些什么，来纠正这些方法和造成的影响，避免不平衡状态，防止不平衡状况继续大范围的恶化。人们都瞧不起乔治先生，想证明他在政治经济中屡屡犯错，这固然是好。但我并不相信土地可以被分割，因为大自然规定了土地的数量。这其中的道理还不能说明什么吗？我们更有理由相信，我们应该坚持使用同一原则，对人类才智进行划分，因为我发现，才智的多少受限于更加不均等的分配。乔治先生本人的确拥有更多得才智份额，这是不平等的。但是他激励人们的动机却是正确的。当然，我也深信他的观点是正确的，我们应该坚信人类是政治经济世界的一部分，目前为止，也是最重要的一部分；比起世上最长列的数据，应该认识到人更为重要，也更值得信任。因为如果你没有添加人性，你的总量肯定是错误的，应该去除掉其中谬误的部分。

我不相信剧烈的变化，我也不希望这样的事发生。拥有的东西应牢牢地把握。社会最牢固的黏合剂之一就是相信人类，人类来自于世间万物，是宇宙有序运转的一部分，也可以这样说，就像太阳应该绕着地球转一样，是自然而然的事。如非不得已，人们永不会放弃这样的信念。一个开明的社会应该认识到这一点，不要将意志强加在人们身上。对于个人而言，没有根治的办法，都是天性使然，因为人性本恶。这个道理亘古不变，"要么你成为自己宫殿的主人，要么你被这个世界禁锢"。但是，对于人为造成的罪恶，人类的思想总会在某处找到解救的办法，因为罪恶的根源就是思想匮乏。历史上从没有哪段时间像现在这样，财富变得更加理智，承担起它的职责。它建立医院，制订穷人之间的任务，还捐赠学校。这是财富累积的优势之一，人们从此有了闲暇时光，并有时间去思考他们同胞的愿望和不幸。但所有这些补救措施只有部分作用，仅是缓兵之计。犹如出天花时长出了脓包，有人为了驱除病毒，就把石膏敷在脓包上。然而，正确的方法则应是发现病毒并将它连根拔除。正如当今社会的构成要素，它们存在于社会呼吸的空气中，社会饮用的水中，存在于所用似乎，而且一直认为就是，最纯净、最健康的万物中，然而，社会忽略过的邪恶的元素将破坏这些要素存在的源泉，在它们必经之路上污染它们。然而，让我们欢呼，并请记住：最难以忍受的不幸从未来临。这个世界经受住太多，而且还要经受住更多的多的不幸，人类一直都在想尽办法，希冀在社会中幸福地生活。这体现了宪法的力量，竟让社会在试过假药后幸免于难。命运的天平上，发达的肌肉绝不可能和智慧的头脑一样重。我们解救的办法既不在风暴中，也不在旋风中，它不是君主制，不是贵族制，也不是民主制，有个微弱的声音告诉我们，同良心和心灵来一次对话，这样的对话会力促我们成为一个心胸更宽广、处事更明智的人。

译后记

本卷系《哈佛百年经典》丛书的英美名家随笔部分，收录了部分英美名家的短文共计十四篇。

在这些随笔里，读者可以读到威廉·梅克比斯·萨克雷著的《乔纳森·斯威夫特》；约翰·亨利·纽曼著的《大学的理想》；马修·阿诺德写的《诗歌研究》；约翰·罗斯金著的《芝麻与百合》；沃尔特·白芝浩著的《约翰·弥尔顿》，托马斯·亨利·赫胥黎著的《科学与文化》；爱德华·奥古斯都·佛里曼著的《种族与语言》；读者还可以欣赏到罗伯特·路易斯·史蒂文森写的三篇短文《佩皮斯日记》《一个自由的天才》《名望》；威廉·埃勒里·钱宁著的《劳动阶级地位的提升》；埃德加·爱伦·坡著的《诗歌原理》；亨利·大卫·梭罗著的《漫步》；詹姆斯·罗塞尔·洛威尔著的两篇短文《亚伯拉罕·林肯》以及《论民主》。这些不同名家的短文让读者可以欣赏到作者关于某个特定的主题的一些看法或者观点。比如《大学的理想》，阐述了作者关于什么是大学，大学选址的一些观点，还给我们描述了雅典的大学生活。在短文《约翰·弥尔顿》中，作者对英国十七世纪的著名诗人约翰·弥尔顿进行了比较全面的介绍，让读者对这位著名诗人有了更直观更详细的了解。《亚伯拉罕·林肯》短文里面对这位美国历史上的著名总统处理当时那个时代的美国危机的推崇。这些短文让读者能够从多方面了解西方世界，西方文化。

  本卷在翻译过程中，得到了广西外国语学院的刘琼老师、四川机电职业技术学院的唐晓琴老师、福建农林大学东方学院的高远老师，以及攀枝花学院的韦丽老师的大力帮助，刘琼参加了《乔纳森·斯威夫特》《诗歌研究》和《交流的实质》的校译工作，唐晓琴参加了《劳动阶级地位的提升》《诗歌原理》和《漫步》的校译工作，高远参加了《大学的理想》和《种族与语言》的译校工作，在此表示感谢。

  由于本卷翻译工作时间紧，任务重，难度大，学科覆盖广，加之译者才疏学浅，错误与疏漏在所难免，望广大读者批评指正。

高黎平

2013年7月